# PADRE HIJO & CIA.

**Traducción**
Jorge Cárdenas Nannetti

Barcelona, Bogotá, Buenos Aires, Caracas, Guatemala, México, Miami, Panamá,
Quito, San José, San Juan, Santiago de Chile, Sao Paulo.

Edición original en inglés:
FATHER, SON & CO.:
*My Life at IBM and Beyond*
de Thomas J. Watson Jr. y Peter Petre.
Una publicación de Bantam Books, división de
Bantam Doubleday Dell Publishing Group, Inc.
666 Fifth Avenue, New York, New York 10103, U.S.A.


Directora editorial, María del Mar Ravassa G.
Editor, Armando Bernal M.
Jefe de edición, Nancy Z. de Ujfalussy

ISBN 958-04-1254-5

---

CARVAJAL S.A.
**Impreso en Colombia**
**Printed in Colombia**

A Olive

y a nuestros hijos

Tom, Jeannette, Olive, Lucinda, Susan y Helen

y al

Mayor General Follett Bradley

(1890-1952)

quien me infundió confianza

# INTRODUCCION

En 1956, cuando murió mi padre — seis semanas después de haberme colocado a mí a la cabeza de la IBM — yo era el hombre más asustado del mundo. Durante diez años él me había preparado para que lo sucediera; yo había sido un joven arrogante, impaciente por tomar el mando; y ahora, de pronto, me caía el cargo entre las manos y no tenía ya a mi padre que me ayudara. Había oído muchísimas historias de hombres conocidos que fracasaron en los negocios, y no me costaba trabajo imaginar su amargura al descubrir que no eran capaces de ocupar el puesto de su padre. Me angustiaba pensar que yo pudiera ser uno de ellos. Sin embargo, pasado un año pude decirle a mi mujer: "¡Salí al otro lado durante doce meses sin tenerlo a él a mi lado!"

Resistí otro año, y otro más. Comenzaba la era de los computadores, y la IBM hacía su agosto; mientras yo fui jefe ejecutivo, el tamaño de la compañía se decuplicó, y aun más. Creo que a mi padre le habría impresionado el negocio de 7 500 millones de dólares anuales que dejé al retirarme, en 1971. El siempre había pronosticado que la empresa sería un día el negocio más grande de la Tierra.

Yo estaba íntimamente vinculado con mi padre; tenía una voluntad invencible de probarle al mundo que era capaz de sobresalir como él... tal vez por honrar su memoria, tal vez por pura testarudez. Jamás me consideré vencedor en esa emulación porque muchas de mis decisiones se basaron en políticas y prácticas que aprendí de él; pero, por lo menos, creo que tuve suficiente éxito como para que los demás me pudieran considerar digno hijo de un padre meritorio.

Todo podría haber sido muy distinto. La educación privilegiada que recibí — escuela privada, viajes mundiales, riqueza — suele llevar a un hijo al desastre. Sabía que se esperaba que yo siguiera las huellas de mi padre, pero no veía cómo iba a ser eso posible. Si bien el hombre me inspiraba respeto, ambos teníamos temperamentos tan exaltados que para mí era difícil permanecer en la misma habitación con él, mucho menos aprender de él cómo administrar una compañía.

De joven, no fueron grandes mis aspiraciones. En la Universidad de Brown pasé tanto tiempo piloteando aviones y holgazaneando que a duras penas me gradué. En el anuario, al lado de la foto de cada alumno había alguna leyenda alusiva a sus realizaciones. A la mía lo único que se pudo agregar fue el nombre de la escuela preparatoria a que había asistido. No había nada más que decir. Yo no tenía ninguna distinción, ningún triunfo de mi propia cosecha, y apenas una vaga idea de cómo ser comprensivo con los demás. Estaba bien preparado para ser un petimetre holgazán o un aviador vagabundo.

Si no hubiera sido por la Segunda Guerra Mundial, acaso jamás habría llegado a ser dueño de mí mismo. De 1939 en adelante mi pasatiempo favorito, la aviación, se convirtió en un asunto serio. Me alisté en la Fuerza Aérea como piloto y aprendí a hacerme responsable de un avión lleno de hombres. El Ejército me alejó totalmente de la influencia de mi padre y en 1943 había ascendido a teniente coronel. Si bien no alcancé ningún grado más alto, volví de la guerra lleno de confianza, por primera vez, en que sí sería capaz de dirigir la IBM. Pero antes de la guerra mi conducta había sido tal que mi padre no lo podía creer; tardó varios años en convencerse de que yo había cambiado, y creo que nunca estuvo del todo seguro. Esto se adivina en la foto que publicó el *New York Times* cuando él me entregó el mando de la IBM. Aparecemos los dos estrechándonos la mano con un estante de libros al fondo. Mi expresión es de gran seguridad en mí mismo y es obvio que estoy gozando plenamente de la ocasión; pero en el rostro de mi papá juega una sutil sonrisa de incertidumbre.

Dirigió él la IBM cuarenta y dos años, y yo quince: en total casi seis decenios de administración Watson. A mí me correspondió llevarla al negocio de los computadores, pero fue él quien hizo la compañía, pues cuando yo me alisté en la Fuerza Aérea él ya había llevado el negocio — empezando prácticamente de cero — a ingresos de cerca de cuarenta millones de dólares anuales. En realidad, la IBM era aún una parte insignificante de la escena industrial de los Estados Unidos, pero gracias al genio vendedor de T.J. crecía rápidamente, era sumamente rentable y llamaba mucho la atención. Mi padre sabía proyectar una imagen tan bien como el mejor vendedor que haya existido. En la Feria Mundial de Nueva York de 1939 hubo un Día de General Motors, un Día de General Electric y un Día de IBM: dos elefantes y un mosquito que recibían el mismo tratamiento. Hasta tuvimos al alcalde La Guardia como invitado nuestro en la Feria. El presidente Franklin Roosevelt, de quien mi padre había llegado a ser confidente, nos envió un telegrama de felicitación.

Durante los diez años que siguieron a la Segunda Guerra Mundial, mi padre me enseñó sus secretos mientras trabajábamos juntos. Fueron relaciones tempestuosas las nuestras. En público él me elogiaba generosamente y yo oía de boca de otras personas los encomios que hacía de mi agudeza, de mi inteligencia y de mi talento como gerente. Pero en privado teníamos unas desavenencias tan terribles que muchas veces estuvimos a punto de separarnos del todo. Estas disputas terminaban frecuentemente en lágrimas: lágrimas mías y lágrimas de él.

Nos peleábamos por todas las cuestiones más importantes del negocio: cómo financiar el crecimiento de la IBM, si debíamos transar o pleitear en una demanda por supuesta violación de la ley federal antimonopolio, qué papel les correspondía en la IBM a los demás miembros de la familia. Desde 1950 mi meta — una de las cosas en que nunca estuvimos de acuerdo — fue entrar lo más pronto posible en el negocio de los computadores, lo cual significaba contratar ingenieros por millares y gastar dólares por decenas de millones para construir nuevas plantas y laboratorios. El riesgo hacía vacilar a mi papá, aunque él previó tan temprano como yo el enorme potencial de la electrónica.

Cuando por fin asumí el mando, yo estaba entusiasmado con el cambio. La industria de computadores era enteramente nueva, y siempre me pareció que si la IBM no aprovechaba la oportunidad, otros la aprovecharían. Así que aprendimos a montar un potro desbocado ampliándonos en una escala que ninguna empresa ha igualado nunca. Crecíamos tan rápidamente que algunos años se nos presentó el problema de tener que entrenar a veinte mil o más empleados nuevos.

Yo me mantenía donde los empleados me pudieran ver, al frente, fijando un paso rápido. De mi padre aprendí que aprovechando las oportunidades de acción dramática — contestando personalmente la queja de un empleado, rebajando fuertemente el precio de un nuevo computador que no dio el resultado que se esperaba — podía dar ejemplo de cómo debía proceder la IBM en sus negocios. Al mismo tiempo, yo tenía intereses fuera de la compañía que a mi padre le habría sido difícil entender. En una gaveta del escritorio guardaba una lista de aventuras, como escalar el Matterhorn y repetir los viajes por el Mar del Sur del capitán Cook, para las cuales, sencillamente, no tenía tiempo.

Todo eso cambió en 1970, cuando sufrí un ataque cardiaco. Tenía entonces sólo cincuenta y seis años, y creo que muchos ejecutivos habrían vuelto a la oficina antes que cicatrizaran las incisiones de su triple puente; pero mi experiencia en el hospital cambió mi vida.

Sentí una punzada en el pecho en medio de la noche; yo mismo conduje el automóvil para ir a la sala de urgencias, donde me colocaron un monitor, pero a la mañana siguiente detuve al médico y le dije:

— Mire: yo tengo que salir de aquí. Mi mejor amigo murió y debo asistir al entierro. Después tengo que tomar un avión para ir a hablar en la inauguración de la Escuela de Medicina de la Clínica Mayo; después . . .

Me interrumpió:

— Usted no va a ir a ninguna parte. Usted sufrió un ataque cardiaco.

Me pasaron a cuidados intensivos.

El doctor, Mark Newberg, es una persona a quien le cobré un gran afecto. En el curso de las tres semanas siguientes tuvimos largas discusiones, y al fin una mañana me miró a los ojos y me dijo:

— ¿Por qué no se retira inmediatamente de la IBM? Yo creo que allí ya demostró todo lo que podía demostrar.

Se marchó. Yo no pude almorzar, tal había sido el choque. A la hora de la cena empecé a pensar en las responsabilidades que había sobrellevado durante tantos años y en las muchas cosas que podría hacer fuera de los negocios. Al día siguiente desperté cuando amanecía, y fui a tomar una taza de café al puesto de las enfermeras. Cuando regresé a mi habitación, el sol entraba a chorros por la ventana y me sentí mejor que desde hacía años.

Era como si me hubieran quitado un enorme peso de encima.

Antes de abandonar el hospital notifiqué a mis colegas de la IBM de mi decisión de retirarme de la compañía. Los miembros de la junta directiva hicieron todo lo posible por retenerme; vinieron a verme individualmente y en grupo, pero yo sabía que mi decisión era acertada. Más quería vivir que dirigir la IBM. Era una elección que mi padre no habría hecho jamás, pero creo que la habría respetado.

Esta es la historia de mi padre y la mía, de mis años solo al timón de la IBM, y de lo que he hecho desde que salí de la compañía. Mi padre y yo dimos suelta a nuestras rivalidades y a nuestro mutuo afecto en el gran escenario del negocio que él creó. Yo ayudé a construirlo, y luego lo dejé hace veinte años. Por el camino fue mucho lo que aprendí sobre el poder: Estar sujeto a él, luchar por él, heredarlo, ejercerlo, y desprenderse de él. Aprendí lecciones para padres que tienen sueños para sus hijos y para hijos abrumados por expectativas paternas. Muchos hijos me preguntan si deben seguir a sus padres en los negocios. Yo les contesto: Si pueden resistir, síganlos.

# CAPITULO 1

En la primavera de 1987, poco después de cumplir setenta y tres años de edad, saqué mi helicóptero para ir a recorrer los escenarios de mi infancia. Fui solo, como vuelo siempre que quiero ver algo. Los helicópteros son ruidosos y a veces difíciles de manejar, pero lo llevan a uno exactamente al lugar a donde quiere ir. Uno puede aterrizar en una peña de tres metros por tres en medio del océano o posarse en el jardín de la casa de un amigo. Aquel día de primavera lo que yo quería era ver qué quedaba del mundo en que me crié.

Volé aguas abajo del río Hudson a lo largo de Manhattan, doblando al Occidente a la altura de Broad Street, donde mi padre tomaba el transbordador después del trabajo. En la otra orilla del río, en Nueva Jersey, solía tomar un tren. Volé sobre la vía férrea hacia el Oeste, sobre las colinas ondulantes y los campos de Nueva Jersey, siguiendo el mismo recorrido que él hacía conversando de política con otros de los primeros habitantes de los suburbios como Malcolm Muir, fundador de la revista *Business Week*, y André Fouilhoux, ingeniero arquitectónico y uno de los principales proyectistas del Rockefeller Center.

Mi niñez transcurrió en el pueblo de Short Hills, a 32 kilómetros de Nueva York. En los años 20 era una pequeña comunidad elegante poblada principalmente por familias cuyos jefes se movilizaban a diario como mi padre, por lo cual los conocían como "los de la ciudad". Tenía estación de ferrocarril, iglesia episcopal, una escuela privada y otra pública y casas grandes levantadas en terrenos de una a dos hectáreas. No me costó trabajo encontrar la nuestra, con su tejado de dos aguas. Está situada sobre una colina baja y es un duplicado casi exacto de la primera que ocupamos en ese mismo sitio y que mi papá incendió accidentalmente, tratando de demostrar cómo se debe utilizar una chimenea. Después de ese episodio cuidaba mucho de que todo fuera a prueba de incendio; la techumbre de la casa actual es de pizarra.

Detrás de la casa teníamos gallineros, una huerta grande y un corral para un pony; todo eso había desaparecido, pero divisé el largo camino de acceso donde mi madre me enseñó a conducir automóvil cuando yo tenía once años. Cerca de allí distinguí dos lagunas que fueron parte muy importante de mi niñez. Tan rural era entonces aquella región de Nueva Jersey que todavía en las afueras del pueblo había gente que se ganaba la vida poniendo trampas en los pantanos. Cerca de éstos no vivía nadie cuando nosotros llegamos. Sólo había un gran depósito de hielo, construido de madera, a donde llegaban trineos tirados por caballos para acarrear grandes bloques de hielo en el invierno. Cuando yo tenía once o doce años, mis compañeros y yo llevábamos a las niñas detrás del depósito para jugar a besarnos.

Me hubiera gustado aterrizar y pasear un poco a pie, pero hoy las orillas de las lagunas están llenas de casas y no había dónde aterrizar, de modo que me volví a elevar y volé sobre un camino serpenteante que seguíamos para ir a una finca que mi papá compró en 1927, cuando empezó a sentir la primera oleada de riqueza después de dirigir la IBM durante trece años. La finca, que bautizamos ''Hills and Dales'', quedaba cerca del pueblo de Oldwick, 32 kilómetros al oeste de Short Hills. Localicé muy fácilmente a Oldwick, pero cuando busqué a ''Hills and Dales'' en las afueras del pueblo había tantas carreteras y sedes de corporaciones que no la encontré.

En Short Hills me conocían a mí como Tommy el Terrible, pues dondequiera que hubiera travesuras no podía faltar yo. En los años 20 no estaba de moda la rebelión juvenil, de manera que yo no era popular. Mis condiscípulos sabían que estaba dispuesto a ir a divertirme a la primera oportunidad, y ninguno me creía capaz de hacer nada de provecho. Sólo tenía un puñado de amigos. Los demás chicos se consideraban superiores; y, lo que es peor aún, yo era muy sensible al hecho de que evitaran mi compañía.

Cuando tenía diez años, un día estaba jugando con un amigo llamado Joe, cerca de una casa que estaban reparando en el vecindario. La puerta estaba abierta y vimos dentro latas de pintura, brochas y trementina. Tomamos un par de latas y, no sé cómo, acabamos pintando toda la calle.

Mi madre nos sometió a interrogatorio y confesamos que la pintura era robada. Ya con anterioridad ella me había prevenido contra el robo, sin éxito, y esta vez resolvió, según creo, que debía hacer algo dramático para que yo no acabara por ser un ladronzuelo. Mi madre era por lo general de un temperamento suave y dulce, pero si le parecía que las cosas se le estaban saliendo de las manos, era muy capaz de actuar en forma drástica. Así, pues, nos llevó a la estación de policía. Supongo que le había avisado antes al jefe, pues éste nos estrechó la mano y nos dijo: "Me alegro de verlos. Quiero hablarles de los presos que tenemos aquí. Unos están presos por asesinato, otros por robo, pero la mayor parte por simple ratería".

Ya para entonces teníamos los ojos muy abiertos. En la estación de policía tenían una cosa que no he vuelto a ver jamás: una especie de jaula, como del tamaño de una casilla telefónica, que se abría por el frente. El prisionero montaba sobre una barra y lo encerraban con llave. Debía ser para interrogar a los sospechosos. Se podían mover un poco, pero salirse no. Recuerdo muy bien cómo se sentía uno. Después el jefe nos llevó atrás y nos metió en un calabozo. "Estar en la cárcel es una cosa terrible", nos dijo. "Muchos se vuelven reincidentes, y ahí tienen ustedes una vida perdida". Después de este incidente tuve pesadillas. Soñaba que me metían en el calabozo sin haber cometido ningún delito.

A mi madre le dábamos realmente no poco que hacer. Se casó tarde, a los veintinueve años, y tuvo cuatro hijos en el lapso de seis años: yo, mis hermanas Jane y Helen, y Arthur, a quien todos llamábamos Dick. Aunque yo era el mayor, mi mamá no esperaba que le ayudara a cuidar a mis hermanos menores, de modo que de niño anduve más o menos por mi cuenta. Quería mucho a Dick, pero él era muy pequeño para ser un compañero interesante. Helen, inmediatamente mayor que él, fue siempre mi fiel amiga. Si me veía con un paquete de dulces robados, quería saber qué era pero yo podía estar seguro de que delante de mis padres no diría una palabra. Más difíciles eran mis relaciones con Jane, cuya edad era más próxima a la mía. A veces me acompañaba en alguna de mis pilatunas, pero luego se arrepentía y confesaba y me metía en problemas. Además, era la consentida de mi padre. No había nada que él no hiciera por darle gusto, y ella lo llamaba con el curioso nombre de "Mi Alegría" en vez de decirle papá o padre. Esto comenzó como palabras cariñosas, pero siguió diciéndole así toda la vida. Mi madre consideraba inapropiado que él tuviera preferencias, pero no podía hacer nada por impedirlo.

El hecho de que no fuera yo el preferido de mi padre no me sorprendía, pues desde muy temprano en mi vida me convencí de que algo me faltaba. Nunca pude adaptarme del todo a lo que los demás hacían. Hay por ahí una película que filmó mi padre de la representación que hicimos en la escuela cuando yo estaba en primer grado, en 1921. Todos los niños aparecíamos disfrazados de abejas, revoloteando en torno a las niñas, que representaban flores. En la película es fácil distinguirme a mí; soy el más alto, huesudo y desgarbado, y mientras los demás chicos conservan sus alas desplegadas y firmes, las mías se me caen y se me tuercen y yo aparezco tratando constantemente de enderezarlas.

Mi torpeza de modales no incomodaba para nada a mi padre, que iba ascendiendo en la sociedad de Short Hills. Ingresó en el club de tenis, formó parte de la junta de educación y de la junta directiva del banco local, y era tal vez el único residente del pueblo que llevaba a su familia a Europa en los veranos cada dos años, si bien en viajes de negocios. Rápidamente llegó a ser un pilar de la iglesia episcopal de Short Hills, pese a sus raíces de humilde metodista. Unas pocas familias consideraban que era un *nouveau riche* y le volvían la espalda, pero la mayoría de los vecinos lo admiraban.

Mi padre era alto; no tenía complexión atlética sino era más bien esbelto, y siempre vestía impecablemente. Cuando éramos pequeñitos dejaba a ratos la seriedad y jugaba con nosotros. Tengo una película en que aparece de chaqueta y chaleco marchando y tocando un pito en un desfile infantil en el jardín. Le encantaba hacer payasadas cuando las tías, los tíos y los primos venían a cenar con nosotros un domingo. A veces desaparecía con mi mamá en el segundo piso, y ella le ayudaba a ponerse un traje de ella. Luego bajaba las escaleras, con sombrero y velo y tacones altos, agarrado de la baranda por un lado y del brazo de mi mamá por el otro. Cuando yo era chico me parecía que era el papá más divertido del mundo, pero por alguna razón su genio juguetón se fue modificando poco a poco, y cuando yo contaba diez o doce años su actitud era enteramente formal y reservada. Esta pérdida de cordialidad y compañerismo me entristecía. Seguramente serían cosas de la edad. Cuando yo nací, él tenía treinta y nueve años, y el hecho de que fuera diez años mayor que los padres de mis compañeros dificultaba que fuéramos camaradas. No era él la persona para salir a jugar a la pelota conmigo ni para invitarme a dar una caminata alrededor del lago.

Mi padre debía saber que tenía un genio incontrolable que lo podría llevar a excesos, porque cuando había que aplicar un castigo hacía que lo aplicara mi madre. Estos castigos eran una especie de rito. Subíamos los tres a su gran baño de baldosas blancas, mi padre se colocaba al lado del lavabo para observar, yo me agarraba del toallero y mi madre me propinaba los azotes.

Pronto desarrollé el sentido de lo que es justo y equitativo, y estos castigos a veces no me parecían ni lo uno ni lo otro. Nunca olvidaré una azotaina que me dieron cuando tenía diez años. Fue en marzo; la nieve se estaba derritiendo, y mis padres me habían comprado una botas nuevas de caucho. Salí corriendo de la casa y para probarlas metí el pie en un charco, que resultó más hondo de lo que yo creía y el agua se me entró por encima de las botas. Mamá y papá insistieron en que lo había hecho de propósito para empaparme, y pronto me vi ante el toallero, y pensando que se cometía conmigo una injusticia.

Sin embargo, las azotainas no sirvieron para que no me metiera en líos. Al invierno siguiente importuné a mi padre para que me comprara una chaqueta de cuero. En ese tiempo hacían para los muchachos chaquetas cruzadas que les llegaban hasta la mitad del muslo. Por fin mi padre me regaló una, muy orgulloso, para mi cumpleaños cuando cumplí once años. Al día siguiente al volver de la escuela unos chicos y yo hicimos una hoguera — es fascinante encender fuego cuando uno es muchacho. Yo había estado leyendo sobre los indios y las señales de humo, así que me quité esa hermosa chaqueta que solo me había puesto una vez y la utilizamos con un compañero para hacer señales con el fuego. Después traté de limpiarla pero no pude. Por todas partes tenía grandes quemaduras. Me arrepentí horriblemente de lo que había hecho, pero eso no lo tuvieron en cuenta mis padres cuando se lo conté. De todos modos me dieron mi buena mano de azotes.

No me iba mucho mejor en la escuela. Mi hermano, mis hermanas y yo asistíamos a la Escuela Rural de Short Hills, en una casa rústica de ladrillo y madera de fines de siglo hasta donde se podía ir a pie desde nuestra casa. El plan de estudios era convencional y no muy exigente, y en la mayor parte de las clases yo me lo pasaba mirando el reloj. Los relojes de la escuela eran regalo de mi padre — la IBM tenía una división que los fabricaba — y él había donado un sistema que tocaba las campanas para los cambios de clases. Había un reloj maestro en la oficina del director y relojes en todas las aulas del edificio. Estos no se movían suavemente de un minuto al siguiente. Se detenían en las 9:04 hasta que el reloj maestro llegaba a las 9:05 y entonces todos hacían clic-clic y avanzaban un minuto. Eran las 2:56, y yo pensaba: "Sólo ocho clics más y salgo de aquí".

Mis calificaciones escolares eran una mescolanza de D y F, con una ocasional A o B. Aprendía mucho mejor haciendo que leyendo, probablemente porque cuando trataba de leer, las palabras parecía que bailaban en la página. Transcurrieron muchos años antes que aprendiera a compensar el defecto que me impedía la lectura normal. En la escuela, el área en que realmente sobresalía era la de conducta, pues la mía no podía ser peor. En la Escuela Rural de Short Hills un alumno podía recibir hasta cincuenta deméritos en el semestre sin que lo expulsaran; yo siempre pasaba de treinta, y a veces de cuarenta. Para pagar los deméritos había que correr alrededor del edificio los sábados, a la vista de los transeúntes. A veces yo tenía que dar hasta cincuenta vueltas mientras otros muchachos sólo debían dar diez.

No sé por qué, los castigos sólo servían para hacerme cometer peores pilatunas. Cuando tenía unos doce años, conocí a Craig Kingsbury, muchacho amante del aire libre y poco mayor que yo, quien cazaba con trampas en un pantano de los alrededores. Lo busqué para que me enseñara a desollar una ardilla que había matado y en la conversación me contó que él a veces desollaba mofetas. ¡Quién dijo tal! "¿Y qué haces con las glándulas hediondas?", le pregunté inmediatamente. Resultó que Kingsbury sabía extraer el líquido fétido de las mofetas y lo envasaba en frascos. Le compré un poco.

En la escuela, poco antes de la reunión general en el aula máxima, bajé al sótano y examiné los conductos del sistema de calefacción. Vi que si se echaba alguna cosa en el respiradero principal, se extendería por todo el edificio. Así, pues, vertí allí todo el frasco, subí a la carrera y fui a ocupar mi puesto en el salón, donde se hallaban reunidos cien niños con las maestras, los maestros y el director, el señor Lance, un rígido ordenancista que me conocía muy bien.

Empezó a sentirse un hedor pavoroso que se hacía más intenso minuto por minuto. Al fin el señor Lance dijo:

— ¿Alguien sabe de dónde viene este olor detestable?

Hubo un largo silencio. En la escuela teníamos el sistema de honor, así que al fin yo levanté la mano.

— ¡Watson!

— Sí, señor.

— ¡Póngase de pie!

— Sí, señor.

— ¿Qué sabe usted de esto?

Expliqué lo que había hecho, cómo había obtenido el líquido de la mofeta, y saqué el frasco del bolsillo para mostrárselo. Todos se apartaron un poco.

En seguida los maestros abrieron todas las ventanas y trataron de hacer salir el olor. Finalmente, el señor Lance resolvió que había que cerrar la escuela. Aquel fue mi momento de gloria. Las consecuencias que me acarreara valían la pena.

El señor Lance no sabía qué hacer conmigo. Lo primero que pensó fue atarme el frasco vacío de líquido de mofeta alrededor del cuello, pero eso sería pequeño castigo pues yo ya me iba habituando al olor y no me molestaba gran cosa.

Lo que se le ocurrió después fue más eficaz. Aquella noche había reunión de la junta escolar. El señor Lance esperó hasta que todos llegaran y luego describió mi fechoría... con gran mortificación de mi padre que era miembro de la junta.

Cuando mi papá llegó a casa estaba furioso. Empezó por

reconvenirme por haber hecho cerrar la escuela, privando así a mis hermanas y a otros niños buenos de la oportunidad de instruirse. Mi padre nunca me pegó pero esta vez estuvo muy cerca y yo di un salto. Me persiguió rugiendo:

— ¡Yo no necesito castigarte! El mundo te castigará... ¡Canalla!

# CAPITULO 2

Mi padre pasó de la pobreza a la opulencia, pero lo que me impresionó fue cuán cerca estuvo de quedarse en la miseria. Era hijo único de un inmigrante irlando-escocés que a duras penas se ganaba la vida cortando madera y cultivando la tierra en el Estado de Nueva York, que todavía era muy primitivo en los años 80 del siglo pasado, cuando mi padre era niño. Mi padre tenía cuatro hermanas, todas mayores que él, y vivían en una estrecha cabaña de cuatro cuartos sin agua corriente cerca del pueblo Painted Post. El primer trabajo que tuvo, a la edad de diecisiete años, fue venderles a los granjeros pianos, órganos y máquinas de coser que llevaba en un carro de caballos. El arte de vender fue su billete de entrada al mundo, y le encantaba hablar de aquellos lejanos días de vendedor viajero. ''Todo empieza con una venta'', dijo. ''Si no hay ventas, no hay comercio en todo el país''. Como vendedor, no era de los que adulan al cliente; tenía una manera de ser reflexiva que atraía a la gente, como la atraía su buena presencia, su modo ligeramente reservado de expresarse, la atención que les prestaba a todos . . . y poco después, la gente se hallaba comprándole.

Su primer jefe se aprovechó de él. Era un comerciante en ferretería de la localidad, llamado W. F. Bronson, quien le prestaba un carro y le pagaba doce dólares a la semana. A mi padre le parecía una suma estupenda (era más de lo que ganaba el cajero del banco de Painted Post, por ejemplo) hasta que un día un representante de la compañía de órganos le dijo: ''Usted está vendiendo muchos instrumentos. ¿Cuánto gana?'' Mi padre se lo dijo muy orgulloso, y entonces el otro exclamó: ''¡Qué injusticia!'', y le explicó que los vendedores ganan comisión, no un sueldo, y que a base de comisiones, Bronson debía pagarle unos sesenta y cinco dólares a la semana. Al día siguiente, mi papá renunció al empleo. Desde ese día, siempre exigió que le pagaran una comisión para poder estar seguro de que su remuneración era justa.

Solía decir que sus aspiraciones fueron creciendo por etapas. Cuanto más veía del mundo, más quería alcanzar. Recordaba una día de su niñez en que, estando a la orilla de un camino fangoso, vio pasar en coche a Amory Houghton Jr., el fundador de Corning Glass Works, y le entraron ganas de poseer él también su coche y su tronco de caballos. Había ascendido ya varios peldaños y vendía cajas registradoras cuando tuvo otra vislumbre de lo que es la riqueza: un abogado de Chicago a quien había conocido lo invitó a su grandiosa residencia sobre el lago Michigan. El abogado le dijo que él también había empezado en una granja, y entonces mi padre elevó otra vez su mira.

Al principio, durante varios años, parecía destinado al fracaso. A los diecinueve años se fue a Búfalo en busca de trabajo, pero venderles máquinas de coser a los granjeros no era muy buena preparación para lo que allí encontró. En los años 90 del siglo pasado, Búfalo era una ciudad desparramada, dura y poco acogedora que se hallaba en medio de una depresión. Los empleos escaseaban, y mi padre se vio en dificultades. Me contó que una vez se vio reducido a tener que dormir sobre un montón de esponjas en el sótano de una droguería. No poseía más que un vestido, y cuando tenía con qué hacerlo planchar, tenía que esperar en calzoncillos en la trastienda de la sastrería hasta que estuviera listo.

En Búfalo, el primero que reconoció su talento fue un vendedor llamado C. B. Barron, quien lo tomó como su asistente. Infortunadamente, Barron era un embaucador rimbombante de ciudad que vendía de arriba abajo por las orillas del lago Erie acciones de la Asociación de Construcciones y Préstamos del Norte del Estado de Nueva York. Mi padre lo tenía por el hombre de más mundo y más encantador que había conocido; le faltaba malicia para comprender que era un pillo. Cuando Barron llegaba a una población tomaba la mejor habitación del hotel de la localidad y le decía al jefe de portería: "Yo me llamo C. B. Barron. Quiero que me haga llamar por el botones tres veces durante la cena. Tengo mis razones, que a usted no le interesan. Aquí tiene un par de dólares". Pronto corría la voz de que se hallaba en la población un forastero importante que venía a vender acciones en Construcciones y Préstamos. Las acciones en sí eran legítimas; los inversionistas las pagaban a plazos, como un plan de ahorros. Barron se embolsaba el primer pago como su comisión, lo que le permitía darse muy buena vida.

Una foto de mi papá en esa época muestra la influencia de Barron. Está sentado en un tronco y parece una caricatura del viajante de fin de siglo, con sombrero de copa, levita, botines de abotonar, calcetines de rayas y un ridículo bigote de guías retorcidas. Su participación en las comisiones por venta de acciones le producía más dinero de cuanto había ganado antes y entonces resolvió emprender negocios adicionales por su propia cuenta. Abrió una carnicería en Búfalo, con la intención de invertir las futuras ganancias de su trabajo con Barron en abrir más y más tiendas. Apenas se iniciaba por entonces el sistema de tiendas en cadena, y la idea de administrar un gran negocio minorista le llamaba la atención. Pero en menos de un año todo se vino abajo. Una mañana, durante un viaje de ventas, despertó con la noticia de que Barron se había escapado con todos los fondos; como mi padre no tenía economías de reserva, en vez de inaugurar la segunda carnicería tuvo que cerrar la primera.

Tenía la capacidad de sobreponerse a contratiempos que a otros jóvenes los habrían enviado de regreso al campo. Su optimismo habría de traducirse más tarde en lemas que todo el mundo tenía que aprender en la IBM: "Haga que algo ocurra", "Siempre adelante", "Supérese", y otros por el estilo. Sabía cómo encontrar oportunidades cuando no parecía haber ninguna, como en los restos de su negocio de carnicería. Había comprado una caja registradora a plazos para ese negocio, y cuando fue al centro para traspasar la responsabilidad de los pagos al nuevo propietario, aprovechó la ocasión para hablar en la National Cash Register Company para que le dieran empleo. Este fue el golpe de suerte que hizo su carrera. La Cash, como la llamaban, era una de las compañías más conocidas de los Estados Unidos. Pertenecía a John Henry Patterson, un pequeño y fiero magnate de Dayton que había emprendido una campaña para hacer que la registradora fuera un aparato indispensable en toda tienda moderna. Habiendo usado él mismo una registradora, mi padre se consideraba capacitado para convencer a otros comerciantes de sus virtudes, y no se equivocaba: pronto llegó a ser uno de los mejores vendedores de la Cash.

Patterson, a quien las historias de los negocios llaman "el padre del arte moderno de vender", fue, en efecto, un gran maestro para mi padre, que trabajó para él dieciocho años y aprendió de él muchas ideas que posteriormente fueron básicas en la IBM. Patterson fue un genio para contratar viajantes crudos, parcialmente educados pero de aspiraciones como mi papá y moldearlos para convertirlos en la primera fuerza vendedora nacional de los Estados Unidos. Les hacía aprender de memoria y utilizar arengas vendedoras preparadas de antemano, los inspiraba en reuniones parecidas a las de exaltación religiosa, los retaba y los forzaba a llenar cuotas de ventas tan altas como las nubes. Una de sus innovaciones consistió en dividir cada región de ventas en territorios exclusivos, de manera que ningún vendedor tenía que temer que otros de la misma compañía le quitaran sus clientes. Como la Cash prácticamente tenía el monopolio de la venta de registradoras, estos territorios eran en verdad muy valiosos. Patterson pagaba sumamente bien; no era raro que un hombre con sólo unos pocos años de experiencia ganara cien dólares a la semana, que tenían entonces el poder de compra de mil quinientos dólares de hoy. A fines del siglo pasado, el oficio de vendedor no gozaba de buena reputación, pero Patterson lo convirtió casi en una profesión.

Mi padre ascendió por la jerarquía de la Cash Register y cuando conoció a mi madre, dieciséis años después, ya era el segundo de Patterson en el mando. Alto, bien parecido y bien formado, era también uno de los solteros más deseables en Dayton. Se le veía pasear en un hermoso automóvil Pierce-Arrow que le había dado el señor Patterson. Tenía dinero — tanto que cuando su padre enfermó de diabetes y murió, él pudo hacerse cargo de la familia y sostener a su madre y a sus hermanas con todas las comodidades. Las instaló en una magnífica casa de piedra en Rochester, Nueva York, donde manejaba una oficina de ventas, y encontró vendedores de éxito para casar a mis tías. Por su parte, él había aplazado la idea de casarse, según me explicó más tarde, porque había visto a hombres de éxito que se casaron sin pensar mucho en el futuro y luego se vieron con el lastre de una mujer que no podía seguirlos en su ascenso en el mundo. Esos sujetos permitían que sus esposas se divorciaran. Tuvo novias antes de mamá — me contaba que había pensado casarse con una cantante de ópera en Filadelfia — pero quería una verdadera compañera para toda la vida, de manera que esperó hasta que encontró a la mujer que pudiera ofrecerle estímulo intelectual y social.

Le gustaba contarles a los empleados de la IBM que convencer a Jeannette Kittredge de que fuera su esposa fue la mejor venta que hizo en su vida. La familia de mi madre era distinguida en Dayton. Su padre era jefe de Barney and Smith Railroad Car Company, fabricantes de vagones de ferrocarril para pasajeros, y mi madre contaba que en su niñez viajaba en hermosos coches nuevos esmaltados por dentro. Decía que se había fijado por primera vez en mi padre en una comida del club campestre, cuando paseando la mirada por los comensales alrededor de la mesa, vio que él era el único, fuera de ella, que había dejado intacta la copa de vino. El padre de ella era un estricto presbiteriano abstemio, y ella bien sabía que necesitaba su consentimiento para cualquier novio que eligiera. Era capaz de dar grandes saltos de sentimiento y pensó inmediatamente: "Ese es el hombre con quien me voy a casar". Su padre aprobó el enlace, lo mismo que el señor Patterson, a quien siempre le complacía que sus empleados adquirieran posición en la sociedad de Dayton. Cuando regresaron de su luna de miel — una combinación de turismo y de viaje de negocios a la Costa del Pacífico — Patterson los sorprendió entregándoles las llaves de una casa que había preparado para ellos cerca de la suya. Por fin la vida de mi papá parecía encauzarse por donde él quería. Pero al año siguiente, justamente cuando yo nací, mis padres se vieron obligados a abandonar a Dayton en circunstancias penosas. Después de haber preparado a mi padre durante tantos años, Patterson se volvió contra él y lo sacó de la compañía de registradoras.

Mi padre tal vez no debía haberse sorprendido. Según lo que contaba de Patterson, era difícil imaginar un jefe más arbitrario y excéntrico, que manejaba a su gente por la presión y el miedo.

En una ocasión, por parecerle que la audiencia no prestaba atención durante una larga reunión de ventas, echó mano de un hacha de incendios y volvió añicos una registradora a la vista de todos. Los ejecutivos que eran sus favoritos recibían remuneraciones extravagantes, pero al mismo tiempo a los que no quería los castigaba, a veces con verdadera crueldad. Mi padre contó de un ejecutivo que, sin saber que el señor Patterson estaba enfadado con él, se presentó al trabajo una mañana como de costumbre, y encontró su escritorio y todo el contenido de su oficina en el prado frente al edificio de la compañía, empapado en queroseno y ardiendo. Se marchó sin entrar siquiera en el edificio. Aunque más tarde mi padre se hizo famoso por su estilo autocrático en la IBM, en comparación con Patterson era una paloma.

Patterson siempre despedía a sus mejores colaboradores. Siendo dueño de casi la totalidad de las acciones de la National Cash Register, abrigaba el temor irracional de que algún empleado le pudiera quitar la compañía. En el caso de mi papá lo que sucedió fue que un vicepresidente llamado Edward Deeds le cuchicheó a Patterson que mi padre gozaba de gran popularidad entre los trabajadores de la empresa. En 1913 cuando mi padre hablaba ante una convención de ventas, Patterson subió a la tribuna, le interrumpió el discurso y empezó a elogiar calurosamente a otros que estaban presentes pero sin nombrarlo a él para nada. A mi papá nunca le incendiaron el escritorio pero después de un tiempo dejaron de invitarlo a las reuniones y ya no le consultaban las decisiones importantes. Se sentía apabullado y después de unos meses renunció. Es cosa curiosa que jamás se quejó de este tratamiento, y fue un admirador de Patterson hasta el día de su muerte. Solía decir: "Casi todo lo que sé de negocios se lo aprendí al señor Patterson". Al que sí detestaba era a Deeds por haber predispuesto a aquél en su contra. Posteriormente se encontró con Deeds varias veces, pero nunca le dirigió la palabra.

El invierno que hubo a comienzos de 1914 debió ser duro para mi padre, aunque distaba mucho de estar en la inopia, pues el señor Patterson, después de obligarlo a renunciar, le pagó una jugosa cesantía de cincuenta mil dólares y le permitió conservar el Pierce-Arrow; pero había perdido la seguridad que con tanto ahínco había labrado. No tenía trabajo, frisaba en los 40 años, tenía una esposa joven y un hijo a quienes sostener, y carecía de un lugar donde vivir — la casa de Dayton era de propiedad de Patterson. No había para él ningún otro empleo en la ciudad, de manera que nos llevó a mi mamá y a mí a Nueva York a buscar allí trabajo.

Siempre me ha impresionado lo exigente que era para aceptar un empleo. Una vez me lo explicó diciendo que esto se debía a que estaba seguro de que encontraría empleo porque tenía la reputación de ser capaz de vender casi cualquier cosa. Pronto rechazó ofertas de la Electric Boat Company, fabricantes de submarinos para la Armada, y de Remington Arms. Como se venía la guerra en Europa estas posiciones habrían sido muy lucrativas, pero mi papá calculaba que ambas firmas decaerían en cuanto terminara el conflicto. Rechazó otro empleo en Dodge Motors porque los hermanos Dodge no accedieron a firmar el contrato que él quería: quería ser un empresario como Patterson, con participación en las utilidades de la compañía, no un simple gerente a sueldo. Y sin embargo, no tenía capital para establecerse por cuenta propia ni ideas prometedoras que comercializar.

Con el tiempo, la situación podría haberse vuelto inquietante, pero no habían pasado siquiera dos meses cuando conoció a Charles R. Flint, el fundador de lo que sería más tarde la IBM. Por aquellos días Flint era conocido como el más hábil financista de Wall Street. Lo llamaban el Rey del Trust. Era un hombre pequeño, de perilla y patillas, de unos sesenta y cinco años de edad. Había desempeñado un papel clave en la creación de la United States Rubber Company, tenía inversiones en las industrias automovilística y aeronáutica, y había ganado y perdido fortunas negociando en armas. Durante la guerra ruso-japonesa de 1904 había sido agente de compras del zar.

Flint contrató a mi padre como gerente de la Computing-Tabulating-Recording Company, o CTR, un pequeño conglomerado que había organizado en 1911 y vendía una variedad de productos que Flint consideraba más o menos "afines": balanzas, cronómetros y máquinas tabuladoras. El concepto del negocio era bueno, pero Flint había recargado el balance general con una deuda tan cuantiosa que la compañía estaba en peligro de hundirse. Sus mil doscientos empleados estaban confundidos y desmoralizados, y en la junta directiva se hablaba sombríamente de liquidación. Flint, que formaba parte de dicha junta, resolvió tomar las cosas en sus manos y conseguir un gerente que fuera capaz de redimir a la CTR, o por lo menos de permitirles a los accionistas salvar unos pocos centavos de sus dólares.

A mi padre lo que le intrigaba de la CTR eran los productos que hacían el trabajo de oficinistas, es decir, los cronómetros y en especial las máquinas tabuladoras. Un ingeniero llamado Herman Hollerith había inventado la tabuladora para ayudar a computar los resultados del censo que se levantó en los Estados Unidos en 1890. A fines del siglo unas pocas máquinas Hollerith se usaban en los departamentos de contabilidad de los ferrocarriles y las compañías de seguros. Mi padre ideó maneras de mejorarlas, e imaginó amplias posibilidades comerciales. La industria norteamericana crecía a un tamaño sin precedentes y para que las inmensas corporaciones no se ahogaran en el trabajo de oficina, les era indispensable encontrar maneras de automatizar los registros y la contabilidad.

Una de las primeras actuaciones de mi padre en la CTR fue visitar a la Guaranty Trust Company, la mayor acreedora de la compañía, y pedir un préstamo adicional de cuarenta mil dólares para investigación y desarrollo. Le observaron que la CTR ya les debía cuatro millones de dólares y que la situación de la compañía no justificaba nuevos préstamos, a lo cual mi padre contestó: "Los balances generales revelan el pasado. Este préstamo es para el futuro". Fue uno de sus más grandes argumentos vendedores. La Guaranty Trust desembolsó el dinero, y las mejoras que con éste fue posible hacerle a la máquina tabuladora le permitió a la CTR ampliar grandemente su mercado.

Mi padre empleó algunas de las técnicas de Patterson para prender fuego a la desmedrada fuerza laboral de la CTR. Creó consignas CTR y canciones CTR, un periódico CTR y una escuela CTR. Lo que le parecía bueno de la manera de hacer negocios Patterson, mi padre lo copiaba; lo que le parecía malo, lo desechaba tajantemente. Su régimen de disciplina para los empleados de la CTR era tan rígido como el de la Cash pero su filosofía de la administración era mucho más humana. Mientras que a Patterson le encantaba cortar cabezas, mi padre desde que llegó a la CTR se propuso no despedir a nadie. Les dijo a los trabajadores que iba a confiar en ellos y que su tarea iba a ser ayudarles. Como él había trabajado con ahínco para poder surgir desde una granja, sabía muy bien que la manera de ganarse la lealtad de un hombre era fortaleciendo en él el sentido de la propia dignidad. Muchos años después, cuando yo ingresé en la IBM, esta empresa se había hecho famosa por sus elevados salarios, sus prestaciones generosas y la intensa devoción de los empleados a mi papá. Pero, al principio, cuando casi no había dinero, él se ganó su lealtad con palabras.

A mi padre le gustaba recordar su discusión con Flint sobre la remuneración el día que éste le ofreció el empleo. El le dijo a Flint:

— Yo quiero un sueldo de caballero para poder sostener a mi familia, y quiero un porcentaje de las utilidades que queden después que los accionistas reciban su dividendo.

Flint penetró inmediatamente el fondo de la cuestión y repuso:

— Comprendo. Usted quiere picotear un poco del maíz que coseche.

Cuando les presentó este acuerdo a sus colegas en la junta directiva, todos se mostraron incrédulos, pues era difícil imaginar que algún día hubiera un exceso de utilidades que repartir. Pero cuando yo ya estaba en la universidad, una versión de aquel acuerdo había convertido a mi padre en el hombre mejor pagado de los Estados Unidos.

En sus últimos años mi padre solía tomar un lápiz y hacer cálculos de sus fortunas para totalizar su capital neto. Llevaba de un lado a otro estos apuntes. A veces, yo los encontraba y los tiraba a la basura; a veces, los guardaba. Muestran que sólo a mediados de los años 30 alcanzó una posición en que ya no tenía que preocuparse por deudas. Tenía sesenta años cuando al fin pudo gozar de verdadera holgura económica.

Los riesgos que corría con el dinero me dejaban sorprendido. Los primeros ocho años de su vida de casado los vivió con bastante estrechez y hubo un momento en que debía por lo menos cien mil dólares. Jamás acumuló capital. Los dos primeros veranos que nos llevó a Europa, en 1922 y 1924, viajamos con fondos prestados mientras él sembraba las semillas de la IBM World Trade Company.

En cuanto tenía algo de dinero, compraba acciones de la CTR, lo que le parecía una compra muy buena. Al principio compraba con margen — eran aquéllos los días en que sólo había que pagar el 10% del valor de las acciones. Cuando el precio subía, sus amigos corredores de bolsa le decían: "Tom, ahora podrías capitalizar utilidades", pero él regresaba a casa indignado de que le aconsejaran vender. Más de una vez su estrategia de inversión, si es que se le puede dar ese nombre, parecía un grave error. La CTR estuvo al borde de la quiebra en la recesión de 1921 porque mi padre la había ampliado con demasiada rapidez. Sólo endeudándose fuertemente logró mantenerse él y mantener la compañía a flote. Durante la depresión se vio otra vez en aprietos. La empresa, que entonces se llamaba IBM, aguantó relativamente bien el desplome inicial de los valores de bolsa en 1929, pero en 1932 sus acciones habían caído más de doscientos puntos, y mi papá tuvo que empeñar todo lo que tenía para poder pagar las cuotas de su margen. Después me contó que si hubieran bajado unos tres o cuatro dólares más, se habría quedado en la calle. Ya no tenía a dónde acudir para que le prestaran dinero.

Aun cuando nunca poseyó más de un cinco por ciento de la compañía, prácticamente toda su fortuna estaba en la IBM. Si ésta fracasaba, fracasaba él también. Su única protección era una finca de Indiana que compró a fines de los años 30, cuando se temió que estallara la guerra. Pensó entonces que había una remota posibilidad de que alguna catástrofe imprevista arruinara a la IBM, y él quería que la familia tuviera la posibilidad de volver al campo. Fuera de esto, no tenía ni el menor impulso de acumular dinero ni siquiera de preocuparse por él. Quería ascender en el mundo y sabía que para eso tenía que gastar. Jamás se asustó porque escaseara el dinero; yo creo que nunca le pasó por la imaginación que no pudiera ganar más. Como entraba, así salía, y eso estaba bien. Se servía del dinero únicamente como un instrumento: para expresar su generosidad, para asegurar a su familia y su compañía; y para facilitar su propio ascenso en la sociedad.

# CAPITULO 3

Mi madre no estaba necesariamente hecha para casarse con un hombre de negocios de aspiraciones sociales. A pesar de su educación y de su preparación en un internado para señoritas, creía firmemente en las virtudes campestres que predominaban en Short Hills. Era tan económica que bajaba dos pisos para apagar una simple luz que se hubiera quedado encendida, y tan poco presuntuosa que hacía poco caso de los vestidos de París que mi papá insistía en comprarle. Tengo una foto de los años 20 en que aparece lindísima y distinguida en una comedia comunal. Pero como más la recuerdo es como una madre que trabajaba excesivamente, que se esforzaba por criar cuatro chicos y manejar la gran casa de tejado de dos aguas como mi padre quería que se manejara. Luchaba constantemente por conservar la paz entre la servidumbre y atender a todos los invitados que mi papá llevaba a casa. Pero siempre estaba a la altura de las circunstancias. Una noche un pomposo hombre de negocios suizo que se quedó en casa dejó los zapatos a la puerta del cuarto de huéspedes. "¡Se creerá que esto es un palacio!", dijo mi madre; pero enseguida soltó la risa y ella misma le limpió los zapatos.

Mi padre le debía mucho. Cuando se conocieron, él ya había aprendido a vestirse y a hablar en público, pero las sutilezas de la vida elegante a veces se le escapaban. Ella le ayudó mucho en este aspecto. Le corregía la manera de hablar, vigilaba sus modales en la mesa y le prevenía que tenía que dominar su genio exaltado. Cuando estaba ganando muchísimo dinero en los años 30, se presentó un día en casa muy orgulloso con un gran anillo de diamantes para ella. Era la primera joya costosa que había comprado en su vida; no era, en realidad, un diamante muy bello sino muy grande, como del tamaño de una aspirina. Debía de pesar unos dos quilates. Mi madre observó que era defectuoso y que ella habría preferido un diamante más pequeño pero perfecto. Esto hirió en lo vivo a mi padre. Se llevó el anillo, y unos años después le trajo otro que era igualmente grande pero perfecto. Debió costarle una fortuna.

Mi madre era de baja estatura, tal vez de un metro con sesenta y dos, bastante delgada, y siempre usaba el negro y largo cabello recogido en un moño. Las manos las tenía naturalmente callosas; para suavizarlas les daba todas las noches con piedra pómez. La boca era suave, los ojos atractivos, la nariz recta e interesante. Aun cuado mi padre la eclipsaba, nosotros los chicos sabíamos que era de genio sumamente festivo. Cuando el *charleston* estuvo de moda, hacia 1925, invitaba a sus amigas y llevaba a un maestro para que les enseñara el baile en el sótano de nuestra casa. Por el techo había cuerdas para tender la ropa, y mi madre y sus amigas se asían de ellas para mantener el equilibrio mientras practicaban.

Como tenía más habilidad manual que mi padre, era ella la que hacía los oficios "masculinos" en casa. Cuando se fundía un fusible, ella lo cambiaba; cuando había que echar carbón a la estufa, ella lo echaba. Me contaba que esto empezó poco después del matrimonio. Una noche se disponían a acostarse, y ella dijo:

— Debes ir a echarle un vistazo a la estufa.

— ¿Por qué? — preguntó él.

— Porque mi padre siempre revisa la estufa antes de acostarse.

Esto debió de mortificar a mi padre. Su lenguaje todavía era un poco grosero en esos tiempos y exclamó:

— ¡Al diablo la estufa!

Entonces mi madre bajó al sótano a revisarla ella misma, sin saber qué era lo que tenía que revisar. Esa misma semana llamó a un operario entendido en la materia para que le enseñara lo que había que hacer.

El peor desastre en nuestra familia ocurrió una fría noche de febrero de 1919, cuando esta división del trabajo familiar no se observó, y mi padre quemó la casa. Estaba entrenando a un criado nuevo y le dijo a mi mamá:

— Carlo no sabe encender fuego en la chimenea. Le voy a enseñar.

Procedió a rellenar el hogar de leña y la encendió. Como una hora después, yo empecé a gritar en mi alcoba. Tenía entonces sólo cinco años y solía llorar cuando me acostaban. Mi papá dijo:

— Yo me encargo de ese chico.

Cuando subía las escaleras oyó que yo gritaba:

— ¡Estoy viendo una luz rara en mi cuarto!

Lo que veía eran llamas a través de la ventana. Chispas de la chimenea habían incendiado el techo de la casa, que era de madera. Mi mamá nunca culpó a mi padre del incendio, a pesar de que en él perdió todas las reliquias de familia que había traído de Dayton.

Hasta que me internaron, a la edad de quince años, mi madre fue la mayor presencia en mi vida. Era mucho más accesible que mi padre, y nos hacía sentir amados y protegidos. Creo que comprendía que la raíz de mis travesuras era una falta de amor propio, pues siempre estaba ella inventando maneras de hacerme interesar en el mundo y de tomar parte en él. Cuando ingresé en los Boy Scouts, ganar insignias de mérito me estimuló mucho, y mi madre aprovechó con gran sagacidad esta influencia civilizadora. Por ejemplo, un día resolví aspirar a la insignia de mérito por cocinar; ella me acompañó a la huerta; encendí allí fuego y puse a asar un par de papas. Permaneció conmigo todo el tiempo observando la operación, que tarda una hora, de modo que paseamos un poco. Por último, saqué del fuego una papa negra, toda quemada, y la partí. No tenía cuchara; usé un palo. Asadas en esta forma, las papas tienen un sabor muy dulce. Le di a ella un pedazo. "Oh, Tom, está deliciosa", dijo. Ese fue el comienzo de mi afición a la culinaria.

Cuanto más intimaba yo con mi madre, más me perturbaba la manera de tratarla mi padre, según me parecía. Era la época en que la IBM estaba atravesando una situación crítica que le exigía a él mucha atención. En la oficina no tenía sino que tocar un botón del escritorio para que acudiera un empleado. Mi papá le decía "Escriba una carta", y la orden se cumplía ¡ya! Sin darse cuenta, esperaba que mi mamá le obedeciera en la misma forma. Para ella era difícil tolerar esto, de modo que en los años en que él vivía más tenso por los negocios, también en nuestro hogar era enorme la tensión. Recuerdo que disputaban interminablemente. Aunque cerraban la puerta de su dormitorio, mis hermanas y yo escuchábamos voces apagadas, coléricas, que subían y bajaban. Mi padre era duro con ella y media hora después nos aleccionaba para que fuéramos buenos con mi mamá. Nunca tuve el valor de replicarle: "Entonces, ¿por qué tú no eres bueno con ella?"

A veces mi padre actuaba como si hubiera olvidado totalmente cuánto había dependido de ella durante los primeros tiempos de su matrimonio. La llamaba de la ciudad y le decía: "Jeannette, invité a todos los gerentes distritales a cenar en casa esta noche". Esto significaba ocho invitados y el aviso le llegaba a las tres de la tarde. Mi madre, que ciertamente no tenía la fortaleza física de él, se agotaba. Por otra parte, él empezaba a tomar una parte más activa en la vida social de Nueva York e insistía en que ella lo acompañara a cenas y a la ópera. Otro motivo de tensión era el dinero. Siendo ella tan económica como era, la angustiaba el estilo de vida que llevaban y las deudas que él estaba contrayendo.

Luego, después de unos diez años de lucha, en la época en que yo tenía unos catorce años y mis hermanos de ahí para abajo hasta nueve, de pronto, mi madre pareció capitular. Esto me sorprendió. Creí que había dejado de defender su posición; pero muchos años después me confió que, en realidad, lo que había hecho era pedirle el divorcio a mi padre.

— Le dije que ya no aguantaba más — me contó.

Para mí fue una revelación terrible. Le pregunté:

— ¿Qué pasó entonces?

— Tom, tu padre se desconcertó de tal manera, se alteró tanto, que entonces comprendí cuánto me amaba... y no le volví a hablar del asunto.

Después de tomar esa decisión consciente de preservar su matrimonio, nunca se quejó. Cuando llegaban inesperadamente un montón de invitados y ella no tenía quién le ayudara en la cocina, sencillamente sonreía y decía: "Hoy salió la cocinera, pero tenemos emparedados y frutas".

Todos nos llevábamos mejor unos con otros cuando no estábamos en Short Hills. Papá y mamá nos reunían constantemente, junto con primos o amigos que quisieran acompañarnos, para visitar a Washington, o las playas, o grandes exposiciones. Con frecuencia viajábamos en caravanas de dos o tres automóviles y les caíamos como una tribu salvaje a los parientes o a los gerentes de la IBM por el camino. Los fines de semana íbamos a la finca que tenía mi padre en Oldwick, y el verano lo pasábamos en las montañas Pocono o en Maine, donde mi padre se nos unía los fines de semana. Estar fuera le daba a mi mamá una libertad de que no gozaba en casa, y le encantaba. En cuanto a mi papá, él había empezado como viajante, y nunca paró realmente. Toda la vida el simple movimiento de un automóvil o un tren lo calmaba y se volvía menos exigente.

Pese a los centenares de miles de kilómetros que recorrieron, mis padres prefirieron dejarme a mí la iniciativa de los viajes aéreos. Mi pasión de toda la vida por el vuelo comenzó desde antes de tener edad suficiente para montar en bicicleta. Me encantaba ir a visitar a la familia de mi madre en Dayton porque Dayton era la patria chica de los hermanos Wright y el Cuerpo Aéreo del Ejército tenía un aeródromo allí. En esa región se veían aviones casi tanto como automóviles. Tengo una vieja fotografía de mi mamá y su hermana con esta leyenda: "Los primeros visitantes aéreos". Muestra a las señoritas Kittredge posando no lejos de su casa de campo con dos larguiruchos aviadores militares recostados contra la armazón de un aparato de palos y lona llamado un Volador Wright. A mi tía Helen le hacía la corte un aviador, el mayor Kirby. Nunca se casaron pero a mí me parecía formidable porque hablaba de aviones.

Mi padre les cogió miedo a los aviones desde un domingo que fuimos a pasear a una feria campestre, a principios de los años 20. Pasamos por un campo en que había un Jenny de la Primera Guerra Mundial, en el cual un aviador llevaba a la gente a dar una vuelta por cinco dólares. Habiendo vivido tantos años en Dayton, habría sido extraño que mi papá no hubiera tenido curiosidad por volar. Hasta había conocido a los hermanos Wright. Así, pues, compró un billete y se puso en fila, pero mientras esperaba nosotros los niños empezamos a importunarlo: "¡Papá, nos ofreciste comprarnos helados!". Reconoció que era verdad y le preguntó al piloto si podía regresar dentro de una media hora para su vuelo. Cuando volvimos el avión se había estrellado y había tres muertos.

Interpretó este incidente como una prevención de que nunca

debía volar, y debo reconocer que en aquel tiempo tenía toda la razón. Antes de la Segunda Guerra Mundial los aviones se estrellaban a cada rato. Todo individuo de espíritu deportivo tenía que tener su avión, y con mucha frecuencia el aparato funcionaba mal o el aviador cometía un error y se mataba. Pero la superstición de mi papá no me hizo vacilar a mí. Un año después del incidente del Jenny un tipo anunció en carteles que iba a aterrizar en una pista de golf cerca de Short Hills. Después de la prueba, iba a llevar pasajeros a un dólar por minuto. En casa mi padre había convocado una reunión de gerentes distritales, y yo en privado conseguí que cada uno de los asistentes me diera un dólar. Aunque mi papá se molestó cuando se enteró, me dijo con toda paciencia: "No te voy a dar permiso de elevarte en ese aparato. Me parece que apenas los están mejorando. Pero si les devuelves a estos caballeros sus dólares, iremos a verlo". Me llevó, en efecto, y les pagó a los tipos un par de dólares para que me dejaran subir a la cabina de mando y tocar las palancas. Después yo me sentaba en la cocina de mi mamá a hacer vuelos simulados, usando un palo de escoba y una tabla que se balanceaba bajo mis pies como timón.

Cuando mi padre tenía que ir a Europa por negocios, todos íbamos, y durante mi niñez hicimos cinco largos viajes allá. Agentes independientes vendían máquinas de contabilidad CTR en diversos países, pero a mi padre, convencido de que el mercado europeo sería algún día muy importante, no le gustaba este sistema. Gradualmente les fue comprando a los intermediarios y sujetando las ventas en el exterior al control directo de la compañía.

Europa tenía un significado especial en nuestra familia. Era el lugar en donde todos nos podíamos desabrochar un poco. En Londres mi madre nos llevaba a la tienda de bromas cerca del Hotel Savoy a comprar polvos de comezón. Después se hacía la desentendida mientras nosotros espolvoreábamos abundantemente el asiento de la gorda esposa de uno de los gerentes de la IBM en Escandinavia. Mi padre hacía el papel de advertirnos que no debíamos apostar en las máquinas tragamonedas del hotel, sermoneándonos sobre los males del juego de azar... y luego él mismo apostaba.

Fue en Europa donde mis padres al fin me dieron permiso de volar. Fue la emoción más grande de toda mi niñez. En París, en 1924, cuando yo tenía diez años mi papá nos llevó al aeródromo de Le Bourget y visitamos una exposición de aeronáutica con millares de personas. Yo me emocionaba cada vez más oyendo el ruido de motores en marcha. Vendían entradas para volar en un bombardero francés convertido, un gran biplano pesado llamado Breguet, el mismo tipo de aparato que el gran piloto y escritor Antoine de Saint-Exupéry empleó más tarde para establecer la primera línea de correo aéreo, de Tolosa a Dakar. Sólo tenía un motor, pero en la cabina había espacio suficiente para cuatro asientos. Los Hancocks, joven pareja que viajaba con nosotros, querían volar y yo les rogué que me dejaran ir con ellos. Estoy seguro de que mi padre y mi madre se quedaron muy preocupados, pero sabían cuán intenso era mi deseo. Compramos tres billetes y los Hancocks y yo subimos con otro pasajero. Dos se sentaban mirando para atrás y dos para adelante. La cabina olía a aceite de ricino, que era entonces el mejor lubricante para máquinas delicadas. El piloto iba encima y adelante de nosotros, donde le alcanzábamos a ver las piernas.

Al carretear el avión, el motor, que desarrollaría tal vez cuatrocientos caballos, sólo rugía y estornudaba; pero luego el aviador abrió todo el acelerador para arrancar y el ruido nos ensordeció y lo dominó todo, hasta el punto de que no tuvimos ninguna otra sensación. Rodábamos sobre grama de modo que el tren de aterrizaje nos sacudía de lo lindo. En seguida, todo paró súbitamente, menos el ruido, y sentimos una suavidad increíble. Vi cómo se alejaba el suelo. Teníamos amplias ventanas a ambos lados, de modo que todo se veía muy bien.

Después de dar unas cuantas vueltas nos preparamos para descender. Entonces el ruido del motor disminuyó y se convirtió en un canto. Pocas personas en la actualidad han oído ese sonido; sólo lo producían los viejos biplanos que tenían entre las alas muchos alambres que vibran con el viento. Para mantener el motor despejado, el piloto abría de vez en cuando el acelerador. A medida que el suelo se acercaba, el canto disminuía en intensidad y la cola bajaba y bajaba. Finalmente, hicimos un aterrizaje suave, y sentí que las ruedas tocaban grama otra vez. Yo estaba fuera de mí. Sabía que muchos se mataban en aviones, pero la sensación de libertad, el ruido, los vacíos que hacían subir y bajar el avión, la capacidad de elegir uno el ángulo de inclinación y de decidir si bajar o subir — todo esto se combinaba para infundirme un poderoso deseo de aprender a volar.

Rogué que me permitieran repetir el vuelo; pero tuve que esperar varios años para mi segunda experiencia, otra vez en Europa, en el otoño de 1927. Esta vez fue un viaje de verdad. Me encontraba en el vestíbulo de un hotel en Basilea y vi cerca del mostrador un itinerario aéreo. ¡Había un vuelo a París a las cuatro de la tarde! Mis padres estaban almorzando en un restaurante cercano con una amiga, la señora Mangan. Corrí a darles la noticia, y antes que mi padre pudiera hacer un gesto negativo, la señora Mangan exclamó: "¡Qué cosa tan emocionante! Yo iré contigo".

Compramos los pasajes y volamos. Los demás nos seguirían en el tren nocturno. París distaba unos 400 kilómetros, y el vuelo tardó casi cuatro horas. Llegamos bastante temprano para que yo alcanzara a ir a un cine a ver *El cantor de jazz*, la primera película sonora. En un solo día fantástico me convertí en el primer Watson que viajó en avión y que vio una película hablada.

# CAPITULO 4

Mientras yo crecía, no recuerdo que mi padre hubiera dicho nunca claramente: "Me gustaría que tú fueras mi sucesor en este negocio". En realidad, juzgando por lo que yo era entonces, probablemente no podría imaginar un sucesor menos deseable. Pero a mí se me metió en la cabeza que él quería que ingresara en la IBM, que tomara el mando y que dirigiera toda la operación; y esta sola idea me hacía sufrir. Un día después de la escuela, cuando tenía unos doce años, me senté en una acera a pensar en mi padre, no sé por qué, y al regresar a casa estaba hecho un mar de lágrimas. Mi madre me preguntó qué me pasaba y yo le contesté:

— Es que no puedo . . . No puedo ir a trabajar en la IBM.

— ¡Pero si nadie te lo ha pedido! — repuso ella.

— No, pero yo sé que mi papá lo quiere. Y yo no puedo.

Me dijo que no me preocupara y me estrechó en sus brazos. Cuando mi padre llegó a casa, le contó lo que yo sentía. El me dijo suavemente que su padre había querido que él fuera abogado, y que yo podía hacer lo que quisiera. De ahí en adelante me ofrecía siempre alternativas.

Esto ocurrió en una época en que para mí todo andaba manga por hombro, aun más que para el común de los adolescentes. Yo era muy alto, desgarbado y flacucho por haber adquirido con demasiada rapidez la estatura de un hombre. El poder de mi padre y sus triunfos en el mundo subían como la espuma, justamente cuando yo trataba subconscientemente de emular con él de hombre a hombre, por lo cual era presa de terribles depresiones anímicas que me duraban hasta varias semanas.

Dijera él lo que dijera sobre alternativas de trabajo para mí, sus verdaderas intenciones se traslucen en una fotografía de los dos, tomada en 1927, cuando nos dirigíamos a una convención de ventas en Atlantic City. Aparecemos de pie, hombro a hombro, casi de igual estatura, y vestidos exactamente lo mismo, con trajes jes pesados, oscuros, sobretodo y sombrero hongo. Yo tenía trece años... un poco joven para vestir como todo un hombre de negocios.

El primer recuerdo que tengo de la IBM es de cuando yo tenía cinco años y mi papá me llevó a la fábrica de la compañía en Dayton, donde se hacían balanzas. Recuerdo el olor acre metálico de la línea de montaje y el humo y el ruido de la fundición. De ahí en adelante me llevaba con frecuencia a las juntas de la IBM, que eran poco numerosas en aquel tiempo porque la compañía era pequeña. A veces el conductor me recogía en Short Hills y me llevaba a la oficina de mi padre en la ciudad. Esto era en los primeros años 20, antes que la IBM empezara a ocupar edificios enteros en el centro de Manhattan. Ocupaba entonces sólo dos pisos cerca de Wall Street, en el mismo edificio donde trabajaba el señor Flint. Esas oficinas, situadas en Broad Street número 50, parecían sombrías porque el puesto de la recepcionista estaba en el centro del edificio. Salía uno del ascensor, pasaba por una puerta de vidrio, y ahí estaba ella. Por ninguna parte había ventanas; unas cuantas luces, pero no muchas.

Normalmente la recepcionista me decía: "Hola, Tommy, ¿buscas a tu papá?" El tenía su despacho en una esquina, con una alfombra oriental y un gran escritorio de caoba que me ha pertenecido a mí desde que él murió. Alrededor de la oficina se veían una foto de mi padre estrechando la mano de Nicholas Murray Butler, rector de la Universidad de Columbia y primer amigo importante que mi padre tuvo en Nueva York; unas medallas que le habían dado por pertenecer a no sé qué sociedad; unos pocos recuerdos de su infancia; y una o dos piedras traídas de lugares lejanos y que hacían de pisapapeles. El recinto olía a tabaco.

Por lo general, yo me iba directamente a la sala de máquinas, que quedaba unos pocos pisos más abajo. Allí era donde usaban las máquinas perforadoras para llevar los registros de la propia red de ventas de la IBM. En ese tiempo esa red no era muy tupida; en efecto, el vendedor de Los Angeles tenía que atender un territorio que se extendía hasta El Paso. Los empleados de oficina metían montones de tarjetas perforadas en las máquinas tabuladoras y en las seleccionadoras verticales; a veces yo tropezaba accidentalmente con una pila de tarjetas y les entorpecía el trabajo. Las perforadoras producen formidables *confetti*, pequeños rectángulos de cartulina que salen cuando el punzón perfora la tarjeta. Estos diminutos recortes se amontonaban al lado de las máquinas y luego se vendían otra vez a los fabricantes de papel. Pero si había un desfile en Broadway, los empleados echaban un poco de este material desde las ventanas a muchos pisos de altura. Para mí era una gran diversión arrojar manotadas cuando se me presentaba la oportunidad.

En algún momento, todo hijo tiene la idea de que su padre es el hombre más importante del mundo; y no es fácil abandonar esa idea cuando la foto del viejo está en todas las oficinas y todo el mundo le hace venias y se desvive por complacerlo. Todo lo que él hacía me dejaba, por comparación, el sentimiento de mi propia insignificancia. Lo peor era cuando mi padre trataba de hacer algo que él creía que me gustaría mucho. Una vez, conociendo mi pasión por la aviación, resolvió presentarme a Charles Lindbergh, a quien él ni siquiera conocía. Sucedió esto después del vuelo transatlántico de Lindbergh en 1927, y mi padre compró entradas para un banquete en su honor. Me llevó directamente ante el famoso aviador, se presentó como jefe de la IBM y luego me presentó a mí. Su desparpajo era fenomenal. Creo que yo apenas balbucí: "Felicitaciones".

En defensa propia, desarrollé cierto escepticismo con respecto al mundo de mi padre. Empecé a experimentarlo varios años antes, desde un día de 1924, cuando tenía diez años y estaba todavía de pantalón corto. Mi padre llegó del trabajo, le dio un fuerte abrazo a mi mamá y le contó muy orgulloso que la Computing-Tabulating-Recording Company se conocería en adelante por el grandioso nombre de International Business Machines. Yo me quedé en la puerta de la sala pensando: "¿Esa compañía tan chiquita?"

Mi padre seguramente tenía en la mente la IBM del futuro. La que entonces dirigía estaba realmente llena de tipos que mascaban la punta del cigarro y vendían molinillos de café y balanzas para carniceros. Esto no le impedía darse tono lo mejor posible. Las principales salas de exposición, como la de la Quinta Avenida número 310, siempre tenían alfombras orientales. Me imagino que a él le parecía espléndido mezclar alfombras orientales con balanzas de carnicero, pero a mí me resultaba vergonzoso.

Si bien mi papá se conformaba con dejar gran parte de mi educación en manos de otras personas, fue él personalmente quien me enseñó a presentarme y actuar como un caballero. Para él, estas habilidades se contaban entre las más importantes de la vida, y trabajó mucho para dominarlas. Su método favorito era llevarme en sus viajes — al norte del Estado de Nueva York, por ejemplo, donde había vivido su familia, a ver a un pariente o visitar una tumba.

Sabía muchísimo de ferrocarriles — había pasado centenares de noches en un tren. En el primero de estos viajes, cuando yo tenía unos doce años, me enseñó a utilizar la escalerilla para subir a la litera superior y a abrochar las cortinas para estar en privado. Luego me llevó al cuarto para hombres que se llamaba el salón de fumar y tenía un banco largo, donde los caballeros esperaban turno para usar uno de los dos o tres lavabos disponibles, a menudo en camiseta y con los tirantes colgando. El tren seguía su marcha, y mi padre esperó hasta que nos quedamos solos. Entonces me dijo: "Tom, éste es un lugar público. Todo el que lo use tiene que tener cuidado porque la persona que le siga lo juzgará por el estado en que lo deje. Fíjate cómo se hace".

El lavamanos estaba bastante limpio cuando él se acercó. Me dijo: "Tomo una toalla de papel, la humedezco con agua y limpio todo, de manera que no queden pelos de barba, ni jabón ni dentífrico ni nada más. Y limpio el frente para que no quede mojado. Tiro la toalla en este receptáculo, y ahora empiezo en limpio. Me jabono la cara, me afeito, me cepillo los dientes". Mientras él realizaba estas operaciones, yo me alejé un poco. A los quince minutos, habiendo terminado, me llamó otra vez y me dijo: "Ahora, fíjate. Así es como se deja" — y dejó todo brillante —. "En esta forma, el siguiente pasajero tiene la misma oportunidad que uno tuvo".

Observé que en estos viajes siempre les daba propinas a los camareros. Una vez, en Chicago, le dio a uno diez dólares, que era una suma enorme en ese tiempo. Los camareros siempre lo saludaban: "Señor Watson, me place verlo", y sólo cuando observé las propinas comprendí por qué. Yo le dije:

— Papá, ésa es una cantidad muy grande para darle al camarero del coche-cama.

— Lo hago por dos razones, Tom — me explicó —: En primer lugar, porque el hombre ha pasado toda la noche en vela en su pequeño cubículo y eso me apena. La otra razón es que en el mundo hay toda una clase de individuos que pueden hablar mal de uno, si uno no es sensible a su situación: son los camareros, los conductores de tren, los porteros y los conductores. Ellos lo ven a uno en forma íntima, y pueden arruinarle realmente la reputación.

Cada viaje parecía el comienzo de una amistad cordial e íntima entre mi papá y yo, pero cuando regresábamos a casa, él invariablemente volvía a su habitual alejamiento. Nunca entendí por qué. Tal vez era muy viejo para recordar cómo es ser muchacho, o tal vez vivía demasiado ocupado.

Cuando él no podía dedicarme tiempo personalmente, me confiaba al cuidado de un empleado, por lo general de su secretario privado George Phillips. El señor Phillips, que empezó de contador, terminó desempeñando el cargo de presidente de la compañía, y luego el de vicepresidente de la junta directiva, después de la Segunda Guerra Mundial, en los años de declinación de mi padre. Era el secretario perfecto. Empezó a trabajar con mi padre en 1918, y gozaba de su confianza total. Si mi padre tenía una tía pobre a quien le mandaba dinero, Phillips sabía a qué sitio mandarlo, cuánto mandarle, etc. Estaba destinado a hacer una gran fortuna en acciones de la IBM, y sin embargo no tuvo automóvil propio hasta 1926. Cuando al fin se decidió a comprar uno, fue a ver a mi padre, y le dijo: "Señor Watson, tengo suficiente dinero para comprar un automóvil pero quisiera obtener su permiso para comprarlo". Mi papá me mandaba con Phillips a conocer la ciudad — la estatua de la Libertad, la taberna Fraunces, el puente de Brooklyn. Cuando tuve edad para ello, Phillips me enseñó a cazar, diversión que era quizá la única que el hombre se permitía, y siempre cazamos juntos hasta su muerte.

Con mucha frecuencia mi padre me elogiaba, y me aseguraba

que yo llegaría a ser un personaje; pero, pensándolo bien ahora, creo que tenía que estar muy preocupado. Por la época en que yo tenía unos trece años, empecé a sufrir depresiones tan profundas que nadie sabía en qué irían a parar. La primera comenzó con un ataque de asma. Cuando apenas empezaba a recuperarme, toda mi fuerza de voluntad pareció evaporarse. No quería levantarme de la cama. Me tenían que obligar a comer y a bañarme. Hoy semejante conducta se vería probablemente como síntoma de depresión clínica, un serio desorden temperamental que ocasiona muchos suicidios. Pero en esa época, aunque mis padres llamaron médicos de toda clase, ninguno dio con la clave. El mejor de los que me vieron dijo que el problema derivaba de mi condición de adolescente, pero no supo qué recetar.

Después de unos treinta días, me recuperé; pero a los seis meses ocurrió lo mismo y durante los seis años siguientes, hasta que cumplí los diecinueve e ingresé en la universidad, dos veces al año me deprimía seriamente. Quien no haya sufrido una de estas depresiones no puede tener idea de lo que son. Se siente un temor totalmente irracional, todo el proceso de pensamiento se desarregla y todo lo que uno ve le parece irreal. Por ejemplo, yo veía un nudo en la madera de una viga del techo, y, sin saber por qué, me decía: "Esa es una madera perfecta; no tiene ningún nudo. Yo me estoy volviendo loco: veo un nudo". En seguida saltaba de ese estado en que creía que me estaba volviendo loco, a un estado en que no sabía qué estaba ocurriendo a mi alrededor. No podía leer un libro ni hablar con nadie. Cuando el médico me visitaba, le daba respuestas de una sola palabra.

A mi madre se le ocurrió que si hiciera ejercicio, saldría de ese estado, y me compró un balón medicinal. Recuerdo que hice un gran esfuerzo para poder salir a la callejuela de entrada, abrigando curiosos pensamientos y con ganas de acostarme, mientras el conductor me tiraba la pelota, de acá para allá, de allá para acá. No sirvió para nada, y temí que jamás volvería a estar bien. Esa época debió ser dura para mi familia, sobre todo para mi hermano Dick, quien naturalmente admiraba a su hermano mayor y estaba desorientado viéndome súbitamente impotente. Tuve un terrible ataque de depresión en un campamento de Nueva Escocia a donde nos mandaron a él y a mí a pasar un verano. Yo a duras penas funcionaba: me levantaba para cumplir con las actividades del campamento, pero volvía a tenderme en mi catre de campaña apenas podía. Dick apenas tenía unos nueve años, y yo me sentía tan solitario y desesperado que al fin lo llevé aparte y traté de explicarle lo que me pasaba. ''Acompáñame'', le dije; ''ayúdame, y, si me muero, diles a mamá y papá que no fue culpa de ellos''.

# CAPITULO 5

La caída de la bolsa de valores cuando yo tenía quince años coincidió con mis periódicas depresiones anímicas. Dos habitantes de Short Hills se suicidaron y la comunidad se conmovió hondamente. La fortuna de mi padre sufrió, desde luego, pero él logró mantener las pérdidas en el papel. Después de los suicidios tuvo un gesto que todavía le admiro hoy: se hizo cargo de las cuentas de las escuelas de los hijos que dejaron los suicidas.

En 1932, cuando la Depresión hizo sentir realmente sus efectos y las acciones de la IBM se vinieron abajo, las utilidades de la compañía continuaron siendo bastante elevadas, lo mismo que los ingresos de mi padre porque éstos estaban vinculados a las utilidades. Corrió la voz de que seguía solvente, y los vecinos venían por la noche a preguntarle si les podía prestar dinero. Calculo que repartió unos cien mil dólares entre los que estaban en aprietos. Nunca se negaba a auxiliar a los demás, aun a los que no conocía bien, pero sí creo que le mortificó que varias personas de Short Hills no le pagaron cuando nuevamente tuvieron dinero.

Como muchos hombres de negocios, mi padre creía que la Depresión era temporal. Habría aplaudido si se hubiera hallado presente cuando el presidente Hoover declaró, pocas semanas después del crac: "Cualquier falta de confianza en el futuro económico o en la fortaleza de los negocios de los Estados Unidos es una tontería". Mi padre creía que el retorno de la prosperidad estaba a la vuelta de la esquina, y su respuesta a la Depresión fue aumentar la producción. En los malos tiempos, veía oportunidad. Como las ventas no eran suficientes para mantener las fábricas ocupadas, ordenó llenar las bodegas de piezas de repuesto, a fin de estar preparados para cuando se reactivara la demanda. Exhortó a la fuerza vendedora a vender más y contrató más vendedores. Años más tarde, contó que un día, visitando una galería de arte, se encontró con Jim Rand, jefe de la Remington Rand que era la principal competidora de la IBM en el negocio de máquinas tabuladoras. Esto ocurría en lo más hondo de la Depresión, y Rand seguramente pensó que mi padre llevaba las de perder, así que le dijo:

— Bien, Tom, ¿sigues contratando vendedores?

— Sí — contestó él.

— Es extraño — dijo Rand sacudiendo la cabeza —. Todos los negocios están despidiendo personal y tú sigues contratando gente.

— Jim, me estoy volviendo viejo. Ya sabes que voy a cumplir sesenta años. A los hombres les pueden pasar muchas cosas en esta edad crítica; a unos les da por beber demasiado, otros se vuelven mujeriegos. Pero mi debilidad es contratar vendedores, y eso es lo que voy a seguir haciendo.

En cualquier otro negocio tal vez habría quebrado, pero en la IBM tuvo razón, y además suerte. La IBM creció a más del doble de su tamaño durante el New Deal. A principios de 1933, cuando se aprobó la Ley de Reconstrucción Nacional, los negocios se vieron de pronto obligados a darle al gobierno federal cantidades enormes y sin precedentes de información. Las dependencias gubernamentales también necesitaban máquinas IBM por centenares — era la única manera de manejar los programas de bienestar social, control de precios y obras públicas de Roosevelt. El Seguro Social, que se estableció en 1935, hizo del Tío Sam el mejor cliente de la IBM. Una de las pocas cosas que uno podía hacer para no ahogarse era llamar a la IBM. Las estadísticas vitales de todo el país pasaron a tarjetas perforadas.

Mientras mi padre cosechaba triunfos fenomenales en la IBM, yo a duras penas pasaba por la escuela secundaria, pero necesité tres escuelas y seis años para graduarme, a los diecinueve años de edad. Aun desde antes que empezara mis estudios, mi papá sospechaba que me iban a dar trabajo, y resolvió mantenerme cerca de casa. Mis amigos iban a internados, pero a mí me matriculó en la Academia Carteret, una vieja escuela destartalada a sólo 20 kilómetros de casa. Entonces empezaron para mí dos años de una existencia extraña y solitaria. Todas las mañanas viajaba a Carteret, a menudo en el mismo tren que tomaba mi padre, y por la tarde tomaba otra vez el tren de regreso, sin hablar casi con nadie.

Como me iba tan mal en los estudios, busqué distinguirme en otras actividades, y tomé parte en todos los deportes; pero, aun cuando era delgado y más alto que casi todos mis compañeros, no era un atleta. Mi coordinación ojo-mano era pésima, así que detestaba el béisbol. Quise ser guardameta de hockey, pero aunque me gustaba mucho eso de que me lanzaran discos desde todas direcciones, no clasifiqué para el primer equipo. En fútbol también me pasaron rápidamente a segunda línea. El entrenador, Balky Boyson, se impresionó conmigo, no por ninguna cosa que yo hiciera en la cancha sino por el simple hecho de que me presentara. El sabía que después de la práctica me esperaba un largo viaje de regreso a casa.

Las dificultades que yo experimentaba parecían despertar en mi papá una cordialidad y una suavidad no habituales. El sabía que iba sin rumbo, pero no perdía la esperanza, y me decía constantemente que la niñez no es la época más feliz de la vida y que yo debía pensar en el futuro. "Pase lo que pase", me dijo, "es una época de grandes cambios y nadie pasa por ella sin problemas. No hay que preocuparse". A veces se refería a mis malas calificaciones y decía: "Me gustaría que te fuera mejor en la escuela, y estoy seguro que a ti también; pero en algún momento algo va a agarrar, y vas a ser un gran hombre". Yo pensaba: "Eso es imposible".

Mi padre se volvió cada vez más tolerante acerca de los líos en que me metía. Poco después de mi ingreso a Carteret, me junté con otro muchacho y le compramos en secreto a un condiscípulo un Ford Modelo T. No teníamos edad para conducir, y no sé cómo conseguimos la placa. Un día íbamos por las calles de Short Hills, y nos encontramos inesperadamente con mi padre que regresaba del trabajo. Cuando lo divisamos tratamos de escurrirnos cruzando un campo de un vecino, pero nos vio y nos detuvo.

— Muy interesante — dijo observándolo por todos lados —. A mí estos automóviles me daban trabajo. Pero es muy interesante. ¿Es de ustedes?

Mi amigo empezó a disimular:

— Bueno... no precisamente, señor Watson...

Pero al fin confesamos que sí era nuestro. Nos preguntó dónde lo guardábamos y le contestamos que en el patio de atrás de Carteret.

— Pues lo que yo haría — dijo — sería llevarlo otra vez y venderlo o deshacerme de él. Este automóvil los va a meter en líos.

Podía haber armado la grande, pero no fue así, y nosotros vendimos el automóvil pocos días después.

Fue un gran acontecimiento cuando mi papá me permitió pasar a un internado. Pasé un año en un lugar llamado Morristown, y luego pasé a la Escuela Hun, de Princeton. Yo quería estudiar en Princeton, y al ingresar en Hun, que tenía íntima vinculación con la universidad, ya me creía poco menos que admitido.

Hun estaba llena de jóvenes ricos. Yo los veía con el frasco de licor en el bolsillo, el abrigo de pieles, dándole el brazo a una chica o conduciendo como locos un deportivo Stutz Bearcat por las calles. Era un estilo de vida para el cual yo me sentía bien preparado. Significaba que los estudios no tenían mayor importancia, que uno tenía un poco más de dinero que el común de los condiscípulos, que siempre salía con las muchachas, que poseía un automóvil. El mío era realmente una sensación, un Chrysler de color negro y rojo que me dieron cuando cumplí diecisiete años.

Regía todavía la prohibición. Las tabernas clandestinas no examinaban muy minuciosamente la edad de sus clientes y yo llevaba chicas a bailar a la Blue Hills Plantation, en las afueras de Short Hills. Mi suerte con las muchachas era apenas regular, tal vez en parte porque no bebía, lo cual era otra señal de la influencia de mi padre. Pero sí probé marihuana una vez. Por aquella época, era poco lo que se sabía de narcóticos, pero algunos decían que las bandas de negros tocaban ese maravilloso jazz porque fumaban cigarrillos de esa hierba. Creían que esto estiraba tanto el tiempo que los músicos podían tocar corcheas en lugar de negras. En Hun, un tipo audaz llamado Moore se presentó con un par de cigarrillos de marihuana para vender. Yo se los compré con otro amigo también llamado Tom, que es hoy un caballero muy serio y vive en Nueva York. Cuando me encuentro con él le pregunto: "¿Te acuerdas del día que fumamos marihuana?", y se pone furioso.

Nos encerramos en la pieza de Tom y cada uno se fumó todo un cigarrillo. Al final, francamente yo no me sentía distinto de cuando empecé. Tampoco Tom. Lo miré y le dije:

— Yo no siento nada distinto. ¿Y tú?

— Tampoco. Absolutamente.

Y soltó la risa. Yo también empecé a reír — una risa incontrolable — y comprendimos que no era normal. Pensamos que nos pasaría paseando un poco y salimos al pasillo. Recuerdo que me sentía tan alto que no podía mantener el equilibrio y me estrellé contra la pared. Nos dio tanto miedo de que nos encontraran en ese estado que pensamos que lo más prudente sería acostarnos a dormir hasta que nos pasara, y eso fue lo que hicimos.

Mi aprovechamiento en Hun no fue mejor que en las dos escuelas secundarias: desde el punto de vista académico, seguía siendo un cero. Pero obtuve un gran triunfo, el primero de toda mi vida. El día que llegué a Hun, un estudiante me dijo: "Aquí tenemos un equipo de remo y utilizamos la caseta de botes de Princeton".

Remar saliendo de la caseta de Princeton me pareció emocionante. Me presenté inmediatamente, logré formar en el primer equipo, y entonces las cosas cambiaron.

Remar en equipo es un movimiento relativamente sencillo. Yo no servía para lanzar o golpear, pero en esto lo que se necesita es empujar recio con las piernas (tengo las piernas fuertes) y tirar duro con los brazos. Hay que salir al agua y a mí me encanta el agua. Ese deporte me enloqueció y trabajé en él todo el año siguiente. Durante mi último año nuestro equipo era ya tan bueno que clasificó para competir en la regata internacional de Henley, Inglaterra. Obtuvimos de nuestros padres un par de miles de dólares — un pasaje de ida y vuelta en tercera en un buque sólo costaba unos pocos centenares de dólares en aquel tiempo — y todo el equipo fue a Europa.

Mientras yo me dedicaba al deporte del remo, mi padre y sus amigos trabajaban para lograr que me admitieran en la Universidad de Princeton. Un año antes, me había sometido al examen de admisión, con calificaciones disparejas. En la mayoría de las materias estaba en el nivel de aprobado o menos, pero en física saqué la calificación más alta del Estado de Nueva Jersey. Era la materia que más me gustaba. El profesor hacía demostraciones interesantísimas, por ejemplo de cómo la polea facilita alzar pesos. Cuando se conocieron los resultados del examen, me dijo: "Usted es un tipo raro. En todo lo demás saca calificaciones pésimas. ¿Cómo es que en física ha salido tan bien?" No lo podría explicar. Solo sé que tengo el sentido de por qué las cosas mecánicas funcionan como funcionan.

El amigo a quien acudió mi padre en busca de ayuda fue Benjamin Wood, profesor de investigación educativa de la Universidad de Columbia. Wood era un genio extraño, tejano autodidacto y precursor de las pruebas normales de ingreso en la universidad. Mi padre lo había conocido en los años 20, cuando Wood buscaba desesperadamente una máquina que pudiera registrar y diligenciar centenares de miles de pruebas. En cuanto mi padre se enteró de lo que Wood quería, le regaló a la Universidad equipo por carretadas. Wood creía que cualquier cosa de valor se podía cuantificar y que los números estaban llamados a desempeñar un papel cada vez más importante en la civilización . . . música para el oído de un fabricante de máquinas tabuladoras.

Es una ironía que al gran abogado de las pruebas cuantitativas se le pidiera una recomendación para un mozo que tenía calificaciones como las mías. Yo escasamente conocí a Wood, pero creo que él me habría gustado. Su carta para el decano Radcliffe Heermance, director de admisiones de Princeton, era muy digna y, al mismo tiempo, cordial y generosa. El asunto de mis calificaciones lo trató en esta forma:

> En mentalidad y carácter no vacilo en colocarlo entre el diez por ciento más alto de los graduados de secundaria. No estoy enterado de su expediente de escuela secundaria, pero me atrevo a pensar que sus calificaciones estrictamente académicas no indican en una forma adecuada su verdadera capacidad mental, originalidad intelectual y perseverancia. Su tipo de mente, de acuerdo con mi experiencia, es de aquéllos que no se pueden medir adecuada ni equitativamente por las pruebas ordinarias y los exámenes que se usan para admisión en la universidad, sean sus calificaciones altas o bajas.

La carta no dio resultado. Pero debió complacer a mi padre porque una copia se conservaba todavía entre sus papeles cuando murió.

Mi padre fue a hablar personalmente con el decano Heermance durante mi última primavera en Hun. Cuando regresó, lo único que dijo fue que no era probable que me admitieran. Sólo años después, me contó lo que había ocurrido en esa visita. El decano colocó sobre la mesa mi expediente académico de Morristown y de Hun, y dijo: ''Señor Watson, estudié el historial de su hijo, y veo que está predestinado al fracaso''.

Como yo no sabía esto, no perdía las esperanzas. Le dije a mi padre que mis notas finales en Hun mostrarían una notable mejora. Cuando regresé de Henley fui con él y el resto de la familia a la gran casa de veraneo que poseía entonces en Camden, Maine. Mis calificaciones me esperaban... todavía las conservo en alguna parte. Unas dos eran buenas y tres malas. Finalmente tuve que reconocer que eran muy escasas las posibilidades que tenía de ir a la universidad ese otoño.

Dos días después, vi por la mañana el gran Packard de mi papá frente a la casa y le pregunté:

— ¿Para qué es el automóvil?

— Tú y yo nos vamos de viaje. Vamos a visitar universidades. Tiene que haber alguna donde te reciban a pesar de esas calificaciones.

Así era mi padre. Ahora lo veo desde su punto de vista. Cuando había que hacer algo, él lo hacía personalmente.

Yo me había enamorado locamente de una chica en Maine y no quería alejarme tanto tiempo de Camden, así que inmediatamente me acordé de un amigo que estudiaba en la Universidad de Brown, en Rhode Island, y dije: ''¿Por qué no vamos a Brown?''

Fuimos a Providence y nos alojamos en el Hotel Biltmore. Mi padre llamó a la oficina de admisiones, pidió cita, y a la mañana siguiente nos presentamos. Al funcionario que nos recibió le dijo:

— Soy Thomas Watson, jefe de la IBM, y a mi hijo le gustaría entrar en Brown. Entre paréntesis, ¿quién es el rector de Brown?

— Clarence Barbour — contestó el tipo.

— Qué interesante — dijo mi padre —. El era nuestro pastor cuando yo vivía en Rochester, Nueva York.

En ese tiempo, los estatutos de Brown exigían que el rector de la universidad fuera un ministro religioso.

Fuimos a la oficina de Clarence Barbour, lo saludamos, y Barbour mandó a un empleado que nos mostrara los edificios y el *campus.* Cuando regresamos, el empleado de admisiones estaba estudiando mi historial. "No es muy bueno", dijo, "pero lo recibiremos".

# CAPITULO 6

La chica que me atraía en Maine era Isabel Henry. Pese a que yo apenas tenía diecinueve años y ni siquiera había entrado en la universidad, me quería casar con ella. Este amor fue el único afecto profundo que tuve hasta cinco años después, cuando conocí a la mujer que sería mi esposa. Isabel me llevaba dos años, pertenecía a una familia de distinguida posición social y ya tenía relaciones con un hombre rico que se acababa de graduar de Harvard, el muy apuesto John Ames. La conocí por medio de un impetuoso amigo pelirrubio llamado Conway Pendleton, condiscípulo mío en la escuela de Hun, a quien yo había invitado ese verano a Camden.

Una noche estaba yo con Conway en un baile que hubo en el club de golf cuando entraron Isabel y Ames. Todo el mundo se detuvo a mirarlos. Ella era la muchacha más linda que yo había visto en mi vida. Tenía el pelo rubio, las cejas oscuras, la cara cuadrada y un modo de andar maravilloso — con los hombros echados hacia atrás. Ames impresionaba con su esmoquin negro, camisa blanca, corbatín negro y pantalón blanco de lanilla. Para mí, eso era la alta sociedad, fuera de mi alcance. Pero mi amigo Pendleton no tuvo empacho en entrometerse y sacar a Isabel a bailar. Yo no veía la hora en que terminara la pieza para llevarlo aparte y pedirle informes:

— ¿Cómo es ella, Conway? ¿Cómo es?

— ¡Oh, Tom, como todas! Una chica muy agradable, eso sí, y muy simpática.

La familia de Isabel era de por sí un centro de poder en aquella comunidad veraniega. Oriunda de Filadelfia, vivía en una forma distinta de cuanto yo conocía. Su abuelo había comprado una pequeña península que se proyectaba en la bahía de Penobscot y la había convertido en un club privado para todos los primos. La madre de Isabel pertenecía a la familia de los Biddles. Su casa era modesta, vista desde fuera, pero muy cosmopolita por dentro. Por todas partes vi revistas extranjeras. Jugaban al *backgammon*, un juego que yo ni siquiera había oído nombrar.

Hice que Conway me presentara a Isabel y esperé impaciente hasta que John Ames se ausentó del pueblo. Entonces empecé a hacerle la corte. Durante cuatro o cinco semanas nos veíamos con frecuencia, hasta que al fin la tomé en mis brazos, la besé y le dije:

— Te amo, Isabel.

Ella contestó:

— Yo también a ti, Tommy. Dios sabe que he tratado de evitarlo, pero te quiero.

Ese era el momento en que yo debía haber empezado a preocuparme, pero no. Por el contrario, me fui a casa con el corazón alegre y no pude dormir. Empezamos a vernos con más frecuencia. El padre de Isabel, el señor Henry, era muy bueno, muy inteligente pero tranquilo, y la que mandaba en la casa era la señora Henry. A veces me invitaban a pasar la noche con ellos en su yate, o a cenar en su casa. En la mesa, la señora Henry se complacía en humillarme. Describiendo una fiesta de jardín decía: "Estaban los Lionel Smiths . . ." y en seguida, dirigiéndose a mí: "Por supuesto, usted no los conocerá". Yo salía de esas comidas con el rabo entre las piernas.

A mi padre le encantaba Isabel: le parecía una reina y tenía a los Biddles por una gran familia. Pero si Isabel y yo nos hubiéramos casado, habría sido un desastre. La señora Henry jamás me habría dejado en paz. Creo que la misma Isabel tampoco veía en mí muchas habilidades. Un día que íbamos de paseo me dijo: "Yo tengo dinero y tú también. Creo que no debes trabajar. Podemos reunir nuestras fortunas y viajar.

Durante dos años estrechamos nuestras relaciones. Ella vivía con sus padres y nos veíamos mientras yo asistía a Brown. La crisis se presentó finalmente cuando yo tenía veintiún años, en el verano de 1935. Un día recogí a Isabel en Boston con la intención de llevarla en automóvil a Maine, y cuando llegamos a Rockport, donde se pasa un cerro y la carretera se bifurca, me dijo:

— Tommy, no nos detengamos en Camden. Sigamos hasta Montreal y nos casamos.

Era una propuesta tentadora, pero pensé que eso seguramente nos iba a indisponer con su familia y con la mía. Le contesté:

— No me parece que debamos hacer eso. Tus padres quedarían resentidos para siempre. Mi mamá también se sobresaltaría.

Y nos dirigimos a Camden. Pocas semanas después, Isabel me notificó que todo había terminado. Esto me dolió profundamente. Regresé a Brown y durante más de un año no volví a mirar a una muchacha. La señora Henry casó a sus hijas con *buenos partidos* y vivió casi hasta los noventa y cinco años. Fue siempre rica y todos los años por el otoño pasaba un mes en el Ritz de París comprando sus trajes. Muchos años después me encontré allí con ella, me acerqué y la saludé:

— Señora Henry, ¿cómo está usted?

— ¡Tommy Watson! Se ha vuelto usted una persona muy importante — contestó — . Tiene que ir a vernos a Filadelfia. Daré una cena para usted.

Para cualquiera que visitara en 1933 la Universidad de Brown los efectos de la depresión eran notorios. El *campus* y los edificios estaban descuidados, y un buen número de estudiantes mal nutridos. Muchos tenían que viajar todos los días en bus desde poblaciones como Pawtucket porque no tenían dinero para vivir en la Universidad.

Empero, yo pertenecía a la minoría de estudiantes ricos que vivían como si estuviéramos todavía en el apogeo de los alegres años 20. Ingresé en la fraternidad Psi Upsilon, conocida por su afición a la vida despreocupada. Todas las noches de la semana nuestro grupo se dirigía al centro de la ciudad a beber y bailar en el Hotel Biltmore. Teníamos apartamentos, automóviles, nos divertíamos de lo lindo. Los fines de semana frecuentábamos los esquiaderos de Vermont o íbamos a Smith o a Vassar [universidades femeninas] a buscar a las muchachas.

Haciendo semejante vida, me encontraba yo más en contradicción conmigo mismo que otros estudiantes desorientados. Me comportaba como un petimetre, pero me daba cuenta muy bien de que el país se hundía en el caos económico. Sentía la urgencia de hacer algo por surgir, sin poder mover un dedo para intentarlo. Era un niño rico entre otros niños ricos, pero los padres de mis amigos eran republicanos mientras que el mío era un abierto partidario del New Deal.[1]

En esa época los lazos entre mi padre y yo no eran nada estrechos. El, a los sesenta años, empezaba a ganar reconocimiento internacional y vivía ocupado con sus compromisos sociales y de negocios. Cada dos o tres semanas me escribía largas cartas moralizadoras llenas de las mismas consignas que fijaba en las convenciones de ventas de la IBM: "Haz lo correcto", por ejemplo, o "Somos parte de todo lo que hemos conocido". Yo las leía y las tiraba.

El dinero me sobraba. Me daban como pensión trescientos dólares mensuales, que era más o menos el doble del ingreso de la familia norteamericana término medio en esos años. Con ese dinero sólo tenía que pagar mis gastos en la Universidad y la ropa que comprara. Mi padre nunca me pedía cuentas. Cuando nos veíamos me decía: "Probablemente andarás corto de fondos, hijo", y me daba otros cien dólares que yo gastaba hasta el último centavo; pero lo curioso es que yo no sabía si realmente era rico. Se había establecido para mí un fondo en fideicomiso, formado, por supuesto, de acciones de la IBM, pero mi padre nunca me dijo cuánto había. Todos los años iba a verme su contador y me hacía firmar en blanco los formularios de declaración de renta, excusándose siempre con el pretexto de que todavía no había tenido tiempo de llenarlos. Esto duró no sólo mientras estuve en la Universidad sino hasta diez años más tarde, cuando ya era un hombre hecho y derecho y con hijos.

Transcurridos tres meses, me llegaron las primeras calificaciones, en vísperas de la Navidad de 1933. Recibí una llamada telefónica para que me presentara en el despacho del decano Sam Arnold, a quien había conocido con mi papá. Era un hombre obeso, de cara redonda, simpática y sonriente. Me dijo: "Señor Watson, estas calificaciones no están muy buenas. No le auguran nada bueno en la universidad. Tendrá que hacerlo mejor".

Palabras serias. Pero capté un guiño en su mirada. El decano y yo teníamos una entrevista como ésta por lo menos una vez cada

---

[1] El "Nuevo Trato", programa para la recuperación económica y la reforma social del presidente demócrata Franklin D. Roosevelt *(N. del T.)*.

semestre. Yo era un pésimo estudiante, pero él me toleraba. Mi padre no me presionaba para que estudiara más. Posteriormente, cuando le pregunté por qué me había dejado permanecer en la Universidad con calificaciones tan malas, me dijo: "Pensé que era mejor para ti permanecer sin propósito en una situación ordenada que dejarte crear sin propósito tu propia situación".

Acababa de ingresar en Brown cuando cumplí la gran ambición de mi vida: al fin aprendí a volar. En septiembre de mi primer semestre volé solo, habiendo recibido apenas cinco horas y media de instrucción, lo cual debe ser de algún modo un récord. ¡Qué sensación! Para el vuelo sí servía. Serví instantáneamente. Destiné a esta loca actividad todos los recursos que poseía, mentales, físicos y económicos y gané gran confianza en mí mismo. A veces saltaba de la cama a media noche, me iba al aeropuerto y volaba una hora. Los administradores del aeropuerto eran bastante descuidados con los estudiantes — no se oponían a que voláramos en la oscuridad. Ese primer invierno mi mayor aventura fue tomar parte en el puente aéreo que organizó la Cruz Roja para llevar comida a la isla de Nantucket. Nueva Inglaterra experimentaba una larga temporada de tiempo frío y la bahía de Nantucket se congeló totalmente por primera vez en más de diez años. Durante un tiempo la única manera de llevar víveres a la isla era por aire. Yo llevé desde New Bedford varias cargas de suministros.

Mi padre nunca se quejó cuando supo que yo estaba volando. Creo que en el subconsciente ambos comprendíamos que la aviación era una de las cosas en que nunca nos pondríamos de acuerdo. Se limitó a transmitirme el consejo de Lindbergh, de quien ya se había hecho amigo: "Dígale a su hijo que no vuele nunca si está cansado".

Cuando yo ingresé en Brown, mi padre y mi madre ya se habían mudado de Short Hills a Nueva York, donde alternaban con la élite de la ciudad. Durante la temporada social, de octubre a mayo, su vida era una serie interminable de actividades: lunes por la noche, la ópera, en compañía de otras parejas, tal vez dos cenas y un banquete de beneficencia a la semana, y luego, cada pocas semanas, una cena de la IBM. Mi padre quería conocer a todas las personas importantes de Nueva York y al cabo lo logró.

En los primeros años 30, fue elegido presidente de la Asociación de Comerciantes de Nueva York, y entonces empezó a tratarse con personajes como John D. Rockefeller Jr. y Henry Luce. Ingresó en el Club de Exploradores, en el cual conoció a Lowell Thomas y al almirante Richard Byrd, cuya expedición al Polo Sur ayudó a financiar. Byrd le dio el nombre de Serranía de Watson a una cadena montañosa de la Antártida. Byrd visitaba con frecuencia la casa de mis padres. Yo lo respetaba muchísimo y me impresionaba que este hombre, el primero que voló sobre el Polo Norte, realmente quería a mi padre, no simplemente cultivaba su amistad por su dinero.

A mi padre le gustaba coleccionar fotografías autografiadas de personajes importantes, y las tenía sobre el piano de cola, en la sala. Había una de Charlie Schwab, el gran magnate del acero, con esta leyenda: "Para Tom Watson, máquina maestra de negocios". También había una foto de Mussolini, de los días en que Mussolini todavía gozaba de aprecio, por lo menos en algunos sectores... desapareció en cuanto mi papá se dio cuenta de la perversidad del fascismo italiano.

Su amigo más influyente mientras yo estuve en la Universidad fue nada menos que el presidente Franklin D. Roosevelt. Mi padre había contribuido con dinero y asesoría a la campaña presidencial de Roosevelt en 1932, y así tuvo acceso a la Casa Blanca una vez que Roosevelt barrió a Hoover en las elecciones. Corría el verano de 1933, y la Asociación de Comerciantes estaba alarmada por los controles de salarios y precios que el presidente Roosevelt quería imponerles a los negocios con la Ley de Reconstrucción Nacional. Mi padre se ofreció para ir a Washington a pedirle un poco de moderación. Saludó a Roosevelt, y le dijo: "Señor presidente, he venido a decirle que el pueblo de Nueva York estima que usted se está excediendo con la reglamentación. Los negocios deben ser bien regulados, pero también creemos que hay que tratarlos bien. Si usted sigue por ese camino, diezmará lo poco que queda de los negocios y terminaremos en nada".

Roosevelt sacudió la cabeza y le dijo: "Mire usted, Tom. Dígales a sus amigos banqueros y hombres de negocios que yo no tengo tiempo para preocuparme por su futuro. Estoy tratando de salvar esta gran nación. Creo que lo lograré. Si lo logro, los salvaré a ellos junto con todos los demás".

Estas palabras cambiaron por completo a mi papá. Vio la monumental tarea que Roosevelt tenía entre manos y se resolvió a ayudar. Fue la última vez que habló como vocero de los conservadores. A mí me dijo: "Las opiniones que tienen generalmente los hombres de negocios sobre lo que le conviene al país, casi siempre son equivocadas".

Más tarde, ese mismo año, recobró el aprecio de Roosevelt al asumir una postura pública a favor de iniciar relaciones diplomáticas con Rusia. A Roosevelt lo criticaban por ser blando con los bolcheviques, y mi padre fue uno de los pocos líderes de los negocios que lo apoyaron. Después de esto, el presidente y él se hicieron muy buenos amigos. Una o dos veces por mes, mi papá le mandaba sugerencias, a veces solicitadas, a veces no. Había ocasiones en que los colaboradores de Roosevelt pedían el programa de compromisos de mi padre, en caso de que el presidente necesitara comunicarse con él con urgencia.

Yo vi muchas de las cartas del presidente Roosevelt en respuesta a las sugerencias de mi padre, quien estaba tan orgulloso con ellas que las llevaba en el bolsillo y se las enseñaba a los amigos. Con frecuencia él y mi madre iban a tomar el té a Hyde Park,[2] y en un par de ocasiones fueron invitados a pernoctar en la Casa Blanca. Estos eran grandes acontecimientos en nuestra familia.

Roosevelt apreciaba tanto el apoyo de mi padre que a mediados de los años 30 le ofreció nombrarlo secretario de Comercio y hasta embajador ante la Corte de St. James — cargo que desempeñó posteriormente Joseph P. Kennedy —, pero mi padre declinó ambos ofrecimientos porque no quería separarse de la IBM. En cambio, actuó como representante extraoficial de Roosevelt en Nueva York. Por ejemplo, si Gustavo, el príncipe de la Corona de Suecia, iba a visitar los Estados Unidos, un ayudante de Roosevelt llamaba a mi padre y le decía: "¿Le gustaría a usted dar un almuerzo en homenaje al príncipe Gustavo?

Mi padre no tenía más que apretar un botón. Tenía todo un departamento que no hacía otra cosa que preparar banquetes y otras funciones de la compañía. Producían una lista de invitados,

---

[2] Residencia privada de los Roosevelts, sobre el Hudson, al norte de la ciudad de Nueva York *(N. del T.)*.

y entre cien y doscientas personas eran atendidas espléndidamente en el Union Club, todo por cuenta de la IBM. Mi padre veía esto como una manera inteligente y digna de hacerle publicidad a la compañía, refinar a nuestros altos ejecutivos... y ayudarle al presidente. Para dar la bendición se contaba con el cardenal Spellman. Ponían un estrado, varias mesas con magníficos arreglos florales, y el menú con las banderas de los Estados Unidos y de Suecia cruzadas en la cubierta y una descripción del invitado de honor. Estoy seguro de que el solo menú no costaba menos de 75 centavos de dólar por ejemplar. Mi padre presidía en persona muchos de estos almuerzos para dignatarios visitantes. Roosevelt dijo una vez: "Yo me encargo de ellos en Washington, y Tom en Nueva York". Mi padre se sintió muy honrado con este comentario.

# CAPITULO 7

Cursaba yo el tercer año en la Universidad en 1936 cuando el gobierno dio a la publicidad una lista de los sueldos más altos de los Estados Unidos... y el nombre de mi papá figuraba a la cabeza. Ganaba más dinero que el mismo Will Rogers: 365 000 dólares anuales. La prensa lo apodó "El Hombre de los Mil Dólares Diarios"; lo denunciaron como el gran pirata de la industria y el último de los magnates ladrones. Esto realmente lo indispuso. Según su modo de ver las cosas, su remuneración era reflejo de los valores que él estaba generando para los accionistas de la IBM. La verdad es que a la compañía le iba tan bien, que cada pocos años mi papá le pedía a la junta directiva que le *rebajara* su porcentaje de participación en las utilidades, a fin de que su ingreso no fuera más espectacular aún. Ser el hijo del Hombre de los Mil Dólares Diarios no me molestaba a mí en lo más mínimo. Todavía estaba tratando de olvidar a Isabel, y cuando aparecieron las historias sobre mi padre, muchas chicas súbitamente me encontraron más interesante que antes.

Desde mi punto de vista, tanto Roosevelt como la Depresión eran algo muy lejano. Fuera de repetirme que Roosevelt era un héroe, mi papá rara vez me hablaba de política, pero sus principios liberales se me contagiaron y empecé a adquirir un sentido de justicia social. Cuanto más pensaba en los programas de socorro federal, tanto más hondo me calaban. En 1936 me enzarzaba en disputas con condiscípulos partidarios de la candidatura presidencial de Alf Landon. Luego, al principio del segundo período presidencial de Roosevelt, fui con algunos compañeros a Cuba, a pasar las vacaciones de primavera. Tomamos un barco de crucero en Nueva York, y nos divertimos inmensamente. La

Habana ofrecía toda clase de vicios, y si uno quería irse de farra, ése era el lugar ideal; pero cuando regresé a casa, empecé a pensar que para los cubanos era una tragedia ver a su país convertido en un parque de diversiones para los americanos ricos.

Los valores del New Deal no fueron lo único que aprendí de mi padre. De alguna manera, con sus sermones, su ejemplo y su impresionante tolerancia de mi mal comportamiento, me enderezó. Cursando el segundo año en Brown, empecé a aprender la manera de poner orden en mi vida.

Ese año mi compañero de cuarto fue un muchacho interesante de Pittsburgh, hijo de un hombre muy rico. Se llamaba David Ignatius Bartholomew McCahill III. Yo lo llamaba Iggy. Teníamos un apartamento en Waterman Street, una especie de medio sótano, y jaraneábamos y trasnochábamos con todas las muchachas de la ciudad. A Iggy realmente nada le importaba un comino. Tal vez su papá no se enfadaría si lo reprobaban. En todo caso, él era un loco. Tenía un gran perro danés y para no tener que molestarse en darle de comer, compraba en una cafetería de mala muerte que había al final de la calle un boleto por el valor de la comida, se lo ataba al perro al pescuezo, y cuando el animal tenía hambre, trotaba hasta la cafetería y llamaba a la puerta golpeando con la pata. Alguien le daba su hamburguesa y marcaba en el boleto 25 centavos. Esto escandalizaba al vecindario. Unos decían que el boleto se lo debían quitar al perro y dárselo a un estudiante pobre.

A mediados de ese segundo año tuve otra de mis entrevistas con el decano Arnold, quien me dijo:

— Esta vez va usted realmente en dirección a la puerta de salida. Yo aprecio a su padre y lo aprecio a usted. Me apena que se vaya.

— No soy muy buen estudiante — contesté —, pero no quiero que me echen.

— Entonces, ¡a aplicarse!

Fui a ver a Iggy y le dije:

— No puedo seguir viviendo aquí porque no quiero que me expulsen.

Comprendió. El continuó por su cuenta y perdió el año ese enero. Yo tomé un cuarto para mí solo en la residencia estudiantil y me apliqué de veras al estudio. Pero se aproximaban los exámenes, y veía que no los iba a aprobar. Entonces empecé a sentir unos dolores en el costado derecho que resultaron ser apendicitis. La operación me permitió aplazar los exámenes seis semanas, y así pude prepararme mejor y aprobé el curso.

Por esa misma época tuve que luchar con el problema del alcohol, que en mi familia siempre fue cuestión peliaguda desde el día en que mis padres se conocieron por no tocar sus copas de vino. En mi casa no se servían licores durante la Prohibición, y la actitud de mi padre hacía que beberlos pareciera pecaminoso. El evitaba el alcohol como evitaba los aviones. Una vez mi mamá quería darle una dosis de aceite de ricino, que ella mezclaba con soda, zumo de limón y whisky para hacerlo menos repugnante. El se llevó el vaso a los labios, luego lo dejó otra vez en el lavamanos y dijo: "Prefiero no tomarlo así, Jeannette". Lavó bien el vaso, se sirvió el aceite puro y lo bebió de un trago.

En la IBM beber era tabú, y la revocación de la Prohibición en diciembre de 1933 no modificó esa situación. La política oficial era que los empleados no podían beber durante los días de trabajo, ni se podían llevar licores a las reuniones de la IBM ni tenerlos en los locales de la empresa. La política extraoficial era que beber en exceso, aunque fuera en el tiempo libre de cada uno, le podía arruinar sus probabilidades de promoción. En Endicott, nuestro pueblo-fábrica, se decía que el hombre prudente corría las cortinas de su casa antes de tomarse un cóctel con su mujer. Mi padre no hizo nada por desmentir esta leyenda, aun cuando yo no creo que tuviera la intención de entrometerse en la vida privada de los demás. Sencillamente, quería poner la IBM al abrigo de todo reproche; pero sus subalternos lo suponían enemigo de toda diversión y a veces exageraban imponiéndoles ese punto de vista a los empleados.

No es de extrañar que yo prefiriera pasar las vacaciones fuera de casa cuando estaba en la Universidad. Iba a casa el día de Navidad, pero el resto del tiempo visitaba a mis compañeros y sus familias. Una noche, justamente en vísperas del Año Nuevo de 1935, fuimos a tomar cerveza a un club campestre en Scranton, Pensilvania. Yo tenía veinte años. Vaso va, vaso viene, y los tragos parecían mejorar mi habilidad para el baile, de modo que lo pasé muy alegremente.

Al día siguiente tuve una crisis de conciencia. Durante el viaje de regreso a Nueva York pensé con angustia en mi liviandad y en las ideas de mi padre sobre el alcohol. Me sentía tan arrepentido que resolví confesárselo todo. Más tarde, ese mismo día, haciendo un gran esfuerzo, entré en la biblioteca de nuestro apartamento, donde él estaba leyendo. "Papá", le dije, "quiero hablarte de una cosa". Le referí lo ocurrido la noche anterior, que en realidad se reducía a unas pocas cervezas y mucha diversión.

Mi padre debió encontrar mi confesión reconfortante porque me estrechó la mano y me contestó: "Gracias, hijo, por contármelo. ¿Quieres sentarte un momento? Yo también cuando era joven ensayé unas pocas cervezas, y esas pocas me llevaron a una cosa más fuerte, y realmente eso nunca me sentó bien". Más tarde oí una historia que, hasta donde yo sé, no le contó nunca a nadie, ni siquiera a mi mamá. A mí me la contó un viejo amigo suyo. Me contó que cuando mi padre fue a Búfalo, a la edad de diecinueve años, a buscar fortuna, el primer empleo que consiguió fue como el que había dejado en Painted Post: vendedor ambulante de máquinas de coser que llevaba en un carro de caballo, esta vez para los fabricantes Wheeler and Wilcox. Un día entró en una cantina del camino para celebrar una venta y bebió más de la cuenta. Cuando cerraron la cantina, se encontró con que le habían robado todo — carro y caballo y muestras. Wheeler and Wilcox lo despidieron y le exigieron responder por la pérdida. El incidente se divulgó, desde luego, y mi padre tardó más de un año en volver a conseguir un empleo fijo. Esta anécdota no entró nunca en las tradiciones de la IBM, y es una lástima porque habría contribuido a ayudarles a entender a mi padre a los que tenían que obedecer sus reglas. Entonces él debió de sentirse como si el mundo se le hubiera venido encima. No sé cuánto bebería antes, pero la pérdida del carro y las máquinas de coser fue suficiente para que no volviera a probar licor en su vida.

Mi padre empezó a ejercer una gran influencia en mí, algo así como la religión afecta a algunas personas. Durante una semana, más o menos, salía yo todas las noches con muchachas bonitas a bailar y a tomarme unas copas; pero una semana después, más o menos, empezaba a sentir a mi padre; podía estar él a seis mil kilómetros de distancia y yo sentía su presencia, como la quilla de un barco, que me enderezaba otra vez. No era que corriera a encerrarme en mi cuarto a estudiar, pero sí tomaba un nuevo rumbo y trataba de vivir mejor.

Mi poco aprovechamiento en los estudios no me permitía vislumbrar ningún porvenir, pero gradualmente llegué a la conclusión de que podría salir al otro lado si emprendía las actividades para las cuales sí tenía disposiciones, principalmente las que implicaban trato con la gente. Yo sabía cómo rechazar un trago, cómo mantenerme bien presentado, cómo mostrar respeto por los mayores. Hasta cierto punto, imitaba a mi padre. El no tenía mucha instrucción, pero había asimilado suficientes conocimientos del mundo para que su falta de educación formal no fuera nunca un obstáculo en su carrera. Así, pues, empecé a esforzarme por hacer amistades y conservarlas. Aprendí a concentrarme en mi interlocutor en una conversación y a preguntarme constantemente: "¿Estoy en desacuerdo con este individuo? ¿Lo estoy tratando con equidad o lo ofendí?" Los amigos que hice en la Universidad son todavía mis amigos.

Cuando llegó mi último año de estudios acaricié la idea de salirme de la Universidad y dedicarme del todo a la aviación. Un amigo y yo teníamos un pequeño negocio de fotografía aérea, pero me daba miedo lo que me pudiera pasar si me lanzaba enteramente solo a la aventura, y me dije: "Ya he dedicado tres años a los estudios y es poco lo que me falta para terminar. Mejor me gradúo". Tomé todos los cursos fáciles que pude encontrar e hice un enorme esfuerzo para poder aprobarlos. Sin embargo, el grado se lo debo en realidad al decano Arnold. Me imagino que él pensaría: "Este muchacho ha mejorado un poco. Démosle su diploma... y buena suerte". Veinte años después, doté varias cátedras de Brown en honor suyo.

Durante mi último año también empecé a pensar con una sorprendente prudencia en lo que sería mi vida después de graduarme. Todavía no tenía idea de qué me gustaría hacer, aunque sí comprendía que necesitaba la disciplina que le da a uno un empleo. Solo había una solución. Llamé a mi padre y le pregunté: "¿Cómo se hace para conseguir un puesto en la IBM?"

No dudo que esto lo alegró, aun cuando también pensaría qué clase de empleado sería el que iba a conseguir. Dispuso rápidamente que en octubre entrara en el curso de capacitación para vendedores. Además, la perspectiva de que yo ingresara en la

IBM lo inspiró para escribirme más cartas que nunca. Por mi parte, yo dejé de tirarlas al cesto y aún conservo unas cuantas. Entre éstas, una de mis favoritas es una de cinco páginas, de diciembre de 1936. El siempre estaba pensando en lecciones morales y no podía escribirme sin sermonearme. La carta a que me refiero tenía por objeto inspirarme para que aprobara los cursos que me faltaban y me graduara:

> ... recuerda siempre que la vida no es tan complicada como dice la gente. Y cuanto más vive uno, más claro ve que el éxito y la felicidad dependen de muy pocas cosas. Te doy esta lista de los activos y los pasivos importantes. [Aquí trazaba una raya por el centro de la página y escribía en dos columnas:]

| **Pasivos** | **Activos** |
|---|---|
| Ideas reaccionarias | Visión |
| Amor al dinero | Desinterés |
| Malas compañías | Amor |
| Falta de carácter | Carácter |
| Falta de amor al prójimo | Buenos modales |
| Falsos amigos | Amigos (reales) |
| | Orgullo de lo realizado |

Siempre me había fastidiado oír esas cosas, pero entonces me parecieron bien intencionadas.

En muchas cartas tratábamos de nuestros planes para el verano. El de 1937 se perfilaba como muy importante para los Watsons. Mi padre había sido elegido presidente de la Cámara Internacional de Comercio, y debía viajar a Europa a recibir el honor, acompañado de mi madre y de mis hermanas. De paso, estaba invitado a visitar al rey de Inglaterra. Dick iba a recibir su diploma en el internado, y a mí me esperaban grandes cosas. Por primera vez me ofrecieron un empleo, no habiéndolo solicitado. Me hizo la oferta un periodista amigo de mi padre, llamado Herbert Houston. Era experto en cuestiones japonesas, y lo había contratado la Feria Mundial de 1939 para que fuera al Oriente a vender espacio en los pabellones. Me escribió para proponerme que actuara como su secretario durante el verano. Yo quedé encantado con la propuesta y muy halagado de que hubiera pensado en mí para un puesto que exigiría "mucho viaje y mucho trabajo", según decía. Acepté gustoso, cancelé los planes que ya había hecho para un viaje en buque de vela con unos compañeros, y convine en encontrarme con Houston en Berlín, donde se reunía a fines de junio la Cámara Internacional de Comercio. Asistiríamos a la posesión de mi padre, y luego partiríamos para Moscú y tomaríamos el Ferrocarril Transiberiano, rumbo al Extremo Oriente.

Una consecuencia de todos estos hechos fue que mis padres no asistieron a mi grado ni al de Dick, puesto que tenían que ir a Inglaterra. Esto era una contrariedad para todos, sobre todo para mi padre, pues nosotros los Watsons les dábamos mucha importancia a estas ceremonias; pero no había nada que hacer. Fue así como el día de mi graduación nadie me acompañó a recibir mi diploma, fuera de la redonda cara sonriente del decano Arnold. Estuve con algunos condiscípulos y sus familias, tomamos fotos, y luego partí para Hotchkiss para asistir al grado de Dick. Me complació hacer por primera vez de hermano mayor para que Dick no se sintiera totalmente huérfano.

# CAPITULO 8

Mientras yo iba rumbo a Europa en un transatlántico, mi padre asistía muy orgulloso a la primera recepción matinal que daba Jorge VI, nuevo rey de Inglaterra. Tengo una fotografía de mi padre cruzando el patio del Palacio de Buckingham, debidamente vestido para la ocasión, con traje civil cortesano, calzón corto, medias negras y zapatos de charol. Sobre el pecho luce una hilera de condecoraciones otorgadas por varios países donde tenía negocios la IBM. T. J. Watson, ex vendedor de máquinas de coser, había llegado.

Mientras tanto, yo había conocido a bordo una mujer lindísima, una modelo de Chicago, que se hallaba en viaje de vacaciones con su madre. Francamente, me volvió loco. Cuando atracamos en Southampton fui a despedirme de ella y acabé con la cara embadurnada de lápiz labial. Eran como las siete de la mañana, y cuando yo atravesaba la cubierta, listo para desembarcar, todos se quedaban mirándome y se reían. Suerte fue que no hubiera por ahí cámaras que registraran el acontecimiento.

Me reuní con mis padres y con Herbert Houston en Berlín, donde ya había iniciado sus sesiones el Congreso de la Cámara Internacional de Comercio de 1937. En esos días la CIC era como el equivalente en el mundo de los negocios de la Sociedad de las Naciones. Su meta la sintetizaba un lema inventado por mi papá: "La paz mundial por medio del comercio mundial". Ese año el Congreso contó con 1 400 delegados y captó la atención de todo el mundo, pues eran muchas las personas que abrigaban la esperanza de que los hombres de negocios internacionales como mi padre pudieran evitar que estallara la guerra.

La atmósfera estaba sumamente cargada en Berlín. Ya Hitler

había remilitarizado la Renania, y el rearme se adelantaba febrilmente. Apenas llegué yo, mi madre nos contó que sus amigos los Wertheims, propietarios de uno de los grandes almacenes de la capital, se disponían a salir del país. En 1935, su negocio fue uno de los que sufrieron los ataques que perpetraron las pandillas de nazis que recorrieron las calles de Berlín destruyendo los escaparates de los negocios pertenecientes a judíos. Los alemanes a quienes conocíamos le restaban importancia a ese incidente diciendo: "Sí, es lamentable, pero ya sabe usted cómo son los muchachos". En cambio, mi madre estaba aterrada. Para proteger el negocio, el señor Wertheim le traspasó el derecho de propiedad a su esposa, que era aria certificada, pero temían lo que pudiera ocurrir y resolvieron marcharse. Que una gran familia como ésta tuviera que abandonar un negocio muy importante por política era una cosa incomprensible para mí. Acabaron por vender el almacén por una bicoca, le pagaron a todo el mundo, cargaron cuanto poseían en seis vagones de ferrocarril y tomaron el tren para Suecia.

Recuerdo que salí a pasear por Unter den Linden, la principal avenida de la ciudad, con un gerente de la oficina local de la IBM. Pasamos frente al edificio de la Cancillería del Reich y vi soldados uniformados y con casco. Un poco más adelante, alcancé a ver la oficina de Intourist, la agencia de viajes rusa, y como necesitaba alguna información relativa a mi viaje al Oriente, entré. El gerente de la IBM me siguió distraído, pero cuando se dio cuenta del lugar en donde habíamos entrado, se salió de un salto. Había mucha animosidad entre alemanes y rusos, y él no quería correr el riesgo de que lo vieran allí. También visité la Embajada del Japón, a la cual me llevó Houston, a una recepción. Era una casa linda, y tomamos el té en el jardín mientras un diplomático alemán nos contaba muy orgulloso que ésa había sido la residencia de un judío rico que huyó del país. A nadie le pareció mal, pero yo pensé qué sentiría el propietario a quien le quitaron su casa y tuvo que huir. La insensibilidad de los alemanes me asustó.

El optimismo de mi padre le impidió ver lo que estaba ocurriendo en Alemania. Aun cuando acogieron al Congreso de la Cámara, los alemanes no eran partidarios del comercio internacional; decían que un exceso de tal comercio acabaría con su autosuficiencia, la cual ellos necesitaban en caso de guerra. Pero mi padre les creía a sus amigos alemanes, hombres de negocios, quienes le aseguraban que ellos tenían refrenado a Hitler. Muchos cometieron la misma equivocación, pero no todo el mundo tuvo la oportunidad de preguntarle a Adolf Hitler a quemarropa qué era lo que pensaba. El tercer día del Congreso mi padre tuvo una entrevista privada con Hitler, y Hitler lo engañó por completo. Hablando con los periodistas después de la entrevista, mi padre elogió la sinceridad de Hitler quien, según dijo, le había hecho esta declaración: "No habrá guerra. Ningún país quiere la guerra y ningún país tiene con qué hacerla".

Al terminar el Congreso, el gobierno nazi le otorgó a mi padre la Orden del Mérito del Aguila Alemana, condecoración que se acababa de crear para "honrar a los nacionales extranjeros meritorios ante el Reich alemán". En la ceremonia de entrega, el ministro de Economía Hjalmar Schacht se la puso en el cuello. Era una cruz blanca enmarcada en oro y decorada con cruces gamadas. Mi padre la aceptó entonces complacido, pero en 1940, cuando Hitler se apoderó de una gran parte de Europa, se la devolvió indignado con una nota que decía:

> Excelencia:
> Cuando se reunió el Congreso de la Cámara Internacional de Comercio en Berlín en junio de 1937, hablamos sobre la paz mundial y el comercio mundial. Usted declaró que no debía haber más guerras y que le interesaba desarrollar el comercio con otras naciones.
>
> Pocos días después, su representante, el Dr. Hjalmar Schacht, me confirió en nombre del gobierno alemán la condecoración de la Cruz del Mérito del Aguila Alemana (con estrella), en reconocimiento de mis esfuerzos en pro de la paz mundial y del comercio mundial. Yo la acepté sobre esa base, e informé a usted que continuaría cooperando en favor de dichas causas.
>
> En vista de las políticas actuales de su gobierno, que son contrarias a las causas por las cuales yo he venido trabajando y por las cuales recibí la condecoración, se la devuelvo.
>
> Atentamente,
> THOMAS J. WATSON

Mi padre, no sé cómo, encontró tiempo en Berlín para darme consejos sobre mi viaje al Oriente, que ambos considerábamos mi primer contacto con el mundo real. Seguramente le preocupaba que yo fuera a caer en los antros de perdición de aquellos remotos países, pues me previno que no debía meterme con mujeres de otras nacionalidades porque las diferencias culturales hacían difícil distinguir a las mujeres bien educadas de las que no lo eran tanto. Aunque nunca me habló de sexo, encontraba maneras indirectas de referirse a eso también. Me dijo: "Tom, vas a visitar un territorio muy extraño, donde hay toda clase de enfermedades. Si yo estuviera en tu lugar, tendría mucho cuidado de usar siempre una toalla limpia. Si te cortas afeitándote o de cualquier otro modo, y usas una toalla que no esté absolutamente limpia, puedes contraer una infección grave".

Nos despedimos el 3 de julio, y a la mañana siguiente, cuando bajé del tren en Varsovia en compañía de Herbert Houston, parecía como si fuera el día de mi independencia personal. Allí estaba, con veintitrés años de edad, sin saber nada del mundo, absolutamente por mi propia cuenta. En el curso de las diez semanas siguientes tenía la intención de mostrarme como el mejor secretario del mundo. El plan de Houston era viajar hacia el nordeste hasta Moscú, tomar allí el Ferrocarril Transiberiano y empezar a vender espacio en los pabellones de la Feria apenas llegáramos a Manchuria, que en aquellos días era un Estado títere dominado por el Japón.

Al principio, yo apreciaba a Houston porque me había escogido para el puesto, pero nunca hicimos una amistad estrecha. El andaba por los sesenta y tantos, como mi padre, y, sin embargo, parecía un anciano — muy formal, duro de oído, y a cada rato se quedaba dormido. Conocía a muchas personas importantes en el Extremo Oriente y se había distinguido publicando un periódico de asuntos internacionales titulado *World's Work* que tuvo su época de auge pero ya había venido muy a menos. Ahora Houston estaba casi arruinado; mi padre le ayudó a conseguir el empleo con la Feria Mundial.

En la frontera rusa teníamos que trasbordar a otro tren, y los guardias de aduana revisaron todo lo que llevábamos. Como lo vi pronto, Rusia estaba trastornada. Durante el gobierno de

Stalin fusilaban gente a diestro y siniestro, o las personas simplemente desaparecían sin dejar rastro. Corrían noticias de un mariscal de campo y catorce altos jefes del ejército acusados de espionaje. En sólo ocho horas de juicio secreto los hallaron culpables e *incontinenti* los pasaron por las armas. Las personas que conocían el país daban por sentado que las víctimas eran incontables, si bien nadie aventuraba un juicio sobre la magnitud de las "purgas" de Stalin.

A diferencia de muchos otros norteamericanos que visitaban a Rusia en los años 30, yo no sentía simpatía especial por el comunismo; sencillamente, iba de paso para Tokio. Pero la Revolución Rusa llevaba apenas veinte años de existencia, y yo tenía curiosidad de ver por mí mismo si el nuevo sistema estaba dando resultados. Pensaba en estas cosas en el tren mientras Houston dormitaba. Me molestaba que en los Estados Unidos hasta hablar de comunismo se estaba convirtiendo en un acto de herejía. ¿Por qué no podían las personas sensatas hablar de *cualquier* sistema que se propusiera para distribuir la riqueza? La verdad es que la manera como se distribuía el dinero en mi país no me parecía tan equitativo. Mi madre siempre nos decía: "Tu papá trabaja mucho, y por eso triunfó". Pero yo conocía a muchos que trabajaban tanto como él y no llegaban a ninguna parte. Quizá hubiera algún sistema mejor; yo estaba dispuesto a admitir que en el comunismo podía haber algo bueno.

Cuando llegamos a Moscú, nos recibió un empleado de Intourist que nos llevó al Hotel Metropole, el mejor de la ciudad. Se encontraba en visible decadencia, y me enteré con gran sorpresa de que muchas de las habitaciones estaban ocupadas por los campeones del trabajo a destajo en las fábricas locales. Pensé cómo encajaba el sistema de recompensar a los que daban mejor rendimiento con la consigna de Lenin: "De cada uno según su capacidad, a cada uno según su necesidad". Otro residente en el Metropole era Gene Schwerdt, holandés que trabajaba como representante de la IBM en Moscú. La compañía tenía muchos negocios con los soviets, quienes necesitaban máquinas IBM para manejar vastas cantidades de estadísticas para sus planes quinquenales. Schwerdt vio que yo era muy ingenuo y me llevó a su habitación para darme un curso rápido sobre Rusia. "Cuídese mucho", me dijo. "Aquí tratarán de enredarlo con una mujer. Tienen micrófonos en todas las habitaciones de manera que usted no debe hablar''. Mientras yo asimilaba esta información, me contó que en Moscú se vivía bajo un reino de terror, aunque ningún ruso lo mencionaba por temor a que lo mataran. Stalin había consolidado su poder desde el principio mediante los fusilamientos y luego (Schwerdt se expresaba en términos de negocios) había ido aumentando su cuota hasta que fusilar era tan común en Rusia como un parte por violación del reglamento de tránsito en los Estados Unidos. Durante dos horas escuché un relato de espionaje, propaganda, mercado negro, terrible escasez de vivienda y una burocracia que todo lo paralizaba. Cuando salí, estaba traumatizado.

En la Embajada de los Estados Unidos nos recibieron muy bien cuando mostramos las cartas de presentación que llevábamos, del secretario de Estado Cordell Hull, amigo de mi padre. En la Embajada todas las personas con quienes conversamos renegaban de los rusos, unas más y otras menos. El que más me impresionó fue el segundo secretario, George Kennan, joven de sólo treinta y tres años, delgado, intenso, de cabello negro. Describió a Rusia como una dictadura con fachada comunista y me dijo que cuando llegó al país él pensaba que el comunismo sería la solución final para el mundo, pero poco a poco había llegado a la conclusión de que, tal como se estaba practicando, era un fracaso total.

Después de un par de días le escribí una carta a mi padre diciéndole que Rusia era un horror. Creo que al recibirla se aterró de que yo por ser suelto de lengua me fuera a meter en un lío serio y se las arregló para contestarme, yo no sé cómo, a los tres días. Decía simplemente:

> Estoy seguro de que encontrarás en Rusia las condiciones muy mejoradas para las masas, en comparación con los tiempos anteriores a la guerra. Además, debes tener en cuenta que cada país está en posición de determinar lo que le conviene a su propio pueblo. No es nuestro deber criticarlos ni aconsejarlos en estas cuestiones.

Capté la indirecta y no volví a criticar al gobierno soviético mientras estuve allá.

La gente de Intourist se esforzaba por ponerles buena cara a las cosas. Hicimos un viaje de dos días a Leningrado, donde nos mostraron los tesoros de arte acumulados por los zares en los palacios que edificaron mientras el pueblo sufría. Para darnos una idea de lo que era el Estado comunista ideal, Intourist nos llevó a una granja colectiva en las afueras de Moscú. Parecía más o menos como una granja corriente de los Estados Unidos, pero lo que sí me impresionó fue que cuidaban a los niños en guarderías limpias y alegres. Nuestro guía se molestó porque yo les prestaba más atención a los niños que a la granja, y cuando quise darle algún dinero a un chico, dijo muy enfadado: "No les hace falta dinero. Tenemos suficiente". A pesar del guía, se lo di en secreto, y el niño lo recibió feliz.

Mientras estuvimos en Moscú me sorprendió lo poco que me pedía Houston que hiciera, a pesar de que él sí pasaba mucho tiempo en la Embajada del Japón haciendo preparativos para nuestro viaje al Oriente. Habría transcurrido una semana cuando me dio otra sorpresa diciéndome que antes de partir debíamos esperar la llegada de otro joven de mi edad que venía a reunirse con nosotros. Era Peter Weil, sobrino de un conocido banquero inversionista de Nueva York. Le pregunté a Houston por qué venía, y me contestó: "Como secretario mío, lo mismo que usted". Esto me molestó porque no me parecía que Houston necesitara dos secretarios. Lo presioné, y al fin me confesó que el viaje de Weil lo pagaba la familia de éste. Mi situación era igual: mi padre había convenido en secreto en reembolsarle a la Feria Mundial el valor de mi sueldo y mis gastos. Este fue un golpe devastador para mi amor propio. Jamás habría aceptado el empleo si hubiera sabido que era invento de mi papá. Me sentí engañado, furioso conmigo mismo por no haber comprendido antes la patraña y resentido con Houston por haberse prestado a ella. Pues bien, si él no me necesitaba, entonces ese viaje lo dedicaría a divertirme a expensas de mi padre, lo mismo que los cuatro años que pasé en Brown. Pero no era tan fácil sobreponerme a la cólera y a la vergüenza que me embargaban. Las ocho semanas siguientes fueron de las más confusas de mi vida.

Peter Weil y yo ocupamos el mismo compartimiento en el tren a través de Siberia. Era un buen muchacho, y parecía un perfecto caballero. Todas las noches jugábamos al backgammon hasta tarde, y luego dormíamos hasta el mediodía. Cuando llegamos a

Manchuria, yo le debía como cuarenta dólares, lo que me traía de mal humor, especialmente desde que lo pillé leyendo un libro titulado *Cómo ganar al backgammon* que tenía escondido entre su equipaje. Después de ese descubrimiento yo no le quitaba el ojo de encima, pero seguimos siendo amigos. El tren se movía muy lentamente y hacía muchísimas paradas. Yo me pasaba la horas muertas mirando por la ventanilla la *taiga*, bosques interminables de coníferas y abedules. Mi fantasía me hacía ver que si una buena aerolínea pudiera conseguir permiso para sobrevolar ese vasto territorio, podía ser la ruta más rentable del mundo: Berlín a Tokio en cinco días. La población siberiana me inspiraba curiosidad, y cuando parábamos exploraba los pueblecitos y regateaba en las tiendas. Esta fue mi única diversión durante seis largos días, fuera de cantar y conversar con un grupo de alemanes y unas muchachas inglesas a quienes descubrimos viajando en tercera con los campesinos.

Pasar de Siberia a territorio japonés significaba el choque de volver a entrar en el mundo moderno. Para llegar a Tokio había que cruzar a Manchuria, bajar a lo largo de la península de Corea y tomar en Pusán un transbordador al Japón. Me asombró el trabajo que habían hecho los japoneses en todas partes. En Manchuria, que estaba bajo su control desde hacía sólo seis años, viajamos en un tren de primera llamado el *Asia*, con aire acondicionado, completamente aerodinámico, veloz y suave como un bote en mar tranquila. Lo único inquietante era que por todas partes veíamos señales de preparativos militares: tropas y vehículos de estado mayor en las estaciones de ferrocarril, buques de guerra en los puertos. Me impresionó tanto el modernismo japonés que no le presté a esto mucha atención... ni siquiera cuando un agente secreto en el tren afirmó que habíamos tomado fotos en una zona prohibida y nos decomisó las películas. Sólo unos pocos días después, el Japón se lanzó a la invasión de la China en gran escala, que algunos historiadores denominan el comienzo de la Segunda Guerra Mundial.

Cuando llegamos a Tokio nos instalamos en el Hotel Imperial. Houston era irremediablemente desorganizado y tan reservado que no nos permitía ni a Peter ni a mí abrir la correspondencia ni enterarnos siquiera de sus citas. Sin embargo, gracias a sus conexiones, el espacio en los pabellones se vendió. Acompañándolo en sus visitas conocimos a muchos japoneses importantes, entre ellos a Ginjiro Fujihara, fabricante de papel que fue después ministro de Municiones. Este caballero nos invitó a la ceremonia del té en su casa, y en esa ocasión nos habló de la invasión de la China y la manera como podía afectar a las relaciones con Inglaterra y con los Estados Unidos. Declaró abiertamente que el Japón ya no temía a Inglaterra, pues ésta era una nación muy vieja mientras que el Japón era joven. Houston le preguntó:

— ¿Y los Estados Unidos?

Fujihara sonrió y contestó:

— Nos gusta la política del Buen Vecino del presidente Roosevelt.

Yo tomé esto literalmente. No habría podido imaginar que el Japón tuviera a los Estados Unidos como un rival. Por el contrario, lo que más me impresionó en Tokio fue el grado en que los intereses de los dos países parecían estar vinculados entre sí. Siempre me había parecido el Japón un país remoto, pero en todas partes encontraba caras conocidas: hombres que conocían a mi padre, otros que se habían graduado hacía poco en las más célebres universidades de los Estados Unidos y a quienes yo conocía o de quienes había oído hablar, y hasta un conde japonés que había sido en Princeton el muchacho más elegante cuando yo estuve en la Escuela de Hun.

Ya entonces estaba yo pensando en cambiar de planes. Mi curso de capacitación en la IBM empezaba en septiembre, pero Peter se disponía a ir a la India una vez que terminara nuestro compromiso en Tokio, y a mí se me antojó irme con él. Le escribí a mi padre para pedirle permiso de extender mi gira. Su respuesta casi quema los alambres del telégrafo:

> Pensando en el futuro, no puedes emprender tal viaje. Reglamento compañía exige capacitación otoño. No esperarás se haga excepción en tu caso... Tu buen juicio te dirá debes regresar con Houston como se planificó. No perjudiques tu futuro ni me desilusiones a mí. Tu papá.

No me atreví a insistir... por lo menos directamente. Así, pues, hice mi trabajo y después de tres semanas en el Extremo Oriente, cuando Houston nos dijo que quedábamos en libertad durante el resto de nuestra permanencia en el Japón, pensé en hacer alguna grande para cerrar con broche de oro el viaje. Los japoneses acababan de capturar a Pekín y le propuse a Peter que fuéramos allá a buscar a un par de las inglesitas que habíamos conocido en el Transiberiano. Logramos que Houston nos ayudara a conseguir un permiso oficial para visitar la China durante dos semanas.

Creo que no nos dábamos cuenta cabal de que Pekín era zona de guerra, pero mi padre sí. Cuando Houston lo informó, se puso furioso, y el pobre Houston fue el que pagó los platos rotos. Por primera vez vi con claridad nuestra situación cuando llegamos a la estación en Tokio y la encontramos atestada de soldados y sus parientes. Observar el ritual con que las familias despedían a los hijos me abrió los ojos a lo que era el militarismo japonés. Llegaban a la estación como una hora antes de partir el tren, veían subir a los muchachos, y luego todos gritaban continuamente "¡Banzai!" durante unos quince minutos. Todos agitaban pequeñas banderas nacionales. Después, cuando ya se estaban poniendo roncos, alguien rompía a cantar. Cantaban durante otros quince minutos. Luego lanzaban los tres vítores una y otra vez. En los últimos minutos antes de la partida del tren, hubo a ambos lados una gritería delirante. Cuando al fin partimos, todos parecían agotados.

El viaje a Pekín tardó cinco días. Una vez que cruzamos la frontera china las señales de guerra aparecían por doquiera: soldados armados de ametralladoras en los tejados de las estaciones, equipos destrozados, cráteres de granadas, y trincheras. En lugar de asustarme, esto me emocionaba. Tardamos toda una noche en recorrer el corto trayecto entre Tientsín y Pekín, última etapa del viaje, pero apenas me di cuenta, pues estaba rodeado de los personajes más exóticos. En el vagón iban una compañía de soldados, un príncipe tibetano con su esposa y sus hijos pequeños, una hermosa mujer rusa blanca que iba a reunirse con su marido en Pekín. Uno de los soldados me observó atentamente un rato, luego se me acercó y señalándose a sí mismo con el dedo dijo: "¡Canta en inglés!" Había asistido a una escuela de misioneros y se sabía una vieja canción religiosa de los negros americanos. Después cantó arias de ópera Kabuki, muy lindas por cierto.

Nos alojamos en el Grand Hotel de Pekín, y buscamos a nuestras amigas inglesas de tercera clase en el Transiberiano. Una de ellas vivía con un tipo (un oficial de la Infantería de Marina adscrito a la Embajada de los Estados Unidos), lo cual era una idea nueva para mí. Nada de disimulos: simplemente, vivían juntos. Todo el mundo hacía esto en Pekín, que era una ciudad dedicada a los placeres, como ninguna otra que yo hubiera conocido. No se necesitaba mucho dinero para llevar una vida encantada: un buen sirviente costaba diez dólares al mes; una *riksha** con el muchacho uno con ochenta al día, y todo lo demás en proporción, razón por la cual Pekín atraía a muchos occidentales, incluso la hez de todos los países. En una invitación a cenar, me hallé entre una debutante de Nueva York a un lado y una francesa heroinómana al otro. La ocupación japonesa no había disminuido para nada el ritmo de la vida social. Uno de los cafés cantantes más populares era el bar que había en la azotea del Grand Hotel. Uno podía pedir su cóctel de ginebra y arrellanarse en su silla a contemplar tranquilamente las explosiones de la artillería al oeste de la ciudad, donde estaba la guerra.

Peter y yo conocimos a dos hermanos llamados Faunstock, oriundos de Long Island y muy conocedores del medio chino. Pekín era un hervidero de rumores, y una noche los Faunstocks nos propusieron que fuéramos a ver con nuestros propios ojos qué estaba ocurriendo en las afueras de la capital. A la mañana siguiente, contrataron un automóvil con conductor, consiguieron una gran bandera de los Estados Unidos, que aseguraron sobre la tapa del motor, y partimos. Primero visitamos un sitio donde doscientos chinos habían caído en una emboscada y habían sido exterminados por los japoneses hacía dos semanas. Ambas orillas del camino estaban cubiertas de tumbas, y el hedor de muerte era espantoso.

Después, a petición mía, nos dirigimos al aeropuerto donde, con gran sorpresa nuestra, pudimos llegar en el automóvil hasta el borde del campo sin que nadie nos diera el alto. Vimos los aviones japoneses que regresaban de sus misiones; eran viejos y

---

* **Vehículo de dos ruedas, de tracción humana** *(N. del Ed.).*

parecían a punto de desbaratarse. Supongo que los japoneses no usaban su mejor equipo en esta guerra y compadecí a los aviadores porque el campo había sufrido bombardeos, y, por los cráteres que había en las pistas, el aterrizaje era peligroso. Decidí tomar unas fotos y bajé del automóvil con mi cámara. Entonces oí a mi espalda algo que sonó *clanc, clanc.* Volví a mirar. Un centinela acababa de montar su ametralladora y me apuntaba directamente al pecho. Hasta ese momento no se me había ocurrido pensar que la bandera americana no fuera protección total. De un salto me metí otra vez en el auto. Este incidente nos atortoló a todos y regresamos más humildes a la ciudad.

El resto del tiempo en Pekín lo pasé en forma constructiva... en las tiendas. Me encanta comprar cosas. Empecé con cuatrocientos dólares en el bolsillo, y al final de la semana estaba casi quebrado, con dos baúles repletos de toda clase de cosas: antiguas faldas mandarinas para mis hermanas, batas de baño de brocado de seda y forradas interiormente con lana de carnero nonato, incontables tallas de jade y lapislázuli. Me hice tan popular con los mercaderes que la mañana que partimos varios mandaron a sus hijos o sus dependientes a la estación con regalos de despedida para mí. El viaje de ida a Pekín había sido una aventura, pero el de regreso fue horripilante. La invasión japonesa se había estancado en Shanghai, y los japoneses que encontré estaban nerviosos. A mi lado ocupaban asiento dos soldados que conducían solemnemente las cenizas de su general a Tokio. La costumbre era incinerar los cadáveres de los que morían en combate y meter los restos en cajas marcadas, que se llevaban de regreso en un paño doblado ritualmente para formar una especie de cabestrillo. La caja del general reposó sobre la mesa que estaba enfrente de estos dos soldados durante todo el viaje.

En la frontera coreana un funcionario afirmó que mi visa no era válida y me exigió cien dólares. Como yo me negara a pagar, gritó: "No discutamos" y llamó a dos soldados que acudieron al punto y me pusieron las puntas de las bayonetas en el estómago. Pagué inmediatamente. Quedé ofendido y asustado, abrigando negros pensamientos durante todo el viaje y diciendo para mis adentros: "¡Estos bergantes van a hacer la guerra!" Súbitamente me pareció una vergüenza que los Estados Unidos y la Gran

Bretaña no hubieran intervenido en favor de la China. Cuando salíamos de Tientsín había visto en el puerto el destructor de la Armada de los Estados Unidos *U.S.S. Ford.* Estaba allí para recoger a los ciudadanos estadounidenses que salían de Pekín, y, ciertamente, me agradó, con banderas de nuestro país pintadas por todas partes. ¡Cuánto me hubiera gustado estar entonces a bordo!

# CAPITULO 9

Cuando llegué a la escuela para vendedores de la IBM en Endicott, Nueva York, abrigaba la esperanza de que me trataran como a cualquier hijo de vecino que estaba empezando su carrera. Cómo podía creer que eso fuera posible, no lo sé. Mi padre era una fuerza tan enorme en ese pueblo que en cuanto yo salía a la calle con mis libros bajo el brazo, la gente me señalaba y decía: "Allá va el hijo del señor Watson". La primera semana di un escándalo por haber entrado en un bar a pedir un trago después de las clases. El cantinero me preguntó: "¿No tiene su padre una política muy rígida con respecto a la bebida?" Traté de explicarle que la regla sólo se aplicaba durante las horas de trabajo y en los locales que pertenecían a la compañía, pero de nada sirvió. Así que de ahí en adelante dejé de frecuentar los bares y empecé a pensar que Endicott era un lugar bastante desagradable.

Aun cuando la sede de la IBM estaba en Manhattan, el alma de la compañía se encontraba ahí en Endicott. Era allí donde se fabricaban las máquinas perforadoras de tarjetas, les enseñaban a los clientes cómo usarlas y nos capacitaban a los reclutas como yo para venderlas. Endicott es un pueblecito ribereño situado en la región occidental del Estado de Nueva York, no lejos del lugar en donde mi padre empezó su carrera vendiendo máquinas de coser. En invierno el tiempo es permanentemente gris y húmedo, y cuando el viento sopla sobre la tenería de la gigantesca fábrica de zapatos de la Endicott-Johnson Shoe Company, todo el pueblo hiede. Para mi padre, sin embargo, era el lugar más bello del mundo.

Allí tuve que aguantar dos duros inviernos, en 1937 y 1938. La

IBM capacitaba a sus vendedores en dos etapas. Los reclutas llegaban a Endicott en octubre e ingresaban en la escuela de máquinas, donde aprendían todos los detalles de la línea de productos. La primavera y el verano siguientes los pasaban como vendedores principiantes ayudando a los veteranos en el terreno. Luego, otra vez a Endicott para el invierno, a aprender técnicas de ventas. Finalmente, los nombraban vendedores con su territorio propio y con la posibilidad de ganarse decentemente la vida. En sueldos y comisiones mi padre le pagaba al vendedor término medio unos 4 400 dólares anuales — que era como ganarse hoy 38 000 — y los mejores ganaban muchas veces más. Mis compañeros de clase, casi todos graduados en una universidad, constituían un grupo impresionante. Vivíamos y comíamos en un viejo hotel de madera llamado el Frederick, que alojaba al personal de la IBM. Por la mañana tomábamos los libros, caminábamos tres calles hasta la principal del pueblo, doblábamos a la derecha en North Street y entrábamos en el mundo de mi padre.

Debo reconocer que él tenía mucho de qué enorgullecerse. Cuando llegó a Endicott en la primavera de 1914, todo lo que tenía allí la CTR era una pequeña fábrica de cronómetros. El resto de North Street estaba lleno de tabernas y fonduchos. En 1937, gracias al éxito de la IBM, ese sector del pueblo se había transformado por completo. Mi padre compró las fondas y las reemplazó por modernas fábricas blancas con aire acondicionado y un imponente centro de investigación y desarrollo con columnas coloniales en la fachada. Se respiraba un gran ambiente de compañía y vitalidad que cualquiera percibía con sólo recorrer la planta. Los empleados ganaban bastante más que el promedio nacional y trabajaban en talleres limpios, con maquinaria inmaculada y pisos de madera brillante. En los cerros que había detrás de la fábrica se veían señales de que mi padre les daba a los empleados los mejores subsidios posibles. Había comprado una vieja taberna clandestina para convertirla en un club campestre — sin licor, por supuesto — con dos campos de golf y un polígono de tiro al blanco. Cualquier empleado podía hacerse socio pagando un dólar al año. Tres noches por semana el club ofrecía una cena gratis para que las esposas de los trabajadores descansaran de cocinar. Mi padre ofrecía también gratis conciertos y bibliotecas, lo mismo que cursos nocturnos para enseñarles a los empleados la manera de ganar ascensos. Creía en la administración por generosidad, y no se equivocó: el espíritu de trabajo y la productividad eran altos en Endicott. En esa gran era del sindicalismo industrial los empleados de la IBM no sintieron ninguna necesidad de organizarse.

Una parte de todo esto fue creación de mi padre, pero muchas de sus ideas las heredó de un legendario hombre de negocios llamado George F. Johnson, fundador de la Endicott-Johnson Shoe Company, que ya era una figura destacada en Endicott desde mucho antes que mi padre llegara. Johnson se inició, como un muchacho sin instrucción, haciendo zapatos en una fábrica de Boston, y se volvió famoso como uno de los industriales más progresistas de la historia. Cuando su negocio experimentó una gran bonanza, a principios del siglo, se dedicó a convertir a Endicott en un modelo de lo que él llamaba "democracia industrial". Construyó el centro municipal, una escuela, parques, campos atléticos, piscinas, una biblioteca y un campo de golf, y todo se lo regaló a la población. También levantó arcos de piedra en la carretera a la entrada de Endicott con una inscripción que decía: "Sede de la Equidad". A los empleados les pagaba las cuentas del médico y les hacía préstamos con intereses bajos y buenos terrenos cerca del poblado para que pudieran construir sus viviendas. Entre éstas construyó la suya, que era modesta. A pesar de que les daba empleo a 20 000 personas en aquel valle, siempre se consideraba a sí mismo un trabajador, lo mismo que mi padre se consideraba un vendedor.

Johnson apadrinó a mi papá desde el principio; le dio la bienvenida a Endicott y lo animó a establecer allí la planta de la CTR. Le enseñó mucho sobre el bienestar de los trabajadores, como John H. Patterson le había enseñado sobre la dirección de una fuerza vendedora. Pero en 1937 la Depresión estaba acabando con la magia de Johnson. El negocio de zapatos andaba mal y no tenía un flujo de fondos suficiente para proteger a sus trabajadores de la caída, de modo que se vio obligado a poner en la calle a millares de personas. Mientras tanto, la IBM se volvía cada vez más fuerte, y fueron muchos los hijos e hijas de familias de Endicott-Johnson que pasaron a trabajar para mi padre, quien nunca perdió su admiración por Johnson, y lo visitaba cuando éste ya estaba muy anciano y reducido a la cama. En una de estas visitas, mi padre llevó a mi hermano, que entonces estudiaba en Yale. Johnson, el gran viejo progresista, le echó un vistazo a Dick, el joven universitario elegante, e incorporándose, le gritó: "Bueno, ¿qué van a hacer ustedes con esto?" Quería decir, con el mundo.

El edificio de la Escuela de la IBM se levantaba en North Street, en medio de la empresa de mi padre. No eran entonces muchas las compañías que tuvieran escuelas de verdad; mi padre copió la idea de la Cash, y la mejoró muchísimo. El propósito de la escuela era preparar a los futuros fucionarios de la compañía, y mi padre siempre nos hablaba a los alumnos como si fuéramos sus colegas. Todo allí se encaminaba a inspirar lealtad, entusiasmo y altos ideales que la IBM consideraba los medios para triunfar en la vida. Sobre la puerta principal se destacaba el lema "PIENSE", en letras de bronce de 60 centímetros de altura, y al pasar se encontraba una escalera de granito destinada a despertar la inspiración en la mente de los alumnos que subían a sus clases. En los peldaños estaban inscritas las palabras:

PIENSE
OBSERVE
DISCUTA
ESCUCHE
LEA

En clase, lo primero que hacíamos todas las mañanas era ponernos de pie y cantar canciones IBM. Teníamos un cancionero, *Cantos de la I.B.M.*, que se abría con "La Bandera Cubierta de Estrellas", y en la página del frente el himno propio de la IBM, "Siempre Adelante". Contenía docenas de canciones en alabanza de mi padre y de otros ejecutivos, acomodadas a tonadas populares. Una de mis favoritas fue escrita en honor de Fred Nichol, quien empezó como secretario de mi padre en la Cash, pasó con él a la IBM y recientemente había sido ascendido a vicepresidente y gerente general. Una de sus especialidades era hacer arengas emocionantes en loor de mi padre, por donde se verá hasta qué alturas lo podía llevar a uno la lealtad en la IBM. La letra se cantaba al son de una tonadilla conocida y decía:

V. P. Nichol es un líder
que trabaja en I.B.M.
Desde muy bajo empezó
y por la escala subió.
¡Qué inspiración para todos!

A los extraños les podía parecer rara esta costumbre de cantar, pero para el encargado de nuestra clase era la cosa más natural; nos dijo: "Tenemos estas canciones de la compañía. Creemos que fomentan el espíritu de trabajo. Son así. El señor O'Flaherty, aquí al piano, cantará primero una para que ustedes la oigan, y luego todos la cantan en coro".

Los maestros eran veteranos de la compañía, todos vestidos lo mismo que nosotros, con trajes reglamentarios IBM, es decir, traje oscuro y camisa blanca con cuello duro. Mi padre creía que para venderle algo a un hombre de negocios, uno tenía que presentarse como otro tal. Había un gran retrato suyo que nos observaba desde la pared detrás de la cátedra. El resto del salón de clase estaba decorado con sus consignas y, lo mismo que en todas las oficinas de la IBM, se destacaba en lugar prominente el letrero "PIENSE". Los caricaturistas de las revistas se burlaban de estos lemas y los críticos de la IBM los consideraban ridículos: ¿Cómo se podía *pensar* realmente en una compañía que dependía tanto de un solo hombre? Pero para todos los de adentro, el mensaje era perfectamente claro: se podían vender más máquinas y avanzar más rápidamente si uno ponía a trabajar la cabeza.

Me sorprendía la facilidad con que los empleados adoptaban el espíritu de la compañía. Hasta donde yo podía ver, nadie se burlaba de las consignas o las canciones. Eran otros tiempos, y me imagino que ser uno serio no se consideraba cursi en 1937 como se considera hoy. Por otra parte, no hay que olvidar que en los años 30 no era fácil conseguir empleo, de modo que la gente toleraba muchas cosas. De mí sé decir que estaba acostumbrado a la cultura IBM porque había nacido en su fuente. Sólo me molestaba cuando a mi papá se le iba la mano... como en 1936, cuando encargó una *Sinfonía* IBM.

Nos dieron doce semanas para que aprendiéramos todo lo relativo a los productos. No teníamos que preocuparnos por balanzas o tajadoras de carne porque mi padre había vendido esa división mientras yo estuve en Brown, y en su lugar había comprado una pequeña compañía que trataba de introducir, sin mucho éxito, la máquina de escribir eléctrica. Estudiamos este producto y toda una línea de relojes de precisión, pero el fuerte de nuestro curso lo constituían las máquinas perforadoras de tarjetas, de las cuales había gran demanda y producían más del 85 por ciento de los ingresos de la compañía.

Al principio, a mí me entusiasmaba trabajar con las perforadoras. Me había criado en ese ambiente, y el concepto básico avivaba mi imaginación, lo mismo que la de mi padre. En la historia de la industrialización, la máquina de perforar tarjetas merece colocarse al mismo nivel del telar de Jacquard, la desmotadora de algodón y la locomotora. Antes de las tarjetas perforadas, llevar la contabilidad y los archivos de una empresa eran operaciones engorrosas que tenían que hacer manualmente los oficinistas. Los sistemas de perforación acabaron con una gran parte del trabajo de rutina, como copiar partidas del diario y escribir facturas, y realizaron estas labores con economía, seguridad y rapidez. Obviamente, ésta era la onda del futuro, y la IBM empezaba a atraer personal de alto calibre porque el trabajo con estas máquinas era emocionante.

Mi padre siempre decía que las tarjetas perforadas eran lo que lo había atraído a la IBM cuando Charles Flint le ofreció el empleo. Había visto por primera vez una instalación de este sistema cuando todavía vendía cajas registradoras en 1904. Un amigo suyo de la Eastman Kodak supervigilaba el trabajo de los vendedores de la compañía con máquinas Hollerith, de manera bastante sencilla. Cada vez que se efectuaba una venta, la información pertinente se perforaba en una misma tarjeta. Las tarjetas se clasificaban y se tabulaban una vez al mes para obtener toda clase de información: qué había vendido cada vendedor, cuáles eran los productos que más se vendían, en qué territorios, etc. Mi padre hacía una maravillosa exposición del concepto de las tarjetas perforadas. Mostrando una decía: "Se puede hacer un agujero en esta tarjeta, que represente un dólar — un dólar de ventas o acaso un dólar que estamos debiendo — y, de ahí en adelante, se tiene un registro permanente. Nunca se puede borrar y nunca hay que volver a registrarlo. Se puede sumar, restar, multiplicar. Y se puede archivar, acumular, e imprimir, todo automáticamente". Mi padre creía que ahí estaba la clave para resolver los problemas contables del mundo. Todo lo que tenía que hacer era seguir perfeccionando el sistema, y la IBM revolucionaría los negocios. Cuando alguien usaba la expresión "tarjetas perforadas" él rectificaba: "¡Estas son tarjetas *IBM*!"

Las perforadoras ya se habían perfeccionado muchísimo cuando yo llegué a Endicott. Podían clasificar cuatrocientas tarjetas por minuto, imprimir cheques para pago de nómina y membretes de direcciones, y duplicar a altísima velocidad todas las funciones contables que las compañías todavía realizaban manualmente. A mí me gustaba la idea de que un solo juego de tarjetas le permitía a un cliente utilizar los mismos datos en diez o doce formas distintas, y me sentía bastante seguro de poder vender este sistema. Sin embargo, pronto me di cuenta de que en la escuela de la IBM se exigía algo más que apreciar las tarjetas perforadas. Teníamos que aprender a programar las máquinas para realizar tareas específicas. Esto significaba disponer las conexiones en un "tablero de enchufes" que parecía más o menos uno de esos antiguos cuadros de distribución de las compañías telefónicas. Teníamos que trabajar cada uno con un tablero, y pronto comprendí que yo servía más para entender el potencial de estas máquinas que para hacer en la práctica las conexiones necesarias. Después de sólo dos semanas tuvieron que ponerme un profesor particular para que no saliera reprobado. Muchas fueron las noches que pasé con él en el local desierto de la escuela tratando de aprender a conectar los endiablados alambres.

La escuela de la IBM llegó pronto a parecerme peor aún que Carteret, Hun o Brown. No sólo era mi aprovechamiento malo, como de costumbre, sino que no podía evitar que todos me vieran como el hijo de T.J. Todos se esforzaban por adivinar qué quería hacer mi padre conmigo, pero a nadie se le ocurría pensar qué quería yo. El director de la escuela, Garland Briggs, era director de Hun cuando yo estudié allí. Mi padre lo escogió, con ese modo simplista suyo, porque necesitaba un educador y uno a quien conocía era Briggs. A mí siempre me pareció que éste no era el hombre para ese cargo. Tenía él la idea de que a mi padre le gustaría que a mí me eligieran presidente de la clase, de modo que me hizo elegir, a pesar de que los demás estudiantes sabían que yo tenía que tener un profesor privado para poder aprobar el curso. Por desgracia, me faltó carácter para decir: "Esto no es conmigo".

Endicott me parecía cada vez más lúgubre. No tenía mucho que ofrecer en cuanto a diversiones, y aunque las hubiera tenido, yo me sentía obligado a conducirme con gran circunspección. Por lo general, comía con mis compañeros en el hotel; si comíamos por fuera, nos costaba dinero, y la mayoría de ellos eran pobres. Además, no había a dónde ir. En Endicott los restaurantes eran fondas italianas para trabajadores, y la comida que servían me producía agrieras. De vez en cuando, convencía a algunos escandinavos de la clase para que fuéramos a esquiar un fin de semana, pero las colinas de los alrededores no eran buenas. Pronto volvía a mi cuarto en el Frederick a tratar de concentrarme en algún gran tomo negro titulado *Métodos mecánicos de contabilidad,* o algo por el estilo.

Constantemente me quejaba con mis amigos de la universidad fuera de la escuela de la IBM, y Nick Lunken, uno de ellos, resolvió hacerme fácil víctima de una jugarreta. Me llamó por teléfono para decirme que pensaba venir a Endicott en su avioneta a visitarme. Quedé encantado. Agregó: "Si tienes algunos amigos en tu clase que quieran dar una vuelta en mi avioneta, tráelos". Llevé, pues, al vicepresidente y al tesorero de la clase, dos jóvenes que trabajaban asiduamente por progresar en la IBM. Nick tardó un poco y esperamos en el aeropuerto de Endicott, que es pequeño. Al fin aterrizó un aparato rojo y distinguí a Nick en la cabina con una sonrisa de oreja a oreja. Se abrió la portezuela y salieron un par de piernas de seda . . . muy buenas piernas, valga la verdad, que me parecieron como de cuatro metros de longitud. Después salió el resto de la mujer, y era muy llamativa. Hasta el día de hoy no sé cómo se las arregló Nick. La mujer saltó fuera y corrió directamente hasta el borde del campo, donde estaba un muchacho con un caballo. La portezuela del avión se volvió a abrir y esta vez salió un tahúr de hipódromo, con un largo abrigo azul cruzado y hongo negro. En la mano tenía una botella de whisky. Mis dos compañeros empezaron a echar pie atrás. La mujer se montó en el caballo y empezó a galopar por todo el campo con la falda arremangada hasta la cintura. Por fin salió también Nick. Yo le dije:

— Por Dios, Nick, ¿qué es esto?

— Pensé que te gustaría conocer a la abuela Verne — me contestó —. Se desmontará pronto, pero es que le gustan mucho los caballos. Y este tío viene por si acaso quieres apostar a las carreras.

Yo no sabía nada de carreras de caballos. Pero mis dos compañeros de clase ya desaparecían detrás del edificio del aeropuerto. No querían verse mezclados en ninguna trapisonda que pudiera ocurrir. Yo invité a Nick y a sus amigos a comer un bocado en un puesto de salchichas, y me pareció que tardaba horas en librarme de ellos. Por fin vi desaparecer la avioneta y regresé con resignación a mis libros escolares.

Más o menos una vez al mes se aparecía mi padre. Los gerentes locales se ponían tensos porque él siempre descubría cualquier pequeña falla que los demás no habían visto, y armaba la grande. Fuera cual fuera el aspecto del negocio que examinara, quería intervenir hasta en los más pequeños detalles, y estaba lleno de ideas y de preguntas, lo que los obligaba a mantenerse muy despiertos. A menudo daba órdenes inesperadamente y a cualquier hora, lo que significaba que los gerentes no se atrevían a alejarse de sus oficinas o sus casas mientras durara su visita. La imposibilidad de prever sus reacciones producía fenómenos curiosos de conducta en sus subalternos. Garland Briggs, por ejemplo, se iba volviendo loco porque no sabía si debía dejarme en la clase o mandarme a la estación a recibir a mi padre. Por lo general yo iba *motu proprio* y permanecía de pie en el andén, medio congelado de frío, hasta que llegaba el tren echando vapor.

El sitio preferido de mi padre en Endicott eran las Residencias IBM, hermosa casa antigua, cuadrada, de estilo italiano con tejado de color verde oscuro, que había pertenecido al fundador del pueblo. Mi padre le agregó un ala larga con cuarenta cubículos que constaban cada uno de un cuarto y un baño, para los residentes. Allí era donde se alojaban los clientes que iban a seguir cursos de una semana sobre el manejo de las máquinas perforadoras. El apartamento principal siempre estaba reservado para mi padre. Desde sus ventanas podía verlo todo: los campos de golf de la IBM, el club campestre, los polígonos de tiro, los edificios de la fábrica más abajo. Durante el día inspeccionaba la fábrica recorriendo la planta, poniendo el pie en el banco del operador de un taladro eléctrico y enredándose con él en una charla que podía durar media hora. Cuando salía les espetaba órdenes a sus secretarios según lo que había escuchado. Siempre estaba atento a las necesidades del obrero. En 1934, después de una de estas inspecciones, desautorizó a sus gerentes de fábrica y suprimió el trabajo a destajo, porque — según dijo — distraía a la gente de la producción de artículos de alta calidad.

Por la noche entraba en el comedor de las Residencias, se sentaba al lado de algún cliente (todos llevaban en el pecho una tarjeta con su nombre) e iniciaba una conversación. Cuando terminaba la cena, se acercaban a la mesa otras personas y podía tener quince o veinte con quienes conversar. Fácilmente se veía que era un gran vendedor. Su palabra era fácil y fluía con dignidad, hacía unos pocos ademanes sencillos, y, estuvieran de acuerdo con él o no, todos lo escuchaban. Después de un rato decía: "Señores, pasemos al salón a continuar esta conversación". Conversaba hasta la una o las dos de la mañana. Esto estaba muy bien para él, pero no para mí, si me encontraba presente. Por lo común yo me aburría terriblemente, pero tenía que aguantar porque sabía que mi padre se sentiría si me salía.

No había mejor manera de aprender acerca de la IBM que asistir cuando mi padre visitaba una clase. Algunas de las cosas que decía no significaban gran cosa; sermoneaba mucho sobre la superación personal, como en las cartas que me escribía a Brown, pero también contaba anécdotas para ilustrar sus principios de administración. La más importante de éstas se refería a la manera como aprendió a vender cajas registradoras. La Cash de Búfalo, Nueva York, contrató a mi padre como vendedor, en 1896. Durante las dos primeras semanas, no pudo cerrar ninguna venta. Al fin le rindió un informe a su gerente de sucursal, un duro veterano llamado Jack Range, quien puso el grito en el cielo y lo reprendió tan rudamente que mi padre dijo que él solo esperaba a que terminara la diatriba para renunciar. Pero cuando a Range le pareció que ya lo había regañado bastante, cambió súbitamente de tono y le ofreció muy amistosamente que él mismo le ayudaría a vender unas cuantas máquinas. "Iré con usted'', le dijo, ''y si fracasamos, fracasamos los dos''. Cargaron en un carro una gran registradora que era una fantasía, y ese mismo día la vendieron. Range le enseñó a dar la nota precisa cuando hablaba con hombres de negocios y cómo improvisar sobre el discursillo enlatado que Patterson les exigía a los vendedores que se aprendieran de memoria. Lo llevó unas cuantas veces más para que lo viera cerrar otras ventas, hasta que mi padre aprendió.

Esa lección la llevaba mi padre hasta en los tuétanos. Quería que sus gerentes acompañaran a un novato tres o cuatro veces en visitas de ventas antes de decir que no servía. Y creía que todo empleado tenía *derecho* a que los de arriba le ayudaran. Solía decir: ''Un gerente es un asistente de sus subalternos''. Esa relación personal entre el individuo y el supervisor se convirtió en la IBM en el equivalente del contrato social.

Yo nunca estuve en desacuerdo con las lecciones que mi padre enseñaba, pero las había oído cien veces, de modo que trataba de mantenerme a distancia durante sus visitas. Yo estaba seguro de que, aun cuando él no me dijera nada, le mortificaba que no sacara las mejores calificaciones. Pero perseveré, y al fin el curso terminó. Para festejar la clausura, toda la clase fue a Manhattan para asistir a una sesión del Club Ciento por Ciento. Esta era una convención anual de ventas de la IBM, una de las técnicas de levantar el espíritu de trabajo que mi papá había aprendido de Patterson. Centenares de vendedores que habían cumplido el ciento por ciento de sus cuotas de ventas eran invitados a Nueva York por cuenta de la compañía para asistir a un gran banquete en el Waldorf. Había cantos, premios y testimonios de los vendedores que iban pasando, uno por uno, al estrado a decir unas palabras. Esto duraba horas. Al final yo también tuve que hablar. En nombre de los nuevos graduados obsequié a mi padre con un libro de grabados de yates, y él y yo fuimos presentados al auditorio como los miembros más recientes del Club Padre e Hijo de la IBM. Este lo había fundado mi padre por allá en los años 20, con el firme convencimiento de que el nepotismo era bueno para los negocios.

# CAPITULO 10

Recién salido de la escuela de vendedores, me dieron uno de los mejores territorios de la compañía en Manhattan — el sector occidental del distrito financiero, incluyendo parte de Wall Street. Mucha gente deseosa de hacer méritos con mi padre me pasaba constantemente negocios, de manera que vendí muchas máquinas de contabilidad y siempre superaba mi cuota, pero me sentía cada vez más deprimido. En una ocasión hice una débil protesta ante uno de los altos ayudantes de mi padre; me dijo: "Ah, joven, siga adelante. Nosotros les ayudamos a todos nuestros vendedores. Usted lo está haciendo muy bien, y de todas maneras el noventa y nueve por ciento de lo que se ha hecho es suyo". Mis tres años como vendedor de la IBM fueron una época penosa, de grandes dudas acerca de mí mismo.

Durante todo este período viví con mis padres en la hermosa casa que ellos tenían en la Calle Setenta y Cinco Este #4. Todas las mañanas iba a pie a las oficinas de la IBM en la Avenida Madison y marcaba la tarjeta . . . La IBM hacía relojes de control, de modo que todo el mundo, incluso mi padre, tenía que marcar la tarjeta. Luego bajaba a tomar café en Halper's, la droguería de la esquina. Muchos jóvenes hacían lo mismo; de vez en cuando, entraba mi padre, y el local se despejaba. Yo me llevaba bastante bien con mis colegas, creo que más que todo porque ellos esperaban lo peor cuando oían decir que venía el hijo del patrón. Hasta hice unos pocos amigos. Pero distaba mucho de la imagen del vendedor de éxito. Cuando salía a ver clientes era tímido y nada seguro de mí mismo.

Mi primera salida fue a un viejo edificio de oficinas de Broadway, cerca de Trinity Church. Se trataba de un recorrido de exploración, sin citas previas, y me detuve en el vestíbulo mirando al directorio, pensando por dónde empezar. Tenía en la mano una lista de las visitas que ya se habían hecho en esa dirección. No eran muchas. En el directorio vi de pronto el nombre de la Maltine Company, que reconocí porque conocía uno de sus productos: el aceite de hígado de bacalao batido con un derivado de granos, que les daban a los niños como tónico. Venía en un frasco oscuro de boca ancha para que cupiera una cuchara grande, y el sabor era muy agradable.

Tomé el ascensor al piso de la Maltine Company. A la entrada había una baranda baja de madera, con su compuerta, y detrás de ella estaba la recepcionista, a quien me dirigí:

— Me llamo Thomas Watson. Soy representante de ventas de la International Business Machines Corporation y quisiera hablar con su director de operaciones financieras sobre contabilidad con tarjetas perforadas.

— Hoy no es posible — me dijo —. Hoy estamos muy ocupados.

— Entonces, ¿me haría usted el favor de entregarle mi tarjeta, nada más? Si no me puede recibir hoy, tendré mucho gusto en volver otro día.

Tomó la tarjeta y cuando regresó dijo:

— Entre, joven.

Quedé encantado. Entré directamente en la oficina ejecutiva; el jefe se levantó de su escritorio y me estrechó la mano diciendo:

— Le agradezco mucho que haya venido a vernos.

— Me gusta mucho el tónico Maltine — contesté —. Lo tomaba cuando era niño, y a mi madre le parecía una maravilla. Ahora soy vendedor, y al ver el directorio pensé empezar con un nombre familiar. Por eso estoy aquí.

— ¿Es usted el hijo de Thomas Watson, el jefe de su compañía? — me preguntó, y al recibir mi respuesta afirmativa agregó —: Permítame que le cuente un cuento. Un amigo mío tenía un negocio, y resolvió meter a su hijo en el negocio. Al hijo le gustaba divertirse y, en realidad, no quería trabajar. Acabó por ser un borracho y el papá tuvo que echarlo.

Lo escuché hasta que terminó y le dije:

— Le agradezco que me haya contado esa historia. Lo pensaré. Pero ahora, quisiera hablarle sobre el método de llevar la contabilidad con tarjetas perforadas.

— ¡Ah, qué diablos! — exclamó —. Eso no me interesa. Supe que era usted el hijo de T. J. Watson, y pensé que le convenía saber que muchos que están en su caso fracasan. Mucho gusto de conocerlo, señor Watson.

Y con esto me condujo a la puerta. En ese momento tuve la tentación de abandonar mi carrera en la IBM. No tenía ni idea de por qué el hombre me había hablado en esa forma, y cuando le conté el incidente a mi papá, él tampoco lo entendió. Se limitó a comentar que había tenido mala suerte en mi primera salida.

Después, mi suerte mejoró un poco. Encontré que el oficio de vender era muy emocionante siempre que lograra despertar el interés del cliente en perspectiva. Lo primero que tratábamos de hacer era llevarlo a una demostración. En seguida le pedíamos que nos permitiera hacer un examen de su negocio, lo cual implicaba visitar sus oficinas y resolver cómo aplicar las tarjetas perforadas a su contabilidad. Buscábamos procesos que fueran fáciles de automatizar. Nuestras tarjetas eran especialmente útiles para facturación, cuentas por cobrar y análisis de ventas porque todas estas operaciones se basan en los mismos datos. No nos costaba trabajo demostrar que el equipo necesario para realizarlas costaba mucho menos que las economías que reportaba.

La instalación más barata que ofrecíamos era la Internacional 50, que constaba de clasificadora de tarjetas, un taladro de clave y una tabuladora no impresora, todo por 50 dólares mensuales. Podíamos decirle al cliente: "Son cincuenta dólares al mes, y probablemente reemplazan a una empleada. A la empleada usted le paga noventa". Si esto le abría el apetito, se podía presionar un poco más diciéndole: "Por doscientos dólares le podemos ofrecer una instalación que imprime. Esta le saca todas sus facturas y los cheques, y le reducirá más aún los costos de nómina".

Lo que hacía inusitado el trabajo en la IBM era que, en realidad, nosotros no vendíamos nuestras máquinas perforadoras de tarjetas. Lo que llamábamos "ventas" eran más bien arrendamientos. Lo que ofrecíamos era un servicio completo: el uso del equipo más la asistencia continua del personal de la IBM. Esta manera de hacer negocios venía desde los tiempos de Herman Hollerith, quien la adoptó en una forma enteramente empírica. Sus primeras máquinas se dañaban con tanta frecuencia que la gente ya no quería comprarlas y entonces Hollerith resolvió arrendarlas con la promesa de mantenerlas en buen estado. Cuando mi padre se encargó, vio que allí había algo de magia. El sistema de arrendamientos requería una fuerza de terreno numerosa y una gran cantidad de capital, pero le daba estabilidad al negocio y lo hacía esencialmente a prueba de depresión. Aunque no se vendiera una sola máquina en todo el año, si se trabajaba duro para mantener contentos a los clientes que ya tenían instalaciones, se obtenía el mismo ingreso que el año anterior. Uno de los puntos fuertes de la IBM fue el sistema de arrendamientos.

Como el equipo se arrendaba por períodos de un año, la renovación de los contratos nos daba pretexto para visitar a los altos ejecutivos de las compañías arrendatarias. Nos habían enseñado a picar alto, y en la escuela de vendedores nos decían: "Vayan a la cabeza, donde se toman las decisiones. ¡Visiten al presidente!" Mi padre nos suministraba muchas herramientas para cultivar a los ejecutivos, entre las cuales la más notable era la revista *Think,* publicación mensual de interés general muy bien hecha. La única manera de saber que era de la IBM era leer la letra menuda al pie de la portada. En cada número salía un editorial sobre el progreso mundial, escrito por mi papá. Si un cliente lo iba a poner a uno de patitas en la calle, uno le decía: "Señor Jones, ya veo que esto no le interesa, y comprendo que estas máquinas no son para todos; pero ya que estoy aquí permítame darle una revista que quizá le interese. Esta, por ejemplo, trae discursos de Franklin Roosevelt y de Tom Dewey, y un artículo de Lee De Forest, el inventor de la válvula de radio. Quisiera dejársela, junto con mi tarjeta. Si le gusta, puede recibir una suscripción enteramente gratis. Avíseme y yo lo haré incluir en la lista". *Think* se le enviaba a todo el que tuviera una máquina IBM, pero allí no paraba. Se imprimían unos cien mil ejemplares, y sólo teníamos tres mil quinientos clientes. Mi padre se la hacía enviar a todas aquellas personas cuya buena voluntad pudiera ser útil para la IBM, inclusive maestros de escuela secundaria y sacerdotes y rabinos en los territorios donde hacíamos negocios, a todos los rectores universitarios y a todos los miembros de la Cámara de Representantes y del Senado.

Mi padre nunca me elogió por mi trabajo como vendedor. Le era más fácil privarme de mi confianza en mí mismo con una sola palabra. En medio de una charla casual en casa decía: "¿Qué opinas del nuevo plan de ventas?" o bien "¿Qué concepto tienes del señor Jones?" Cualquiera que fuera mi respuesta, escuchaba un minuto y luego se dejaba venir con algo devastador como: "La verdad es que no tienes experiencia suficiente como para que tengas un concepto del señor Jones". Creo que gozaba con estos pequeños ejercicios emocionales. Tal vez quería ponerme a prueba, pero era una prueba que nadie podía pasar.

Cuanto más mejoraba mi habilidad de vendedor, menos trabajaba yo. Tenía un compañero llamado Vic Middlefeldt, a quien también le gustaba volar. Hacíamos unas dos visitas por la mañana y después nos íbamos al aeropuerto. El gerente de la oficina de Nueva York era Lotti Lomax, una dama encantadora a quien yo conocía bien, y ella nos tapaba. Yo le decía: "Me voy a volar con Middlefeldt. Si me buscan, dígales que salí a ver a un cliente. Estaré de regreso después de las seis en casa de mis padres". No me importaba la impresión que causara mi conducta. En 1940 pasaba la mitad de los días volando y la mitad de las noches en los cabarets.

Mis padres sabían que yo trasnochaba y a veces llegaba a la casa con unos cuantos tragos, pero casi nunca decían nada. Creo que iba unas tres o cuatro noches por semana al Stork Club, siempre con una muchacha, y generalmente con un grupo de amigos. El Stork Club era uno de los cabarets más elegantes. El otro era El Morocco. En el Stork Club un cordón de terciopelo separaba el bar del resto del café. Uno se acercaba al cordón y pedía una mesa, y si había estado gastando allí tanto dinero como gastaba yo, le daban inmediatamente una buena mesa.

Lo que me llevaba a los cabarets no era tanto la bebida sino mi afición al baile. Casi todo el mundo bailaba en esos días la rumba y el tango, y hacía furor la conga, que era realmente para exhibicionistas; por lo general, yo no tomaba parte en eso. Hice amistad con un maestro de baile llamado Teddy Rodríguez en cuyas tarjetas de presentación se leía: "Profesor de la Danza".

Daba clases en su apartamento, que tenía espejos en todas las paredes. Con frecuencia salíamos con Teddy, y yo pagaba la cuenta de él y la de su pareja. Era un tipo decente, pero a veces suelto de lengua. Un sábado desperté en mi casa como a las diez y media de la mañana después de una larga noche pasada con los amigos. Cuando bajé, mi madre me estaba esperando con un gesto agrio y me dijo:

— Debieras pensar mejor acerca de las compañías con que andas y de cómo gastas el tiempo.

— ¿Por qué dices eso?

— Un tipo con acento español llamó como a las nueve y dijo que había encontrado tu billetera en un cabaret. Seguramente creyó que yo había estado anoche contigo. Comentó que yo bailaba a las mil maravillas y que ya estaba aprendiendo a mover las caderas bailando rumba.

A pesar de su enfado, mi madre no podía contener la risa. Teddy la había tomado por una de las muchachas de nuestro grupo.

Ni para qué decir que mi comportamiento era motivo de escándalo en la IBM. Cuando yo me tomaba un trago nunca traté de ocultarlo. Era una manera de decir: "No voy a permitir que la IBM dirija mi vida". Mi padre, desde luego, veía las cosas de otro modo, pero en lugar de decirme simplemente que debía cambiar de vida, me dio una lección con otra de sus anécdotas. Esta se refería a J. P. Morgan y el joven Charles Schwab. Corría el año de 1901, cuando Morgan acababa de organizar la U. S. Steel y llamó a Schwab para que la dirigiera. Schwab hizo un viaje a París a desahogarse, pero en Nueva York se supo de sus parrandas, y cuando regresó, Morgan lo llamó a su oficina y le dijo que se había comportado como un tonto. Schwab le contestó:

— Señor Morgan, usted es injusto conmigo. Sabe perfectamente que yo no he hecho nada que no haga usted mismo; sólo que usted lo hace a puerta cerrada.

— Señor Schwab, *para eso son las puertas* — le replicó Morgan.

En su propia vida, mi papá daba un gran ejemplo, y la verdad es que no tenía nada que esconder. Pero era de opinión que el líder de negocios que oculta sus imperfecciones manteniéndolas en privado es preferible al que dice: "Así es como soy. Que se vea todo". Probablemente me habría reprendido con más rigor si mi vida hubiera sido de veras desordenada. Pero aun cuando me gustaba divertirme, mi nombre no anduvo en crónicas de chismes ni estuve nunca mezclado en un escándalo. Salía siempre con muchachas, pero no me metía con mujeres atrevidas, en parte porque me asustaban. Muchas mujeres de la alta sociedad andaban entonces con tantos hombres que no tenían ni idea de dónde estaban sus sentimientos. Yo ya había sido lastimado por una muchacha hermosa y bien educada, y sabía que las mujeres pueden causar mucho dolor aun sin quererlo. No sé qué habría sido de mí si no hubiera conocido a Isabel Henry antes de darme suelta en Nueva York.

Nunca me enredé en serio con ninguna otra hasta que conocí a Olive Cawley en 1939. Me la presentaron un antiguo condiscípulo mío de Hun y su mujer, quienes la habían invitado, lo mismo que a mí, a esquiar un fin de semana. A mí me recogieron en el Hotel Plaza donde, al bajar las escaleras, vi un pequeño Ford con parrilla para los esquíes y en el puesto de atrás una muchacha de una belleza deslumbrante. Ibamos a Vermont, a seis o siete horas de distancia, y por todo el camino conversamos Olive y yo. Era una mujer tan linda y tan alegre. Pertenecía a una buena familia pero no tenía mucho dinero. Me gustó mucho saber que se ganaba la vida con su trabajo y era independiente. Vivía en el Hotel Barbizon y trabajaba como modelo para la agencia de publicidad de John Robert Powers, que en ese tiempo era la mejor. Había aparecido en cubiertas de revistas y en muchos anuncios publicitarios, entre otros, uno de Lucky Strike en que salía sosteniendo en la mano una hoja de tabaco en un campo. Su cara era bien conocida. Cuando salíamos juntos muchas veces alguna persona se detenía en la calle y le decía: "Esa cara yo la conozco". En una ocasión en que andábamos desavenidos yo no podía sacármela de la cabeza. Veía en cualquier revista una foto de ella que me la recordaba. Tenía Olive un modo de hacer pequeños favores que revelaban su natural bondad y su altruismo. Yo había conocido muchas muchachas lindas pero ninguna que tuviera la generosidad inagotable que encontré en ella. Era un poco frívola, pero yo también lo era, y pensé seriamente en ella desde el primer momento.

Cuando mis padres oyeron de boca de mis hermanas que yo tenía relaciones con una modelo, insinuaron que les parecía un error. Pero yo necesitaba una persona que me diera dulzura, amor y apoyo, que no se fuera a sentir desplazada si yo algún día llegaba realmente a ser algo. Cuando empecé a traer a Olive a casa, al principio mi madre guardaba su distancia pero mi padre la recibió con toda cordialidad. En cuestiones del corazón él era muy pragmático.

Cuanto más trabajaba yo para la IBM más me mortificaba la atmósfera de culto que rodeaba a mi padre. Echaba un vistazo a *Business Machines,* el semanario de la IBM, y allí aparecía una foto de él con un gran titular que anunciaba algún suceso vulgar, como "THOMAS J. WATSON ABRE NUEVA OFICINA EN NUEVA ORLEÖANS". Cuantos más triunfos cosechaba, más lo adulaban todos... y él lo absorbía. Todo fluía a su alrededor, espetaba sus órdenes y un secretario corría siempre detrás de él, cuaderno en mano. Trabajaba en sus editoriales para la revista *Think* como si fuera *Time* y él fuera Henry Luce y millones de personas estuvieran esperando para oír lo que tenía que decir.

Yo mostraba mi desdén durante las comidas en familia, siempre dominadas por mi papá. Cuando él tomaba la palabra, todos escuchaban atentamente, menos yo, que me manejaba de la manera más ofensiva posible. Encendía un cigarrillo, me espatrancaba en el asiento, ponía los ojos en blanco o miraba al techo. Olive se escandalizaba de ver esto y mis hermanas y mi hermano me creían un patán. Mi padre nunca dio señales de que lo notara, pero creo que pensó que yo necesitaba más atención. Empezó a aliviarme un poco de mis deberes de vendedor, me sacaba de la oficina para llevarme de viaje o simplemente para una consulta. Por ejemplo, quiso que lo acompañara cuando fue a rendir declaración ante el Congreso en 1940. La audiencia versaba sobre el "desempleo tecnológico", o sea la cuestión de si la automatización estaba privando de su empleo a los trabajadores. Mi padre había adoptado el criterio de que la automatización traería una expansión de la economía, fomentaría el consumo y crearía nueva demanda. Mencionó a Henry Ford al respecto.

También me hizo tomar parte en los preparativos para el Día IBM en la Feria Mundial de 1939. Era la misma Feria para la cual trabajó Herbert Houston vendiendo espacio en los pabellones. Lo que visualizaba mi padre era el acontecimiento más grande en la historia de la compañía. Se proponía llevar a diez miel invitados a Nueva York — incluyendo a todos nuestros obreros de fábrica, mecánicos de servicio en el terreno, vendedores, y sus esposas — y alojarlos tres días en hoteles. Muchas de esas personas no habían estado nunca en la ciudad. Se contrataron diez trenes especiales desde Endicott, uno desde Rochester, uno desde Washington, y vagones Pullman adicionales de todas partes. Para anunciar el acontecimiento mi padre tomó páginas enteras de espacio en los periódicos de Nueva York. El encabezamiento decía: "VIENEN TODOS". No se había visto nada parecido desde los movimientos de tropas en la Primera Guerra Mundial. Desde luego, cuando de ceremonias se trataba, mi padre siempre echaba la casa por la ventana; pero el Día IBM fue algo muy atrevido, aun para él, y costó un millón de dólares o sea un diez por ciento de las utilidades de la compañía durante todo el año. Operaba en esta escala gigantesca porque quería dar la sensación de la grandeza de IBM.

Pero estuvo a punto de tener una tragedia en sus manos en lugar del triunfo que esperaba. La noche que viajaron los invitados recibimos aviso de un accidente gravísimo. Uno de los trenes, lleno de familias IBM, se estrelló con otro al norte del Estado de Nueva York. No se sabía cuántas víctimas había. Mi padre saltó de la cama a las dos de la mañana, tomó un automóvil con mi hermana Jane y se fueron al pueblo Port Jervis, donde había ocurrido el accidente. Encontraron que no había muertos, pero sí cuatrocientos heridos, algunos graves, de los mil quinientos pasajeros que llevaba el tren. Mi padre y Jane pasaron todo el día siguiente en el hospital hablando con los heridos y viendo que se les prestara la mejor atención médica. Dio órdenes por teléfono y puso en movimiento a todos los ejecutivos de la compañía en Nueva York. Se despacharon más médicos y enfermeras a Port Jervis. Se contrató otro tren para los que habían resultado ilesos y los que estaban suficientemente bien para continuar el viaje. Cuando llegaron a Nueva York, ya la IBM les había instalado un hospital de campaña completamente dotado en el Hotel New Yorker. Mi padre regresó al fin a Manhattan a medianoche, y lo primero que hizo fue ordenar flores para todas las familias de los damnificados. Hizo que sus ejecutivos sacaran de la cama a los floristas para que los ramos se pudieran entregar en las habitaciones de los hoteles antes del desayuno. Nadie olvidó jamás la manera como mi padre manejó el accidente de Port Jervis. Yo estaba al margen pero me impresionó muchísimo. Vi hasta qué extremos había que llegar para servirle a la compañía. Y la IBM necesitaba esa dedicación personal de sus gerentes para sobrevivir.

El Día IBM se celebró en la Feria con todo el bombo que mi padre quería. El alcalde Fiorello La Guardia hizo el discurso de inauguración y mi padre leyó un telegrama de felicitación del presidente Roosevelt. En el pabellón de la IBM, al lado de la esperada exposición de máquinas de escribir eléctricas y máquinas tabuladoras, hubo una exposición de arte internacional, con cuadros de todos los países en que la compañía tenía negocios. Las estrellas de ópera Grace Moore y Lawrence Tibbett cantaron, y la Orquesta de Filadelfia interpretó a Bach, a Sibelius... y la *Sinfonía IBM*. El programa se transmitió por todas las cadenas de radio, a las que mi papá les pagó para estar seguro de que difundirían el Día IBM. Entonces me pareció que realmente se le había ido la mano. Pero en realidad, el Día IBM fue un gran golpe de relaciones públicas.

# CAPITULO 11

El primer día hábil de 1940 yo aparecí como el primer vendedor de la compañía porque la U.S. Steel Products, una cuenta que habían incluido en mi territorio para que pudiera lucirme, resolvió hacer un pedido inmenso. Con el "trabajo" de un día cumplí mi cuota de todo el año. Hubo titulares al respecto en el periódico de la compañía: Thomas J. Watson hijo a la cabeza del Club Ciento por Ciento en 1940. Me sentí degradado. Todo el mundo sabía que yo era el hijo del viejo y que de otra manera no habría podido vender jamás tanto en tan corto tiempo. De ahí en adelante aunque me era difícil imaginar la vida fuera de la IBM, no tuve otro pensamiento que buscar la manera de irme.

Quizá no habría llegado a ese punto crítico si Europa no hubiera estado en guerra. Parecía inevitable que los Estados Unidos se vieran también arrastrados al conflicto y yo quería estar en las Fuerzas Armadas, piloteando aviones, cuando llegara ese momento; pero ingresar en el Cuerpo Aéreo no era tan fácil como parecía. Para empezar, yo no quería que me mandaran a la escuela de vuelo porque me parecía que la disciplina militar acabaría conmigo. Ya no era un muchacho de veinte años; tenía veintiséis, era un piloto experimentado y no estaba dispuesto a cambiar una situación en que había aguantado muchas tonterías por otra igual. Cuando supe que Hap Arnold, comandante general del Cuerpo Aéreo del Ejército, iba a dar una charla ante un grupo de jóvenes en Nueva York, fui a preguntarle qué debía hacer. El general Arnold era directo e impaciente. Al empezar el período de preguntas y respuestas levanté la mano. Le dije:

— Tengo unas mil horas de vuelo civil y quisiera saber cómo

se hace para ingresar en el Cuerpo Aéreo sin ir a la escuela de vuelo.

— No hay manera. Ingrese en la escuela. La siguiente pregunta... Permanecí de pie e insistí:

— Pero, general, parece un desperdicio de dinero del gobierno hacerme preparar otra vez.

— Es un tipo de vuelo enteramente distinto y el tiempo civil no le sirve para nada.

Más o menos me mandaba que me sentara. Pues bien, me senté pero dije para mis adentros: "Eso lo veremos".

Tenía otra razón para no querer ir a la escuela de vuelo. Sufría de un defecto de la vista, y esto lo confirmé haciéndome examinar de un oftalmólogo particular que me hizo la prueba de los ojos que hacen en el Cuerpo Aéreo. Tienen un instrumento para medir la coordinación muscular. Cuando uno mira, ve con un ojo un punto y con el otro una raya. La idea es superponerlos girando un botón. Cuando hice la prueba, el doctor sacudió la cabeza negativamente, y me dijo:

— Usted no sirve para esto. Estrellaría un avión inmediatamente. No tiene usted absolutamente ninguna percepción de profundidad.

— Pero doctor, ¡si tengo más de mil horas de vuelo! Hace siete años que soy piloto.

— Pues es muy peligroso, muy peligroso.

Me explicó que tenía los músculos de los ojos sumamente disparejos. Mi ojo izquierdo ve para abajo y el derecho para arriba, con el triple de divergencia de lo que permite la Fuerza Aérea. Pero yo no iba a dejar por eso mi carrera de aviador. Lo que hice fue comprarme una de esas máquinas de prueba, me puse a practicar en casa con esos puntos y rayas y adquirí tal habilidad que, una vez que estuve en la Fuerza Aérea, pasé la prueba todos los años durante cinco años.

En la primavera descubrí que la manera de evitar la escuela de vuelo era ingresar en la Guardia Nacional. Allí todo lo que les exigían a los pilotos era trescientas horas de vuelo civil y un examen de vuelo. Me inscribí inmediatamente, y antes de terminar el año tenía mis alas y el grado de subteniente en la Escuadrilla de Observación 102. Los días ordinarios mataba el tiempo en la IBM y los fines de semana me iba al aeródromo de la escuadrilla en

Staten Island a practicar.

Mi padre me hablaba poco de la guerra, pero unas dos semanas después de alistarme le devolvió a Hitler su medalla. Había puesto grandes esperanzas en la idea de la paz mundial por el comercio mundial, de modo que la guerra lo tenía muy alicaído. No era pacifista pero sí dudaba mucho que los Estados Unidos debieran entrar en el conflicto, y esto se reflejaba en su actitud frente a la producción de municiones. Algunas compañías, como la North American Aviation, habían empezado a mandar aviones de guerra al exterior aun antes que Hitler invadiera a Polonia, pero a mi padre no le gustaba la idea de convertir a Endicott en fábrica de material bélico, y no le hizo ninguna gracia que la Secretaría de Guerra forzara a la IBM — como lo hizo en el otoño de 1940 — a aceptar un contrato para la fabricación de ametralladoras. Para este fin mi padre organizó una compañía filial en Poughkeepsie, Nueva York y mantuvo toda la empresa a distancia. Desde luego, cuando vino realmente la guerra, la IBM entró de lleno a cooperar, y mi padre puso muy orgulloso nuestra marca en las armas que fabricamos.

En septiembre de 1940 Roosevelt movilizó la Guardia Nacional y yo logré al fin lo que quería: ser un piloto militar con toda la barba. Mi escuadrilla se trasladó a Fort McClellan, cerca de Anniston, Alabama, para hacer prácticas. En comparación con este pueblo, Endicott era un paraíso. Anniston era caliente, húmedo y aburridor; pero a mí no me importaba porque me había libertado de la IBM, volaba todos los días y en las ciudades vecinas tenía amigos de la universidad a quienes visitar los fines de semana. Después de tres años de marcar el paso en la IBM, me solté a comportarme de manera terriblemente inmadura. Recuerdo una noche que la corrimos en Cincinnati; yo era el único uniformado que había entre los asistentes a una cena, y de pronto se me ocurrió pensar que todos estaban tocando el violín mientras ardía Roma. El anfitrión era rico, tenía más o menos mi edad, su familia era maravillosa y vivían en una casa maravillosa situada en una ciudad maravillosa. Pensé que él debía alistarse en el ejército.

Salí a respirar un poco de aire, y vi en el jardín una manguera colgada de un gancho en la pared de la casa. He tenido debilidad por las mangueras desde que estaba chiquito, y ésta me pareció perfecta para expresar lo que sentía a propósito de toda esa gente engreída. Abrí la llave del agua, entré en el comedor con la manguera y les eché una señora rociada a todos los comensales. Dos grandullones se despertaron y se me vinieron encima, pero yo corrí otra vez al jardín y me tiré vestido a la piscina. De todas maneras, eso era lo que ellos habrían hecho conmigo. Después, durante muchos años la gente me decía: "Ah, ¿no es usted el que roció a los invitados de N.N.?" y yo decía: "No, creo que no".

En algún momento debí comprender que era preciso dejar de ser infantil. Cuando Olive venía de visita un fin de semana, mi conducta mejoraba. Nos divertíamos de lo lindo, y yo sentía en ella una profundidad de emoción que me inspiraba voluntad de dejar las travesuras y volverme un hombre serio. Ambos teníamos otras amistades, pero a medida que la guerra se acercaba, el matrimonio nos parecía más atractivo. Yo sabía que ella soñaba con tener familia y yo, cuando pensaba que me podían matar, también lo deseaba. Así pues, en noviembre de 1941 fui a visitarla a Nueva York; la llevé a bailar al Starlight Roof del Waldorf y le propuse matrimonio. Llevaba en el bolsillo un anillo de diamante. Esa misma tarde, vistiendo mi uniforme arrugado, había ido a ver al joyero Harry Winston, y, alegando pobreza, conseguí que me diera un buen precio. Esa era la diferencia entre mi padre y yo: él habría obtenido un préstamo para comprar un lindo anillo de compromiso, pero yo prefería pagar al contado con lo que tenía y discutir el precio. Nos dieron a Olive y a mí una gran recepción de compromiso en Locust Valley, en casa de su tía Olive Shea, casada con Ed Shea, jefe de la Ethyl Corporation. Fijamos la fecha del matrimonio para el 26 de diciembre.

Yo siempre pensé que era Hitler el que nos iba a llevar a la guerra, pero los japoneses se le adelantaron. Iba yo en un automóvil de regreso a la base con mi compañero de escuadrilla John Gwynne y su esposa cuando dieron por radio las noticias de Pearl Harbor. No lo podíamos creer, pero varias estaciones estaban transmitiendo el mismo informe. Durante un rato nos quedamos mudos. Al fin alguien dijo: "Esto cambia por completo la vida de todos nosotros". Comprendimos que no nos íbamos a quedar en Anniston; probablemente volverían a capacitar la escuadrilla y nos mandarían a pilotear bombarderos.

En la base todo era lúgubre. Muchos creían que los japoneses iban a atacar en cualquier momento la Costa del Pacífico, y antes de una semana recibimos órdenes de trasladar la escuadrilla a California. Cuando me enteré, no perdí tiempo. Llamé a Olive y le dije: "Tienes que venir para que nos casemos inmediatamente". Al principio lloró y dijo que su vestido de novia todavía no estaba listo, pero se puso a la altura de las circunstancias. Pasó la tarde en las tiendas y esa misma noche tomó un tren con su mamá. Llamé a casa, y mi familia viajó al día siguiente. Como padrino de bodas designé a mi padre. Esto no era lo que se acostumbraba, y bien podía haber nombrado a Gwynne o a cualquiera de mis amigos de la universidad, pero a éstos él apenas los conocía. En ese momento mi padre significaba muchísimo para mí. Por encima de toda aquella cantilena que me aburría y de las tonterías moralizadoras que me hacían pasar vergüenzas, la verdad era que en el fondo yo le tenía un gran amor y un profundo respeto. Sólo un sentimiento así tan hondo podía explicar mi inconformidad con sus actitudes. La guerra se nos venía encima y yo pensaba que podía morir. En esa hora de gran dramatismo dejé a un lado todo resentimiento; por eso le pedí que fuera mi padrino.

En Anniston el único hospedaje posible era un hotel barato que había cerca de la base, donde todavía tenían escupideras en el vestíbulo. Yo no podía salir de la base, de manera que Olive tuvo que comprar ella misma su anillo de matrimonio. En la capilla del puesto militar casaban una pareja cada quince minutos, y nosotros casi perdemos el turno porque el centinela no quería dejar pasar a Olive... yo había olvidado dar su nombre en la portería. Cuando al fin entró, todo el mundo tenía los nervios de punta. Corrimos todos en tropel por la nave, toda la comitiva en grupo, y Olive y yo quedamos casados. Yo comprendía que para ella la ceremonia así tan apresurada era una desilusión y resolví que, por lo menos, nuestra luna de miel fuera memorable, aun cuando sólo tenía dos días de franquicia. Había encontrado en Anniston una cabaña de ladrillo con enrejados cubiertos de hiedra, la tomé en arrendamiento y la proveí de alimentos y champaña. Mi padre tuvo otro de sus gestos de gran señor. Como en Anniston no había floristas, llamó a Atlanta, y cuando yo pasé el umbral llevando a Olive, encontramos la cabaña inundada de rosas.

Cuando uno se casa, empieza a pensar cuánto tardará en presentarse la primera pendencia. En nuestro caso todo era acelerado y no tuvimos que esperar sino seis días. La escuadrilla ya se estaba trasladando a California. Yo debía volar, y Olive iría por tierra con Marge Duval, esposa de otro subteniente, en el convertible de los Duval. Contraté a un maestro de secundaria para que las siguiera conduciendo mi automóvil, un Lincoln ligeramente usado que le compré a un oficial de la base, previendo que pronto iba ser imposible conseguir automóviles. Antes de despedirnos le di a Olive instrucciones para el viaje: "Debes recordar tres cosas", le dije: "No correr. No recoger a nadie por el camino. Y no perder de vista mi automóvil. Si me lo estrellan o se pierde, no lo podremos reponer. Nos vemos en California". Ambos somos bastante independientes, pero yo conocía el mundo mejor que ella y me pareció que nos podíamos evitar dolores de cabeza si le decía exactamente lo que tenía que hacer. No sabía en qué honduras me estaba metiendo. Apenas salieron Olive y Marge empezaron a pasarse las señales de "Pare" en los pueblos, de modo que el Lincoln no las podía seguir, y a los tres días, cuando llegaron a Texas, habían perdido de vista por completo al maestro de escuela y mi automóvil. Después pararon en una estación de gasolina, y el dependiente les dijo: "¿Me harían ustedes el favor de llevar a mi hijo hasta el próximo pueblo? Tiene que tomar un tren, y si no llega, lo van a castigar en su batallón por estar ausente sin licencia". Ellas accedieron, y el muchacho se acomodó en el asiento de atrás. Finalmente, empezaron a correr a grandes velocidades porque la carretera era larga y plana y temían que el maestro de escuela les hubiera tomado la delantera.

Mientras tanto, mi escuadrilla sólo había volado hasta Midland, Texas, donde tuvimos que esperar porque adelante el tiempo era muy malo. Consulté en un mapa la ruta que las chicas debían seguir y pensé: "Olive podría llegar hoy mismo aquí". Así que conseguí una caja vacía y un periódico dominical y me senté a esperar a la orilla del camino, cerca de un cruce de ferrocarril. No había transcurrido una hora cuando aparecieron: dos lindas muchachas en un convertible azul descubierto. Lancé el periódico al aire y di voces. Me vieron y frenaron . . . pero un poco más adelante porque venían a una gran velocidad. Número uno. Cuando dieron marcha atrás, se incorporó el soldado en el asiento posterior, donde venía dormido. Número dos. Yo me puse furioso, le pregunté a Olive qué significaba eso y le ordené al pobre tipo que se bajara del automóvil.

De pronto me di cuenta de que mi automóvil no aparecía por ninguna parte. "¿Dónde está mi automóvil? ¿Dónde está mi automóvil?", pregunté a gritos. Olive estaba tan confundida que ni siquiera recordaba dónde lo había visto por última vez. A lo mejor estaba pensando en el divorcio. En eso estábamos cuando acertó a pasar un tren, y dio la extraña coincidencia de que fuera precisamente el tren en que viajaban el personal y el equipo de tierra de nuestra escuadrilla. Los muchachos nos reconocieron y se pusieron a gritar asomándose por las ventanillas. Si yo no hubiera estado tan enfadado me habría parecido chistoso. Nos dirigimos a un hotel desde donde llamé a la policía del Estado; el maestro de escuela se había presentado a dar cuenta y, desde luego, al automóvil no le había pasado nada. Esa noche bebimos champaña y al fin hicimos las paces.

Nuestra base en California resultó ser un aeródromo sin pavimentar, sin luces, en San Bernardino, a unos 80 kilómetros de Los Angeles. Allí pasamos la Navidad en tiendas de campaña. Era un lugar terriblemente desolado; pocos tenían cerca a sus esposas. Por fortuna, Olive consiguió alojamiento en el Mission Inn, un hotel bastante bueno donde yo me había quedado mucho antes con mis padres. En la Nochebuena conseguimos whisky y unos cuarenta litros de leche y obsequiamos a toda la escuadrilla con ponche de leche.

Al principio, la escuadrilla permaneció en aquel aeródromo sin saber qué era lo que tenía que hacer, pero al cuarto día después de Navidad nos llegaron las órdenes. Nuestra misión consistía en volar de arriba abajo por la costa buscando submarinos japoneses. El plan de vuelo no variaba nunca. Pasábamos directamente por encima de Los Angeles, volábamos sobre el mar unos quince kilómetros, y luego en línea paralela a la costa, a unos mil doscientos metros de altitud para lograr máxima visibilidad bajo el agua. Cuando llegábamos por el norte a la altura de Salinas, regresábamos, nos reabastecíamos de combustible y regresábamos por la misma ruta. Piloteábamos pesados aparatos llamados O-47 en que iban tres hombres: el piloto, un observador y un artillero. Este aparato daba la impresión de un animal embarazado, con el observador abajo, en la barriga, asomándose por estrechas ventanillas. Llevaba una ametralladora calibre 0.30, pero no la debíamos disparar si descubríamos un submarino porque no serviría sino para que los japoneses huyeran. Lo que teníamos que hacer era volar en círculos sobre el enemigo y avisar por radio al Campo March, situado al este de Los Angeles, donde había bombarderos listos para atacar. Nuestros aviones no eran apropiados para la tarea que teníamos que cumplir. Para descubrir submarinos era preciso volar despacio, lo cual era muy difícil en aquellas máquinas tan pesadas y de alta velocidad.

En mi tiempo libre yo me divertía. Inmediatamente después de Año Nuevo tomé en arrendamiento una pequeña cabaña de estuco en el pueblo para que la compartieran Olive y la esposa de John Gwynne. Tenía dos alcobas con alfombras baratas y muebles de motel y compartíamos un baño y cocineta... una vida bastante primitiva. La escuadrilla nos visitaba y hacíamos fiestas en el patio. Servíamos licores, gaseosas y emparedados. Una noche invité a todos los trece oficiales a la fiesta, y había tanto bullicio que llegó la policía a decirnos que no hiciéramos tanto ruido. Nos disculpamos: "Es que, como ustedes ven, nos vamos a la guerra..." Los policías se quitaron la gorra, dejaron a un lado las armas, y se unieron a la fiesta.

Cerca de nuestro lugar había un hotel de veraneo en las montañas de San Bernardino, llamado el Arrowhead Springs, y allá íbamos con Olive en mis días libres. Recuerdo haber visto gente del cine, como Lana Turner. Teníamos órdenes de no alejarnos más de cincuenta kilómetros del puesto, pero cierta vez que Gwynne y yo teníamos licencia de veinticuatro horas, nos fuimos los cuatro a Los Angeles. Probablemente no habían visto muchos aviadores por allá. La mujer de Gwynne, Cornee, era bonita, lo mismo que Olive, y alguien nos tomó una foto que apareció en la segunda página del *Times* de Los Angeles. Por fortuna, nadie cayó en la cuenta de que nos habíamos alejado de la base treinta kilómetros más de lo permitido.

Durante los primeros meses de guerra parecía que los japoneses se iban a apoderar de todo el Pacífico. Atacaron y tomaron a

Hong Kong y una gran parte de las Filipinas, hasta que no quedaron más que Bataán y Corregidor. Mucho más al Este se apoderaron de la isla Wake, en la cual establecieron una base. No era difícil imaginar que luego vendría California, pero me parece que nuestra escuadrilla no vio nunca un submarino. En Los Angeles hubo una alarma de incursión aérea, se apagaron todas las luces de la ciudad y las ametralladoras dispararon al aire. Poco a poco, se vio que, obviamente, los japoneses se habían extendido demasiado y que no iban a venir. El patrullaje antisubmarinos nos empezó a parecer inútil, y nuestro espíritu guerrero comenzó a enfriarse.

Yo tenía que hacer grandes esfuerzos para evitar un enfrentamiento con el mayor Nelson, nuestro comandante. Nuestra primera desavenencia ocurrió en Anniston, donde yo era oficial de seguridad de la escuadrilla y él pensaba que tomaba demasiado en serio mis responsabilidades. No tenía en cuenta que en los aviones que piloteábamos era difícil maniobrar y que la pista de nuestro aeródromo era peligrosamente corta, con un cerro en un extremo. Cuando quiera que yo sugería algo para mejorar nuestros procedimientos, Nelson se burlaba de mí. Me tenía por un niño rico consentido. Por mi parte, yo consideraba que él era el peor líder que había conocido. Poco después de nuestra llegada a California, empezaron a sacar hombres de nuestra unidad para llenar las bajas de las tripulaciones derribadas en Nueva Guinea. La manera como Nelson nos informaba de esto era que congregaba a toda la escuadrilla por la mañana, leía tres nombres y decía: "Que esto les sirva de lección a los demás. O mejoran, ¡o les toca el próximo turno!" Yo pensaba: "Esto no es manera de mandar a la gente a combatir". Habría sido una gran cosa que el ejército nos hubiera mantenido juntos, nos hubiera dado aviones decentes y hubiera convertido nuestra unidad en una escuadrilla de bombardeo. Teníamos buenas relaciones de trabajo unos con otros y cada cual sabía su oficio; pero era obvio que iban a desintegrar la unidad, y nuestro comandante accedía a todo sin mover un dedo por obtener lo que fuera mejor para su gente.

Decidí poner en juego cuanto instrumento estuviera a mi disposición para hacerme trasladar a otra unidad antes que Nelson pudiera causarme algún perjuicio. Desde entonces, siempre que veo venir una calamidad, trato de evitarla. Aun cuando cometa un error, no me quedo quieto esperando el golpe. Despaché telegramas a todas las personas que conocía en puestos de mando, diciéndoles que quería pilotear bombarderos. Acudí a nuestro comandante de grupo y traté de convencerlo de que las Fuerzas Armadas podían aprovechar mi experiencia en otra parte, pero no picó el anzuelo. Mientras tanto, seleccionaron otras tres tripulaciones. Cada vez que Nelson nos hacía formar, yo me decía: "Esta vez es Watson". Por fin, ya desesperado, llamé a mi padre. Le dije:

— No es que me quiera escurrir. Quiero que me ayudes a que me pasen a bombarderos, y quisiera entrar en una escuadrilla que esté en formación para poder hacer prácticas y conocer a los compañeros de vuelo.

Mi padre guardó silencio un momento, y luego me contestó:

— Tom, no me gusta hacer esto. Me temo que pudiera meterte en una posición peor de la que tienes actualmente. Pero, en fin, le pediré al señor Nichol que vaya a ver al general Marshall.

— Oh, ése es un nivel suficientemente alto — contesté. George Marshall era nada menos que el jefe de Estado Mayor del ejército. Fred Nichol era el ejecutivo acerca del cual cantábamos en la Escuela de la IBM, el hombre de confianza de mi padre. Tal como nos enseñaban en Endicott, mi padre ponía la mira bien alta: directo a la cabeza.

No pensé que Nichol lograra nada, pero como a la semana me llamaron a la tienda del ayudante de campo donde me entregaron un télex en que se me ordenaba presentarme en la Escuela de Mando y Estado Mayor General, en Fort Leavenworth, Kansas. Yo no sabía qué era eso y dije:

— Ah, no sé si esto me gustará o no...

Un coronel de otra unidad que alcanzó a oír mi comentario exclamó:

— ¡Caramba! Déme a mí el télex. Veré si me dejan ir.

Fue así como me enteré de cuánto valía aquello. La Escuela de Fort Leavenworth era uno de los destinos más codiciados en el Ejército. Todos los altos jefes habían pasado por allí, y los generales escogían a sus ayudantes directamente entre los alumnos que se graduaban.

A los dos días, Olive y yo íbamos en automóvil rumbo a Kansas, con nuestro perro y dos o tres cajas de cartón que contenían todo lo que poseíamos. Hacía dos meses que nos habíamos casado, ella estaba encinta, y como habíamos conseguido cupones para comprar gasolina, aprovechamos el viaje como luna de miel. La primera noche paramos en el Gran Cañón y presenciamos el bello espectáculo de una nevada a la luz de la luna. En Leavenworth nos alojamos en una vieja casona del centro, que habían dividido en apartamentos con tabiques de cartón en forma tan primitiva que Olive y yo podíamos conversar estando ella bañándose y yo en la cocina preparando la cena, pero a nosotros nos pareció divertido.

Yo era el único teniente en una clase de unos cien alumnos. Los demás eran mayores, capitanes y tenientes coroneles. Personajes como Marshall y Eisenhower venían a darnos conferencias. Gracias a la ayuda de mi padre, yo me había metido en honduras. Mis condiscípulos eran casi todos oficiales de carrera y, por supuesto, estaban familiarizados con las tácticas de combate. La Escuela de Mando y Estado Mayor partía de ese supuesto. Estudiábamos, por ejemplo, cómo coloca uno las ametralladoras si tiene que defender un valle. Nada de esto tenía que ver con aviación, pero el Ejército mandaba a los oficiales de la Fuerza Aérea a esa escuela porque no había otro lugar para prepararlos.

Teníamos que presentar trece trabajos, y si a uno lo reprobaban en tres, lo echaban de la Escuela. El sistema de calificaciones se llamaba USA: U, insatisfactorio; S, satisfactorio; y A. Por algún milagro mi primer trabajo mereció A, pero el segundo me lo calificaron U. Esto me asustó y le dije a Olive: "Esto es serio. Dos más de éstas, y me sacan. Me voy a tener que poner a estudiar de veras". Dejé, pues, el apartamento, me pasé a la pieza que me habían asignado en la base y me apliqué al estudio con verdadero ardor. Veía a hombres mayores, oficiales veteranos de artillería y de caballería, haciendo sus maletas y llorando porque los habían reprobado y veían su carrera arruinada. Yo me gané pronto otra U, pero no sé cómo logré salir al otro lado sin que me pusieran la tercera.

Olive se resignó a vivir sola sin una palabra de protesta. Esta muchacha con quien yo me casé por su belleza y su bondad veía con mucha claridad que yo necesitaba desesperadamente evitar otro fracaso. De igual manera, parecía tener un sexto sentido sobre mis relaciones con mi padre. Esto lo comprendí una noche que fue a visitarnos mi alegre amigo Nick Lunken (el que me hizo aquella burla cuando estaba en la escuela de la IBM). En el examen físico para el Ejército había resultado no apto; yo acababa de sacar otra S en un trabajo, y ambos nos encontrábamos de muy buen humor. Fuimos a un baile a la luz de velas, y Nick me dijo: "Estos asientos en que estamos sentados son de metal. Metámonos debajo de la mesa y pongamos velas encendidas debajo de algunos de los asistentes". A mí me pareció una idea formidable y procedimos a ponerla en práctica. Yo apenas había alcanzado a sentarme otra vez en mi puesto cuando las víctimas a quienes habíamos escogido saltaron de sus asientos dando alaridos. Entonces sentí que me tocaban en el hombro. Era el ayudante del segundo comandante de la base, que me dijo con sarcasmo: "Pensé que le complacería a usted enterarse de que al coronel Shallenberger le pareció divertida su broma".

Olive fue testigo de todo esto, y después me reconvino fuertemente. "Debes tener más cuidado", me dijo. "Cuando te gradúes, tu padre va a venir, y no puedes aparecer como el bufón de la clase". Me tomó enteramente por sorpresa. Dos meses antes, yo le había hecho cargos a ella por no haber cuidado mi automóvil, pero cuando se trataba de las expectativas de mi padre, ella tenía mucho mejor idea que yo de cuál era el camino recto. Desde esa noche en adelante, me ayudó a no desviarme de ese camino.

Mi padre asistió a mi graduación. Estaba orgulloso de mí, aunque me pareció un poco amilanado. Mientras estuvo en la ciudad comisionó a un pintor del Instituto de Arte de Kansas City (con el cual la IBM tenía alguna relación) para que pintara mi retrato. El retrato no era una maravilla, y cuando comprendí por qué mi padre lo había hecho pintar, no lo podía mirar sin inquietud. El sabía que al graduarme me había acercado más aún a la guerra, y se preparaba en caso de que me mataran.

# CAPITULO 12

Al fin me sentí en posición de hacer algo que valiera la pena. Mi guerra exigía pilotear aviones, y eso era lo que yo sabía hacer bien. La Fuerza Aérea bullía de actividad; había aumentando de trescientos cincuenta mil hombres a más de dos millones. La batalla de Inglaterra había puesto en claro que nadie iba a ganar la guerra sin dominio del aire; de ahí en adelante los aviones serían tan importantes para la victoria como los acorazados y los tanques. A mí me emocionaba ser parte de esto, y, aunque no me ascendieron tanto como a otras personas ni volví con tantas medallas, mis triunfos fueron míos. Por primera vez en mi vida no tuve que preocuparme por que mi padre me hiciera sombra.

Por la época en que salí de Leavenworth una de las grandes tareas de la Fuerza Aérea era transportar pesados bombarderos a Inglaterra, donde tenía su base la Octava Fuerza Aérea de los Estados Unidos, que se preparaba para iniciar bombardeos diurnos contra los nazis, y las fábricas norteamericanas producían nuevos aviones, como los B-17, por millares. Estos aparatos no podían llevar combustible en cantidad suficiente para cruzar directamente el Atlántico hasta sus bases en Inglaterra. Tenían que ir bordeando el litoral hasta Terranova, cruzar luego con escalas en Groenlandia e Islandia, y finalmente bajar a través de Escocia. El punto de partida estaba en Nueva Inglaterra, parte del territorio de la Primera Fuerza Aérea, y allá fue a donde me destinaron.

Mi primera tarea fue secundaria. En esos días los pilotos militares no sabían volar por instrumentos y muchos se estrellaban. El piloto entraba en una masa de nubes, perdía el sentido de orientación y volaba directamente al suelo. Mi misión consistía en ayudar. a remediar esta situación promoviendo el uso de capacitadores Link. Estos aparatos eran unos crudos simuladores de vuelo y si un piloto pasaba suficiente tiempo en uno de ellos, podía aprender a volar a ciegas. Todas las bases aéreas los tenían, y habrían sido de gran ayuda si los pilotos los hubieran conocido, pero la mayoría no sabían que existían. Mi deber era enseñarles; era básicamente una tarea de ventas, y trabajé en ella sin descanso porque era mi primera oportunidad de distinguirme en el ejército. Volé a bases desde Presque Isle, Maine, hasta Filadelfia, predicando sobre capacitadores Link. Importuné a los comandantes para que me dieran datos sobre el uso de estos aparatos y les mostré cómo se comparaba su base con otras a este respecto. Obtuve de los altos mandos recomendaciones del aparato. Hice todo lo imaginable — y el uso de los capacitadores se sextuplicó. Creo que salvé unas cuantas vidas.

Este modesto éxito mereció la atención del mayor general Follett Bradley, comandante de la Primera Fuerza Aérea, quien en junio de 1942 me propuso que fuera su ayudante de campo. Esta propuesta me tomó por sorpresa y me planteó un verdadero dilema, pues si la declinaba podía perjudicar mis posibilidades de ascenso en la Fuerza Aérea, pero si la aceptaba podía verme comprometido en un empleo de servicio personal que no quería y para el cual yo no servía. Además, debía pensar en Olive porque las esposas de los ayudantes de los generales siempre terminan trabajando como ayudantes de las esposas de los generales. Pero pensamos que el empleo era un paso adelante, y lo acepté. Fue lo mejor que me pudo haber ocurrido.

Yo he trabajado para dos grandes administradores en mi vida. El uno fue mi padre, y el otro fue Follett Bradley. Este fue uno de los precursores del Cuerpo Aéreo; fue, entre otras cosas, el primero que transmitió un mensaje por radio, de un avión a tierra. Se alistó inmediatamente después de la Primera Guerra Mundial, cuando el Cuerpo Aéreo se conocía como un lugar para temerarios, inútiles y borrachos. Pero Bradley era un hábil piloto y un líder nato. Lo mismo que Billy Mitchell y Jimmy Doolittle, comprendía que el Cuerpo Aéreo estaba destinado a adquirir verdadera importancia. Era unos quince años menor que mi padre, casi calvo, con solo un cerco de pelo cano, y tenía la cara redonda, con ojos profundos y penetrantes. Fumaba cigarrillo con una larga boquilla y usaba quevedos que guardaba en el bolsillo izquierdo del pecho, sujetos a una cinta negra colgada del cuello: un hombre de espléndido aspecto, de conversación agradable, gran forjador de espíritu de equipo. Hizo un par de vuelos conmigo en su bimotor B-23 para cerciorarse de mi competencia, e inmediatamente me hizo su piloto. Desde entonces, era frecuente que se sentara en la cabina de mando a charlar con algún otro oficial mientras yo muy orgulloso manejaba el aparato, adquiriendo confianza por minutos. Me esforzaba por serle lo más útil posible.

Bradley estaba muy ocupado realizando inspecciones en toda Nueva Inglaterra para acelerar el despacho de bombarderos a Europa. Había problemas de aglomeración y demoras en los aeropuertos a lo largo de la ruta de transporte. En el primero en que hicimos escala, en el norte de Massachusetts, él y otros oficiales fueron a recorrer la base, y yo me quedé esperando cerca del avión. Antes de regresar ellos, pensé: "Esto es una pérdida de tiempo". Necesitaba convencerme a mí mismo de que era algo más que un simple chofer aéreo.

Cuando hicimos la siguiente parada, Hartford, ya había resuelto que seguiría al general a todas partes, a menos que él mismo me ordenara lo contrario, y que redactaría un resumen completo de cada inspección. En estos informes hacía observaciones sobre los oficiales que conocíamos, los suministros que se necesitaban, y mis propias recomendaciones en cuanto a las operaciones. Observé inmediatamente que el problema de las demoras de los bombarderos era en parte psicológico: cuanto más tiempo pasaba un grupo de bombarderos en los Estados Unidos, más tiempo quería quedarse. Si pasaban directamente por Nueva Inglaterra e iban a Gander, en Terranova, o Goose Bay, Labrador, proseguían y terminaban el viaje en una semana. Pero si no se ejercía presión constante sobre el grupo para que se movieran, se movieran, se movieran, las demoras se acumulaban. Este era el tipo de observaciones que yo escribía. Al margen de mis informes Bradley solía garrapatear: "Muchas gracias", y a veces "Excelente" y hasta "Espléndido" — pequeños cumplidos que me estimulaban para hacer un trabajo mejor aún y más vigoroso. Los meses que pasé con Bradley los cuento entre los más importantes de mi vida porque él me mostró que yo tenía una mente ordenada y una habilidad nada común para concentrarme en lo importante y hacérselo ver a los demás.

A las pocas semanas, Bradley me llevó a Washington. Cuando le pregunté qué íbamos a hacer, me contestó que me iban a ascender a capitán. Bien sabía él cuánto significaba esto para mí. Después de tramitar los papeles de rigor, me condujo al comisariato en el viejo Edificio de Municiones, compró las barras de capitán y él mismo me las prendió en el uniforme.

A principios del verano, Bradley recibió órdenes de trasladarse a Moscú para supervisar un problema de transporte mucho más espinoso: llevarle aviones a Stalin. Rusia necesitaba desesperadamente armas y suministros de los Estados Unidos. Los alemanes habían puesto sitio a Leningrado, por el norte, y por el sur avanzaban sobre Stalingrado y los yacimientos petrolíferos de Bakú. Uno de los grandes quebraderos de cabeza era cómo llevar cazas P-39 y P-40 y bombarderos ligeros A-20. Por su corta autonomía de vuelo, la única manera de llevar grandes cantidades de estos aparatos con rapidez y seguridad era pilotearlos hasta Alaska y de allí en etapas cortas a través de ocho mil kilómetros de Siberia. Bradley tenía el encargo de establecer esta ruta de abastecimiento — un asunto de gran importancia estratégica. Cuando me preguntó si quería acompañarlo, le contesté que nada me complacería más, aunque en realidad abrigaba los más serios temores. La guerra había llegado a su hora más sombría, pues las potencias del Eje dominaban en todos los frentes, y yo me comprometía a permanecer en el exterior un tiempo indefinido, tal vez años. Olive y yo pasamos noches de insomnio pensando cómo haría ella para pasar su embarazo sola. En ese momento yo ni siquiera le podía decir para dónde me iba: teníamos órdenes de referirnos a nuestro destino solo con el nombre de clave "Plainfield".

Los preparativos para ese viaje eran la tarea más difícil que yo había emprendido hasta entonces. Bradley me había dicho que era posible que tuviéramos que permanecer en Moscú hasta ocho meses, y nos podríamos considerar afortunados si conseguíamos comida y vivienda. Todo lo demás teníamos que llevarlo. Pasé tres calurosas semanas trabajando en un apartamento IBM en un hotel de Washington, redactando instrucciones para cada uno de los diez miembros de nuestra tripulación y listas de suministros: equipo ártico, material aislante para proteger un avión del frío, material de lectura recreativa y cosas por el estilo. Si algo se olvidaba, sería culpa mía. Teníamos a nuestra disposición un B-24 nuevecito, el bombardero pesado más moderno, y Bradley escogió personalmente a los tripulantes, uno por uno, incluso a Lee Fiegel, experimentado piloto de bombarderos. Aun cuando yo fui el organizador del viaje, a mí me degradó a copiloto porque no tenía experiencia en aviones cuatrimotores. Debo reconocer que el B-24 me asustaba. Antes del servicio militar no había piloteado sino pequeños salta-charcos, y había navegado con mapas de carreteras. En la Guardia Nacional todavía teníamos monomotores y era una gran proeza volar de Alabama a Nueva York — poco más de mil kilómetros — en cosa de tres horas. Ahora, de pronto, tenía que pilotear uno de los aviones más grandes del mundo — un peso bruto de veintiocho toneladas, ocho hombres de tripulación, troneras para la artillería, y autonomía de vuelo de cuatro mil ciento sesenta kilómetros con tanques extra de combustible. Lee dedicó mucho tiempo a enseñarme cómo funcionaban las cosas e hicimos una amistad para toda la vida. Dos días antes de nuestra partida fueron de visita mis padres y mis hermanas; Dick habría ido con ellos, pero él también se había alistado en las Fuerzas Armadas y estaba en un campamento del ejército, Aberdeen Proving Grounds, en Maryland. Bradley me permitió llevar a mi madre a dar una vuelta en el bombardero. Ella jamás había volado, pero parece que le gustó, mientras mi papá esperaba nerviosamente en tierra.

Aun en un B-24 el vuelo a Moscú en tiempo de guerra era una hazaña considerable que duraba diez días. Primero teníamos que volar al Sur, al Brasil, de allí cruzar el Atlántico al Africa, subir evitando los países coloniales controlados por el gobierno de Vichy, y luego al Norte por El Cairo, Palestina y Teherán, sobrevolando la cordillera del Cáucaso para entrar en Rusia. Lo mismo que muchos aviadores de esa época, yo me ponía nervioso cuando tenía que volar sobre el mar, lejos de todo aeropuerto en caso de emergencia.

Cruzamos el Atlántico Sur una noche de luna llena, con cúmulos que se levantaban en pilares espectrales. A mitad de camino realicé una inspección rutinaria de la tripulación. Bajé del puente de vuelo a la proa donde trabajaba el navegante. No llevábamos al veterano escogido por Bradley sino a un sustituto de última hora. Era casi calvo del todo, y lo encontré con la cabeza inclinada sobre la gran mesa de navegación que tenía enfrente. Lo toqué en el hombro y dio un salto.

— ¿Cómo vamos, Bill? — le pregunté.

— No sé. No puedo empezar.

Miré el piso. Había como veinte bolitas de papel arrugado.

— ¿Esto qué es?

— No logro una visual que sirva.

— ¡Cómo es posible! ¡Si estamos en medio del Atlántico!

— Sí, pero en el Hemisferio Sur. Realmente, estas estrellas yo no las conozco.

Volví a subir y le dije a Lee:

— Creo que es demasiado tarde para hacer otra cosa que mantener el rumbo que este tipo ha fijado, ¡pero dice que no sabe dónde estamos!

Lee bajó y estuvo conversando un rato con él. Reconvenirlo no tenía objeto, y nos abstuvimos de eso. El rumbo general que llevábamos era correcto, pero era imposible saber exactamente dónde estábamos. Cuando amaneció buscamos ansiosamente tierra, pero no vimos ninguna hasta una hora después de lo que esperábamos. Al fin aterrizamos en Accra, en lo que es hoy Ghana; los manómetros de combustible estaban en cero.

No fue ésa la única vez que nos salvamos por un pelo. Pocos días después, entrando en territorio ruso nos preparábamos para aterrizar en Bakú, sobre el mar Caspio, para abastecernos de combustible. Yo bajé al fuselaje del avión, directamente bajo el puente de mando, para examinar la rueda de proa antes de aterrizar. Estaba en medio de esta labor de rutina cuando Lee distraídamente empujó la palanca del tren de aterrizaje a la posición de "Abajo". No era propio de él en absoluto cometer semejante equivocación, pero esa vez la cometió. Vi horrorizado que la gigantesca rueda que estaba inspeccionando empezaba a descender pesadamente por la abertura que crecía cada vez más en el piso del compartimiento. Salté hacia el puente del navegante y casi lo alcanzo, pero quedé atrapado por una pierna. Le grité al navegante que me pasara sus audífonos y haciendo un máximo esfuerzo por no dejarme llevar del pánico, le expliqué a Lee mi situación: "Estoy atrapado — con una pierna entre la portezuela del tren de aterrizaje y la pared del avión, y el otro borde de la puerta descansa sobre la armazón de la rueda de proa. Si aterrizas, la rueda de proa al rodar hará que la puerta me corte la pierna". Yo estaba esparrancado sobre la puerta abierta, a trescientos metros de altura sobre los pozos de petróleo de Bakú. El operador de radio bajó, echó un vistazo a mi situación y se desmayó. Tuvieron que sacarlo a la seguridad del pañol de bombas. En seguida vino el general Bradley con sus quevedos. Miró detenidamente y pidió una segueta. En cinco minutos cortó la bisagra del borde posterior de la puerta del tren de aterrizaje la cual se desprendió y cayó, y me dejó libre la pierna.

Cuando llegamos a Moscú, en agosto, la marea de la guerra estaba a punto de cambiar, pero esto no era perceptible para los rusos ni para nosotros. Por segundo año consecutivo los mejores ejércitos de Hitler los castigaban duramente, y el número de bajas en lugares como Leningrado y Sebastopol tiene que haber sido aterrador, incluso para Stalin. Ya habían muerto millones de rusos por heridas o por hambre y otros millones habían sido capturados. El año anterior los nazis habían llegado tan cerca de Moscú que se alcanzaban a ver desde las torres del Kremlin. La mayor parte del gobierno, lo mismo que las embajadas de los aliados, se habían retirado al pueblo de Kuybyshev, a ochocientos kilómetros de la retaguardia. El invierno ruso y el valor del Ejército Rojo rechazaron a los nazis, pero cuando nosotros llegamos, Moscú todavía estaba oficialmente en estado de sitio. Nos alojamos en el Hotel Nacional, sobre la Plaza Roja. En el foso que había cerca del Kremlin, visible desde nuestras ventanas, había una flota de pequeños camiones cargados con cajas de archivos. Eran los archivos de la nación, listos para ser evacuados si los nazis llegaban otra vez a las puertas. Todo el día salían empleados de oficina, iban hasta los camiones, tomaban algún archivo y entraban otra vez a la carrera. La gente que se veía en la calle mostraba claros síntomas de desnutrición: los ojos irritados, las mejillas hundidas, el vientre inflado de comer únicamente pan. Tan pobres estaban y el transporte era tan escaso, que para enterrar a sus muertos los deudos tenían que llevarlos a cuestas, metidos en sacos de harpillera.

Hacía escasamente una semana que nos encontrábamos en Moscú cuando llegó Winston Churchill. Stalin venía insistiendo en que Inglaterra y los Estados Unidos invadieran de inmediato a Europa y Churchill iba a decirle cara a cara que eso no iba a ocurrir tan pronto. En sus memorias, Churchill dice que esto era "como llevar un gran bloque de hielo al Polo Norte". Necesitó tres días para calmar a los rusos. La mañana del cuarto día, cuando voló a El Cairo, nos correspondió a nosotros servirle de escolta armada hasta Teherán. La víspera por la noche yo tuve la gran experiencia de asistir a una recepción diplomática y estrechar la mano del primer ministro.

Infortunadamente, el vuelo con Churchill fue ocasión de una grave desavenencia que tuve con mi tripulación. Apenas hacía tres semanas que nos encontrábamos en el extranjero y ya se estaba desarrollando una pauta de conducta: cada vez que de veras necesitábamos a estos hombres, algunos estaban borrachos. Yo tenía el deber de reunir a la tripulación por la mañana cuando teníamos que volar. Si íbamos a arrancar a las 8:00 A.M., me levantaba a las 5:00 e iba a sus cuartos a sacarlos. La mañana que debíamos volar con Churchill encontré al sargento primero y al jefe de tripulación jugando póker desnudista con un grupo de chicas rusas. A la salida arremetí al sargento: "¡Maldita sea! Usted no tiene que volar más de una o dos veces por semana ¡y siempre que volamos está borracho!" Me aseguró que su diversión eran más las cartas que la bebida, pero no le creí. Cuando llegamos al avión, él tenía que revisar los motores, y se olvidó de ajustar otra vez las tapas después de medir el aceite, con el resultado de que apenas empezamos a rodar por la pista, secciones del capó se abrieron en todos los cuatro motores y al fin se desprendieron. Los pilotos de Churchill seguramente vieron esto y se preguntarían qué demonios le pasaba a nuestro avión. La reprensión que se ganó esta vez el sargento no es para ser descrita.

Las discusiones del general Bradley con los rusos no fueron más cordiales que las de Churchill. Yo no asistí a las reuniones, pero como entre mis deberes se contaba el de oficial de código de la unidad, me enteraba de todos los despachos que salían. El comportamiento de ambos lados fue una desilusión. Los rusos se mostraron tan impertinentes como se muestran a veces hoy; nosotros tratábamos de hacerles un favor, y hacérnoslo nosotros, llevándoles aviones a través de Siberia, y ellos fastidiaban a Bradley con reparos por la calidad del caucho de los neumáticos.

Bradley se veía obligado a discutir interminablemente con ellos sobre especificaciones de los aviones, el programa de entregas, el número de pilotos que mandarían los Estados Unidos para entregarlos, etc. Aun así, los rusos estaban convencidos de que lo que nosotros queríamos era espiarlos, de modo que resolvieron que sus propios aviadores pilotearan los aviones a través de Siberia. Entonces le tocó a nuestra Secretaría de Guerra el turno de mostrarse intransigente. Al enterarse de que Rusia no dejaría entrar aviadores norteamericanos, disminuyó de cuarenta a diez el número de aviones de transporte que se ofrecían para llevar a Alaska a los pilotos en el vuelo de regreso por la ruta de abastecimiento. A mí no me parecía que esto fuera equitativo. La capacidad de los pilotos rusos no se podía poner en duda, de modo que ¿por qué dificultarles su tarea?

Estas molestas discusiones se prolongaron largo tiempo, y fueron muchas las horas que yo pasé sacando y metiendo papeletas en casilleros de metal, que era el método que usábamos para cifrar y descifrar telegramas. Pero, por lo menos, le demostré a Bradley que yo tenía cierta ecuanimidad y capacidad para el trabajo sostenido. No tardó el general en empezar a acudir a mí cuando quería discutir una decisión. Ahora me parece que tal vez me veía como a un hijo. Su propio hijo había muerto demostrando un B-17 sobre Inglaterra antes de entrar nosotros en la guerra.

Otro vínculo nos unía también: ambos estábamos muy contrariados porque no recibíamos cartas de nuestras esposas. A mí Olive me hacía una falta loca, y nuestro primer hijo estaba en camino; pero, por desdicha para mí, ella y la señora Bradley se habían hecho amigas. La señora Bradley era famosa por la "información reservada" que conseguía y que siempre era equivocada. Yo le había dicho a Olive exactamente cómo debía dirigirme sus cartas, pero la señora Bradley le dijo: "Oh, no. Así no es. Así es como se debe poner la dirección". El resultado fue que ni el general ni yo recibíamos correo, mientras que todos los demás miembros de nuestra unidad recibían cartas todas las semanas. La nostalgia y la falta que me hacía mi mujer me golpeaban en oleadas. Nunca estaba libre de estos sentimientos, pero a veces sentía como si un cuchillo me estuviera destrozando el pecho. En esos momentos maldecía a Hitler y a Hirohito y soñaba con una vida tranquila de hogar en mi casita propia.

La vida en Moscú ofreció poco interés durante los tres meses que tardó Bradley en arreglar las cosas con los rusos. Las fuertes lluvias de otoño que retardaron a los ejércitos de Hitler llegaron y pasaron, y luego la temperatura bajó muchos grados bajo cero. A pesar de la guerra, continuaban en actividad el ballet y la ópera, y vimos varias funciones buenas; algunos hasta tomamos clases de ruso. Periódicamente nos mandaban a Teherán, donde se podía comprar de todo, y regresábamos con el pañol de bombas repleto de comida y otros artículos necesarios para el personal de la Embajada. Llewellyn Thompson nos acompañó en uno de esos viajes y nos hicimos amigos; él era entonces un diplomático joven, pero más tarde llegó a ser quizás el más grande embajador que hayan tenido los Estados Unidos en la Unión Soviética. También hice amistad con corresponsales extranjeros como Eddie Gilmore, Walter Kerr del *Herald Tribune* de Nueva York, Henry Shapiro y Ben Robertson. Nuestra principal fuente de noticias era la BBC, que todas las tardes informaba verazmente sobre el curso de la guerra. Me interesaba especialmente la batalla por el Norte de Africa, pues estaba convencido de que la lucha contra Rommel sería la clave del resultado de la guerra. Los ingleses avanzaban al principio lentamente, pero cuando batieron a los alemanes en El Alamein y cuando los norteamericanos desembarcaron en Argelia y Marruecos pocos días después, los ánimos se levantaron bastante en nuestras acostumbradas sesiones de póker.

Yo era el único de nuestro grupo que había estado antes en Moscú, en el verano de 1937, después de graduarme en la Universidad de Brown, y tenía mucha curiosidad de ver cómo había cambiado la ciudad. Cuando podía soltarme, me iba con algún compañero a caminar diez o quince kilómetros. A cada rato se nos acercaban mujeres y se presentaban. Suponíamos que eran informadoras, pero nos sentíamos como enclaustrados sin poder hablar con nadie, fuera de nosotros mismos, durante tres meses. La mayor parte de los casados se mantuvieron en el buen camino, pero otros se vieron en situaciones muy comprometidas. En determinado momento, tres de ellos se veían con una muchacha llamada Ludmilla, quien dijo que era bailarina. Yo me hice amigo de una enfermera llamada Tania, quien de alguna manera consiguió mi nombre y me llamaba por teléfono a nuestra pequeña oficina. Hablábamos con ayuda de dos diccionarios y pasamos bastante tiempo juntos aunque nuestras relaciones eran platónicas. A las pocas semanas nos comunicábamos bastante bien, y me llevó a visitar su apartamento, donde vivían tres familias distintas. Tania ocupaba una pieza que parecía la del servicio, junto a la cocina, pero en cada una de las otras piezas se albergaba toda una familia. No poseían casi nada. Le pedí a Tania que me mostrara su ropa. Abrió el ropero, que contenía un vestido de invierno, uno de verano, un gran abrigo acolchado y unas toscas botas altas de fieltro, un par de zapatos planos, un par de tacones altos, un suéter, algunas blusas y ropa interior. Nada más. Cuando yo iba a Teherán traía de regreso medias o zapatos o cualquier otra cosa para Tania y para otras rusas a quienes conocí.

A principios de noviembre, aviones de los Estados Unidos volaban por fin a través de Siberia, y nosotros hicimos maletas para marcharnos. Bradley pensó que pronto volveríamos a Rusia, pues se iban a necesitar norteamericanos para supervisar la operación de transporte. Los rusos estaban tan contentos que nos dieron permiso para regresar a casa por la ruta que mejor convenía a nuestras necesidades: al sudeste por la China, donde Bradley tenía que conferenciar con otro general de los Estados Unidos, y luego a Alaska a través de Siberia. Era un gran privilegio; como se vio después, fuimos una de las pocas unidades militares americanas que volaron en dirección al Este sobre Siberia durante la guerra. Para celebrar nuestro vínculo con los rusos, Bradley bautizó nuestro avión el *Moscovita,* nombre que hizo pintar en la proa en caracteres cirílicos.

Me emocionó muchísimo volver a ver la China, sobre todo en la provincia de Kansu, donde nuestro plan de vuelo nos guiaba en dirección paralela a la Gran Muralla. Al reflexionar en que esa misma muralla la había visto yo cerca de Pekín en 1937, me llené de asombro: Pekín distaba unos 1 600 kilómetros de allí. Aterrizamos en la antigua ciudad de Ch'eng-tu, cerca de Chungking, capital en tiempo de guerra de Chiang Kai-Chek, y conseguimos piezas en una hostería llamada la Sociedad de Esfuerzo Moral, cerca del aeropuerto. Era limpia y bien arreglada, y mi pieza daba a un lindo jardín. Me rodeaba por todas partes aquel encanto que me hacía desear volver a la China una y otra vez.

Demoramos allí unos días mientras preparábamos el avión para volar en el invierno siberiano. Por encargo de Bradley, escogí las tareas para distribuirlas entre la tripulación, y al final del primer día les dije que casi con seguridad tendríamos que volver a Rusia. Con gran sorpresa de mi parte, me contestaron que no contara con ellos y que preferían ir al frente de batalla que hacer otro viaje conmigo.

Fue uno de los choques más duros que he sufrido. Pensar que ya iba a mitad de mi carrera en la Fuerza Aérea, que era hijo de un famoso administrador, y todavía no había aprendido a dirigir al personal a mis órdenes. Por complacer tanto a Bradley me había ganado la animadversión de todos los subalternos. Se quejaban de que yo era demasiado exigente, que nunca aflojaba el paso, que insistía en que todo se hiciera a la perfección. Consideraban que yo me fijaba en minucias, y tenían toda la razón; la crítica minuciosa no es útil cuando la gente está haciendo su trabajo razonablemente bien. Si su nivel de energía es elevado y su puntería se acerca bastante al blanco, es mejor dejar que las cosas progresen paulatinamente.

Dije para mí: "No llegaré a ninguna parte si no soy capaz de guiar a estos hombres", y resolví hacer todo lo posible por ganármelos otra vez. Para empezar, los llevé en automóvil cuarenta kilómetros hasta Ch'eng-tu donde los obsequié con la mejor comida que pude encontrar y les di las gracias por todo lo que habían hecho. Durante la etapa siguiente de nuestro vuelo hablé con todos uno por uno, y les pregunté en qué ánimo se encontraban, si habían recibido cartas durante nuestra permanencia en la China, etc. También les regalé pequeñas piezas de peltre que había comprado en Ch'eng-tu. El ánimo de todos iba mejorando porque regresábamos a casa; no había forma de saber si mis esfuerzos estaban produciendo algún efecto.

Nuestro vuelo por Siberia nos llevó a la remota población de Yakutsk sobre el río Lena, donde la temperatura era menos 22 grados Fahrenheit [30 grados centígrados bajo cero] el día que llegamos. Tenía que admirar a los rusos por mantener una verdadera ciudad tan al Norte... a pesar de que una de sus principales industrias era una prisión. Yakutsk, uno de los lugares más fríos de la Tierra, servía para desterrar gente de Moscú. Su único medio de comunicación con el mundo exterior era el río

Lena, que desemboca en el mar de Laptev, en el océano Glacial Artico. En una ocasión me quité el guante, sin pensar, y un dedo se me congeló sobre los mandos de la hélice.

A la noche siguiente despegamos, con la esperanza de llegar de una vez a Nome, Alaska, 3 200 kilómetros al Este, pero la temperatura era como 40 bajo cero y el frío afectaba a la manera como se enfriaban y se lubricaban los motores. Mi deber como copiloto era ver que los motores funcionaran debidamente, y el número cuatro sólo estaba rindiendo como la mitad de su potencia. Tuve que forzar los otros tres motores por encima de su límite de seguridad para que nos pudiéramos elevar. Ascendimos muy bien a la luz de la luna y entre nubes sueltas durante unos veinte minutos, y empecé a pensar que tal vez sí llegaríamos; pero como a la media hora de estar en el aire la temperatura del aceite del motor número cuatro subió y la presión del aceite bajó. Esto es señal de que algo muy grave está ocurriendo y hay que actuar pronto, pues el motor se incendia si se calienta demasiado. Entonces dije:

— Creo que debemos apagar ese motor.

No hubo respuesta inmediata. Ninguno estaba pensando con mucha claridad porque los calentadores del puente de vuelo se habían descompuesto, y el frío era terrible. Fiegel no dijo nada, y el general, que permanecía de pie entre nosotros dos, tampoco. Yo volví a decir:

— No quiero ser alarmista, pero si no hacemos algo con ese motor, es posible que no lo podamos apagar. ¡Recomiendo que apaguemos el maldito motor!

— Sí, está bien; apáguelo, Tom — dijo el general.

Había un botón rojo grande, y yo le di un fuerte golpe. El motor paró suavemente. Con los otros tres no teníamos potencia completa porque el número tres también estaba un poco enfermo — tal vez teníamos 65% de la potencia normal. Estábamos realmente en un aprieto, acumulando hielo, sin poder mantener altura pero todavía rumbo a Nome, a 1 300 kilómetros de distancia. Nadie decía nada de regresar. Me aguanté tal vez un minuto, luego dije:

— Hola, compañeros, no me dirán que podemos llegar a Nome con tres motores. Ya estamos acumulando hielo y recogeremos cada vez más de aquí en adelante, donde no hay ningún aeropuerto y nos van a llevar los diablos.

Al fin Bradley dijo que debíamos regresar.

Las luces de Yakutsk me parecieron el espectáculo más emocionante que había visto jamás, porque pensé que no íbamos a volver con vida. Nevaba copiosamente. Los flaps no funcionaron, y a duras penas logramos bajar el tren de aterrizaje. Empezamos a caer con una velocidad alarmante y forcé los dos motores buenos más allá del límite para frenar. El avión estaba tan pesado por el hielo acumulado en su superficie que Lee y yo necesitamos todas nuestras fuerzas combinadas para mover las palancas de mando. Hicimos el último giro a muy poca altura sobre el suelo y parecía que nos íbamos a estrellar, pero al fin enderezamos para tomar la pista, apenas visible en medio de la nieve. Seguíamos cayendo. Vi árboles adelante y le grité a Lee pero él no los veía porque el parabrisas estaba cubierto de hielo. Entonces tiré del timón hacia atrás y hundí a fondo los aceleradores. Los compañeros que iban en la cabina me contaron que en ese momento el general se tapó los ojos. Pasamos rozando las copas de los árboles y tocamos el extremo de la pista sin un golpe muy duro. Creo que todos estábamos tan contentos como si la guerra hubiera terminado.

Estuvimos de regreso en la población antes del amanecer, felices de volver a nuestras piezas tibias con sus paredes de tosca madera y sus estufas de carbón. Nuestro avión quedó inservible para ese invierno, y nos quedamos varados en Yakutsk hasta que los rusos dispusieran de un avión de carga que nos sacara de allí. La mayor parte se contentaban con permanecer en las habitaciones, pero yo salía todos los días, a pesar del frío, con Harley Trice, nuestro intérprete, para conocer el pueblo. A donde quiera que fuéramos, se nos unían uno o dos comisarios locales y se congregaba un grupo. Apuesto a que no llegaban a veinte los extranjeros que, no siendo prisioneros, habían visitado el lugar en los últimos cincuenta años. El sector occidental de Yakutsk parecía un gran campamento prisión, aunque nunca nos permitieron acercarnos lo bastante para comprobarlo. La población estaba llena de polacos ex presidiarios y todavía demasiado pobres para poder marcharse, y muchas de las personas que encontramos hablaban francés o alemán.

También tenía el lugar una fuerte cultura nativa que me pareció mucho más agradable que la cultura comunista. Los naturales, llamados yakuts, parecían mestizos de esquimal y chino, con ojos oblicuos y fieros mostachos. Usaban botas de fieltro y abrigos de pieles y conducían pequeños *ponies* siberianos y renos. Nosotros nos congelábamos hasta que nos suministraron polainas, guantes y botas. Yo compré un saco de piel para mi hijito que iba a nacer. En el museo municipal, que no tenía calefacción, vimos un mastodonte que habían desenterrado por ahí cerca y una momia de una princesa nativa que vestía ricas pieles y adornos de cuentas. Había implementos que indicaban una civilización muy antigua. Al tercer día de nuestra permanencia en Yakutsk fuimos a ver cortar hielo en el río cubierto de nieve. Allí sí había realmente una visión del yermo helado de Siberia. El valle del río era plano, nevado y desolado. A la distancia podía yo ver la población, que exhalaba densas nubes de humo de carbón, en un vano esfuerzo por defenderse del frío. Este era tal que se nos congelaban las pestañas.

Esa noche el general me llamó a su cuarto. Hablamos de todo lo imaginable, y, finalmente, habló de la próxima misión en Rusia; expresó que a Lee Fiegel no le gustaba mucho el trabajo de estado mayor y no le interesaba volver. Me dijo: "Tom, voy a nombrarlo a usted primer piloto. Ha trabajado mucho, ha aprendido mucho y estoy satisfecho de usted". Si me hubiera regalado un millón de dólares no me habría hecho más feliz.

Esa misma noche bajé al cuarto del jefe de tripulación, le dije que esperaba que ya no me guardara el rencor que me había tenido antes, y le pregunté si estaría dispuesto a permanecer en el grupo. Me dijo que sí. Lo mismo los demás. Mis esfuerzos por ganármelos otra vez me habían ahorrado tener que pasar por la vergüenza de decirle a Bradley que esa tripulación me rechazaba como líder. Lo curioso era que, una vez que empecé a interesarme en mis hombres, encontré que era fácil tenerlos razonablemente contentos. La vieja táctica realmente funcionaba: un poco de reconocimiento, unas pocas palmaditas en la espalda.

Al fin partimos en un avión ruso de carga que nos llevó sobre los agudos picos plomizos de Siberia oriental. Los aeródromos en que nos deteníamos a abastecernos de combustible estaban ya llenos de aviones de guerra norteamericanos nuevecitos, destinados al frente oriental. La ruta de abastecimiento Alaska-Siberia de Bradley, llamada Alsib, era un éxito: cuando terminó la guerra habían pasado cerca de 8 000 aviones a Rusia. Hasta nuestro B-24 hizo su contribución una vez que los rusos lo pusieron a volar otra vez. En los registros oficiales de aviones entregados a Rusia durante la guerra figuran muchísimos cazas, bombarderos ligeros y aviones de transporte, y *un* bombardero pesado. Ese era el nuestro; un pequeño homenaje a la misión de Bradley.

Regresé a Nueva York a tiempo para el nacimiento de nuestro primogénito en vísperas de la Navidad de 1942. Pero dos meses después, esa gran felicidad se convirtió en tragedia.

Una tarde estaba haciendo un vuelo de práctica en un DC-3 cerca de Washington, cuando me llamaron por radio: "Capitán Watson, aterrice inmediatamente". En el campo me esperaba un empleado de la IBM, de hongo y sobretodo: "Tom", me dijo, "le traigo malas noticias. Su nene está muy grave. Su padre llamó, y es preciso que vaya usted a Nueva York". Corrí otra vez al DC-3. En ese tiempo las cosas se hacían de manera muy informal. El despachador me autorizó por radio para que me llevara el avión. Una hora más tarde aterricé en el aeropuerto de La Guardia, y allí, sentada en un muro, estaba mi bella Olive con mi padre de pie a su lado. Cuando los vi comprendí que el niño había muerto. La niñera lo había sacado al parque en el cochecito y, sin saber cómo, había muerto durante el sueño. Olive estaba fuera de sí, abrumada por el dolor, y mi padre contrariado de que hubiera salido a encontrarme pues, chapado a la antigua, pensaba que ella debía permanecer con el niño muerto veinticuatro horas. Pero ella no quería ver el cadáver, y yo no la podía culpar.

En cuanto regresamos a nuestro pequeño apartamento, fui a examinar el cochecito. Retiré la sábana, le quité la funda a la almohada y vi un pequeño rastro de sangre justamente donde debía haber estado la boca del niño. Obviamente, se había asfixiado y en sus esfuerzos había arrojado un poco de sangre. Eché la funda a la máquina lavadora y escondí las demás prendas personales del bebé. Resolvimos pedir una autopsia para saber si nosotros como padres teníamos algún defecto, así que vinieron por el niño y se lo llevaron. Nunca nos dieron un informe escrito. Los médicos sólo nos dijeron: "No tienen por qué preocuparse. Sigan teniendo hijos".

Al día siguiente, apareció un aviso de defunción en el periódico, y sonó el teléfono. Era Ben Robertson, uno de los corresponsales a quienes había conocido en Moscú. Le dije:

— Hola, Ben, me alegro de oír tu voz. Aquí tuvimos una tragedia, y ahora no puedo hablar.

— Estoy enterado de la tragedia. Estoy aquí en tu edificio.

— ¿Cómo es posible?

— Quiero hablar contigo. Baja.

Bajé, me llevó a caminar por el parque y me habló justamente lo necesario para hacerme sentir un poco mejor. Yo no conocía bien a Ben, y significó mucho para mí que hiciera eso; fue un acto de singular bondad. Esa misma noche tomó un bote volante de la Pan Am y se mató cuando el aparato capotó al acuatizar en medio de la niebla en la bahía de Lisboa. Me dio una lección fundamental: Si uno puede ayudar a otro en un momento de profundo dolor, debe hacer un máximo esfuerzo por ayudarlo.

Sepultamos al bebé en el cementerio de Sleepy Hollow, en el Condado de Westchester, donde mi padre poseía un lote hasta entonces vacío. Fue muy duro meternos en el auto en medio del invierno e ir a ver bajar a la fosa el pequeño ataúd. Después llevé a Olive a un lugar de descanso para personal militar cerca de Jacksonville, en la Florida. Era un largo viaje nocturno en ferrocarril, y compré una botella de whisky. Le serví a Olive un trago y serví otro para mí. Luego dije:

— No creo que esto sirva para nada en esta situación.

— Estoy de acuerdo — me contestó.

Entonces derramé el whisky en el lavamanos y nos quedamos los dos sufriendo nuestra pena.

# CAPITULO 13

Me mantuve alejado de la IBM durante casi todo el tiempo de la guerra. Me veía con mi padre varias veces todos los años, pero nunca hablábamos del negocio; y, sin embargo, era difícil evitar a la IBM. Todo el aparato militar empezaba a moverse por medio de tarjetas IBM porque la guerra era tan grande y tan complicada que la contabilidad había que llevarla en el campo mismo de batalla. Hacia fines del conflicto yo aterrizaba en cualquier atolón del Pacífico que acabábamos de quitarles a los japoneses y encontraba allí alguna unidad móvil de tarjetas perforadas tabulando la nómina. (Esto fue invento de mi hermano Dick, quien había ascendido a mayor en el Cuerpo de Armamento del Ejército; fue a él a quien se le ocurrió la idea de montar máquinas perforadoras de tarjetas en camiones militares para usarlas en las zonas de combate.) Con tarjetas IBM se llevaba la cuenta de los resultados de bombardeos, bajas, prisioneros, personas desplazadas y abastecimientos. En una tarjeta se llevaba la historia de cada recluta desde alistamiento, clasificación, entrenamiento y servicio hasta que se le daba de baja. También había máquinas IBM dedicadas a muchas aplicaciones secretas. Nuestro equipo se utilizó para descifrar el código japonés antes de la batalla de Midway y para perseguir submarinos alemanes en alta mar.

Hacer máquinas para las fuerzas militares y para sus proveedores habría sido bastante para mantener las fábricas de la IBM funcionando a plena capacidad; pero, además, se le pidió a la compañía que produjera armamento y pertrechos — como ametralladoras para aviones de caza, fusiles de infantería, miras para bombas, máscaras antigás, y treinta y pico artículos más. Para cumplir con todo esto mi padre estableció una nueva fábrica en la población de Poughkeepsie y duplicó el tamaño de nuestra planta de Endicott. A mediados de la guerra, no menos de dos terceras partes de la capacidad fabril de la IBM estaba dedicada a la producción de armamentos y pertrechos.

Mi padre podría haber ganado muchos millones de dólares en estos negocios, pero eso no le interesaba. Era muy escrupuloso en cuanto a ganar dinero con la producción de guerra, tanto por consideraciones de orden moral como por proteger la imagen de la IBM. No quería que acusaran a la compañía de aprovecharse de la situación. Por eso sentó la regla de que la IBM no podía ganar más del uno por ciento en la producción de pertrechos; y, en efecto, las utilidades de la empresa durante cada uno de los años de la guerra permanecieron al mismo nivel de 1940. En cuanto a su sueldo personal, mi padre destinó una parte, la que representaba el negocio extra de tiempo de guerra, para crear un fondo de socorros para las viudas y los huérfanos de empleados de la IBM muertos en acción.

Así y todo, la Segunda Guerra Mundial benefició grandemente a la IBM porque la llevó a las filas de los negocios verdaderamente grandes. Aun cuando las utilidades no aumentaron, las ventas sí *se triplicaron,* de cuarenta y seis millones de dólares en 1940 a ciento cuarenta millones en 1945. La guerra también le demostró a mi papá que la compañía podía crecer rápidamente sin perder su carácter. Con sólo unos pocos hombres experimentados de Endicott pudo contratar a dos mil nuevos empleados en Poughkeepsie, enseñarles los valores de la IBM y ponerlos a producir a la carrera. Estaba orgulloso de su fuerza laboral de "granjeros, dependientes, artistas y maestros", como los llamaba. Este éxito aumentó su deseo de crecer. Desde 1944 afirmaba que él no iba a permitir que la IBM se volviera a encoger una vez que pasara la guerra.

Mi padre se esmeró especialmente en apoyar a los empleados de la IBM que se alistaron en el ejército. A todos les pagaba la cuarta parte de su sueldo corriente mientras estuvieran en las Fuerzas Armadas y en Navidad les enviaba a todos una caja de comida y regalos, y de vez en cuando un suéter o un par de guantes. Hacía esto en parte por patriotismo y en parte por sagacidad, pues quería que toda esa gente experimentada volviera a la compañía. Yo recibía como todos mi paga y mis paquetes de comida de la IBM, y de alguna manera, *Business Machines,* el periódico de la compañía, me llegaba todas las semanas al sitio en donde estuviera. Me mantenía bien informado sobre la manera como la IBM estaba apoyando el esfuerzo de guerra. Salía una foto de mi padre rodeado de banderas, inaugurando una nueva fábrica, con una banda y una diva de la Opera Metropolitana para amenizar el festejo.

Yo nunca acepté las invitaciones de mi padre a las celebraciones en Endicott. Cuanto más trabajaba con el general Bradley, más pensaba en dedicarme profesionalmente a la Fuerza Aérea. Cuando salimos de Rusia esperábamos que pronto tendríamos que volver para ayudar a dirigir la operación de transporte por Siberia, pero súbitamente los rusos resolvieron no permitirles a los norteamericanos entrar en su país, y la carrera de Bradley tomó un giro inesperado. Yo estaba con él en el Pentágono, justamente después de la Navidad de 1942, cuando se recibió una llamada de la Casa Blanca. Se le pedía al general que fuera a ver a Harry Hopkins, el brazo derecho de Roosevelt.

Bradley quiso que yo lo acompañara y nos presentamos en el ala de la Casa Blanca, opuesta a la Oficina Oval, donde Hopkins tenía todo un apartamento, incluso dormitorio. Era mi primera visita a la Casa Blanca y me parecía que hablar con Hopkins era poco menos que hablar con el mismo Roosevelt. Hopkins sufría tanto del estómago que apenas nos dio la mano tuvo que tenderse en un diván con los pies apoyados en la pared.

— Perdonen ustedes — nos dijo —; ésta es la única manera de sentir algún alivio.

Bradley se sentó enfrente de él, y yo permanecí a un lado, con mi libreta de apuntes. Bradley dijo:

— Le presento al capitán Watson. Lo traje porque toma muy buenas notas. Si usted no tiene inconveniente, nos acompañará mientras conversamos.

— No, ninguno. ¿Tiene algún parentesco con Tom Watson?

— Soy su hijo.

— ¡Qué interesante! Yo lo conozco. Es el único hombre de negocios amigo de Roosevelt.

En seguida Hopkins se volvió a Bradley:

— Se habrá enterado usted de que el almirante Standley, que es nuestro embajador en la Unión Soviética, se retira...

Estuvimos allí como dos horas y yo salí con un buen puñado de notas. Hablaron sobre los Soviets y, si bien Hopkins no lo dijo explícitamente, era bastante obvio que a Bradley le iban a ofrecer la embajada. Lo último que nos dijo Hopkins fue:

— Estoy seguro de que el presidente se comunicará con usted dentro de pocos días.

De regreso al Pentágono, Bradley me preguntó:

— Si eso ocurre, ¿volvería usted a Rusia conmigo?

Yo lo tomé como un gran cumplido y, por supuesto, dije que sí.

Los primeros cuatro días no hicimos más que esperar la llamada. Pero pasaron unas dos semanas sin que se produjera, y al fin Bradley me dijo:

— ¿Usted qué opina?

— Que no va a ocurrir.

— Yo creo lo mismo.

Roosevelt nombró al fin a Averell Harriman, después de permanecer vacante el cargo cinco o seis meses. Pero yo vi inmediatamente qué fue lo que malogró la candidatura de Bradley: el general tenía debilidad por las mujeres, y los funcionarios de la embajada en Moscú objetaron su nombramiento. Cuando estuvimos en Moscú, Bradley vivía en la residencia del embajador, Spaso House. Más de treinta años después, cuando yo fui nombrado embajador, entraba a veces en la pieza que él ocupó y me sentaba allí a recordar a mi amigo: cuánto hizo por mí y qué triste fue que se perdiera una cosa que realmente anhelaba.

Cuando Bradley dejó de esperar la llamada telefónica de Roosevelt, fue a ver a Hap Arnold, comandante de la Fuerza Aérea, para pedirle otro destino. Arnold lo nombró para el nuevo puesto de inspector aéreo, que después se llamó inspector general. Esto lo colocaba en la posición de jefe investigador de toda falla que pudiera ocurrir en una Fuerza Aérea que ya pasaba de un millón de hombres en todo el mundo. Me pidió que continuara como su piloto y me ofreció el cargo de inspector técnico, que exigía principalmente visitar las bases aéreas para ver que los aviones recibieran un mantenimiento seguro. Acepté gustoso, a pesar de que tendríamos nuestra base en Washington, lejos de toda acción de guerra. Olive había quedado profundamente deprimida después de la pérdida de nuestro hijito, y yo quería pasar con ella algún tiempo.

Durante un año y medio, más o menos, volé en diversas misiones de inspección por todos los Estados Unidos, y regresaba siempre al lado de Olive después de una semana o diez días. Tomamos en arrendamiento una casita de campo en Virginia, y, por primera vez, pudimos vivir juntos. El regreso de cada viaje era maravilloso. Yo ponía mi avión a toda marcha y pasaba a poca altura sobre nuestro tejado. Mientras aterrizaba en el Campo Bolling y guardaba el avión, Olive tenía tiempo de tomar el auto e ir a esperarme a la puerta. Después tomamos un apartamento más cerca de la ciudad para que tuviera con quién hablar mientras yo estaba ausente. Entre los vecinos estaba la pareja de Eliot y Molly Noyes. Eliot era un tipo de mucha imaginación que dirigía el programa de deslizadores de la Fuerza Aérea, y después llegó a ser uno de los grandes diseñadores industriales del mundo. Usaba lentes tan gruesos que me quedé con la boca abierta cuando me dijeron que era piloto, pero me imagino que la Fuerza Aérea pasaba por alto este detalle porque entonces no era tan fácil conseguir pilotos de planeadores.

Por muchos aspectos Olive y yo hacíamos la vida corriente de una pareja de recién casados, hasta en aquello de reñir por cuestiones de dinero. Yo no tenía ni idea de nuestra riqueza, pues mi padre me tenía todavía a oscuras en lo tocante a mi fondo en fideicomiso. Olive y yo contábamos con un ingreso que me parecía decoroso: me habían ascendido al grado de teniente coronel y me pagaban como 750 dólares mensuales incluyendo paga por vuelo, más 150 dólares mensuales del fideicomiso, y algo más como sobresueldo de guerra pagado por la IBM. Pero conservo una libreta de cuentas de esos años, que muestra lo que gastábamos en el mercado, pago a la mujer que iba a hacer la limpieza una vez por semana, y esto y lo otro, y al final del mes siempre salíamos a deber seis u ocho dólares. Discutir estas cosas era un martirio. Olive hacía todo lo posible por manejar la casa en forma económica, y cuando yo empezaba a quejarme de nuestro déficit mensual, ella no quería saber nada de eso. Entraba en lo que yo llamaba su Modo Imposible. No había nada igual. Una o dos veces pensé en pedirle dinero a mi padre, pero nunca lo hice. Sabía que él esperaba que aprendiéramos disciplina financiera. Por fortuna, las disputas por dinero sólo se presentaban a la hora de cuadrar cuentas, pero, en general, Olive y yo cada vez nos entendíamos mejor. En marzo de 1944, poco después de cumplir yo treinta años, nació nuestro hijo Tom. Ambos nos consideramos afortunados de tener otro hijo.

Trabajar en el Pentágono fue diez veces la educación que había sido la Escuela de la IBM. Uno de mis deberes era investigar los casos de fraude y de desfalco cometidos por personal de la Fuerza Aérea, y aprendí mucho sobre la naturaleza humana, incluso la mía propia. Por ejemplo, me desesperaba el hecho de que si no se probaba un delito por diecisiete aspectos distintos, un pícaro se podía escapar por un tecnicismo. En una ocasión obtuve una confesión completa, y, sin embargo, dejaron libre al culpado porque la defensa argumentó que yo me había mostrado rudo y amenazador. Entonces me alegré de que no me hubiera dado por estudiar para abogado.

Curiosamente, yo lo hacía mejor investigando cuestiones delicadas, como daños sospechosos en los aviones de la Fuerza Aérea o accidentes de que eran víctimas altos oficiales. Recuerdo un caso trágico en que el protagonista fue un general llamado Uzal Ent. Era un verdadero héroe, y había encabezado una incursión audaz sobre los yacimientos petrolíferos de Ploesti en Rumania. Debía volar de Colorado Springs a San Antonio, pero su copiloto enfermó, y entonces llamó al comandante de la base para que le mandara un reemplazo. Mandaron a un tipo nuevo y Ent no le dio instrucciones detalladas. Al arrancar, Ent empezó a canturrear entre dientes, moviendo la cabeza arriba y abajo al compás de la canción. El novato copiloto pensó que le estaba indicando que subiera el tren de aterrizaje, aun cuando lo normal es que el piloto haga señas y ordene en alta voz: "¡Arriba el tren!" Cuando vio que Ent movió la cabeza por segunda vez, el copiloto subió el tren de aterrizaje. Iban apenas a 70 nudos, velocidad demasiado baja para volar. El avión cayó de barriga; una de las hélices del lado de Ent se desprendió del motor, atravesó el fuselaje, le penetró en la espalda a Ent y le cortó la columna vertebral de tal manera que quedó parapléjico. Tomando el testimonio del copiloto, le pregunté:

— Si usted sabía que el avión no podía elevarse, ¿por qué subió el tren de aterrizaje?

El muy imbécil me contestó:

— Pensé que eso era lo que quería el general.

Trabajando en cuestiones de esta índole entré en contacto con Hap Arnold, superior del general Bradley. Arnold me ocupó varias veces como su mensajero personal. En una ocasión memorable me ordenó que tomara un bombardero y fuera a ofrecerle un vuelo a Harry Truman.

En ese tiempo Truman era senador y presidía la comisión supervisora de suministros de guerra. La comisión estaba tratando mal a la Fuerza Aérea por su deficiente manejo de las fábricas de aviones. Visitaba una planta de bombarderos, encontraba aviones parados en la línea de montaje por falta de una sola pieza que estaba escasa, y al día siguiente Truman fustigaba a la Fuerza Aérea en los periódicos.

El general Arnold estaba muy molesto y me mandó a mí a ver qué podía hacer. Me dijo que Truman estaba de visita en su pueblo natal de Independence, Missouri, así que tomé un B-25, bombardero bimotor de tamaño mediano que un solo piloto podía conducir, y tomé rumbo al Oeste Medio. Le seguí los pasos a Truman hasta que lo encontré en una cena en la iglesia. Desde la puerta de la sala de reunión vi muchas mesas puestas en forma de U, y al senador allá en el fondo. Más prudente habría sido esperar a la salida, pero cuando el general comandante de la Fuerza Aérea me daba una orden, yo la cumplía. Así que me colé por entre todo aquel gentío que estaba comiendo pollo con guisantes, me acerqué a Truman y le toqué suavemente en el hombro. Volvió a mirar:

— ¿Qué dice, comandante?

— Señor Truman, bien sé que ésta no es hora de hablar, pero traigo un mensaje del general Arnold y tengo un avión, por si usted quiere que lo lleve a alguna parte.

— Ah, sí, me viene bien. Tengo que ir a Chicago mañana. Espéreme en el aeropuerto de Independence a las diez.

Allí nos encontramos y estuvo muy cordial, nada agresivo. Vestía uno de esos trajes blancos que tanto le gustaban, sombrero de paja inclinado sobre la frente, zapatos y calcetines blancos... en fin, un pulcro caballerito bien vestido del Oeste Medio. La señora Truman y su hija Margaret salieron a despedirlo, y no habrían podido ser más amables conmigo. Yo las invité a que conocieran el B-25 por dentro. Después él se despidió de su familia, y volamos a Chicago. Para mí fue emocionante.

Me sentía orgulloso de conducir a un senador de los Estados Unidos en mi avión. Cuando aterrizamos en el aeropuerto de Midway le pregunté si me podía conceder diez minutos.

Entramos en un cafetín de mala muerte infestado de moscas, con la puerta de anjeo cubierta de hollín, y pedimos café. Entonces me preguntó qué misión traía yo. Le contesté:

— Señor, la Fuerza Aérea tiene muchos problemas para lograr que la producción funcione perfectamente, pero no nos ayuda que la Comisión Truman esté constantemente haciendo comentarios desfavorables en público. El mensaje que le traigo es éste: ¿No podrían ustedes prestar más atención a las demás armas por el momento y volver sobre nosotros más tarde?

No se alteró ni se puso furioso. Me contestó:

— La información que yo tengo es que su organización es la peor de todas. Pero dígale al general Arnold que recibí su mensaje. Y muchas gracias.

Regresé a Washington con esta respuesta.

Los generales gustaban de mí porque hacía muchas cosas en poco tiempo y redactaba informes completos sobre lo que se realizaba. Era enérgico y persistente. De vez en cuando algún individuo de malas pulgas decía: "Escuche bien: Usted hace apenas cuatro años que está en la Fuerza Aérea, y yo llevo quince; así que no esté pensando que va a pasar por encima de mí". En el Pentágono había muchos con quienes al principio no me llevaba bien — viejos oficiales a quienes sólo les interesaba construir imperios burocráticos. Pero a medida que trataba más tipos distintos, comprendí que para triunfar uno tiene que entenderse casi con todos. Si a uno no le gusta la gente con la cual trabaja, es mejor que no lo manifieste. Aprendí que para ser un buen líder tenía que hacer un delicado equilibrio, presionando hasta cierto punto, un poco más allá de lo que presiona la mayoría, pero sin llegar a pasar por un alborotador. Si un grupo había pasado por un período excepcionalmente duro de trabajo, yo ya sabía lo suficiente para aflojar un poco los tornillos e invitarlos a todos a nuestro apartamento con sus esposas a tomar unas copas. También sabía que si hacía tiempo no tenían mucho que hacer, acogerían complacidos un período de intensa actividad.

Bradley apenas había instalado la oficina de inspector aéreo, a principios de 1943, cuando le encomendaron una misión altamente secreta en Inglaterra. La Octava Fuerza Aérea de los Estados Unidos había iniciado bombardeos diurnos en Europa. Piloteaban aviones B-17 en formación cerrada que, teóricamente, debía permitirles protegerse unos a otros con sus ametralladoras, pero no podían medirse con los enjambres de cazas de los alemanes, y las pérdidas eran aterradoras. La misión de Bradley consistía en estudiar los resultados de los bombardeos y resolver si valía la pena continuar las incursiones diurnas. Tomó parte él mismo en estos ataques, y al fin recomendó que se continuaran. Pero después de rendir su informe sufrió un ataque cardíaco por haberse expuesto durante largos períodos a grandes altitudes sin suficiente oxígeno, y, aun cuando apenas tenía cincuenta y dos años, la Fuerza Aérea lo jubiló. Entonces aceptó un empleo en una casa contratista de material de guerra llamada Sperry-Gyroscope, y de ahí en adelante sólo lo vi esporádicamente.

Pronto descubrí que yo trabajaba mucho mejor con un jefe que me gustara. El nuevo general que entró, Junius Jones, era todo lo contrario de Bradley. Inmediatamente me probó como su piloto y, por desgracia, le gustó mi manera de volar. Era un excéntrico, de mentalidad totalmente atrasada, lento y pesado, sin la menor chispa de buen humor. Se lo pasaba haciendo sonar las monedas que tenía en el bolsillo, por lo cual se ganó el apodo de Cascabelito. Ya era viejo y desmañado, y hacía las cosas más inesperadas en un avión. Volar con él era una pesadilla. Se sentaba en el asiento del piloto y decía: "¿Qué hago ahora, Watson?" Yo tenía que vigilarlo todo el tiempo.

Una vez trató de hacer despegar un avión pesadamente cargado antes de haber alcanzado suficiente velocidad para elevarse. Pudo habernos matado a todos. Yo empujé el timón hacia adelante para mantenernos en tierra. Otras veces cuando íbamos a aterrizar decía:

— Baje el tren de aterrizaje, Watson.

Yo le observaba:

— Estamos volando a 290 kph, general.

El viento habría arrancado la lámina aerodinámica de las ruedas si las hubiera bajado yendo el avión a esa velocidad. Finalmente yo anunciaba 220 kph, o cualquiera que fuera la velocidad segura, y él decía:

— Baje el tren de aterrizaje, Watson — como si nada hubiera pasado. Ya no recuerdo de cuántos aprietos lo saqué. Jones llegó a depender de mí, pero no me quería. En cuanto a mi carrera militar, eso fue un desastre. Durante dos años completos no pasé de teniente coronel. Jones no me ascendía pero tampoco me dejaba ir.

Con Bradley jamás dudé de que lo que estaba haciendo valía la pena, pero con Jones empecé a pensar que yo debía haber pedido un destino de combate cuando regresé de Rusia. Esto me mortificó todo el tiempo que estuve en Washington, y, al fin, resolví hacer algo a mediados de 1944, cuando fui con Jones a inspeccionar el más famoso puente aéreo de la guerra. El Japón había conquistado a Birmania y la mayor parte de la costa china, y había encerrado a Chiang Kai-Chek y los nacionalistas en el interior del país. Pilotos norteamericanos tenían que llevarles provisiones a los Aliados sobrevolando el Himalaya, desde el Valle de Assam en la India hasta Kunming en el interior de la China. Esto se llamaba ''sobrevolar la Joroba'', y era la ruta más peligrosa que se pueda imaginar. El tiempo era violento: terribles tempestades y vientos caprichosos capaces de poner un avión patas arriba. Los aviones mismos no eran confiables a grandes altitudes, pues los motores se llenaban de hielo y se paraban, o bien se incendiaban. Tantos fueron los que se estrellaron en cierto trayecto que éste vino a llamarse el ''rastro de aluminio''. Los que llegaban al otro lado muchas veces tenían que hacer frente a cazas japoneses. Pero a pesar de tantos peligros, había pilotos que realizaban dos viajes de ida y regreso en un mismo día. Si no hubiera sido por su heroico esfuerzo, la guerra en esta parte del mundo ya habría terminado . . . y nosotros la habríamos perdido.

En el Valle de Assam había seis estaciones, con pistas de grava, increíblemente primitivas. Sólo una databa de antes de la guerra; las demás las habían hecho arañando el suelo después de iniciarse el puente aéreo sobre la Joroba en 1942, y vimos que estaban construyendo otras. Los trabajadores eran civiles — familias enteras retiradas de las plantaciones de té — y casi no tenían equipos de construcción. Las mujeres hacían la grava partiendo grandes piedras con martillos, y uno las veía llevándolas a las pistas en cestos que cargaban en la cabeza. Las pistas eran muy toscas y el piso desigual, pero para los pilotos era un alivio volver a verlas. Algunas de estas estaciones aéreas carecían de disciplina — alojamientos descuidados y altas tasas de enfermedades — pero movían miles de toneladas de provisiones. Para mantener los aviones en el aire los mecánicos tenían que dar un nivel de mantenimiento que era casi imposible en un lugar tan desamparado, y trabajaban día y noche en su tarea. Vi hombres cambiando motores con un calor de 43 grados centígrados, expuestos a los rayos solares y haciendo reparaciones importantes en medio del viento y la lluvia.

Cuando llegamos al Valle de Assam empezaba el monzón, pero esto no detuvo las operaciones aéreas. Dieciséis horas al día despegaban y aterrizaban aviones con cielo encapotado y bajo grandes aguaceros. En la primera oportunidad que se me presentó, y aun cuando esto no era parte de mis deberes oficiales, me inmiscuí en una misión sobre la Joroba. Era tanto lo que había oído hablar de sus terrores y dificultades que me pareció un deber para conmigo mismo y para con el Ejército experimentar en carne propia a qué se exponían los pilotos.

El piloto con quien volé era un joven capitán de apellido Carpenter, que llevaba cuatro toneladas de petróleo a Kunming; yo fui de copiloto. Llevábamos máscaras de oxígeno, botas pesadas y paracaídas, lo mismo que mapas de seda que mostraban cómo salir a pie en caso de que el enemigo nos derribara, y cinturones con monedas para negociar con los naturales. La ruta que nos asignaron era para un viaje de cuatro horas, dos de ellas detrás de las líneas japonesas. Despegamos en medio de la lluvia y la oscuridad antes del amanecer y sobrevolamos las altas sierras a una altitud de 6 400 metros volando por instrumentos y usando las máscaras de oxígeno durante la ascensión. Cuando salió el Sol divisamos abajo trozos de terreno, pero, por fortuna, había bastantes nubes para ocultarnos de los cazas japoneses. Por tercera vez me emocionó la visión de la China, aun cuando esta parte estaba en poder de los japoneses. Distinguía pequeños valles aislados en los cuales hasta el último palmo estaba cubierto de cultivos intensivos, y lindos grupos de cabañas de techos pajizos.

Aterrizamos en Kunming en una pista donde los culíes rellenaban huecos hechos por los bombardeos japoneses. Entregamos el petróleo, y después Carpenter me llevó a un restaurante muy primitivo, al borde del campo de aviación. El propietario, un chino, salió a recibirnos y nos dijo: "Eggis, eggis".

— ¿Qué querrá decir? — le pregunté a Carpenter.

— Quiere decir *eggs* [huevos].

Eso era todo lo que había en el restaurante. Yo comí huevos y huevos y huevos... Ocho en total. Creo que el miedo me había abierto el apetito.

En el viaje de regreso a la India, Carpenter me dejó pilotear el avión. Hice un aterrizaje perfecto en Assam, y me produjo una sensación de triunfo saber que había sobrevolado la Joroba. No había duda de que ésa podía ser la peor ruta aérea del mundo y, sin embargo, me creía capaz de hacerle frente. Esa noche me dejé llevar del entusiasmo y ya me imaginaba mandando una de las estaciones del Valle de Assam, participando en la competencia entre ellas por ver cuál llevaba más toneladas sobre la Joroba cada mes.

Volví a Kunming después de un par de días, busqué al general Claire Chennault y le pedí que me diera una misión de combate. Chennault era famoso en el mundo de la aviación como fundador del Grupo de Voluntarios llamados los Tigres Voladores. Esta era una escuadrilla de pilotos militares norteamericanos que fueron a la China a pelear del lado de los nacionalistas desde mucho antes que los Estados Unidos entraran en la guerra. Chennault, oficial retirado de nuestro Ejército, actuaba como asesor aéreo de Chiang Kai-Chek; Roosevelt estaba al corriente de sus actividades, pero se hacía el desentendido. Los Tigres Voladores piloteaban aviones obsoletos y estaban en notoria inferioridad numérica con respecto al enemigo, pero Chennault era un estratega tan brillante que desorganizaron las operaciones aéreas japonesas en toda la China y en Birmania. Después de Pearl Harbor, la Fuerza Aérea absorbió a los Tigres Voladores, y Chennault reingresó en el servicio activo. La escuadrilla creció gradualmente hasta que se convirtió en toda una fuerza aérea, y en la época en que yo llegué, hasta había realizado una incursión sobre el Japón mismo, la primera desde que Jimmy Doolittle bombardeó osadamente a Tokio en 1942.

El día que fui a verlo, Chennault estaba enfermo. Sólo accedió a recibirme por recomendación del coronel Clayton Claassen, mi más íntimo amigo en el Pentágono, que prestaba servicio como su jefe de operaciones. Encontré al general en su choza, tendido en un catre y con una enfermera al lado. Nunca olvidaré aquel rostro surcado de cicatrices de heridas recibidas en incontables aviones estrellados y totalmente desprovisto de expresión. Me preguntó si quería unirme a él.

— Me gustaría muchísimo, general Chennault.

— Necesitamos hombres como usted. Haré la solicitud.

Si esa solicitud hubiera sido aprobada, acaso habría pasado el resto de mi vida en la Fuerza Aérea; pero en cuanto el viejo Cascabelito se enteró, como una semana después, tuvo otra idea: "Me pidieron su traslado", me dijo, "pero yo no accedí porque usted es muy importante aquí".

Seguramente yo habría podido insistir, pero en el ínterin me metí en otro vuelo de combate como observador, y el miedo que experimenté me duró todo el resto de la guerra. Fue un vuelo para evacuación de heridos por una ruta nueva a Birmania, a través de una serie de pasos en las montañas. Esta ruta era paralela al llamado Camino de Ledo, y se esperaba que sería un puente aéreo muy importante, no tan elevado ni tan peligroso como la Joroba. Llevaba a un aeropuerto situado en medio de la selva que acababan de capturar las tropas americanas y chinas al mando del general Stilwell ("Joe Vinagre"). Era éste el jefe norteamericano de más alta graduación en esta parte del mundo, un táctico que debía preparar y equipar a los chinos y alentarlos en la lucha contra el Japón. En 1942 los japoneses habían aniquilado su ejército y lo habían arrojado de Birmania, pero ahora había vuelto al ataque. Se libraba una gran batalla por la ciudad de Myitkyina, en torno a la cual se habían atrincherado varios millares de japoneses. Stilwell tenía un gran número de heridos, además de muchos gravemente enfermos de disentería y tifo. Todos tenían que ser evacuados.

El piloto, un teniente Taylor, me dijo que a él lo habían condenado por vender cigarrillos de contrabando, y en castigo lo habían mandado a volar por esa ruta un año más. Nos elevamos con un tiempo que en los Estados Unidos se habría considerado no apto para vuelos: techo de 90 metros con visibilidad de un kilómetro y medio. Cuando pasamos por el primer valle íbamos tan bajos que, según las cotas del mapa, estaríamos volando bajo tierra. Lo único que nos tranquilizaba era la misteriosa seguridad que Taylor mostraba para determinar dónde nos encontrábamos. Cada pocos minutos me decía que íbamos a llegar a un camino o una aldea, y éstos aparecían exactamente donde él decía. Pero en la parte más angosta del paso encontramos niebla sólida. Volábamos a menos de cien metros de altura, y yo estaba seguro de que había llegado nuestra última hora. Me agazapé detrás del asiento de Taylor y me preparé para el choque. Taylor dijo: "¡Qué demonios! ¿Quiere usted vivir eternamente?" Salvamos el último cerro en medio de un fuerte aguacero; más allá las nubes estaban como a 120 metros y nos mantuvimos debajo de ellas. Vi un valle muy verde, lozano y plano que pasaba veloz y varios aparatos DC-3 derribados por el enemigo, lo cual no era muy tranquilizador. Al fin empezamos a volar en círculo y le pregunté a Taylor:

— ¿Cómo sabe dónde están las líneas de batalla?

— Bueno, cambian constantemente, pero los japoneses no tienen sino armas pequeñas con que dispararnos, de manera que no se preocupe.

Al fin aterrizamos. Estábamos tan cerca de las líneas que se oían los disparos de esas armas y esto me ponía muy nervioso. De pronto sentí a mi espalda una tremenda explosión y salté a buscar amparo, pero nadie más se inmutó. No me había dado cuenta de que yo estaba al lado de un cañón de 75 mm mimetizado.

El hospital de sangre lo dirigía el doctor Gordon Seagrave, hombre afable y bondadoso que había pasado veinte años como médico misionero en Birmania antes de la guerra. Ahora estaba en el ejército y acababa de escribir un libro de mucho éxito titulado *Burma Surgeon* [Cirujano en Birmania]. El hospital, sin más protección que una burda techumbre de hierba, lo habían excavado en la falda de un cerro. Por todas partes se veían heridos cubiertos de fango de la selva, sangre y chinches — bichos horribles de ver y de oler — pese a lo cual Seagrave se las arreglaba para mantener muy baja la tasa de infección.

Nosotros mismos teníamos que cargar las camillas porque los soldados estaban demasiado desmoralizados para ayudar. Aquellos heridos ofrecían el espectáculo más conmovedor que he visto en mi vida — un muchacho rubio escuálido, con la expresión de un animal perseguido que, extraviado de su unidad, había vagado varias semanas por la selva; un corpulento hombre barbudo que había sufrido dolorosas heridas en las piernas y sin embargo sostenía el ánimo de los demás con sus constantes sonrisas y su charla; otros infelices que se debatían entre la vida y la muerte con heridas abdominales, lesiones cerebrales o fiebre palúdica. En la cabina caliente de nuestro avión el hedor y las moscas eran insoportables; yo a duras penas podía contener las bascas, y, por último, me fui al puente de vuelo para disimular. Ese día evacuamos a veintiocho hombres en dos viajes. Viéndolos comprendí por qué los pilotos estaban dispuestos a arriesgarlo todo para auxiliarlos.

Pero por más que admirara el valor de hombres como el teniente Taylor, ese vuelo fue suficiente para mí. Me alegré de dejar atrás el Valle de Assam y volver al Mediterráneo, donde la guerra ya estaba casi ganada. Inspeccionamos bases en el Norte de Africa y la costa adriática de Italia y luego volamos a Roma. Atravesando a Italia un poco al norte de Monte Cassino pasamos sobre un territorio abrupto y escarpado donde el Ejército Quinto y el Ejército Octavo se habían batido en los más duros combates durante el invierno pasado. En esa región de Italia, la mayor parte de los pueblos se encuentran en las cumbres de las montañas, y todos los que vimos habían sido bombardeados. Aterrizamos en las afueras de Roma. Yendo al centro de la ciudad encontramos muchos escombros de cañones antiaéreos alemanes de 88 mm. En sí misma, Roma había sido respetada, por acuerdo entre los Aliados y Alemania, y las personas estaban mejor vestidas y las muchachas eran más bonitas que las que yo había visto desde que salí de los Estados Unidos. Nos hospedamos en un hotel que se había destinado a campamento de descanso de la oficialidad, me bañé y comí bien en una terraza al aire libre, oyendo música vienesa y los gritos de soldados alegres en las calles.

Al día siguiente, busqué la dirección de la IBM — o Watson Italiana, que era como se llamaba — en la guía telefónica. Sin saber por qué, me sentí impulsado a ir allá y averiguar cuál era la situación. La oficina estaba muy bien situada, cerca del hotel. Parecía que estaba cerrada; había un letrero grande en la puerta que decía PROPIEDAD DE I.B.M., NUEVA YORK, pero la puerta no estaba con llave. Entré y atravesé una sala de exhibición casi vacía hasta el despacho de Giuseppe Samarughi, el gerente, a quien había conocido en Nueva York. Nos estrechamos la mano, y entonces un mayor norteamericano que estaba presente me dijo: "Me alegro de que haya venido. Tal vez usted nos pueda ayudar". Era Harry Ritterbush, ex empleado de la oficina de Nueva York, que ahora estaba encargado de todos los archivos de tarjetas perforadas en el teatro del Mediterráneo. Me dijo que desde la liberación de Roma había estado tratando de cuidar esta oficina. Los clientes de esa zona seguían pagando sus cuotas de arrendamiento, lo cual me sorprendió; pero, en cambio, entenderse con las autoridades de ocupación era un dolor de cabeza. Lo mismo que de todas las empresas de Roma, el gobierno militar norteamericano había tomado posesión de la Watson Italiana, y no le permitía al señor Samarughi administrar su oficina como se debía administrar.

Yo, en realidad, no tenía ninguna autoridad para intervenir en ese asunto, pero Samarughi y Ritterbush esperaban que les ayudara. O yo me había vuelto en general más decisivo, o en ese instante estaba dispuesto a volver a la IBM; pero ello es que me fui directamente al despacho del gobernador militar, donde di seguridades de que el equipo de la IBM era efectivamente de propiedad norteamericana, no extranjera. Me estuve allí hasta que el asunto se resolvió y accedieron a devolverle al señor Samarughi la dirección de la compañía. Luego le asigné a él la responsabilidad de todo el territorio de Italia hasta que Milán fuera liberada y el gerente general en este país se pudiera hacer cargo. Samarughi quedó muy agradecido, y como recuerdo me regaló una pistola Beretta. Era un arma preciosa, del tipo que portaban los oficiales italianos; yo la acepté, a pesar de que me cruzó por la mente la idea de que pistolas como ésa se habían usado para matar jóvenes americanos.

El general Jones no quería irse del Mediterráneo sin pasar unas cortas vacaciones en la isla de Capri. Después de toda la destrucción que habíamos visto, la belleza del agua azul profunda y las casas de recreo construidas entre los acantilados fue casi un choque. En la playa conocí a una marquesa italiana que nos invitó a mis compañeros y a mí a una fiesta esa noche. Eramos los únicos americanos. Todos los amigos de la marquesa me parecieron unos depravados. Había allí bellas mujeres acompañadas por hombres que parecían vagabundos internacionales, y bailé con una suiza rica que me dijo con toda seriedad que ella estaba "sudando la guerra en Capri". Salí de la fiesta alegrándome de ser un soldado norteamericano.

En el viaje de regreso a Washington empecé a pensar seriamente qué iba a hacer después de la guerra. Ya era claro que ésta terminaría con la victoria de los Aliados, si bien faltaba aún algún tiempo. A pesar de lo que había hecho por el señor Samarughi, la idea de alistarme en las filas de mi padre no me llamaba la atención. Ya me había acostumbrado a la satisfacción de realizar cosas por mí mismo y me encantaba la diaria emoción de volar, de manera que me pareció que lo ideal para mí sería ser dueño y administrador de una pequeña compañía de aviación. En agosto de 1944 fui a Nueva York en uso de licencia y le dije a mi padre que no volvería a la IBM.

El reaccionó con una sagacidad extraordinaria. Yo creí que me iba a decir: "Esto es una gran contrariedad para tu mamá y para mí"; pero en lugar de alterarse, le pidió a Fred Nichol que me ayudara a buscar oportunidades en la aviación civil. Nichol puso inmediatamente manos a la obra. Le escribió primero a Pat Patterson, director de United Air Lines, a quien mi padre conocía, diciéndole que yo quería ser piloto y más tarde pasar a la administración. Recibí una respuesta de Patterson que decía: "Venga a verme cuando termine la guerra". Después Nichol encontró a un joven llamado Osbourne que había inventado flotadores para hidroplanos. En esos días los hidroplanos estaban muy en boga, y el negocio de Osbourne parecía sólido. Se llamaba Edo Float Company y, con gran sorpresa de mi parte, mi padre no hizo ninguna objeción cuando yo hablé de comprarlo. No me presionó en absoluto. Pero el ansia de Nichol por encontrar algo para mí fuera de la IBM me hizo pensar en lo que me estaba perdiendo, que era probablemente lo que mi padre buscaba.

En la primavera de 1945 me hallaba otra vez en Washington, e invité al general Bradley — entonces vicepresidente de Sperry Gyroscope y quien estaba en la ciudad en viaje de negocios — a cenar en casa con Olive y conmigo. Lo esperé en el Pentágono y cuando salió lo llevé a casa en mi automóvil. Hacía más de un año que se había retirado del ejército, y sólo nos habíamos vuelto a ver un par de veces; pero nuestra conversación en el camino ese atardecer de primavera se grabó en mi mente en forma indeleble porque cambió totalmente el curso de mi vida. Me dijo:

— Tom, ¿qué piensa hacer cuando termine la guerra?

— Bueno, general, tengo en perspectiva un empleo que creo que voy a aceptar: piloto de United Air Lines.

Pensé que me diría: ''Bien pensado'' y que tal vez elogiaría mi habilidad para el vuelo. Pero no. Lo que dijo fue:

— ¿De veras? Yo siempre pensé que volvería a la IBM para dirigir la compañía.

Me quedé de una pieza. Me concentré un momento en conducir el automóvil, y después le hice la pregunta que supongo debía estar escondida en el fondo de mi conciencia desde aquel lejano día de mi niñez cuando me levanté de la acera y me fui llorando a casa:

— General Bradley, ¿usted me cree capaz de dirigir la IBM?

— Claro que sí — me contestó.

Seguí dándole vueltas y vueltas en la cabeza a esta conversación mientras preparaba las bebidas y llevaba y traía los platos durante la cena. Después de llevar al general a su hotel, paré a la orilla de un camino solitario y me quedé media hora ahí sentado meditando en el alcance de lo que me había dicho. Como lo había dicho en una conversación seria por parte y parte, tuve que reconocer que ése era su pensamiento verdadero. La cuestión siguiente era si su opinión era suficientemente importante como para basar en ella mi decisión. Servir a Bradley no era nada fácil. El era un gran líder, pero también su estado de ánimo tenía alzas y bajas, y yo no siempre me había desempeñado de manera ejemplar con él, a pesar de lo cual él mostraba gran aprecio por mis capacidades. Esto me hizo pensar que yo me estaba vendiendo muy barato si me iba con United Air Lines... o con cualquiera, fuera de la IBM.

Cuando regresé a casa le dije a Olive: ''El general Bradley me cree capaz de dirigir la IBM''. Como ella guardó silencio largo rato, agregué: ''Olive, ¿tú qué opinas?''

Me contestó: ''Tom, a ti te gusta divertirte y es difícil creer que realmente quieras hacer eso; pero cuando se te mete una cosa en la cabeza, nunca te he visto que fracases''.

Llegué a la conclusión de que las palabras de Bradley tenían que ser ciertas. Me sorprendía cuánto había cambiado yo en la Fuerza Aérea. Mi actitud había mejorado en forma dramática y mi nivel de energía había aumentado grandemente. Vi que poseía la fuerza de personalidad para transmitirles mis ideas a los demás, siempre que me tomara de antemano el tiempo necesario para pensar bien las cosas. Estaba seguro de mi capacidad para hablar en público y escribir con claridad. Todas estas capacidades las había desarrollado con Bradley. El fue mi puente a la confianza en mí mismo.

Veinticuatro horas después, mi resolución estaba tomada y empecé a proyectar un viaje a Nueva York. Llamé por teléfono a mi padre y le dije: ''Quisiera ir a verte un día de trabajo e ir conociendo a la gente porque, para serte franco, estoy pensando en volver a la IBM, si me aceptas''. Naturalmente, esto era lo que él había estado esperando oír desde hacía años, y en su voz se reflejaba afecto y alegría cuando me contestó simplemente: ''Con mucho gusto, hijo''.

Hasta el día de hoy no he podido saber si mi padre me había estado allanando el camino, pero cuando fui esa primavera a la IBM a ver cómo eran las cosas, me di cuenta de que la posible emulación por los puestos más altos no era grande. Aunque la compañía prosperaba muchísimo, la oficina ejecutiva de Nueva York estaba curiosamente vacía. Muchos de la vieja guardia que habían acompañado a mi padre desde el principio ya se habían jubilado, y a medida que se iban quedando a la orilla del camino, él no los reemplazaba tan rápidamente como se podría esperar. Antes de la guerra había unos cuantos gerentes brillantes y enérgicos que frisaban en los cincuenta años y aspiraban a esas altas posiciones; pero cuando yo regresé, ya no estaban; habían encontrado empleo en otra parte o habían emprendido negocios por cuenta propia, y sus puestos los ocupaban individuos que no impresionaban. Nunca supe por qué — entonces creía honradamente que había algo mágico en ello. Recuerdo que pensé: ''Tal vez sí haya aquí una oportunidad para mí''.

Después de esa visita, tuve que emprender otro largo viaje de inspección con el general Jones por todo el Pacífico Sur. A mediados de agosto de 1945 llegamos a Sydney, Australia; yo estaba medio dormido en mi cuarto en el hotel, escuchando radio a medias, cuando un locutor inglés anunció: ''Los japoneses acaban de rendirse incondicionalmente''. Salí corriendo a la calle y bailé con una enfermera australiana. Cuatro años de guerra, cinco en el ejército, ¡y ahora la victoria! Era difícil dar crédito a la noticia, que me causaba una sensación deliciosa y se me doblaban las rodillas. A la hora del almuerzo se habían congregado en mi pequeña pieza dieciocho personas que cantaban y bailaban. En la calle, frente al hotel, multitudes delirantes lanzaban vítores. Sólo vi unas pocas personas que no parecían felices: tal vez las que habían perdido un ser querido y sabían el precio del galardón que habíamos ganado.

Pocos días después, emprendimos el regreso al hogar, volando de noche entre Hawai y San Francisco. El general Jones dormía profundamente y yo iba al mando de la nave. Durante mis cinco años había volado unas 2 500 horas en total, 1 500 de ellas sobre el mar o cerca de territorio enemigo, y al fin la guerra había terminado. Recuerdo la belleza de la luna llena que iluminaba los cúmulos esparcidos a 600 metros bajo nuestros pies. Sentado allí escuchando una sinfonía que transmitía una radiodifusora de Hawai, con el rumor de los motores al fondo, pensé cuánto hubiera gozado Olive presenciando esta escena.

# CAPITULO 14

En la IBM el camino me parecía claro. Nunca aspiré a nada que no fuera la posición más alta. Pero cuando regresé del Pacífico Sur a casa en septiembre de 1945 recibí un choque tremendo. Mi padre había reemplazado en la segunda posición a Fred Nichol por otro funcionario, un ejecutivo inteligente y dinámico que se llamaba Charley Kirk. A Fred Nichol yo nunca lo había tomado muy en serio. Empezó como secretario de mi padre, lo mismo que George Phillips. Era el tipo a quien mi padre le podía decir "Levantemos una torre hasta la luna" y Nichol contestaba "Sí, señor, esta misma tarde pido el acero". Con Charley Kirk la cosa era a otro precio. Tenía apenas cuarenta y un años, era un trabajador prodigioso, atrevido y, sin embargo, muy querido de todos. Era de origen modesto, como mi padre, y había hecho su reputación como supervendedor en nuestra oficina de St. Louis. Cuando estalló la guerra, mi padre lo llevó a Endicott, donde tuvo a su cargo la rápida y feliz expansión de la planta.

Jamás me imaginé que me tocaría emular con él en la sede de la compañía. Para mí, Kirk era el jefe de fábrica y su puesto estaba en Endicott. Lo que pasó fue que el pobre Nichol no pudo resistir al fin la tensión de trabajar para mi padre; en la primavera de 1945 sufrió una postración nerviosa, y a los pocos meses se retiró, a los cincuenta y ocho años de edad. Cuando se hizo evidente que no regresaría, mi padre sacó a Kirk de Endicott, lo ascendió a vicepresidente ejecutivo y le dio puesto en la junta directiva. Para mí esto era difícil de entender. Tal vez mi padre todavía me parecía tan omnipotente que no veía para qué necesitaba un segundo a su lado. Pero una cosa que aprendí acerca de la administración de una compañía es que es como gobernar una familia con muchos niños: hay que hacer demasiadas cosas. Uno quiere que la fábrica funcione bien, que las ventas aumenten, quiere motivar a este individuo, poner en aquel puesto a uno más hábil; tiene una lista en el escritorio, y todas las tareas son difíciles de realizar. Si uno tiene a una persona como Kirk, le muestra la lista y él dice: "Permítame que yo me encargue de estas cuatro cosas". Eso tiene un atractivo poderoso para un ejecutivo tan atareado como mi padre, quien a la sazón andaba ya por los setenta y tantos. Pero yo sólo pensaba que si mi padre enfermaba o se moría, su sucesor lógico era Kirk.

Salí de la Fuerza Aérea a fines de 1945, y el primer día hábil de 1946 me presenté a trabajar en la IBM. Mi padre me recibió en su despacho. Yo iba de cuello duro y traje oscuro. Me estrechó la mano y me indicó que fuéramos al otro extremo de la pieza. "Tom", me dijo, "ya conoces a Charley Kirk. Serás su asistente". Seguramente le di la mano a Kirk y le dije cuánto me complacía saludarlo, pero yo estaba tan sorprendido que no me acuerdo de nada. Tardé varios días en aclarar cómo me parecía ese destino. Sabía que no era tan denigrante como podría parecer, porque en la IBM el título de "asistente" tenía un significado especial. Mi padre predicaba la idea de que los ejecutivos y los gerentes debían considerarse a sí mismos no como jefes de los empleados sino como sus "asistentes", y, con frecuencia, hacía a jóvenes prometedores asistentes de los altos dignatarios. De manera que no era degradante ser asistente.

Por otra parte, me molestaba pensar que no trabajaría con mi padre sino con Kirk. A fines de la siguiente semana vi claro que a los dos los unían fuertes lazos. Kirk y yo fuimos a Endicott, donde mi padre había ordenado una reunión de una semana de todos los gerentes de ventas de la IBM. Estas conferencias se llamaban "escuelas ejecutivas" y ésta era la primera grande que se celebraba después de la guerra. La dirigió Kirk, y mi padre no se presentó hasta el miércoles. Cuando entró, se sentó en una de las últimas filas del salón de reuniones, mientras en la plataforma hacía una exposición uno de los más jóvenes gerentes de sucursal, íntimo amigo de Kirk en la oficina de St. Louis, llamado Jim Birkenstock. Vi que mi padre le hizo señas a Kirk para que fuera a sentarse atrás con él y los dos se pusieron a conferenciar en voz baja cubriéndose la boca con la mano. De pronto mi padre dijo dramáticamente: ''Señor Kirk, ese joven es tan impresionante que lo voy a nombrar gerente general de ventas. Haré el anuncio inmediatamente''. Los que alcanzaron a oír esto contuvieron el resuello, porque con eso Birkenstock saltaba de una posición secundaria a ser prácticamente jefe de todos, y en su nuevo cargo tendría un sueldo de 20 000 dólares al año. En efecto, mi padre hizo el anuncio mientras Kirk llevaba aparte al antecesor de Birkenstock para informarle que tendría que pasar a otro puesto. No era raro que mi padre hiciera ascensos inesperados, pero éste fue inusitado. Yo lo tomé como indicio de la gran influencia que ejercía Kirk en mi padre.

Debo confesar que desde el momento en que regresamos a Nueva York, Kirk me trató con toda equidad y me enseñó lealmente todos los detalles del negocio. Tenía en su oficina un escritorio grande, y me dijo simplemente que acercara una silla. ''No tengo tiempo de explicarle todo'', me dijo, ''pero aprenderá si se sienta aquí a mi lado y observa''. Y allí fue donde me instalé todos los días durante meses, y cuando Kirk iba a alguna reunión, yo lo acompañaba. Vi prácticamente todo lo que él hacía. Aprendí a tomar decisiones, pues Kirk era excelente para tomarlas y casi siempre acertaba. Cuando se tiene semejante experiencia e intuición del negocio, se pueden tomar decisiones muy rápidas, sobre todo cuando se puede predecir el resultado. Pero también sabía cuándo no podía actuar atropelladamente, por ejemplo en cuestiones que, si no se manejaban bien, podían perjudicar la reputación de la IBM o provocar una demanda judicial. En ese momento estaba tratando docenas de asuntos de grave responsabilidad — nunca he visto trabajador tan prodigioso. Sentado a su lado, disponía yo de una inmejorable visión de conjunto de todos los problemas de la compañía.

Con todo, Kirk y yo no estábamos destinados a ser amigos íntimos. Una noche me invitó a su habitación, junto con otros tres empleados de la IBM amigos suyos. Vivía en Ritz Towers porque aún no había tenido tiempo de llevar a su familia desde Endicott. Una vez que estuvimos reunidos sacó una botella y, poniéndola sobre la cama, me dijo:

— Tómese un trago, Tom.

— No, gracias — repuse.

Todos se sorprendieron, especialmente Kirk. El sabía que

antes de la guerra yo pasaba muchas noches en los cabarets. Lo que no sabía era que hacia mediados de 1944 había resuelto que para mi carrera sería mejor no volver a beber absolutamente nada, ni siquiera en reuniones sociales.

— Oigan — les dije —: Yo no los estoy criticando. Sé que no estamos en horas de trabajo; pero yo ahora no bebo ni una gota.

Esto me convertía en el extraño del grupo. Todos los demás se tomaron su trago y se pusieron a recordar sus tiempos en St. Louis. Yo me retiré.

Por esos días, la situación de la IBM era para que cualquiera quisiera ponerse a beber. Lo mismo que centenares de otros negocios, teníamos que cambiar lo más rápidamente posible de producción de guerra a producción de paz. Mi padre no estaba dispuesto a permitir que la compañía volviera a su tamaño anterior, pues eso significaría despedir a los nuevos empleados, vender las nuevas fábricas que lo tenían tan orgulloso y cerrarles las puertas a algunos de los veteranos que regresaban de la guerra y con los cuales sentía una profunda obligación. Sin embargo, dos terceras partes del espacio de nuestras fábricas estaban dedicadas a producir material de guerra, y ese mercado desapareció el día de la victoria. ¿Cómo podíamos mantener ocupada a toda la gente y las fábricas llenas? De alguna manera, la IBM tendría que vender *el triple* de máquinas de negocios que vendía antes de la guerra.

Mi padre fue, sin duda, uno de los hombres de negocios más resueltos y optimistas que haya habido, pero esta vez aun él estaba preocupado. Hay un acta de una reunión en 1944, cuando ya les estaba pidiendo a sus ingenieros que desarrollaran nuevos productos para la paz. ''Suponiendo que la guerra terminara dentro de tres meses'', les dijo, ''¿qué podríamos ofrecer que no estemos ofreciendo hoy para la venta?'' Los ingenieros nombraron algunas máquinas que estaban desarrollando, pero mi padre dijo que ninguna abría nuevos campos. ''Lo que yo tengo que buscar son nuevos negocios'', dijo. ''De otra manera no vale la pena que hablemos de retener a toda esa gente empleada de jornada completa, caballeros. Es fácil decirlo, pero difícil hacerlo, y anoche no pude dormir pensando cómo vamos a hacerlo''. Les advirtió que, en adelante, tendrían que trabajar mucho más rápidamente. Antes de la guerra no era raro que un nuevo producto IBM tardara cinco años desde la concepción hasta el mercado, pero él les hizo ver que con las ametralladoras, una cosa enteramente nueva para la IBM, la compañía, partiendo de cero, había llegado a plena producción en cuestión de meses. "Si pudimos hacerlo con esa arma", les dijo, "también podemos hacerlo con este aparato del cual sí sabemos algo". No era una opinión arbitraria. El no se equivocó al intuir que, a causa de la guerra, el ritmo del cambio tecnológico se había acelerado definitivamente en la vida norteamericana.

Una de las cosas que no lo dejaron dormir aquella noche tuvo que ser el recuerdo de 1921, cuando la economía norteamericana se redujo después de la Primera Guerra Mundial y la CTR estuvo al borde de la quiebra. Sin duda tendría también negras visiones de los centenares y centenares de máquinas de contabilidad alquiladas a las Fuerzas Armadas. La mayor parte de ese equipo sería devuelto a la IBM. Tampoco se podía esperar que conservaran todas sus máquinas los contratistas de Defensa, que se habían equipado para la guerra y ahora tenían que recoger velas; de modo que, a menos que encontráramos ejércitos de clientes nuevos, nuestras fábricas no tendrían nada que hacer.

Frente a la posibilidad de una catástrofe, el impulso de mi padre era siempre contratar más vendedores, y eso fue precisamente lo que propuso en los días en que yo regresé de la guerra. Estaba decidido a que la IBM tuviera oficinas en la capital de cada Estado, y todo el mundo, de Kirk para abajo, se desvivía por ampliar la red de ventas lo más pronto posible. En medio de esta actividad nos vimos inesperadamente inundados de pedidos de nuestros productos. No hubo tal recesión de postguerra. Lo que ocurrió fue todo lo contrario: la economía de los Estados Unidos experimentó una gran bonanza impulsada por una enorme demanda represada de artículos de consumo que nadie había podido comprar durante la guerra: automóviles, casas, aparatos electrodomésticos, ropa. A su vez, esto fomentó las industrias de apoyo como la banca, los seguros y las ventas al por menor, que eran justamente nuestros grandes clientes. Todos ellos tuvieron inmediatamente crecientes necesidades de archivos y contabilidad, y nosotros nos vimos apurados para satisfacer la demanda. Cuando ingresé en la compañía, Kirk estaba trabajando dieciséis horas diarias.

El primer viaje de negocios que hice con él bien pudo haber cambiado el curso de la historia de la industria de computadores, si cualquiera de los dos hubiera comprendido lo que teníamos delante de las narices. Un día gris de marzo fuimos a la Universidad de Pensilvania a conocer el ENIAC, uno de los primeros computadores, un gigantesco y primitivo procesador de números para resolver problemas científicos. Acababa de entrar en operación y les dio gran renombre a sus inventores, Presper Eckert y John Mauchly, quienes abrieron nuevos horizontes usando circuitos electrónicos en lugar de relés electromecánicos como los de nuestras máquinas tabuladoras. Mi padre apoyaba generosamente proyectos como el ENIAC, más por razones de prestigio y filantropía que por motivos comerciales. Durante la guerra la IBM y la Universidad de Harvard construyeron un gigantesco computador no electrónico llamado el MARK I. Se componía, en gran parte, de dos toneladas de máquinas tabuladoras IBM sincronizadas en un solo eje, como en los telares. El MARK I llamó mucho la atención como "el supercerebro róbot de Harvard" y se utilizó con éxito para resolver problemas ultrasecretos durante la guerra.

Mi padre había oído hablar de Eckert y de Mauchly a fines de la guerra, cuando la Armada le pidió a la IBM un equipo de perforar tarjetas que ayudara a obtener datos de entrada y de salida del ENIAC. Eso nos permitió entrar a Kirk y a mí; pero la idea de ver el ENIAC fue, en realidad, de Kirk. El tenía curiosidad porque le habían hecho mucha publicidad a la habilidad del ENIAC para hacer cálculos con la velocidad de un rayo. Otra razón que tenía Kirk para echar una mirada fue que Eckert y Mauchly estaban hablando de sacar una patente, por lo cual nuestros abogados temían que la IBM tuviera que pagar derechos muy altos si cuajaba la idea de computación electrónica.

Recuerdo vivamente el ENIAC; se componía de lo que parecía hectáreas de tubos vacíos en forma de red metálica. El aire estaba muy caliente, y yo le pregunté a Eckert, un hombre elegante y bien educado, a qué se debía eso. Me explicó: "Porque en esta sala hay ocho mil válvulas de radio". No tenían aire acondicionado. Le pregunté qué hacía la máquina, y me dijo: "Computar la trayectoria de los proyectiles". Para mostrarnos lo que quería decir, se sentó, tomó lápiz y papel y dibujó la curva que describe un obús en el aire. Nos explicó que para lograr la máxima eficacia de un obús es necesario calcular en dónde se halla el proyectil en cada fracción de segundo durante su vuelo. Esto requería una enorme cantidad de computación, y el ENIAC la hacía en muy poco tiempo — en realidad, en menos tiempo del que tardaría un obús real en llegar a su objetivo. Eso me impresionó. Eckert fue más allá: me dijo que los computadores eran la ola del futuro. No dijo abiertamente que nuestras máquinas perforadoras de tarjetas eran dinosaurios, pero sí dijo que él y Mauchly iban a patentar el ENIAC y a dedicarse a los negocios. Oyéndolo hablar tuve la impresión de que pensaban que muy pronto iban a sacar a la IBM del mercado. Le dije: "Ustedes tienen una gran idea, pero les va a faltar dinero. Hacer estos aparatos para la clientela va ser muy costoso".

Mi reacción al ENIAC, valga la verdad, fue como la de muchos ante el avión de los hermanos Wrights: no me conmovió. No entiendo por qué no pensé entonces: "¡Por Dios santo, aquí está el futuro de la compañía IBM!" Pero, francamente, no podía ver ese aparato gigantesco, costoso e inseguro como una pieza de equipo de oficina. Kirk pensaba lo mismo. En el tren de Filadelfia a Nueva York me dijo: "Es muy grande, inmanejable. Nosotros nunca podríamos usar un aparato así". Ambos estuvimos de acuerdo en que, si bien novedades electrónicas como el radar llamaban mucho la atención del público, este ENIAC no pasaba de ser un experimento interesante, muy al margen de nuestras actividades y que no nos podía afectar en absoluto. No me detuve a pensar qué ocurriría si la velocidad de los circuitos electrónicos se llegaba a dominar para fines comerciales.

Por fortuna esta miopía fue de corta duración. Unas semanas después, mi padre y yo recorríamos las instalaciones de la IBM. A él siempre le gustaba meter las narices en todas las oficinas cuando tenía tiempo; esa tarde yo acerté a acompañarlo. En una parte del edificio que yo nunca había visitado llegamos a una puerta que tenía el letrero "Desarrollo de Patentes". Ahí estaba un ingeniero de mi padre que había conectado una máquina perforadora de tarjetas, de alta velocidad, con una caja negra de tapas metálicas. Parecía una maleta de viaje, salvo que tenía un metro con veinte de altura.

— ¿Qué está haciendo? — le pregunté.

— Multiplicando con válvulas de radio — me contestó el ingeniero.

La máquina estaba tabulando una nómina, aplicación corriente de las tarjetas perforadas — jornales multiplicados por horas trabajadas, menos deducciones para el Seguro Social, la jubilación, deducciones médicas, etc., para obtener el pago neto de cada trabajador. Luego el ingeniero me habló de la velocidad con que trabajaba la máquina. Realizaba el cómputo en la décima parte del tiempo que tardaba la máquina perforadora en perforar la respuesta y pasar a la siguiente tarjeta. La caja pasaba nueve décimas partes del tiempo esperando porque la electrónica era sumamente veloz y la mecánica muy lenta. Esto me impresionó como si me hubieran dado con un martillo en la cabeza, porque el multiplicador parecía un aparato relativamente sencillo. Cuando salimos de ese cuarto, le dije a mi padre: "¡Es fantástico lo que hace ese aparato! Multiplica y da los totales, y lo hace todo con válvulas al vacío. ¡Papá, debemos poner esto en el mercado! Aun cuando sólo vendamos ocho o diez, podremos anunciar que tenemos la primera calculadora electrónica comercial del mundo!"

Fue así como la IBM entró en el campo de la electrónica. En septiembre le hicimos publicidad a la máquina en un anuncio de página entera en el *New York Times.* La llamamos la Multiplicadora Electrónica IBM 603. Desde el punto de vista estrictamente técnico no era un computador: no tenía programa de almacenamiento; sólo procesaba números a medida que se le alimentaban por medio de tarjetas perforadas. En realidad, más que todo era una curiosidad; calculaba a velocidades electrónicas, pero eso no servía de mucho porque las tarjetas perforadas no podían funcionar a ese mismo ritmo. A pesar de todo, fue un éxito. Esperábamos vender unas pocas, lo suficiente para compensar el costo del anuncio; pero los clientes grandes estaban muy deseosos de iniciarse en la electrónica, y vendimos cien máquinas. En un año rebasamos la etapa de curiosidad. Ideamos la manera de que los circuitos electrónicos no sólo multiplicaran sino que también *dividieran,* tarea casi imposible de realizar mecánicamente por su costo. En ese punto las calculadoras electrónicas vinieron a ser realmente útiles y nuestra máquina siguiente, la IBM 604, se vendió por millares.

A pesar de que Kirk y yo nunca fuimos amigos, me impresionó los primeros meses que trabajamos juntos. Su aspecto no era atractivo; de estatura mediana, un poco calvo, rostro en forma de pera, llevaba la ropa sin planchar y usaba anteojos de aros metálicos, y nunca estaba sin un cigarrillo. Pero era una máquina de movimiento perpetuo. En esa gran expansión bullente de la compañía lo vi organizar y contratar, ascender y mover ejércitos de gerentes de un puesto a otro. Sabía tanto de fabricación que cuando mi padre quería elogiar el trabajo de un gerente de fábrica decía: "Eso es digno de Kirk". También apreciaban mucho a Kirk los vendedores y los clientes. Tocaba muy bien el piano, y siempre que íbamos a Endicott la gente se reunía a su alrededor fuera de las horas de trabajo en el club campestre IBM. El, con el cigarrillo colgándole de los labios, se sentaba de lado ante el teclado, y, llevando el compás con el pie, tocaba tonadas para que los demás bailaran.

Yo aprendí mucho de este hombre. Por ejemplo, mi padre animaba a los empleados para que pensaran en la IBM como una familia y acudieran a él con sus problemas, pero Kirk me previno que no me metiera nunca en la vida de los trabajadores de fábrica. Bastó una anécdota para convencerme de que tenía toda la razón. Me contó que una vez, estando encargado de la planta de Endicott, recibió una carta de la esposa de un trabajador, en que se quejaba de que el marido había instalado a su querida en su propia casa. Kirk pensó que eso no estaba bien ni se ajustaba a lo que era la IBM, así que citó a la pareja para conferenciar. El marido dijo:

— La cosa no es como la pinta mi mujer. Esa señora no es más que una amiga que necesita ayuda. Yo no me acuesto con ella.

La esposa replicó:

— ¡Ciertamente que sí! A la hora de la cena sacas unas píldoras para dormir, nos miras a las dos y resuelves con cuál quieres pasar la noche ¡y luego echas la píldora en el café de la otra!

Eso era demasiado para Kirk. Llegó a la conclusión de que cuanto menos interviniera en los problemas del personal, tanto mejor. "¡Eso es un tonel sin fondo!", me dijo. Mi padre no habría visto las cosas de esa manera; pero, de todos modos, fue un consejo maravilloso.

El punto decisivo en mis relaciones con Kirk llegó como a los cuatro meses de estar trabajando juntos. En mayo de 1946 él sufrió un ataque de apendicitis y tuvo que ausentarse del trabajo durante seis semanas. Yo todavía trabajaba en la esquina de su escritorio y ya entonces había visto y oído lo suficiente para empezar a conocer el negocio. Cuando él estaba ausente, se me presentaron muchos asuntos que tuve que resolver, en parte por ser su asistente y en parte porque mi apellido era Watson. Creo que a la gente le parecía más fácil acudir a mí que a mi padre, cuyas reacciones nunca se podían predecir. Me hacían preguntas, yo las contestaba, y veía los resultados. Estar en esa posición fue para mí muy agradable: me abrió el apetito por la administración. Empecé a gustar del proceso de toma de decisiones, del sentido de responsabilidad y de la oportunidad de ver posteriormente si una decisión había sido correcta o errónea. Era emocionante estar en el centro del negocio de la tecnología a medida que se desarrollaba en el mundo de postguerra.

En junio, cuando Kirk regresó, le sorprendió mucho que yo me hubiera encargado de todo y que se hubieran tomado tantas decisiones. Todo lo tenía yo por escrito en un memorándum para que él lo viera, lo mismo que había hecho con mis superiores en la Fuerza Aérea: "En su ausencia hemos hecho tales y tales cosas por las siguientes razones..." Mi padre, que había estado viajando gran parte del tiempo, debió quedar bien impresionado porque ese mes me hizo elegir vicepresidente. No era poca cosa: yo contaba apenas treinta y dos años, y la IBM tenía sólo otros cuatro vicepresidentes y doce ejecutivos en total. La plana mayor de mi padre puso inmediatamente mi retrato en banderolas para una de las frecuentes campañas de ventas de la IBM, cuya consigna fue: "Rompamos todo precedente por nuestro nuevo vicepresidente", cosa muy embarazosa para mí. Así que cuando salí a visitar las oficinas de ventas, empecé a llamar a aquélla la campaña de "Todo por el Hijo". Esto hacía reír a todo el mundo, y así se le quitó tanta solemnidad al asunto.

En esa época me parece que Kirk y yo empezamos a revisar en serio el concepto que cada uno le merecía al otro. A Kirk probablemente le preocupaba pensar qué iba a ser de su empleo. Al principio no creo que me viera como un competidor — bien conocía mi reputación de antes de la guerra —, pero ahora veía que era capaz de tomar decisiones. Para colmo de males, en octubre, después que salió la 603 y fue un éxito, fui elegido miembro de la junta directiva. Todo esto lo colocaba en la situación más difícil que se pueda imaginar. Sabía que mi padre era un hombre duro; sabía que yo era su hijo y la niña de sus ojos; y sabía que cuanto más me enseñara acerca del negocio, menores eran sus propias probabilidades de llegar a la cima. Y, sin embargo, resolvió seguir ayudándome. Creo que pensó: "Lo mejor que puedo hacer es cooperar y confiar en que ocurra algo. Tal vez se vaya de narices. O tal vez si el viejo se muere yo pueda llegar a la cumbre hablando directamente con los demás miembros de la junta directiva". Acaso en esto no le faltaba razón. Si mi padre hubiera muerto entonces, la junta probablemente habría preferido seguir con Kirk que arriesgarse conmigo.

Yo era aún su asistente, pero tenía mi propia oficina junto a la suya y una secretaria. Me puse a pensar cuánto tiempo tendría que seguir trabajando con este hombre. El no era muy pulido y, a diferencia de mi padre, no hacía nada por cultivarse. Para mí era difícil imaginarlo como representante de la IBM ante los extraños, lo cual constituía una parte muy importante del trabajo de mi padre. Lo oí pronunciar algunos discursos en Nueva York en sitios como el Club de Anunciadores, y era tan torpe en sus modales que sentí vergüenza por él y por la IBM. Cuanto más tiempo pasábamos juntos, más me fastidiaba.

Mi desagrado se originaba en parte en la emulación y en mis celos por sus relaciones con mi padre, a quien no se parecía absolutamente en nada. Yo no entendía por qué se llevaban tan bien. Pero había algo más. A mí no me gustaba el aspecto de mi papá que Kirk hacía salir a la superficie. Lo que más me molestaba era ese barajar de hombres y cargos. Después de la guerra se hacían constantes despidos y traslados, algunos penosísimos. Me parecía que la IBM se mostraba totalmente inhumana en la manera como movía a las personas de un lado a otro. En parte esto lo atribuía a la diferencia entre los negocios y la milicia. Cuando yo estuve en la Fuerza Aérea, para que a uno lo trasladaran siquiera tenían que hacerle antes por lo menos dos acusaciones de ineficiencia. Echaba de menos esa manera metódica de llegar a un juicio sobre una persona, y hasta llegué a preguntarme si la vida de los negocios era para mí. Pero al mismo tiempo, comprendía que si esos poderes ejecutivos se usaban con prudencia e inteligencia, un negocio podía ser la cosa más eficiente del mundo, muchísimo más eficiente que un gobierno. El gobierno tiene sus frenos y cortapisas, pero un negocio es una dictadura, y esto es lo que en realidad lo hace mover.

Lo grave en la IBM era que los despidos y las degradaciones se estaban haciendo en forma arbitraria. Durante muchos años la práctica normal de mi padre había sido criticar a un individuo que no daba la medida. Decía por ejemplo: "Acabo de visitar a Kansas City y vi a ese señor Blair. No sé, Blair me dio la impresión de un tipo que fuma demasiado y no es realmente pulcro. La oficina tampoco tenía buen aspecto. No estoy seguro de que Blair sea un buen representante de la IBM". Lo que esperaba era que si Blair era, en realidad, un buen empleado, alguien saliera en su defensa diciendo: "No, señor Watson, usted se equivoca. Blair es un tipo magnífico, y está consiguiendo muchísimos negocios". Hasta era muy posible que a causa de esta discusión Blair saliera ganando un aumento de sueldo. Así era como se hacían las cosas antes de la guerra. Pero cuando entró Kirk, se habían jubilado o habían renunciado tantos de la vieja guardia que ya no quedaban muchos capaces de enfrentarse a mi padre. Por el contrario, cuando él criticaba, Kirk generalmente decía: "Como eso es lo que usted piensa de Blair, tomaré el tren esta noche. Puedo estar mañana por la mañana en Kansas City, arreglar con Blair y regresar al día siguiente". "Arreglar" quería decir "despedir", y eso realmente me sacaba a mí de quicio porque la característica distintiva de la administración de mi padre había sido ofrecer seguridad en el empleo.

En medio de esa creciente tensión entre los dos, Kirk, sin quererlo, me hizo pasar una de las peores noches de mi vida. Debíamos trabajar hasta tarde, y salimos a cenar. Estuvimos haciendo reminiscencias de los primeros tiempos de la IBM, cuando todavía se llamaba CTR — tal vez se aproximaba algún aniversario de la compañía y estábamos discutiendo cómo celebrarlo. Recordé a Charles Flint diciendo que él fue el que llevó a mi padre como presidente. Al oír esto, Kirk me miró de una manera extraña, dejó el cigarrillo y dijo lentamente:

— Hay una cosa que usted debiera saber. Cuando contrataron

a su padre, fue sólo como gerente general. La junta no lo aceptó como presidente.

— ¿Cómo puede ser?

— Cuando lo contrataron, su padre tenía pendiente una acusación criminal. La junta directiva sabía que era un buen ejecutivo, pero no quería correr el riesgo de nombrarlo presidente mientras no fuera absuelto de los cargos que se le hacían.

Kirk tuvo que comprender por mi expresión que yo estaba escandalizado. Pasó veinte minutos explicándome este episodio de la vida de mi padre, del cual, según parece, todo el mundo estaba enterado, aunque a mis oídos no había llegado nunca. Ocurrió unos dos años antes de nacer yo. Mi padre y todos los altos jefes de la National Cash Register Company, incluso el propio John Patterson, fueron llamados a juicio en uno de los primeros grandes casos antimonopolio. Los cargos eran conspiración criminal para restringir el comercio y mantenimiento de un monopolio. Patterson fue el precursor de las cajas registradoras, y la NCR fabricaba casi todas las que se producían en el país. El pensaba que las leyes antimonopolio de los años 90 del siglo pasado no tenían nada que ver con él; el mercado era su coto personal, dentro del cual todo competidor merecía ser perseguido y destruido.

Las autoridades federales, empeñadas en acabar con los monopolios, resolvieron convertir a la Cash en un ejemplo. Fue un caso sensacional porque Patterson y los suyos apelaron a métodos despiadados, incluso para las normas de fin de siglo. La posición que mi padre ocupaba en la compañía lo convertía en una de las figuras más destacadas en el caso. La nación alegaba que en 1903 había fingido separarse de la Cash para poder organizar una compañía cómplice, secretamente de propiedad de Patterson, que negociaba en cajas registradoras de segunda mano. El mercado de máquinas usadas constituía un punto especialmente sensible para Patterson, pues él se consideraba en alguna forma dueño de cuanta caja registradora hubiera fabricado la NCR y creía que nadie más tenía derecho a vender tales máquinas, nuevas o viejas. Con ese espíritu, puso a disposición de mi padre un millón de dólares para que acabara con todos los comerciantes en registradoras de segunda mano en todo el país. Mi padre iba a una ciudad, abría su propia tienda, presionaba a los demás comerciantes ofreciendo precios más altos por máquinas usadas, y al fin compraba al competidor y lo sacaba. Por este proceder, según me dijo Kirk, fue condenado a un año de prisión. Igual suerte corrieron Patterson y los demás acusados. Pero se hizo una apelación, y al fin nadie fue a la cárcel. Después de unos meses, la condena se sobreseyó sobre la base de algún tecnicismo, y Patterson y los demás transigieron firmando un compromiso de limpiar sus prácticas comerciales. Mi padre, que siempre sostuvo su inocencia, se negó a firmar, pero ya entonces se había retirado de la Cash por otras razones y la Nación no intentó nunca otra demanda.

Para mí fue un trago muy amargo oírle este cuento a Charley Kirk. Después de la cena, me fui directamente a casa y esa noche no pude dormir. Todo el tiempo que conocí a mi padre, él había vivido y había actuado en los negocios en forma irreprochable. ¿Podía haber violado la ley a sabiendas? Me lo imaginaba como un joven inexperto, todavía menor de treinta años, de origen humilde, con grandes aspiraciones y diez años de trabajo en oficios bajos desde dependiente de un mercado de víveres hasta vendedor de máquinas de coser. Recordé su gran lealtad para con Patterson, quien le dijo: "Le confío un millón de dólares; vaya, haga esto. Nosotros tenemos la razón; esas máquinas son nuestras y esos comerciantes de segunda mano no tienen derecho a venderlas". En ese momento de su vida, mi padre no entendía la ilegalidad de la situación en que se estaba metiendo; la legislación antimonopolio era muy reciente, y la instrucción que él tenía no pasaba del último grado de primaria. Pero, indudablemente, tuvo que haber percibido el subterfugio. Comprendí entonces por qué mi padre le tenía al Departamento de Justicia un odio que yo consideraba irracional.

Yo no me resentí con Kirk porque me contara tan penoso episodio; me hacía un favor y era mejor oírlo de labios de una persona que admiraba a mi padre y simpatizaba con él; pero yo me estaba emparejando con Kirk en habilidad mercantil, y esto hizo que nuestras relaciones se deterioraran rápidamente. Cuanto más se preocupaba él por su empleo, más servil se volvía frente a mi padre. Bastaba que mi padre pusiera en duda el desempeño de algún empleado para que Kirk corriera a destituirlo, como ocurrió a fines de 1946 con un gerente distrital llamado Harry Eilers, hombre muy capaz y muy popular que manejaba el distrito de ventas del Oeste Medio desde Minneapolis. Un día mi padre le preguntó a Kirk si no sería mejor que la sede distrital funcionara en Chicago. Inmediatamente, Kirk le ordenó a Eilers que se mudara a esa ciudad; y como éste dijera que no le era posible, Kirk sin más averiguaciones lo degradó a una oficina de ventas y nombró a otro como gerente distrital con sede en Chicago. Esto me indignó porque yo sabía que Eilers era bueno. Después se supo que no había podido aceptar el traslado por una enfermedad y por circunstancias familiares. Pero Kirk no dio su brazo a torcer, y mi padre lo apoyó, de modo que Eilers quedó por fuera.

En abril de 1947, resolví finalmente que no podía seguir trabajando con Kirk. Fui al despacho de mi padre y le informé que me separaba de la compañía. Le dije: "Mira, papá: Aquí está Kirk. Yo me entiendo con todos los demás a quienes tú has contratado, pero no con Kirk. No es la clase de tipo que me cae bien. Es muy rudo. Y no me lleva sino nueve años. Si me quedo, tendré que trabajar para él durante veintidós años antes que él llegue a la edad de jubilarse. Entonces yo dirigiré el negocio durante ocho años y ya será tiempo de jubilarme yo también. Eso no es perspectiva para mí.

Esto lo dije muy en serio, a pesar de que no tenía ni idea de qué me pondría a hacer. Mi padre se puso a discutir conmigo, y la conferencia paró en que yo me salí furioso. Llamé a Olive y le pedí que fuera a la ciudad. Eran tal vez las seis de la tarde cuando nos encontramos en el Waldorf. Cenamos y luego subimos a la terraza donde tomamos champaña y bailamos. Le conté lo que había hecho, y ella me dijo: "Estoy segura de que después te vas a arrepentir". Finalmente, a eso de las once de la noche, tomamos el automóvil y regresamos a casa, en Greenwich.

Ciertamente, mi padre sabía montar un espectáculo cuando lo creía necesario. Llegamos a Greenwich hacia la medianoche, y al aproximarnos a la casa vi estacionado frente a la puerta su automóvil con su chofer. "¡Dios mío!", le dije a Olive. Entramos. Mi madre y mi padre nos estaban esperando en la biblioteca. Las luces estaban muy amortiguadas, y mi pobre madre estaba sentada en un rincón, agotada por ser la hora tan avanzada. Mi padre ocupaba un sillón en el centro de la pieza, encogido y con su mejor aspecto de fragilidad y ancianidad. Probablemente él mismo había disminuido las luces para producir ese efecto. Apenas entré tuve el impulso de volver a salir, pero él me detuvo con un ademán de la mano y dijo:

— Tom, tú no me puedes hacer esto. No te puedes retirar.

No llegó a decir "No destruyas la gran ilusión de mi vida", pero sin duda eso era lo que quería decir. Le contesté:

— Papá, tú eres un hombre de mundo, y puedes ver que, aunque prescindamos de personalidades y nos llamemos sólo el Sr. Smith y el Sr. Jones, queda en pie el hecho de que yo tengo treinta y cuatro años, y debo trabajar hasta los cincuenta y seis antes que se me dé la oportunidad de ascender al mando.

— Comprendo, comprendo tu punto de vista — dijo —. Oye una cosa: Llévate al señor Kirk a Europa, preséntaselo allá a los gerentes, y yo pensaré algo.

Estaba programada para junio una reunión de la Cámara Internacional de Comercio en Montreux, Suiza; esta organización había revivido después de la guerra, aunque ya no tenía tanta influencia como antes. Kirk y yo debíamos asistir como delegados de los Estados Unidos. Hice planes para llevar a Charley a distintos puntos de Europa después de la reunión y presentarle a los gerentes en muchos países, a algunos de los cuales yo conocía desde mi niñez. No sabía qué ocurriría posteriormente, y creo que en ese momento mi padre tampoco lo sabía. Nos mandaba a Europa para ganar tiempo. Lo que me tenía tranquilo era saber que, o se resolvía el problema, o yo me separaba. Ya había cruzado el puente de tratar de esperar. Acaso en el subconsciente abrigaba la idea de que mi padre "arreglaría" a Kirk.

Así, pues, en mayo de 1947 partimos para Europa, con nuestras esposas. La reunión de la Cámara Internacional fue aburridísima. Luego nos encontramos con Valentim Boucas, a quien mi padre había comisionado para que nos acompañara en nuestra gira. Boucas era el representante de la IBM en el Brasil y uno de los hombres de más mundo y más simpáticos que he conocido. Eramos viejos amigos, desde los tiempos de mi niñez, y mi padre lo admiraba mucho. Se habían conocido en los años 20, cuando Boucas, hijo de un piloto del puerto de Rio de Janeiro, luchaba por abrirse camino en la vida. Tenía una vívida personalidad que irradiaba alegría a cuantos lo rodeaban en una habitación. Era, si se quiere, un poco aprovechado, pero esto no lo admitía nunca mi padre, quien le dio la concesión IBM para el Brasil por muy poco dinero, y Boucas se volvió inmensamente rico.

Figurándose que yo llegaría a ser el jefe de la IBM, no tomó en serio a Kirk para nada. Nuestra primera parada fue en Zurich, donde la IBM tenía una sucursal muy importante, y nos dieron una cena a la cual asistieron ochenta o noventa personas en un gran hotel, situado en el lago. Yo saludé a los asistentes en francés, idioma que hablaba bastante bien, y Kirk dijo algunas palabras en inglés, que alguien tradujo. Luego le pidieron a Boucas que hablara; él sabía inglés, pero esa noche prefirió hablar en francés, sabiendo que Kirk no le entendería. Me llamó inmediatamente la atención cuando le oí decir algo acerca de *le fils.* En toda su perorata su tema fue que la cosa más importante en los negocios era la familia. "Aquí tenemos a este espléndido joven", dijo, "hijo del *grand monsieur*". Declaró que era una suerte para todos tenerme a mí en su compañía, este hombre que había estado *à la guerre* y ahora regresaba otra vez a los negocios llevando el nombre de la familia. Kirk, sin entender una palabra, se imaginaba que Boucas estaba hablando de él. Cada vez que éste llegaba a un punto de énfasis en su discurso, todos aplaudían y Kirk sonreía y hacía una venia mientras Olive y yo nos hundíamos más y más en la silla. Boucas terminó diciendo que yo dirigiría la compañía en el futuro y que, aun cuando todavía nadie lo había anunciado formalmente, él estaba comprometido a ese fin y sabía que eso iba a ser una gran cosa para todos. Se produjo una verdadera ovación. Kirk miraba en torno muy sonriente.

La etapa siguiente de nuestra gira nos llevó sobre los Alpes a la Riviera, Marsella, y de ahí al Norte hacia el valle del Loira y París. Ibamos en dos automóviles, uno de los cuales era un precioso Cadillac que los empleados de la IBM Francia habían desmantelado y enterrado en un sótano cuando los alemanes ocuparon a París. Después de la guerra lo sacaron, lo volvieron a soldar y funcionó perfectamente, a pesar de un poco de orín. Boucas iba con Olive y conmigo en el automóvil, y Kirk con su esposa y con un secretario en el otro automóvil. Así resultaba mejor porque Kirk y yo ya no nos tolerábamos mutuamente. En nuestro automóvil lo pasamos muy bien. Boucas encantó a Olive completamente. En un pueblecito cerca de Milán les dijo a los moradores que una estrella famosa del cine venía de visita de Nueva York. Nos rodeó una multitud. Olive tenía veintiocho años y era realmente tan linda que bien podía haber sido una estrella del cine. La gente se agolpaba ante la ventanilla del automóvil pidiéndole un autógrafo. Como ella no entendía italiano, no sabía de qué se trataba, hasta que Boucas confesó lo que había hecho.

Por fin Kirk y yo estuvimos a punto de llegar a las manos con motivo de una visita que yo quería hacer cuando llegamos a Marsella. Un viejo amigo de mi padre y su esposa se nos habían unido por unos días, y yo sabía que una hija suya, recién casada, estaba en un balneario cercano. Según nuestro itinerario, debíamos seguir a Lyon y el balneario quedaba a unos 65 kilómetros en la dirección opuesta. Le dije a Kirk:

— Podemos ir a ver a Cecile. Sus padres nos lo agradecerían. Olive quiere conocerla, y a mí me gustaría volver a verla. No tardaremos mucho.

— Hay una hora de ida y otra de vuelta — dijo Kirk.

— Sí, sólo permaneceremos allá media hora.

— Eso son cinco horas de nuestro viaje.

— No pueden ser cinco horas, Charley — le dije —. No son sino dos y media: una de ida, media allá, y otra de regreso.

— No, no. Porque mientras estemos allá, el automóvil podría haber recorrido dos horas y media en la otra dirección. Dos y media y dos y media son cinco.

Yo comprendí que eso era un sofisma, pero tenía tanta rabia que no sabía en qué consistía. El se plantó afirmando que tenía razón. Sería difícil describir la vehemencia de esta tonta disputa, pero me alegré de que terminara. Olive me tiró del saco, yo logré dominarme, me callé y me metí en el auto.

Por fin llegamos esa noche a Lyon. Ya muy tarde, me despertaron fuertes golpes en la puerta de nuestra habitación en el hotel. Era nuestro secretario: "Venga enseguida, señor Watson; el señor Kirk está muy enfermo". Me eché encima una bata y lo seguí. Kirk había sufrido una trombosis coronaria masiva. Cuando llegué a su habitación, estaba inconsciente y a la hora murió. Los Kirks eran católicos, y la señora dijo que quería asistir a misa, así que, cuando amaneció, fuimos todos a la Catedral de Lyon. Como era preciso practicar una autopsia, Boucas y yo nos quedamos mientras Olive acompañaba a la señora Kirk a París donde se pudiera hospedar en un hotel más cómodo. Después todos regresamos a Nueva York con el cadáver.

Mi padre sintió la muerte de Kirk como una pérdida personal: era su brazo derecho y uno de los hombres más importantes de la IBM. Probablemente sentiría también alivio de que se hubiera resuelto solo un problema de mucha gravedad, y estoy seguro de que le remordía la conciencia sentir ese alivio. Estos sentimientos se reflejaron en las honras fúnebres que le hizo a Kirk en Endicott. No fueron cualquier cosa. Llevó a rectores universitarios, hubo varias oraciones fúnebres y el servicio duró más de dos horas y media. Por primera y última vez en una ocasión importante mi padre no pronunció un discurso. Después oí decir que en el desfile a la salida de la iglesia estaba tan conmovido que se mezcló entre los portadores del féretro y tomó él mismo un borde del ataúd.

# CAPITULO 15

Yo siempre había considerado que Charley Kirk era una barrera entre mi padre y yo, pero después de su muerte comprendí que también había sido un amortiguador de choques. T. J. Watson sin diluir era difícil de tragar. Poseía ahora la organización unipersonal más grande y de mayor éxito en el mundo de los negocios norteamericanos, con cerca de 22 000 personas que trabajaban como si fueran una extensión de su personalidad. A él le parecía perfectamente natural que su retrato estuviera en todas las oficinas y no le molestó en absoluto que los empleados organizaran una celebración de alcance mundial al cumplirse el decimotercer aniversario de la fecha en que él ingresó en la empresa. El periódico de la compañía describió ese festejo como "un tributo espontáneo", pese a que todos sabían que costó meses de trabajo prepararlo. Mi padre andaba ya por los setenta y tantos, y a medida que envejecía, los cantos, las alabanzas, los retratos y la adulación se hacían insoportables.

Hasta bien entrados los años 50, él era mucho más famoso que la compañía. Esta tenía otros negocios, además de bienes de consumo, de modo que el nombre IBM no era tan conocido del público como Ford o Metropolitan Life, por ejemplo. Cuando salía un artículo sobre nosotros en el *Saturday Evening Post* o alguna otra revista popular, el centro de interés siempre era mi padre y su habilidad para hacer marchar a la gente con consignas como "Un vendedor es un hombre que vende" y "Nada de quedarse quieto". El culto a la personalidad era lo que nos distinguía. A mí me parecía que esta imagen era mala para mi padre y mala para la compañía, pero no podía decir abiertamente: "Esto es una ridiculez". Habría producido una explosión de todos los demonios. Para todo el que pusiera en tela de juicio su modo de operar, él tenía una defensa inexpugnable: ''Vean lo que se ha realizado''. Y si se le argüía que lo realizado no se debía a las consignas, replicaba: ''¿Cómo lo saben?''

De modo que no fue fácil aparecer a su lado en la convención del Club Ciento por Ciento que se celebró en Endicott el verano de la muerte de Kirk. Estas reuniones anuales ya hacía mucho que no cabían en el Waldorf, en el cual se celebraron hasta fines del decenio de los 30. Ya teníamos mucho más de mil hombres en la fuerza vendedora en todo el mundo; más de ochocientos cincuenta habían cumplido sus cuotas previstas para 1946, y había que festejarlos. Como de costumbre, mi padre echó la casa por la ventana durante los tres días que duró la reunión. Hizo levantar toda una ciudad de tiendas de campaña — tres hectáreas de tiendas dispuestas en nítidas hileras: tiendas para dormir, tiendas para comedor, una tienda en que fotógrafos profesionales retrataban a los festejados y otra en que limpiabotas les lustraban los zapatos, tiendas para exposición de los productos, y un gigantesco toldo decorado con lemas y banderolas para la reunión propiamente dicha.

Para comodidad de los asistentes, todas las tiendas de dormir tenían piso entablado y se habían construido aceras para que no se embarraran los pies si llovía. Una vez iniciada la convención, cada asistente, al levantarse, encontraba a la puerta de su tienda un periódico que daba por extenso cuenta de lo ocurrido la víspera, escrito e impreso mientras él dormía. Los vendedores extranjeros, al ocupar sus puestos bajo el toldo de circo, encontraban allí audífonos que les permitían escuchar los discursos en sus idiomas respectivos. Los preparativos tardaron semanas, y los encargados de la organización se devanaron los sesos para que nada fuera a fallar. Fotógrafos de *Life* andaban por todas partes tomando fotos del acontecimiento para un artículo sobre mi padre y la IBM que llevaría el título de ''Supervendedores''.

En muchas formas la convención del Club Ciento por Ciento era para mi padre la nota culminante del año, y cuanto más espectacular pudiera hacerla, tanto más gozaba. Llegó a Endicott la mañana de la apertura. Yo fui a recibirlo a la estación y entramos al gran toldo de circo faltando exactamente 20 minutos para la hora en que la banda debía empezar a tocar ''Siempre

Adelante'', el himno de la IBM. Nos recibió un pequeño grupo de organizadores que parecían tan orgullosos como nerviosos. Mi padre dijo:

— Vamos a ver, ¿qué planes tienen ustedes? Me gustaría revisar el programa. ¿Quién va a hacer la apertura?

Obviamente, T. J. Watson iba a hacer la apertura.

— Le asignamos veinte minutos — le dijeron.

— Muy bien, no necesito más. ¿Qué sigue?

— Tenemos una exposición que hará el señor Thomas D'Arcy Brophy, jefe de la American Heritage Foundation.

— Un momento. La persona más importante es el vendedor. Quiero oír a todos los ganadores del Club Ciento por Ciento.

Comprendí que estaba pensando en los años 30, cuando cada vendedor se levantaba y hablaba tres minutos. Esos banquetes eran interminablemente aburridos. Los vendedores eran tipos espléndidos, pero no lo bastante filosóficos como para escribir buenos discursos. Así que dije:

— Papá, ya no estamos en los años 30. Entonces teníamos sólo unos pocos vendedores. Este año son casi novecientos.

— Bueno, podían decir sólo unas pocas palabras cada uno...

De algún modo superamos este escollo, pero entonces la emprendió por otro lado, diciendo:

— Veamos los productos. ¿Tienen productos?

Ya entonces faltaban apenas once minutos para que la banda empezara a tocar. Entró en la tienda de exposición y señaló la máquina que estaba más próxima a la puerta.

— Esa es una tabuladora — dijo —. ¡Debíamos tener una perforadora! El primer paso en toda instalación es la perforadora; después se seleccionan las tarjetas y luego viene la tabuladora. ¡Pero ustedes pusieron la tabuladora al principio!

— Pero, señor Watson, ya no podemos moverla.

— Bueno, estudiemos eso un momento.

Tuvieron que ponerse a regatear, tratando de convencerlo.

— Sr. Watson, esto lo dispuso así el Departamento de Exposición de Productos. Esta máquina tabuladora es nuestro mejor producto nuevo.

— Eso no me interesa. Quiero que las cosas se hagan bien.

El estaba en su elemento, pero los demás pasaban las de Caín. El verdadero peligro era que dijera: ''Señores, no me importa que novecientos hombres vengan a este toldo dentro de tres minutos. Que esperen. Todos ustedes vengan conmigo a mi cuarto. Esto lo vamos a discutir''. Por fortuna no se llegó a ese extremo, en parte porque yo apelé a su buen corazón y a su sentido común:

— Papá, algunos de estos hombres han pasado las dos últimas noches en vela trabajando para instalar esas máquinas y ponerlas a funcionar donde están. No lo podemos desbaratar todo ahora.

— Bueno, está bien.

A los dos minutos, la banda empezó a tocar, la gente fue entrando, y la convención del Club Ciento por Ciento se celebró gloriosamente . . . tal como se había proyectado.

La gente ya estaba acostumbrada a estas rachas de mal humor de mi padre, pero yo creo que ningún jefe puede ser realmente arbitrario mucho tiempo sin que sus mejores ejecutivos lo abandonen y los trabajadores se afilien a sindicatos. A mi padre no le pasó eso porque era sumamente sensible a las necesidades de la gente que contrataba. Desde el momento en que la IBM empezó a producir grandes utilidades en los años 30, mantuvo la compañía en la vanguardia de las que trataban humanamente a sus empleados. Costaran lo que costaran, la IBM otorgaba las mejores prestaciones, lo cual en aquellos días significaba buena paga, empleo fijo, oportunidad de ser ascendido, oportunidades de estudios, talleres limpios y clubs campestres. El New Deal y el surgimiento de sindicatos obreros cambiaron el criterio del público en cuanto a lo que debían proporcionar las grandes instituciones, y mi padre respondió con un amplio plan nuevo. Apenas terminó la guerra, lo fue revelando paso a paso, en una serie de discursos hechos en la forma más impresionante posible.

Su modelo eran las charlas informales de Roosevelt por radio. Como la IBM era tan grande que no era práctico congregarlos a todos en un solo lugar, le pidió a la empresa de teléfonos que le pusiera un micrófono en su escritorio, conectado de tal manera que lo pudieran oír simultáneamente por el sistema de altavoces en las fábricas de Poughkeepsie y Endicott y en diversas oficinas grandes. En estos discursos era muy convincente. Empezaba diciendo: ''La guerra terminó, y ustedes apoyaron muy lealmente a la compañía durante el conflicto''. Luego pasaba revista al éxito del negocio, les daba las gracias a los trabajadores por su esfuerzo y les recordaba las prestaciones que ya eran una realidad en la IBM. Hablaba de los intangibles que hacían que la IBM fuera un buen lugar para trabajar, como, por ejemplo, el derecho de todo empleado a apelar personalmente a mi padre si consideraba que no había sido tratado con equidad. Finalmente anunciaba un nuevo plan de protección en caso de enfermedad y accidente, hospitalización, incapacidad, o lo que fuera. Cuando anunció el nuevo plan de pensiones de la IBM, cerró su discurso diciendo que el "propósito constante" de la empresa era aliviar a su personal "del temor por el cuidado de sí mismos y de sus familias". Roosevelt mismo no podría haberlo dicho mejor. Debajo de toda la anticuada palabrería, la IBM de 1947 estaba sorprendentemente al día.

Descubrí que mi padre intervenía en todo en la IBM. Un número increíble de ejecutivos — una vez conté treinta y ocho o cuarenta — dependían de él directamente. Todos tenían títulos, unos altos, otros bajos, pero eso no tenía importancia puesto que todos dependían de él. Constantemente había alguien esperando a su puerta, a veces hasta una semana o dos para poder hablar con él. Claro que recibía a las personas importantes, pero cuando yo me quejé de que les hiciera perder tiempo haciendo antesala, me contestó: "Oh, Tom, que esperen. Están bien pagados".

No teníamos organigramas porque él no quería que los empleados se concentraran exclusivamente en determinado oficio. Le encantaba contar que una vez había ido a visitar a un antiguo amigo de la Cash que trabajaba con una compañía automovilística. En la oficina había por todas partes diagramas de organización; cada empleado tenía uno en su escritorio, junto con una descripción del oficio enmarcada, que detallaba aquello de lo cual ese individuo era específicamente responsable. "Es lo peor que he visto en mi vida", decía mi padre. "¡La cosa más restrictiva!" El quería que todos se interesaran en todo. No era raro que le encomendara a un gerente de ventas un trabajo de fábrica o a un gerente de fábrica una tarea de ventas, y exigía respuestas, opiniones y juicios acerca de cualquier sector del negocio. Obviamente, la IBM ya había crecido demasiado para que eso fuera enteramente práctico, pero ésa era su manera de ampliar la perspectiva de cada empleado y hacerlo pensar en el negocio como un todo.

Me fascinaba la rutina que seguía los días ordinarios de trabajo. Nunca llegaba a la oficina sin llevar en la mente cuatro o cinco cosas que se proponía realizar. Quizá había pensado en ellas durante la noche o por la mañana mientras se afeitaba, o acaso había conversado con alguien durante una cena y una observación casual le había recordado algo. En todo caso, cuando llegaba a la oficina sabía lo que quería. Se sentaba al escritorio y en seguida, para el punto A de su lista, escogía a un ejecutivo, no necesariamente al que uno pensaría que le iba a encargar la tarea, sino al que consideraba idóneo para el caso ese día. Tocaba un timbre, el hombre se presentaba, y le daba el encargo. Para algunas cosas llamaba a varios, y se celebraba una conferencia. Pero, de todos modos, en el curso del día descargaba su mente de esos cuatro o cinco puntos.

Si lo despachaba todo antes del almuerzo, por la tarde llamaba a su oficina a otros empleados al azar. Pensaba: ''Ya hace tiempo que no le doy una sacudida a Fulano. Lo llamaré para hacerle algunas preguntas sobre su departamento. Se ganará unas palmaditas en la espalda si encuentro algo bueno, o un puntapié en la cola si encuentro algo malo''. En el término de un mes veía a casi todos los treinta y ocho que dependían directamente de él y repartía palmaditas y puntapiés, más o menos en proporciones iguales.

A los encargados de las finanzas los importunaba sin misericordia. Pese a que nuestro negocio era vender equipos de contabilidad, él no confiaba mucho en los números. Le parecía que distraían a un hombre de negocios de las cuestiones verdaderamente importantes. Nuestro contralor en aquella época era un contemporáneo mío, Al Williams, que pronto fue mi mejor amigo y con el tiempo ascendió a presidente de la IBM. Era muy inteligente, lo cual no le impedía a mi padre ponerlo como un trapo. Al tenía una pequeña libreta de apuntes, en la cual anotaba en letra muy menuda las cifras básicas del negocio. Mi padre le echaba un vistazo a la libreta y decía medio en broma y medio en serio: ''Este Williams no puede retener nada en la cabeza. Todo lo tiene que consultar con la libreta''. Desde luego, las preguntas que hacía mi padre eran tan arbitrarias que para contestárselas se habrían necesitado veinte libretas. Preguntaba:
— Dígame, Williams, ¿qué resultados obtuvimos el año pasado en el Perú?

Williams decía:

— Tendría que averiguarlo. Nuestra filial en el Perú es muy pequeña. Simplemente, no sé cómo nos fue.

— No importa. Tomemos una compañía más grande. La brasileña, por ejemplo. Hacemos buen negocio en el Brasil ¿no es verdad?

William volvía a su oficina y reunía a sus asistentes, todos viejos veteranos que realmente conocían el negocio, y les decía:

— Agreguémosle a mi libreta una sección que dé los resultados de las operaciones de cada una de nuestras filiales en el exterior.

Operábamos en cerca de ochenta países, de modo que eso significaba muchas páginas nuevas, todas en letra menudita. Pero la próxima vez que iba a hablar con mi padre, a éste se le ocurría otra cosa distinta:

— Señor Williams, ¿qué me dice usted del platino? ¿Nosotros usamos platino? Veo que está subiendo un poco. ¡Debiera usted tener las cifras!

La libreta llegó a tener 400 páginas — tan gorda que Al no la podía llevar en el bolsillo. Al sudaba con facilidad, y en la oficina de mi padre las manos se le humedecían de tal modo que necesitaba un pañuelo para poder abrir la puerta a la salida.

Lo mismo que Williams, algunos de los que recibían las palmaditas o puntapiés de mi papá eran ejecutivos muy capaces. Con mucha frecuencia él andaba de viaje o estaba ocupado con compromisos externos, así que durante semanas enteras la IBM andaba sola, lo cual quiere decir que los vicepresidentes y los jefes de departamento tomaban las decisiones que había que tomar y realizaban el trabajo. Y, sin embargo, excepción hecha de Al y de uno o dos más, era raro que en presencia de mi padre esos ejecutivos expresaran su propio pensamiento. Cada vez me convencía más de que el estilo de mi papá silenciaba a muchas personas.

A mí, él nunca trató de enseñarme formalmente el negocio. Cuando pasaba un tiempo con él siempre aprendía algo, pero no podría haber acercado mi silla a su escritorio, como lo hacía con Kirk, porque no se necesitaba mucho para que riñéramos. Por lo general, yo permanecía en mi propia oficina en el piso dieciséis de nuestra sede en Madison Avenue, y si él me necesitaba, me llamaba. Su despacho estaba un piso más arriba, en el diecisiete; cerca de mi escritorio había un zumbador, y al salir de la puerta una escalera. Mi padre era totalmente impredecible. Cuando sonaba el zumbador, yo no sabía si me iba a recibir diciéndome "Hijo, te quiero presentar al señor Alfred P. Sloan", o "Tom, estoy muy descontento de la marcha de los negocios al oeste del Misisipí".

Su método consistía en darme cada vez más libertad para que tomara decisiones por mi cuenta, y, al mismo tiempo, hacerme pelear por cualquier cosa que requiriera su aprobación. Yo tenía que ir a su oficina a tratar de convencerlo, y casi siempre esto terminaba en una disputa. Yo sabía que me estaba poniendo a prueba, templándome para que fuera asimilando los procesos de pensamiento que a él le habían dado tantos triunfos. Esto no hacía que sus métodos fueran más fáciles de aceptar: criticaba casi todo lo que yo hacía. A veces me parecía que no había ningún detalle de mi trabajo, ni siquiera el más pequeño, que escapara a su escrutinio. Por ejemplo, cuando me salí de la oficina de Kirk me asignaron una bonita secretaria llamada Claudia Pequin. Una vez que nos quedamos trabajando hasta tarde, mi padre llamó a la puerta de mi oficina, que estaba muy caliente. Habíamos permanecido allí bastante tiempo, de modo que cuando le abrí la puerta seguramente sintió un fuerte aroma de perfume. Dejó pasar varios días (con frecuencia dejaba pasar un tiempo para obtener un efecto más dramático) y luego un día me dijo: "Debes saber, Tom, que entre un hombre y su secretaria se crea una relación especial. Yo siempre he tenido secretarios varones. No es que esté sugiriendo que hayas hecho nada malo, pero en el curso de los negocios uno a veces tiene que viajar con su secretaria, por ejemplo, y *las apariencias* se pueden prestar a malas interpretaciones". Dio la coincidencia que, poco después, la señorita Pequin se retiró de la IBM para estudiar en la Universidad McGill. Yo pedí que como reemplazo me mandaran un secretario varón.

Mi padre me enseñaba, pero no estaba aún dispuesto a ascenderme. El cargo de Kirk se lo dio a George Phillips — el viejo George Phillips que había sido mi ayo y me había enseñado a disparar una escopeta. Esto no me molestó al principio porque

Phillips, aunque muy devoto de mi papá, no era hombre de administración, y con él en ese puesto, la organización se acostumbró a que yo probablemente ascendería. Pero ocurría que, después de habernos puesto totalmente de acuerdo sobre algún asunto, Phillips iba a hablar con mi padre, y si mi padre no aprobaba, lo trataba como lo había tratado cuando era su secretario: "¡Phillips! ¡Cómo puede haber aceptado semejante cosa! Usted sabe que eso no está bien". Phillips inmediatamente echaba pie atrás (entonces no había manera de convencerlo de que mi padre no era infalible) y yo quedaba frustrado.

Yo estaba empeñado en una atropellada carrera por triunfar, y pronto asumí el papel de vicepresidente de ventas, a pesar de que esa función le correspondía normalmente a otro. A los que conocían a ese otro no les sorprendió que yo pudiera hacer tal cosa. Era un buen hombre pero tímido y de carácter débil, lo que trataba de disimular adulando a mi padre y dándose ínfulas. Fue el primer empleado graduado en Harvard que tuvo la IBM. Mi padre lo contrató porque era hijo de un amigo suyo de Short Hills y pensó que realzaba tanto la imagen de la empresa que más adelante lo hizo miembro de la junta directiva. Pero todos los demás ejecutivos sabían que el tipo realmente no daba la medida.

Me parecía perfectamente natural entenderme con la fuerza vendedora porque ésa era el área más significativa para mi padre. Tal como él lo había hecho siempre, viajé mucho y pasé largas semanas inspeccionando oficinas, visitando clientes, encomiando y animando a los vendedores. Nuestra gran expansión significaba que había que resolver centenares de problemas ordinarios. Recuerdo un viaje que hice con Phillips al Oeste Medio para visitar la pequeña y atribulada oficina que teníamos en Pierre, Dakota del Sur. Esta era una de las que habíamos inaugurado cuando mi padre resolvió que debíamos tener representación en todas las capitales de los Estados. Pierre en sí es una ciudad pequeña — pasamos una mañana cazando faisanes de collar en un campo situado a no más de cinco kilómetros del centro de la población. La idea de mi padre para que oficinas pequeñas como ésta tuvieran éxito era nombrar "hombres triples" que vendieran productos de nuestras tres divisiones: relojes registradores, máquinas tabuladoras y máquinas de escribir.

Pero la oficina arrojaba pérdidas y vi que ese sistema no podía dar buen resultado porque los productos eran demasiado distintos para que un mismo vendedor los pudiera manejar todos. Me quejé de esto a Phillips, pero luego resolví no insistir. Era preferible que mi padre abriera unas pocas oficinas que más tarde tendría que cerrar, a que no abriera nunca oficinas nuevas.

Un cambio que sí impuse fue designar empleados de enlace como representantes visibles de la IBM en las ciudades donde teníamos múltiples operaciones. En lugares como Chicago teníamos una oficina que les vendía a los bancos, otra a las dependencias del gobierno, otra a los negocios pequeños, etc. Esto permitía refinar los argumentos de ventas, pero, por otra parte, creaba problemas laborales porque no había uniformidad en cosas tan fundamentales como los sueldos. En un mismo edificio podían funcionar tres oficinas de la IBM, las mecanógrafas se encontraban en el ascensor, conversaban y descubrían que en las distintas oficinas se pagaban sueldos distintos. Los empleados de enlace, por lo general viejos gerentes que ya querían un trabajo menos arduo, ayudaban a ajustar estas discrepancias.

La parte de mi trabajo que más me gustaba era buscar y escoger empleados. En el vértigo de actividad de la postguerra los ascensos eran rápidos. Constantemente nombrábamos nuevos gerentes de sucursal y de distrito, asistentes de gerencia y otros. Muchos de estos cargos se les daban a jóvenes que regresaban de la guerra, y el promedio de edad de los funcionarios de la IBM bajó pronto a menos de cuarenta años. Yo no tenía pelos en la lengua para decir quién debía ser ascendido, y nunca dudé de mi capacidad para tomar decisiones rápidas en cuestiones de personal, sin equivocarme. De mi profundidad intelectual no estaba seguro, pero sí creía tener sentido común. Si encontraba personas que me parecían capaces de contribuir mucho al negocio, las aguijoneaba para que siguieran adelante; y esto lo hacía con una seguridad que sorprendía a los que sabían cuál había sido mi modo de ser antes de caer bajo la influencia del general Bradley. Uno de los sorprendidos fue, sin duda, Vin Learson, quien más adelante me reemplazó como presidente de la junta directiva de la IBM. En 1947 Vin era apenas gerente de sucursal, encargado de nuestra oficina de Filadelfia; pero era un hombre de gran fuerza, y tenía una hoja de vida sobresaliente, y yo pensaba promoverlo. Entonces recibí una carta de un individuo que me decía que le había tomado en arrendamiento a Learson una casa, y que Learson le iba a entablar una demanda. El pleito era por los costos de reparación de daños causados por un tubo del agua que se rompió, o cosa por el estilo. Llamé a Learson, le enseñé la carta y le dije: "Fije su mira más alta. Usted es un hombre muy capaz y va a llegar a la cumbre en esta compañía. No se enrede en cosas mezquinas, cuando todo el mundo se va a enterar de que anda mezclado en un pleito por dos mil dólares". Learson se limitó a asentir con la cabeza. No se volvió a hablar de la demanda, y al año siguiente fue encargado de un distrito de ventas.

Recuerdo la primera vez que luché por evitar que renunciara un empleado. Era Birkenstock, el compinche de Kirk a quien mi padre había ascendido pasando por encima de muchos otros. Fue a verme poco después de la muerte de Kirk, cuando las cosas no marchaban bien para él. No había podido con el cargo de gerente general de ventas, e incluso antes de morir Kirk había sido degradado a dirigir un departamento de investigación de mercados denominado Demandas Futuras. Sabía que Kirk y yo habíamos sido rivales, y estoy seguro de que esperaba que yo sería implacable con él. Pero la verdad es que yo lo consideraba meritorio por muchos aspectos. Hasta era más inteligente que Kirk, mejor sintonizado con el mundo exterior y capaz de pensar y llegar al fondo de una cuestión. Se lo hubiera dicho si me hubiera dejado hablar. Pero apenas llegó a mi oficina empezó a decir cosas como ésta:

— Para mí ya no hay nada aquí; perdí mi empleo de gerente general de ventas, y todo lo que hago ahora es hacer que trabajo . . .

No me gustó ese tono y me olvidé del elogio. Le dije:

— Parece que usted no tiene mucha confianza en sí mismo. Si su gran padrino estuviera vivo, la vida de usted sería muy cómoda. Pero lo perdió, y de pronto se encuentra solo. ¿Ahora quiere que todos lo tengan por un cobarde? Si usted es capaz, saldrá adelante conmigo, o con mi padre, o con cualquiera, ¡no sólo con Kirk! Ahora, si cree que yo no soy justo, debe renunciar; pero si no, debe seguir en la compañía porque aquí es donde están las oportunidades.

— ¿Eso significa que puedo seguir aquí sin que me persigan? — dijo.

Si un hombre no tenía voluntad para luchar por sí mismo, yo no quería trabajar con él, ni me parecía que debía estar en la compañía. Yo detestaba la atmósfera de adulación de que mi padre se había rodeado. Tenía gente pendiente de sus labios como si fuera el Mesías. Me parecía que esa atmósfera atrofiaba a los ejecutivos de la IBM, pues cuanto más alto subía un hombre, menos podía hacer uso de su propio sentido común. Desde mis días de vendedor tenía una buena idea en cuanto a quiénes eran los incondicionales de mi padre y a la menor provocación les cargaba la mano.

Yo tenía razón la mayor parte del tiempo, pero de vez en cuando me equivocaba de medio a medio. Por ejemplo, a principios de 1948 cometí un error gravísimo. Mi padre me reclamaba porque, según él, los mecánicos que hacían las reparaciones de nuestras máquinas pasaban demasiado tiempo en lo que llamábamos "inspecciones". Esto significaba examinar los equipos en el terreno aun cuando estuvieran funcionando perfectamente bien. Hoy esto se llamaría mantenimiento preventivo, y yo era partidario de que se hiciera, mientras que mi padre decía que eso era "arreglar cosas que no estaban dañadas", y nos cruzamos palabras un poco fuertes al respecto. Entonces mi padre resolvió pedirle su opinión a J. J. Kenney, que estaba encargado de la promoción de ventas. El pobre Jack Kenney no sabía nada de reparaciones, y era tan poco hábil para manejar herramientas que no sería capaz de meter un tornillo derecho. Pero había trabajado largo tiempo al lado de mi padre, y yo me figuré que automáticamente convendría en que se redujeran las inspecciones. Lo esperé cerca de su oficina apenas salió de hablar con mi padre. "Dígame — le pregunté —: ¿Tocaron el tema de las inspecciones?" Contestó que sí, y entonces yo estallé. Lo acusé de ser un servil del viejo. Estaba yo tan exaltado que poco faltó para que lo llamara un cobarde, pero no me dio tiempo porque se marchó y renunció. Comprendí que me había excedido. Kenney era un hombre superior que había empezado como mandadero en la oficina y había ido ascendiendo por sus méritos, y mi padre se iba a poner furioso si lo perdíamos. Para colmo de males, esa misma tarde me enteré de que Kenney no había estado de acuerdo con mi padre; por el contrario, se presentó en su despacho con un catálogo para usuarios de automóvil, y se valió de él para mostrarle cómo un automóvil necesita mantenimiento constante, a pesar de ser una máquina mucho menos complicada que las máquinas IBM, de suerte que era de presumir que éstas también lo necesitaran. A la mañana siguiente mandé a un empleado a que lo fuera a encontrar a la estación para pedirle que retirara su renuncia y cuando llegó a la oficina fui personalmente a verlo. Durante dos horas le presenté excusas y le rogué; él me escuchó hasta que se convenció de que me había dado una buena lección. Entonces aceptó quedarse.

Habría cometido otras equivocaciones como ésa si no hubiera sido por el buen consejo de un ejecutivo llamado Red LaMotte, a quien conocía desde niño. No quedaban muchos veteranos que se atrevieran a hablar claro, pero LaMotte era impertérrito. Por lo que más lo conocían en la IBM era por haber conseguido el enorme contrato con Seguros Sociales en los años 30, pero yo pensaba en él como el único hombre que le hizo a mi padre lo que J. J. Kenney me acababa de hacer a mí. Eso fue en los años 20. Mi padre le había estado reclamando duramente por no haber hecho cierta venta. Finalmente, LaMotte le dijo con la mayor dignidad: "Señor Watson, francamente no creo que podamos seguir trabajando juntos. Muchas gracias". Y se fue para Grammercy Park, donde él y su esposa tenían un hermoso apartamento. A las pocas horas, mi padre estaba llamando a su puerta. Red y su señora le recibieron el abrigo y el hongo cortésmente, y lo invitaron a tomar asiento como si no tuvieran ni idea del motivo de su visita. Estando LaMotte presente en la sala, mi padre se dirigió a su esposa y dijo: "Lois, yo cometí un error grave, y necesito la ayuda de usted. Red es una de las personas con quienes yo cuento para que la IBM marche. El renunció, y yo vengo a presentarle excusas y a asegurarme de que podré seguir contando con él". Mi padre era demasiado orgulloso para decir abiertamente "perdóneme", pero, de todos modos, Red tuvo la generosidad de aceptar las excusas. Era un hombre muy capaz y, por otra parte, su mujer era hija de un miembro de la junta directiva. Entre toda la gente de la IBM, él era quizás el único que se movía en los mismos círculos sociales de mi padre. Pertenecía a una familia aristocrática, salía de caza a caballo con jauría, asistía a la ópera y era socio de muchos de los mismos clubs de T. J. Conocía a todo el mundo en la IBM, jóvenes o viejos, y tenía una visión humana y equilibrada del carácter, que me fue sumamente útil. Creo que mi padre vivía un poquito resentido con él. Después de la reconciliación convinieron en que LaMotte dirigiría la oficina de Washington, lo que les permitió trabajar lejos el uno del otro.

Otro de los hombres de mi padre con quien pronto pude contar fue Al Williams, a quien admiraba por su extracción humilde, igual a la de mi padre. Su padre había sido jefe de sección de una mina de carbón, de la cual lo despidieron y lo ficharon durante la Depresión por haberse puesto de parte de los mineros. En la época en que mi padre se hacía famoso como el hombre mejor pagado de los Estados Unidos, el hombre de los mil dólares diarios, Al, que estudiaba en una escuela de contaduría, vio esas historias en los periódicos y se dijo: "Ah, en esa compañía pagan buen dinero. Allá es donde yo quiero trabajar". Cuando yo regresé de la guerra, él llevaba cinco años trabajando en la compañía, y todos estaban de acuerdo en que era sobresaliente. Su oficina quedaba en el pasillo, enfrente de la mía. En vez de parecer un muchacho salido de un pueblecito montañero de Pensilvania, Al parecía que se hubiera graduado en Yale. Le pregunté cómo había hecho para refinarse tanto y se abrió conmigo: "Yo descubrí que la gente que yo admiraba compraba su ropa en Brooks Brothers, y empecé yo también a comprar allí la mía. Observé que carecía de facilidad para conversar en una comida elegante, de modo que resolví leer a los clásicos". Además de trabajar largas horas con gran asiduidad, se esforzaba por compensar el no haber asistido a una universidad. Había dispuesto su jornada de manera que se levantaba a las siete de la mañana, jugaba al tenis de las siete y media a las ocho y media para mantenerse en forma, llegaba a tiempo a la oficina, hacía su trabajo, regresaba a su casa, leía libros estupendos durante una hora, cenaba, escuchaba música clásica un rato y luego se acostaba.

Al se exigía a sí mismo mucho más que yo. Yo sabía que la admiración por mi padre era lo que lo había llevado a la IBM, y me agradaba, y al mismo tiempo me sorprendía que me tomara en serio. Yo nunca estaba seguro de que las personas a quienes respetaba me tomaran en serio una vez que me conocieran. Pero Al y yo hacíamos una buena pareja. El era un hombre perfectamente disciplinado, ordenado y un poco cauteloso; yo era innovador, muy motivado y nada prudente. Con su grado de contador público juramentado y su sentido financiero, Al llenaba un gran vacío en mis propios conocimientos. Nunca pretendí entender el dinero, y, al principio, ni siquiera distinguía entre dos partidas que representaban deuda y patrimonio en el balance general de la compañía. Pero nunca me dio vergüenza hacerle preguntas a Al, y las respuestas que me daba eran como si vinieran de lo alto. Con Williams, con LaMotte y con algunos pocos más, en esos tempranos días, organicé mi propio equipo.

# CAPITULO 16

Mi padre era famoso por tener el artículo más largo en el *Quién es Quién* — 42 centímetros, en letra menuda, de clubs, asociaciones, fundaciones, títulos honoríficos y condecoraciones. Dudo que muchas otras personas hayan superado eso; yo, ciertamente no. Para conducir a la IBM sólo necesitaba la mitad de su tiempo; el resto lo dedicaba a la vida pública, extendiendo constantemente su influencia al servicio de la paz mundial, de la IBM . . . y de T. J. Watson. Ya era él en la realidad la eminencia que yo me imaginaba en mi niñez, pese a lo cual nunca dejó de hacerles la corte a los grandes personajes, como J. Edgar Hoover, por ejemplo, el director del FBI. Tuve ocasión de ver, hace unos años, el archivo que tenía del FBI, y que se componía principalmente de su correspondencia con el director. No pude contener la risa. Bombardeaba a Hoover con cumplidos — porque lo había condecorado el rey Jorge, porque le habían dado un grado honorífico, hasta por haber sido nombrado en 1950 "el Hermano Mayor del Año" por una asociación de caridad para muchachos. En sus ratos libres estudiaba los periódicos buscando pretexto para enviarles telegramas a personas distinguidas, a algunas de las cuales todavía no conocía personalmente, para felicitarlas por alguna cosa que hubieran realizado. También les enviaba ejemplares de las publicaciones de la IBM en que se hiciera referencia a ellas. Todo esto era pura técnica de ventas, por supuesto, y mi padre la practicó hasta el día de su muerte.

Sin embargo, la mayoría de sus realizaciones en la vida pública fueron mucho más serias, motivadas por un interés sincero en el bien de la humanidad. La Organización de las Naciones Unidas fue su pasión. Creía que tendría éxito donde habían fracasado la Liga de las Naciones y la Cámara Internacional de Comercio, y apenas terminó la Segunda Guerra Mundial se dedicó a hacer campaña por la Paz Mundial por el Comercio Mundial. "Cuando haya un adecuado flujo de bienes a través de las fronteras", dijo, "los soldados no tendrán necesidad de cruzarlas". En uno de sus editoriales más memorables en la revista *Think* llamó la sesión de apertura de la ONU "el primer día de escuela" para la humanidad y dijo: "Todos, en todas partes, deben entender que ésta es la reunión internacional más importante de la historia".

A pesar de que nunca desempeñó ningún cargo oficial en la ONU, estadistas y diplomáticos acudieron a él durante muchos años en busca de consejo y de su increíble capacidad para ver que las cosas se hicieran. Constantemente presidía recepciones y banquetes para miembros de la comunidad internacional, y la plana mayor de la IBM con mucha frecuencia se ocupaba en asuntos de la ONU — desde organizar programas de educación pública hasta reservar palcos en la ópera y butacas en los teatros de comedias musicales de Broadway para dignatarios visitantes. Trygve Lie y Dag Hammarskjöld, los dos primeros secretarios generales, iban a ver a mi padre en su oficina de la IBM, y en 1946 el mismo Winston Churchill lo buscó. Se encontraron en la Florida. Mi padre estaba disfrutando de vacaciones y Churchill iba camino de Missouri donde pronunció el gran discurso en que declaró: "Una cortina de hierro descendió sobre el continente".

Así como había sido tan asiduo colaborador del presidente Roosevelt, mi padre se mantuvo alejado de la Casa Blanca cuando Truman sucedió a aquél. El y Truman tenían mucho en común — su origen en un pobre ambiente rural, una fuerte y simple filosofía sobre el valor del trabajo, la honradez, etc. —, pero yo creo que, para mi padre, Truman y sus rudos amigos de Missouri representaban un paso atrás para el país. Lo respetaba, como lo exigía su alta investidura, pero, lo mismo que la gran mayoría del público, no creía que pudiera sobrevivir a las elecciones de 1948, e incluso después del triunfo aplastante de Truman sobre Tom Dewey, se mantuvo a distancia. En cambio, los demás miembros de la familia nos llevábamos muy bien con los Trumans. Mi hermana Jane había conocido a Margaret Truman a fines de la guerra y se hicieron amigas. Cuando Jane se casó, en 1949, Margaret le dio una cena de despedida de soltera y le sirvió de dama de honor. Mi hermano, que estaba terminando su último año en Yale después de haber regresado de la guerra, también era amigo de Margaret. Las columnas de vida social chismorrearon mucho porque Dick la acompañaba a la ópera en Nueva York o iba a visitarla a Washington los fines de semana, pero no había en ello nada serio.

Durante los años de Truman mi padre cultivó la amistad del único norteamericano a quien consideraba tan grande como Roosevelt: Dwight Eisenhower. En 1946 todo el mundo sabía que Eisenhower no estaba contento como jefe de estado mayor, y los hombres más poderosos competían por ganarse su atención. Los financistas le ofrecían compañías para que las dirigiera, y tanto en el Partido Demócrata como en el Republicano, muchos lo consideraban un buen candidato a la presidencia, si bien nadie sabía cuál era su filiación política. En efecto, muerto el presidente Roosevelt, Eleanor Roosevelt y sus hijos trataron de candidatizarlo como demócrata, y el mismo Truman ofreció apoyarlo. Eisenhower declinó todas las ofertas. No quería entrar en los negocios, y en cuanto a la política, declaró que no le parecía bien que un soldado de carrera ocupara una alta posición oficial.

Mi padre había sido presentado al general inmediatamente después de la guerra, y realmente se entendieron a las mil maravillas. A Eisenhower le gustaban los hombres de negocios, y su optimismo con respecto al futuro del país era muy parecido al de mi padre, quien, por otra parte, entendía algo que los demás todavía no habían descubierto en el carácter del general: Eisenhower era ambicioso, si bien su ambición no era nada vulgar: buscaba la mejor manera de pagar la gran deuda de gratitud que creía haber contraído con la patria. Había empezado como un muchacho pobre en Kansas y había subido hasta ser un héroe y el comandante supremo de todas las fuerzas de los Aliados en Europa. Quería llevar al mundo entero la paz y el estilo de vida norteamericana, pero no sabía cómo hacerlo.

Aquí es donde entra mi padre. El le proporcionó la transición a la vida civil haciéndolo nombrar rector de la Universidad de Columbia. Mi padre era un gran benefactor de Columbia y presidía su junta de síndicos. A fines de la guerra, el gran rector de la Universidad, Nicholas Murray Butler, estaba ya muy anciano. La mayoría de la junta buscaba otro educador para que lo sucediera. Mi padre no disentía de esa idea, pero le pareció que el general Eisenhower podía aportar más al prestigio de Columbia que cualquier educador profesional.

Así, pues, convenció a los demás síndicos de que lo autorizaran para ir al Pentágono a ofrecerle el cargo. Le dijo:

— Usted es un gran héroe y yo represento a una gran universidad. Queremos que sea su rector.

— Usted se equivocó de Eisenhower — le contestó el general —. Con el que debe hablar es con mi hermano Milton.

En ese tiempo, el hermano del general era rector de la Universidad del Estado de Kansas. Mi padre siguió insistiendo durante todo un año, y, al fin, en la primavera de 1947, Eisenhower aceptó. Entre él y mi padre dirigieron la Universidad hasta que Eisenhower se retiró, tres años después, para encabezar la OTAN. Llamaba a mi padre su "socio" en Columbia, y, en realidad, aprendió mucho de él. Con su ayuda y la de otros distinguidos hombres de negocios como Phil Reed de la General Electric y William Robinson de Coca-Cola y del *Herald Tribune* de Nueva York, Eisenhower ingresó en los clubs de prestigio y en las comisiones que le convenían, y aprendió cuáles invitaciones sociales debía aceptar y cuáles declinar. Más tarde, cuando el general entró en el Partido Republicano, mi padre se hizo a un lado porque era un demócrata leal. Pero probablemente hizo como el que más para preparar a Eisenhower para la Casa Blanca.

Aunque yo no me hacía ilusiones en cuanto a igualar a mi padre, sí quería prepararme para representar a la IBM ante el mundo. Creía firmemente en la idea que él me había infundido desde la niñez, que lo que hace un ejecutivo por fuera del negocio es tan importante como lo que hace en su escritorio. Así, pues, me dediqué a establecer mi reputación haciendo obras de caridad y cultivando amistades fuera del negocio. Después de la guerra, mi padre se encargó de que no me faltaran oportunidades — cosas adecuadas a mis modestas capacidades y a mi modesto bolsillo. Por ejemplo, recibí la visita de Roy Larsen, presidente de Time Inc., para pedirme que prestara mis servicios a la campaña del Fondo Unido de la ciudad de Nueva York, que él presidía.

Mi primer impulso fue decirle: "¿Por qué? Yo no vivo en Nueva York". Pero inmediatamente reflexioné: "Este es un hombre eminente, de edad intermedia entre mi padre y yo. Trabajando con él puedo aprender algo. Conoceré a otras personas importantes que contribuyen a la campaña". Y así ocurrió, efectivamente. En los años siguientes fui invitado a formar parte del Consejo de Boy Scouts del área metropolitana de Nueva York, que posteriormente llegué a presidir, y de la Asociación de las Naciones Unidas, para promover la ONU en los Estados Unidos.

Era muy fácil para mí ingresar en estas entidades porque era el hijo de T. J. Watson, pero no me era tan fácil comportarme adecuadamente en aquellas juntas. Mi padre florecía cuando veía al público. Yo lo vi actuar muchas veces en reuniones y banquetes en Nueva York. Se levantaba de su puesto, recorría el salón, se acercaba a todas las mesas en las que viera a algún conocido, les estrechaba la mano a todos, y especialmente — aunque él estuviera en el estrado — iba a la mesa de la IBM a saludar a los asistentes y a sus esposas. En una sola noche no era raro que saludara a cuatrocientas personas. Yo era distinto. A mí no me gustaba asistir a banquetes, ni pronunciar discursos, ni hablar cosas banales en un cóctel . . . además, era un inepto para ello. Pero aun cuando no me gustara la reunión a que asistía, siempre regresaba a casa con una libreta llena de nombres. Un buen hombre de negocios necesita muchos amigos. Cultivarlos es un proceso laborioso, y el éxito que se tenga es el resultado directo del esfuerzo y de la reflexión que uno aporte a ello. Cuando me presentaban a un personaje nuevo, le mandaba una nota en que le decía cuánto me había complacido conocerlo. Si él había expresado interés en determinado tema sobre el cual yo tenía un buen libro, le enviaba un ejemplar. Gestos como éstos los recuerda la gente durante años. Llevaba un archivo para cada persona a quien acababa de conocer, para que mi flaca memoria no me perjudicara. Apuntaba su nombre, la dirección, el teléfono, el nombre del cónyuge y otros datos. Siempre anotaba dónde nos habíamos conocido y la especialidad o intereses de la persona.

Cuanto más circulaba, más disminuía mi cortedad y más aumentaba mi conocimiento de las sutilezas del trato social. A veces estas lecciones venían por caminos inesperados. Cierta vez, en Nueva York me tocó sentarme al lado del gobernador

Tom Dewey, en un almuerzo de Boy Scouts. Le estiré la mano y me presenté:

— Soy Tom Watson, hijo.

El sonrió y me dijo:

— Le hace usted un verdadero favor a la persona con quien inicia una conversación en esa forma, en lugar de decir "¿Cómo está, gobernador Dewey?", como hacen muchos que me dejan tratando de adivinar quién es el que me saluda. Observe lo que va a ocurrir en este almuerzo. Alguien se me va a acercar a decirme "¡Hola, Tom! Mary le manda muchos saludos". Yo no tengo ni la menor idea de quién es él ni quién es Mary y debo quedar como un tonto.

Pensé que tal vez me estaba tomando el pelo, pero no había pasado mucho tiempo cuando un individuo se acercó y le dijo:

— ¡Hola, señor gobernador! ¡A que no se acuerda de mí!

Esto se repitió a cada rato durante ese almuerzo. Yo siempre tengo el cuidado de dar mi nombre cuando hablo con personas que no me conocen bien.

Curiosamente, más difícil fue entrar en la sociedad de Greenwich, Connecticut, que a la de Nueva York. Olive y yo estábamos acostumbrados a la vida del ejército, y aun cuando los puestos militares puedan ser rudos y reconcentrados en sí mismos, tienen costumbres muy agradables para hacer que los recién llegados se sientan como en su casa. Cuando uno llega a una nueva base, los vecinos van a hacerle "visitas de llegada" para darle la bienvenida, contarle cómo es el comandante, cuáles son las tiendas buenas, etc. No sabíamos que en Greenwich es todo lo contrario. Uno se hace socio de los clubs valiéndose de los amigos, si los tiene, pero nadie va a visitarlo. Después de unos pocos meses, Louis y Grace Walker, a quienes habíamos conocido vagamente antes de la guerra, nos apadrinaron y empezamos a recibir invitaciones a cenas y a los clubs campestres. John Bartol, ejecutivo de American Airlines, me llevó al club de inversionistas, donde la conversación sobre el tema del dinero no era más que un pretexto de los hombres de Greenwich para reunirse una vez al mes. En ese club conocí a casi todos los líderes jóvenes de la población; pero, en general, Olive y yo hacíamos una vida más bien retirada.

Al principio nuestro hogar se componía del joven Tom, una nueva nenita preciosa a quien bautizamos Jeannette por mi madre, y la niñera. Nos acomodamos todos en una casa que desde el día que la compramos resultó demasiado estrecha. Después de un par de años tuvimos otra linda hijita, a la que bautizamos Olive, y nos mudamos a una casa más amplia, a la orilla de una laguna en que había cisnes. Los fines de semana los niños y yo remábamos en un bote de inflar, sobrante de guerra. Por diversión, compré un bote de vela usado — el primero que tuve en mi vida — y lo conservaba en un club náutico de la localidad. Se llamaba *Tar Baby;* hacía agua y no era muy marinero, pero no me costó mucho. Lo usé para mis primeros ensayos de regatas marítimas.

Todos los días me movilizaba en el tren para ir por la mañana a la ciudad y regresar por la tarde. El andén de la estación me parecía un lugar interesante: allí compraba el periódico, y como el grupo de mis amigos iba creciendo, siempre había alguien a quien saludar, y todos los días el juego de acertar al punto preciso donde se iba a detener el tren para poder conseguir puesto solo, o cerca de algún conocido. Comprábamos billetes de cincuenta viajes, con los cuales ir a Nueva York costaba menos de un dólar.

Empecé tomando un tren temprano para poder estar en la oficina a las nueve, pero a poco vi que había una manera mejor de hacer las cosas. Los que viajaban en el tren temprano eran abejas trabajadoras — jóvenes que iban ascendiendo y tenían que llegar puntuales al trabajo, mientras que los hombres de negocios más maduros y de mejor posición no tomaban los trenes de las primeras horas. Entonces yo arreglaba, de vez en cuando, mi horario en la IBM de modo que me permitiera viajar más tarde. En esa forma conocí a algunos de los hombres de negocios más influyentes de Nueva York, como Stanley Resor, quien con su esposa había colocado la agencia de anuncios J. Walter Thompson entre las más importantes del mundo. El hombre más valioso para mí en aquellos viajes en tren fue George W. Davison, presidente jubilado de la junta del Central Hanover Bank, que después se convirtió en el Manufacturers Hanover. Mi padre me lo había presentado, y el tiempo que pasé en el tren con él escuchando sus observaciones fue casi tan valioso como el que pasé al lado de mi padre. Me gustó Davison desde el instante en que empezamos a conversar. El primer consejo que me dio versó sobre el tema de la estatura. Davison era alto en sabiduría, alto en conocimientos, alto en su manera de actuar en el mundo, pero físicamente no medía más de un metro con setenta. Me dijo: "En este mundo no hay justicia. No crea que todos los buenos son premiados y todos los malos son castigados. Empecemos por la estatura. Es mucho más fácil tener éxito cuando uno es alto, porque la gente lo nota. Por otra parte", agregó sonriendo, "también sirve ser listo, y yo soy listo".

Davison debió de enterarse por mi padre de mi irascibilidad porque siempre me hablaba de la necesidad de dominarse en los negocios. Me enseñó la expresión: "Lo que uno no ha dicho, lo puede decir en cualquier momento". Todavía la recuerdo cada vez que voy a mandar una carta dura de la cual después me pueda arrepentir. No sigo siempre el consejo de Davison, pero por lo menos lo recuerdo.

Me parecía que en presencia de hombres como Davison tenía que mantenerme muy despierto, y mi padre me dijo que eso me convenía, y agregó: "No hagas amistad con personas que te hagan sentirte cómodo. Busca amigos que te obliguen a superarte". Esto amplió mis horizontes, pero tuve que pasar por algunos momentos bien difíciles. Una noche, en 1949, Davison nos invitó a Olive y a mí a cenar en su casa. Había otras dos parejas de ejecutivos del Central Hanover Bank con sus esposas, y como invitado de honor un español, el almirante Luis de Flores. Este era un individuo muy teatral, de bigote retorcido, que había piloteado en la Primera Guerra Mundial y había inventado diversos instrumentos para aviones. Su último proyecto estaba más de acuerdo con la línea de productos IBM. Había diseñado con su hijo un sistema electrónico de archivos para bibliotecas, y los del Central Hanover habían invertido en él un par de centenares de miles de dólares.

La cena fue agradable, y luego los hombres nos retiramos a la biblioteca a tomar brandy. No bien se había cerrado la puerta cuando los colegas de Davison me cayeron encima. Sostuvieron que de Flores se iba a comer a la IBM con su sistema de archivo. Desde luego, debía ser obvio que las bibliotecas rara vez tienen suficiente dinero para comprar tecnología de fantasía, pero lo que yo pensé fue: "Caramba, nosotros tenemos un presupuesto multimillonario para investigación y desarrollo, y este español nos va a engullir". Al mismo tiempo, me enardecía que Davison permitiera que sus colegas me acosaran así. Cuando fue hora de abandonar la biblioteca para ir a reunirnos con las señoras, dije: "Esperen un momento, caballeros. Les hago una apuesta. Si alguno de ustedes compra mañana tres mil dólares de acciones del almirante de Flores, yo me comprometo a coparlo con tres mil dólares de acciones de la IBM. Esperemos cinco años. Si la IBM sube más que de Flores, yo me quedo con sus acciones; y si de Flores sube más que la IBM, ustedes se quedan con las mías.

Nadie quiso apostar. En el término de un año de Flores era difunto, con lo cual yo descansé, a pesar de que, personalmente, no tenía nada contra él. Dudo que la intención de Davison hubiera sido ponerme en un aprieto, pero el episodio es una ilustración de lo que significa tener aquellos amigos difíciles que mi padre me recomendaba.

Lo curioso es que yo hice mis mejores contactos en el mundo de los negocios, no por intermedio de mi padre sino del viejo Fred Nichol, que fue su mano derecha antes de Charley Kirk. Cuando Fred se retiró, había arreglado las cosas para que yo ocupara su lugar en una organización que se llamaba Sociedad Americana de Ejecutivos de Ventas (ASSE). No era muy conocida, pero sí ejercía una influencia enorme en muchos negocios, y cuando me di cuenta de ello, resolví asistir sin falta a sus reuniones. Los socios eran veteranos de unas treinta compañías, escogidos de tal modo que cada uno fuera el representante único de su industria. Había un individuo de la del acero, uno de Heinz, uno de drogas y uno de relojes, de la Hamilton Watch Company. Otros representaban bienes raíces, seguros de vida, tabaco y pintura. Entre ellos figuraba el jefe de la embotelladora Coca-Cola en Chattanooga, lo mismo que Pat Patterson de United Airlines, H. W. Hoover de la compañía de aspiradoras, King Woodbridge de Dictaphone y Paul Hoffman de Studebaker hasta que Truman lo llamó a dirigir el Plan Marshall. Estos hombres se reunían dos veces al año y confesaban todos sus pecados de negocios.

El formato era sencillo: La reunión empezaba con una exposición por extenso — uno de los socios se levantaba y contaba la historia de su compañía. Esto se hacía en forma rotativa, de modo que a cada compañía le tocaba el turno más o menos cada cinco años. Luego cada socio, en orden alfabético, informaba en quince o veinte minutos sobre el estado de su negocio. Aprendí sobre dirigir vendedores, más de lo que cien escuelas de negocios me hubieran podido enseñar — consejos para contratar, maneras de establecer incentivos, errores que hay que evitar, etc.

Muchos de los socios tenían la misma edad de mi padre. Pasé mucho tiempo escuchando a Al Fuller, el empresario que fundó la Fuller Brush Company. Me contó que había empezado como conductor de tranvías en Hartford. Todas las noches al terminar la jornada tenía las uñas tan llenas de mugre que no se las podía limpiar, y entonces él y su mujer se pusieron a hacer cepillos para experimentar. Al fin inventaron una máquina capaz de hacer un cepillo de cerdas de marrano aseguradas con alambre. Sobre esa base y el nuevo concepto de ventas puerta a puerta desarrollaron un gran negocio y una gran fortuna.

Los hombres de edad seguían dominando en la ASSE, pero la nueva generación empezaba a surgir, y encontré un par de hombres de mi edad que se convirtieron en amigos míos para toda la vida. El primero fue Bob Galvin, quien tomó a Motorola de su padre, el fundador, cuando todavía era una pequeña fábrica de radios para automóvil e hizo de ella un gigante electrónico. Otro amigo fue Charles Percy, conocido entonces como el niño prodigio que dirigía a Bell & Howell y que más tarde fue senador de los Estados Unidos. Lo que más me gustaba en la ASSE era que los demás me veían a mí como una persona distinta de mi padre y les merecía por tanto cierto respeto. Todo el mundo sabía que la IBM iba viento en popa, y cuando se hablaba, digamos, sobre una tendencia en materia de prestaciones sociales, no faltaba quien preguntara: "¿Qué han hecho ustedes sobre esto, Tom?" Yo me quedaba charlando con estos hombres hasta muy entrada la noche. Quería estar en capacidad de venderles equipos IBM a todas las empresas, y para ello trataba de aprender hasta los menores detalles de cada industria y de la cultura de cada compañía. Regresaba a la IBM lleno de ideas, y nunca revelé de dónde me venía la inspiración.

Llevaba yo varios años trabajando en la IBM cuando mi padre

consideró que ya estaba preparado para formar parte del Consejo Asesor de Negocios, y arregló las cosas para que yo ocupara el puesto de él en 1951. Este era un gran cumplido público y era su manera de informar al mundo que tenía confianza en mí; pero, valga la verdad, yo aprendí más en la ASSE. El Consejo Asesor de Negocios era una entidad federal creada en tiempos del New Deal, y lo organizó Daniel Roper, el primer secretario de Comercio de Roosevelt, para tratar de obtener la colaboración de los más importantes hombres de negocios. En los años 50, ya no tenía mucho que hacer ese Consejo, pero sí era el foro más prestigioso de hombres de negocios en los Estados Unidos y representaba una enorme concentración de poder.

Mi padre preparó la invitación sin mi conocimiento. En un banquete me encontré sentado al lado del presidente del Consejo, John Collyer, de B. F. Goodrich, quien me preguntó si sabía algo acerca de esa entidad, y yo le dije que no. Esto debió parecerle una respuesta tonta pues todo el mundo estaba enterado de las empresas del Consejo, según supe después; pero Collyer me explicó con mucha paciencia lo que era y me preguntó si me gustaría ser miembro. Por lo menos, tuve el buen sentido de decir que me sentiría muy honrado.

Era un gran privilegio, pero también una angustia para mí. Todos los años el Consejo se reunía unas dos veces en Homestead, un hotel de lujo de Hot Springs, Virginia. Las reuniones empezaban con una cena de corbata negra, y todos llevaban a sus esposas. Olive y yo éramos los más jóvenes. Nos estábamos en la habitación preguntándonos a qué hora sería oportuno bajar para el cóctel y estudiando un librito que nos daban, tratando de aprendernos de memoria nombres y caras.

Recuerdo que me desconcertó una escena que presencié en la primera cena. Uno de los miembros era un poderoso empresario de ferrocarriles del Oeste, y durante la hora del cóctel se tomó unos cuantos tragos. Luego, al dirigirse al comedor, cruzando el salón de baile con su pequeña esposa, cayó de bruces, cuan largo era. Todo el mundo se alarmó, pero resulta que era una prueba que sabía hacer — arqueando el cuerpo ligeramente y volviendo la cabeza para no matarse al caer. Se puso en pie otra vez y todo el mundo rió a carcajadas y aplaudió. Entonces él repitió la prueba una y otra vez. Quedó cubierto de polvo del piso. A mí, francamente, me chocó ver semejante bufonada hecha por uno de los líderes de negocios del país.

La mayoría de las personas que nos presentaban se mostraban un poco frías con nosotros. Por una parte, sabían que éramos demócratas, y los grandes negocios eran todavía tan abrumadoramente republicanos como lo habían sido en los días de Franklin Roosevelt. Por otra parte, yo aún no era el jefe de la IBM y muchos pensarían que mi padre me había llevado allí prematuramente. Más de una vez me sentí tan fuera de lugar que le propuse a Olive que regresáramos a Nueva York. Lo hice sabiendo que ella me persuadiría de que me quedara, por el bien de la IBM.

# CAPITULO 17

Cuando empecé a destacarme, mi padre empezó a incomodarse. Quería convertirme en la cabeza de la IBM, pero no quería compartir el papel de primer actor; de ahí que su actitud para conmigo fuera contradictoria. Cuando yo no estaba presente les decía a todos que yo tenía madera para grandes cosas y que, sin duda ninguna, llegaría a dirigir la compañía; pero cuando me veía realizar alguna cosa — por ejemplo, si estaba en el auditorio cuando yo pronunciaba un discurso, o si él leía en los periódicos que yo había ingresado en alguna junta de beneficencia — no decía una palabra. En el fondo, le escocía que Thomas Watson hijo se estuviera labrando una reputación propia. Este era un aspecto de su personalidad que yo no le conocía. Durante todos mis años de niño desaplicado que sacaba malas calificaciones en la escuela, no hizo sino darme amor y apoyo. Como vendedor principiante recibí tanta ayuda que hasta me avergonzaba; y cuando entré en el mundo de los negocios, mi padre tuvo buen cuidado de que silenciosamente se me abrieran todas las puertas; pero cuando se trató de poder, poder de verdad como el que él ejercía sobre la vida de decenas de millares de seres humanos, mi padre me obligó a disputárselo a brazo partido hasta el último fragmento.

Por eso sufrí una fuerte perturbación de ánimo en 1948, cuando me pareció que le iba a entregar la mitad de la IBM a mi hermano. Yo ya era entonces vicepresidente, y Dick había estado en el ejército; después, regresó a la Universidad de Yale, en la cual terminó sus estudios con especialización en relaciones internacionales, hacía menos de un año que trabajaba en la IBM y estaba apenas empezando como vendedor. Ciertamente, yo consideraba que él tenía un nivel inferior al mío en la compañía. Pero mi papá era un anciano que tenía prisa. Soñaba con que sus dos hijos manejaran entre los dos la IBM, y como ya estaba próximo a cumplir los setenta y cinco años de edad, sabía que no iba a tener tiempo para someter a Dick al mismo duro aprendizaje que yo tuve que sufrir. Quería dejarlo establecido en forma que los dos pudiéramos trabajar juntos sin pelear mucho, porque algún día ya no habría quien sirviera de árbitro.

Durante varios años, antes de obtener triunfo alguno propio, me mortificó la idea de que Dick pudiera aventajarme. Siendo él cinco años menor, lo consideraba por muchos aspectos superior a mí. Había ingresado en Yale, y sus calificaciones universitarias fueron muchísimo mejores que las mías; era mejor atleta que yo; tenía una facilidad natural para los idiomas y una manera más fácil de relacionarse con la gente — era mucho más afable y desenvuelto; era encantador. Sabía cantar, y sabía cantar a la tirolesa; realmente, era un artista en las reuniones. Viendo a Dick lucirse, yo me sentía como la oveja negra. Pensaba que todos lo admiraban porque cumplía a cabalidad lo que mi padre esperaba, mientras que yo no. Pero después de la guerra, cuando empecé a cosechar éxitos propios, dejé de sentir celos de Dick. Entonces aspiré a grandes cosas, no sólo para mí sino también ardientemente para Dick; era mi hermano, y deseaba verlo triunfar. Mi sentimiento era con mi padre, y me indignaba que pretendiera vernos como iguales. Yo había trabajado en la IBM durante tres años antes de la guerra y casi otros tres después — no fueron todos años felices, pero se me debían tener en cuenta — mientras que Dick apenas llevaba ocho meses en la compañía y le servían el mundo en bandeja de plata.

La idea de mi padre era darme a mí el territorio de los Estados Unidos y a Dick todo lo demás. Le preparó el terreno tomando oficinas y fábricas en los cinco continentes y constituyendo una compañía filial que se llamó IBM World Trade. Fue ésta la gran obra de sus últimos años. Viéndolo hoy retrospectivamente, yo diría que fue una de las realizaciones más sorprendentes de su larga carrera. Y tal como él lo quería, Dick tomó las riendas y la dirigió impecablemente, y la convirtió totalmente en lo que mi padre quería que fuera. Pero, al principio, cuando se le ocurrió la idea, yo la combatí más que nunca; en efecto, mi oposición fue tan dura que poco faltó para que me desheredara.

Nuestras operaciones en el exterior al terminar la Segunda Guerra Mundial no eran muy sólidas. Teníamos veintenas de oficinas y fábricas y estábamos representados en setenta y ocho países, pero, infortunadamente, ese número era más impresionante que las utilidades que producía. En 1939, por ejemplo, sólo una octava parte de las utilidades de la IBM provenían del extranjero, y por supuesto, la proporción disminuyó durante la guerra. El "departamento extranjero", como se llamaba, carecía de importancia en comparación con nuestro floreciente negocio en los Estados Unidos. Pero mi padre pensaba de otra manera. Recuerdo que asistí a una reunión en la primavera de 1946, en que puso a Charley Kirk y George Phillips de todos colores por el desastroso estado de nuestros negocios en el exterior. Les dijo que era "nada menos que una vergüenza", lo cual no era en realidad justo porque la tajada del león de las ventas extranjeras correspondía siempre a Europa, y ésta estaba destrozada. Al terminar la reunión, mi padre declaró que era preciso organizar el departamento extranjero como una compañía aparte y exigirle que se valiera por sí misma, pero no dio órdenes específicas, y todos nos quedamos pensando que no era sino un desahogo suyo.

Un par de meses después, a mí se me ocurrió una idea que contribuyó a revivir la operación europea. Allá el problema no era falta de demanda, pues muchos de nuestros clientes habían sobrevivido al conflicto y querían máquinas perforadoras de tarjetas, pero a nuestras oficinas les era casi imposible suministrar los equipos necesarios, por la escasez de materiales y las restricciones de las importaciones, que no permitían llevar máquinas nuevas. Se me vino la inspiración en medio de la noche. Desperté y dije: "¡Máquinas usadas!" Las Fuerzas Armadas de los Estados Unidos estaban devolviendo equipos de perforación de tarjetas que ya no necesitaban y que valían muchos millones de dólares. Tomamos esas máquinas — algunas todavía con el barro de los campos de batalla — y las enviamos a fábricas europeas para reconstruirlas. Al principio, muchos temieron que a nuestros empleados les ofendiera que se les diera equipo usado y sucio para reparar, pero les gustó cuando vieron que con unas pocas horas de trabajo y una mano de pintura las máquinas quedaban en condiciones de poderlas vender.

En cuanto a la idea que tenía mi padre de establecer una filial de comercio mundial, no volví a pensar en ella. Pero a la vuelta de un año o dos, y cuando Dick ya había ingresado en la compañía, caí en la cuenta de que nuestras operaciones internacionales estaban reinvirtiendo una parte muy grande de sus utilidades en lugar de mandar el dinero a la IBM de Nueva York. Esto lo descubrí porque necesitábamos fondos para seguir creciendo en los Estados Unidos — la expansión de una operación de arrendamientos requiere muchos dólares. El gerente del departamento extranjero era un tipo grande y simpático llamado Joe Wilson. Cuando lo llamé a mi oficina para preguntarle qué estaban haciendo con las utilidades, me dijo que mi padre le había ordenado que tratara de ampliarse en el exterior tan rápidamente como lo hacíamos en los Estados Unidos. Esto me pareció una locura, pero mi padre no me hizo caso. Poco tiempo después, lo oí hablar otra vez de separar el departamento extranjero. Quería que tuviera sus propios ejecutivos, su propia junta directiva y mucho más autonomía para llevar a cabo las grandes cosas que él esperaba. Con un enorme salto de lógica, dijo: ''Los Estados Unidos tienen el seis por ciento de la población mundial y el resto del mundo tiene el noventa y cuatro por ciento; algún día la compañía World Trade va a ser más grande que la compañía de los Estados Unidos''.

Mi amigo Al Williams, entre otros, pensaba que esto era muy profundo, pero a mí me parecía simplista e ingenuo. En los Estados Unidos teníamos oportunidades ilimitadas y poco riesgo, mientras que en el extranjero era difícil imaginar que fuéramos a llegar a ninguna parte. La América Latina, por ejemplo, parecía un pozo sin fondo. Muchos de esos países manejaban su economía en tal forma que para nosotros iba a ser imposible ganar un dólar y traerlo a casa. Mientras tanto, a pesar del éxito de las máquinas usadas, nuestro negocio de Europa no era nada sano. El comercio seguía paralizado, el Plan Marshall estaba todavía en la etapa de diseño, y no se sabía cuándo podríamos volver a fabricar.

La solución que ideó mi padre muestra cuán ingenioso era realmente. Inventó un sistema mediante el cual las oficinas de la

IBM en Europa ejercían su propia libertad de comercio a través de las fronteras internacionales y dentro de la IBM creó una especie de mercado común diez años antes que éste fuera una realidad en el continente; y a diferencia del Mercado Común Europeo, el de mi padre funcionó desde el principio. Nuestras fábricas de Europa no eran gigantes como las de Endicott o Poughkeepsie; la mayor tenía unos doscientos empleados y las otras eran más bien como talleres. Mi padre hizo estas pequeñas unidades dependientes las unas de las otras. Impuso la sencilla regla de que cada fábrica haría partes no sólo para el país donde funcionaba sino también para la exportación. Por ejemplo, si una hacía mecanismos de perforación en Francia, tal vez el sesenta por ciento se destinaba a máquinas para el mercado francés y el cuarenta restante había que exportarlo a líneas de montaje de otro país, digamos de Italia o Alemania. Al exportar dichas partes, se ganaban divisas — que luego se utilizaban para importar partes de otro tipo que uno necesitaba y que fabricaba otra planta, por ejemplo la IBM de Holanda. Por ser tan elevadas las barreras arancelarias, sólo despachábamos máquinas terminadas a los países más pequeños donde no teníamos plantas, y eran pocas las máquinas IBM que se hacían en un ciento por ciento en el país en que finalmente se ensamblaban. Este comercio rotatorio nos permitía operar en escala mucho mayor y con más eficiencia que las compañías que estaban limitadas a un solo país.

La otra gran innovación de mi padre antes de entregarle la World Trade a Dick fue contratar aristócratas arruinados y aprovechar sus relaciones para poner otra vez en marcha el negocio. Mi padre tuvo siempre debilidad por las personas de elevada alcurnia, y ahora gozaba del prestigio necesario para atraerlas a la IBM cuando ellas necesitaban trabajar. Aun cuando las formas de gobierno hubieran cambiado en la mayor parte de los países europeos, él comprendía que la aristocracia tenía poder de ventas. A veces le resultaba algún badulaque muerto del cuello para arriba, pero la mayor parte de los que escogió desempeñaron muy bien el cargo. El barón Daubek de Rumania cubría toda Europa Oriental y era tan audaz que pasaba la Cortina de Hierro para cobrarles arrendamiento a los mismos tipos que nos habían confiscado las compañías. Otro de nuestros aristócratas, el barón Christian de Waldner, hugonote francés, llegó a ser conocido como "el señor IBM de Francia". Tenía trazas de ser frágil, pero era un hombre sumamente recio, y bajo su dirección la IBM francesa se desarrolló como una de las compañías más grandes del país. De Waldner se enfrentaba con cualquiera hasta conseguir lo que él creía que la compañía necesitaba. A mi padre lo convenció de que para tener éxito en Francia la IBM tenía que plegarse a las costumbres locales, hasta el extremo de servir vino al almuerzo en su cafetería.

Mi padre no hizo público que le estaba abriendo el camino a mi hermano hasta fines de 1948, cuando lo llevó a Europa. Era la primera visita de mi padre a ese continente después de la guerra. Viajó durante varios meses organizando sus fábricas y renovando viejos lazos, y todo ese tiempo mantuvo a su lado a Dick, presentándolo como su "asistente", de modo que para todos era muy claro quién sería el próximo gran internacionalista de la IBM.

Si yo hubiera tenido en cuenta que cuando fui vendedor me ponían los negocios en la mano, habría comprendido cuán difícil debían ser las cosas para mi hermano. El era el menor de la familia, y como tal, le correspondía el más bajo escalón de la jerarquía doméstica. No sólo tenía a mi padre por encima de él, sino también a mí, con cinco años de ventaja, y para complicarlo todo, ahí estaba Jane, la preferida de mi padre. Dick se crió, pues, en una posición sumamente difícil, y tal vez por eso sus relaciones con mi padre fueron distintas de las mías. Si mi padre se enfadaba conmigo, yo me enfadaba con él y acabábamos riñendo. Mi hermano era tan irascible como yo, pero tal vez pensaba que para salir adelante tenía que plegarse, a pesar de que ese esfuerzo era traumático para él, pues sufría de asma, y a veces cuando mi padre lo regañaba le faltaba la respiración, y había que ponerle una inyección de adrenalina para que volviera a respirar normalmente.

A mí me sorprendía que Dick le aguantara tanto. Ese viaje que hicieron a Europa, por ejemplo, debía haber sido la luna de miel de mi hermano. En junio de 1948 se casó con una muchacha espléndida de Syracuse, Nueva York, llamada Nancy Hemingway. Se iban a embarcar para Inglaterra, y mi padre en la forma más abusiva propuso que él y mi madre los acompañaran. Tal vez mi padre pensó que le quedaba poco tiempo de vida; y Dick, aunque no le gustara la idea de mezclar su viaje de bodas con un viaje de negocios, accedió. Se fueron, pues, los cuatro. Ni siquiera entonces dejó mi papá de importunar. Una noche en Estocolmo, en el Grand Hotel, se preparaban para asistir a una cena con el rey de Suecia. Al momento de salir, mi padre observó que el vestido de Nancy no llegaba hasta el piso.

— ¿No tienes un traje largo? — le preguntó.

Ella, un poco avergonzada, le contestó que no, y entonces él la reconvino diciéndole:

— Nos vas a hacer avergonzar a mí y a mi familia.

Nancy rompió a llorar. Fue entonces cuando Dick se plantó al fin:

— Escúchame, viejo — le dijo —. A mí me puedes decir lo que quieras porque yo soy tu hijo. Pero no le hables así a Nancy. Ella es mi esposa y no tiene nada que ver contigo.

Esto realmente lo paró en seco. Tuvo que presentar excusas, y fueron, y Nancy comió con el rey con su vestido de falda corta.

Mi padre regresó de ese viaje, y en octubre me llamó para explicarme cómo iba a dividir el mundo. World Trade (la compañía de Dick) haría y vendería máquinas en todas partes menos en los Estados Unidos; la IBM nacional (mi parte) se limitaría a este país; pero, como casa matriz, manejaría también aspectos del negocio como financiación e investigación y desarrollo para toda la IBM. Por lo pronto, mi padre agregaría a sus deberes corrientes la presidencia de la junta directiva de World Trade, con un ejecutivo superior llamado Harrison Chauncey como su segundo y Dick como vicepresidente . . . ¡el mismo rango que yo tenía! Yo le dije que separar a World Trade era lo peor que podía hacer, y agregué sombríamente:

— Si haces eso te vas a arrepentir.

— ¿Por qué te opones tanto? — me preguntó con la mayor ingenuidad.

Yo habría podido darle muchas buenas razones de carácter comercial, pero la pregunta me tomó tan desprevenido que lo único que se me vino a la cabeza fue algo personal:

— No me deja oportunidades de viajar. ¡A mí me gusta viajar!

— Si es por eso — dijo riendo — te doy Alaska, Hawai y Puerto Rico. Puedes viajar a esos lugares.

Yo estaba tan turbado que acepté, y salí de la oficina sintiéndome totalmente frustrado. Esa misma semana me volvió a llamar, esta vez con Dick, para discutir otra vez el plan. Yo procedí a presentar mis reparos de carácter comercial uno por uno. Dije que el establecimiento de World Trade sólo serviría para multiplicar la burocracia y los gastos; predije que en cuanto World Trade se independizara, empezaría a desarrollar sus propios productos, acabando así con la eficiencia manufacturera de la IBM. Dick adoptó la postura diplomática de no abrir la boca, pero yo sentía que la impaciencia de mi padre iba en aumento. La objeción que al fin colmó su copa fue el haber insistido yo en que resolviera a quién le tocaba el Canadá. Nuestro negocio en ese país producía un gran flujo de fondos que yo no quería perder. No había razón para darle el Canadá a World Trade como no fuera el hecho de que ésta necesitaba esos fondos más que nosotros. Ese era el verdadero punto débil del plan de mi padre. Vi que se encrespaba y entonces machaqué:

— Cualquiera puede ver que el Canadá pertenece a la compañía nacional. Si World Trade no puede sostenerse sin el Canadá, ¡no debes separarla!

Poniéndose de pie, tronó:

— ¿Qué es lo que pretendes? ¿Impedir que tu hermano tenga una oportunidad?

Esas palabras me mataron. Me enfrentaban con mi hermano, que estaba allí presente. Mi papá decía esas cosas sin pensar, porque lo que quería era salir siempre ganando. Ponía en práctica las reglas del marqués de Queensberry si tenía tiempo de pensar en ellas, pero si se veía acorralado, no le importaban las reglas con tal de salirse con la suya. En realidad, yo no tenía nada más que decir. Dick y yo lo acompañamos a bajar en el ascensor y hasta la puerta de la calle, donde había una limosina esperándolo. Subió al coche, bajó la ventanilla y dijo:

— Recuerden, muchachos: manténganse unidos.

Yo estaba apabullado. Volvimos a subir y traté de tapar la grieta que se había abierto entre los dos diciéndole a Dick que de mi parte no había ninguna malevolencia personal. El, habiendo ganado su punto, tuvo la generosidad de no refregármelo.

El viejo siguió adelante y organizó la IBM World Trade Company a principios de 1949, y la dividió formalmente al año siguiente como una filial enteramente de propiedad de la casa matriz. Mis temores en su mayor parte resultaron infundados. World Trade no fue un estorbo para la IBM. Aprovechó la recuperación económica de Europa, se financió con sus propias utilidades y con créditos extranjeros, y creció tan velozmente como la compañía americana. Mi padre no me ofendió dándole a Dick un rango igual al mío. Lo hizo vicepresidente, es cierto, pero a mí me dio el gran ascenso a que aspiraba desde hacía tiempo: en septiembre de 1949 fui nombrado vicepresidente ejecutivo, el cargo que tenía Kirk cuando murió. Ni siquiera perdí mi soñada oportunidad de viajar por Europa. Como el ejército de los Estados Unidos mantuvo allí fuerzas importantes y sus instalaciones de tarjetas perforadas funcionaban bajo la responsabilidad de la IBM nacional, se me ofrecieron amplias oportunidades de realizar viajes de inspección.

A medida que mi hermano ascendía en World Trade, yo hice grandes esfuerzos para no atravesarme en su camino y ayudarle en toda forma posible. Me retiré de la Cámara Internacional de Comercio para que él ocupara mi puesto. Lo llevé a una reunión de la Sociedad Americana de Ejecutivos de Ventas y le presenté a muchas personas. Evité toda discusión del negocio europeo o los asuntos internacionales. Más tarde, cuando necesitó ejecutivos que supieran torcer brazos y producir resultados, le cedí algunos de los mejores que yo tenía — entre ellos a Gilbert Jones, mi antiguo asistente ejecutivo, a quien Dick muchos años después dejó como sucesor suyo en la presidencia de la junta directiva de World Trade. A mí Dick me parecía extraordinariamente capaz, y en nuestras horas libres intimamos mucho. Con frecuencia llevábamos a Olive, a Nancy y a los niños a esquiar juntos; ellas se hicieron íntimas amigas.

Nada de esto bastó para desactivar la tensión en la familia. Mi padre seguía sospechando que yo solapadamente le estaba minando el terreno a Dick; y éste, siguiendo su ejemplo, desconfiaba también. Dick trataba todo lo relativo a World Trade con mi padre, jamás conmigo. Esta situación hizo que en los años que siguieron fuera muy difícil para los tres entendernos en cuestiones de negocios. Había aspectos de World Trade en que la compañía nacional tenía que intervenir, puesto que era la matriz — cuestiones importantes como finanzas y planificación de productos. Pero cuando nos reuníamos mi padre, Dick y yo a hablar del futuro de la IBM, la desavenencia era constante. Hasta la más pequeña diferencia de opinión entre Dick y yo hacía que mi padre pusiera en tela de juicio mis intenciones, lo cual era motivo de duras peleas... siempre entre mi padre y yo. Dick guardaba silencio. Por lo general, esto ocurría a puerta cerrada, pero una vez yo estallé en público. Estábamos en el Metropolitan Club y mi padre me dijo que me guardara mis opiniones sobre Europa. Entonces sí que perdí los estribos. Les dije que un negocio no podía tener dos cabezas, les espeté a ambos unas cuantas palabrotas y salí hecho una furia. Los detalles no los recuerdo, pero sí recuerdo el resultado porque pensé que mi carrera en la IBM había terminado.

Pasé la noche paralizado por el remordimiento de tal exabrupto. A la mañana siguiente mi padre me llamó a su oficina: "Joven", me dijo, "si fracasas en la IBM o en la vida será porque tu mal genio te cierra las puertas". Me despachó sin dejarme decir una palabra. Fue lo mejor porque lo que había en juego era mucho. Estábamos al borde de un rompimiento definitivo — ambos lo sabíamos, y ninguno de los dos quería dar ese salto. El estuvo a punto de echarme de la compañía. Muchos años después, cuando ya había muerto, encontré entre sus papeles el borrador de una nota que había escrito a lápiz en el reverso de un menú del almuerzo. Decía así:

> He meditado mucho sobre las relaciones entre Dick y tú, y llegué a la conclusión de que si persisten las diferencias del pasado, los dos deben separarse. Te escribo esta nota porque quiero que tengas tiempo suficiente para buscar otra cosa.

Afortunadamente, nunca me la mandó. Yo me habría sentido anulado, pero la consecuencia inmediata habría sido intensificar la pelea. Yo le habría dicho: "Me estás amenazando. Muy bien, vamos a poner de una vez las cartas sobre la mesa". Yo era muy altanero con él, y muchas veces he pensado si sería por valiente o porque creía tener poder sobre él por ser el primogénito. Nunca lo supe. Pero mi padre sí sabía que el remedio más eficaz era dejarme a solas con mi conciencia. Cuanto más pensaba en mi salida de tono, más me laceraba el remordimiento.

La única manera segura de poner fin a una de estas batallas era escribir. Conservo una regular colección de las excusas que le mandé por escrito en los años que siguieron a la guerra. A raíz del incidente en el Metropolitan Club le escribí:

Querido papá:
He pensado mucho en lo que dijiste sobre mi mal genio, y creo que has puesto el dedo en la llaga; es lo único que puede poner fin a una carrera que, de otra manera, podría tener mucho éxito. El no dominarme y la tendencia a pensar después y hablar primero es algo que me ha perjudicado en mi trato no sólo contigo sino también con mi propia familia, mis colegas en los negocios y mis amigos. Mi último estallido en el Metropolitan Club y las duras palabras que te dije son un acto que no olvidaré y del cual mi corazón nunca podrá recuperarse del todo. Las conferencias de familia contigo y con Dick las he anhelado toda la vida, y haber malogrado una de las primeras es una cosa por la cual estoy obligado a presentarles excusas tanto a ti como a Dick...

Manifestaste tu esperanza de que yo, siendo el mayor, fuera el centro en torno al cual pudiera unirse la familia; en realidad, si yo puedo cumplir esa misión, se satisfará mi mayor aspiración. Claro que tú no puedes confiar en mi capacidad para ello hasta que yo te demuestre que puedo controlar a Thomas Watson hijo y pensar antes de hablar. Eres un hombre práctico de negocios y formaste la IBM a base de hechos, no promesas...

Créeme que he pagado caro y seguiré pagando lo que dije en el Club, pero la culpa es mía. Si te tomas la molestia de observar de ahora en adelante verás un cambio que te agradará. Vigilaré mi mal genio y también los celos tontos y seré un hijo mejor y un hermano mejor.

Con sinceras intenciones y mucho amor,
Tom

Ese fue uno de los peores choques que tuvimos, pero casi todos los meses teníamos alguna disputa seria. Nos reconciliábamos y tratábamos de cooperar, pero pronto él me desautorizaba en una decisión, o yo opinaba sobre algún punto en que él creía que no me debía meter, y volvíamos a las andadas. Recordando ahora esas explosiones, pienso cuán duramente debieron afectarlo.

Otro de los papeles que dejó al morir era una meditación escrita más o menos cuando cumplió setenta y cinco años. Se lee entre líneas que está irritado por algo que yo dije, acusándolo sin duda de ahuyentar de la IBM a los ejecutivos competentes para rodearse de incondicionales suyos. Se siente deprimido y perseguido por las sombras de los muertos, o de los que se separaron o fueron despedidos. Cree que Dick y yo sólo estamos esperando que él también se vaya . . . cosa que está fieramente resuelto a no hacer:

> Nadie tiene derecho a poner en duda mi conocimiento de la IBM porque yo tengo 35 años de experiencia. Piensen lo que yo podría haber hecho con la guía de alguna persona de experiencia.
>
> Daré cuanto tengo por dejar a la IBM con suficientes funcionarios en la rama ejecutiva que crean en mí. Joe Rogers, Fred Nichol y Charlie Kirk, Titus y Ogsbury, todos me ayudaron. Los dos últimos pensaban que mis políticas no eran buenas y que nos acarreaban grandes males. Por eso tuve que salir de dos vicepresidentes. Eso fue lo más duro para mí en todo mi trabajo con la IBM, pero tenía que hacerlo.
>
> La razón que tengo para continuar en el cargo y seguir trabajando es que los principales industriales y banqueros del mundo parecen unánimes en su opinión de que yo he realizado algo valioso al desarrollar un negocio sano y establecer determinadas políticas que han demostrado ser beneficiosas para todos los empleados de la IBM, y no menos para el público a quien servimos y para los accionistas que nos confiaron sus inversiones. La moraleja es ésta: Siempre fueron mi esperanza y mi aspiración que mis dos hijos tuvieran la aspiración y la determinación de prepararse para seguir adelante con la compañía y llevar el nombre de Watson mucho más arriba de su actual posición en el mundo industrial, social y económico, y que, como resultado, ambos tengan la oportunidad de ser útiles para su familia y sus parientes y para las instituciones y las personas meritorias en todas partes.
>
> Me siento igualmente orgulloso de mis dos hijos y orgulloso también de lo que han realizado en el corto tiempo de su respectivo servicio en la compañía, y sé que ambos entienden que la experiencia es la mejor maestra.

Me alegro de no haber conocido entonces esta declaración. Me habría producido remordimiento de conciencia; pero, al mismo tiempo, me habría enfadado porque mi padre daba la impresión de que nuestro aprendizaje no iba a terminar jamás. Habríamos empezado a pelear otra vez.

Sospecho, aunque entonces no se me ocurrió, que mi hermana Jane tenía la culpa de algunas de estas disputas. Mi padre le prestaba mucha atención, y en ese tiempo Jane y yo no nos llevábamos muy bien. Jane vería la cuestión de World Trade en función de rivalidad porque ella misma era muy competitiva. Si hubiera que resolver cuál era el más obstinado de los hijos de T. J. Watson, entre ella y yo la cuestión era de cara o cruz. Era una mujer hermosa, alta, pelinegra, y ya se había distinguido en los círculos sociales de Washington y de Nueva York. Tenía la misma capacidad de mi padre para conocer y encantar a los de arriba, pero aún faltaban veinte años para que ella y yo aprendiéramos a entendernos.

Los sentimientos de mi padre hacia Jane eran complicados. Nunca logré saber qué era lo que quería para ella, o quizá él mismo no lo sabía. Probablemente no le pasó por la mente que podría seguir una carrera, a pesar de que en esa época ya no era inusitado ver mujeres en posiciones ejecutivas; en efecto, la misma IBM tenía una vicepresidenta a la cabeza de nuestra fuerza de servicio de sistemas para los clientes. Pero parece que tampoco quería que se casara. Se quedó soltera hasta los treinta y tres años, y a mí me parecía que estaba muy próxima a arruinar su propia vida por él. Pretendientes no le faltaron, pero él los ahuyentaba a todos. Sólo al terminar la guerra encontró uno aceptable, que se llamaba John Irwin II y era alto, bien plantado y probablemente el mejor bailarín que he conocido. Jack nunca se tomaba un trago, no fumaba, pero eso sí, ¡sabía bailar! Fue presidente de su clase todos los cuatro años que estuvo en Princeton y capitán del equipo de pista. Su actuación durante la guerra también fue notable. Sirvió en el estado mayor del general MacArthur, ascendió rápidamente y salió del ejército con el grado de coronel, o sea un grado más que yo. Iniciaba una carrera promisoria como abogado y como diplomático.

Una vez que Jane se casó, abrigué la esperanza de que pudiéramos tolerarnos mejor recíprocamente. Ella, Jack, Olive y yo pasamos buenos ratos esquiando en Vermont o yendo a las fiestas de Margaret Truman en la Casa Blanca. Pero todo éxito que yo tuviera en la IBM parece que le ardía a Jane. Vi hasta qué punto llegaba su rivalidad conmigo en una visita a su casa en la primavera de 1950. Por todas partes había fotografías y trofeos de Jack — Jack remando, Jack campeón de carreras, Jack esto y Jack lo otro. Jane sabía que yo envidiaba un poco a su marido porque todas las oportunidades que yo perdí en mi juventud él las supo aprovechar. Estaba yo mirando unos recuerdos de su carrera militar, y Jane me dijo:

— Tom, ¿sabías que Jack tiene grado completo de coronel?

Esto lo decía por mortificarme, pues yo no llegué hasta ese grado. Perdí la paciencia:

— Claro que lo sé. ¡Pero el que piloteaba aviones alrededor del mundo era yo!

Entre las cosas que me decía mi padre había unas que me enfurecían en diez segundos. Una era que fuera amable con Jane, después de este episodio, y otra era ponerme a Jack de ejemplo. Jack y yo nos llevábamos muy bien, pero mi padre no se convencía de que mis intenciones eran buenas, y decía: "No sé por qué le tienes antipatía a tu cuñado. Es un hombre muy ponderado. Piensa bien las cosas antes de hablar". La intención era clara: que Jack tenía la disciplina y el dominio de sí mismo que a mí me faltaban. Y yo mordía el anzuelo.

Había épocas en que mis relaciones con mi padre eran muy buenas — por lo general cuando aflojaba la garra lo suficiente para dejarme dirigir partes de la IBM como yo sabía que podía dirigirla. Como vicepresidente ejecutivo, era en la práctica el segundo en autoridad y mando, a pesar de que él había dispuesto las cosas, quizá sabiamente, de manera que George Phillips sirviera de parachoques entre los dos. Esto lo hizo barajando títulos, ascendiendo a Phillips a presidente de la compañía y creando para sí mismo un cargo más alto aún, de presidente de la junta directiva.

En mi nuevo cargo yo era responsable de mucho más que de nuestras ventas: debía supervisar toda la operación manufacturera de la IBM, lo cual significaba que tenía que encontrar rápidamente la manera de aparecer como una figura respetable a los ojos de más de nueve mil obreros de fábrica, los cuales eran sumamente leales a mi padre y habían sido leales a Kirk, pero a mí escasamente me conocían. Mi padre comprendía que esto podría causar problemas, y seis meses después de mi ascenso me llamó a su oficina, me entregó un sobre, y me dijo: "Aquí tienes la oportunidad de hacerte querer de los trabajadores de las fábricas. ¿Por qué no hablas con ellos?"

Era una carta anónima en que alguno se quejaba de las condiciones de trabajo en una de las plantas. Decía: "Tenemos cincuenta personas trabajando en un edificio que se proyectó para bodega. La calefacción no es adecuada y no hay más que un inodoro. Es una vergüenza tener gente de la IBM trabajando en estas condiciones". Partí al día siguiente, y cuando llegué a la fábrica vi que, efectivamente, las condiciones eran como las pintaba la carta. A alguien se le había ocurrido que en mayo el tiempo ya era bastante caliente para que se pudiera emprender la reparación del horno, así que lo habían desmontado, pero entonces vino una ola de frío y todos estaban tiritando. Yo hice lo que pensé que habría hecho mi padre: conseguí calentadores temporales que quedaron instalados a la hora y media de mi llegada. A las dos horas ya tenía obreros poniendo los cimientos para hacer retretes en la parte posterior. Luego reuní a los trabajadores y, subiéndome a una escalera de tijera, les hablé: "Quiero leerles a ustedes esta carta. Desgraciadamente no está firmada, porque me hubiera gustado darle un aumento de sueldo y un ascenso al que la escribió. Ojalá que hubiera tenido confianza en mí para firmarla. Pero tiene toda la razón. Esos hombres que están con los taladros están construyendo ocho nuevos retretes, y vamos a mejorar en forma permanente la calefacción del edificio". Fue un día feliz para mí ese comienzo de mis deberes en lo tocante a fabricación, y por todas nuestras plantas corrió la voz de lo que había hecho.

Mi padre quedó muy contento cuando regresé a Nueva York y le conté el episodio de la escalera de tijera. Mostré que estaba aprendiendo. Tal vez lo que le satisfizo más aún fue que la IBM estaba empezando a ganar dinero como consecuencia de algunas de mis decisiones anteriores. Por ejemplo, gracias a unos cambios de personal que hice al año siguiente de la muerte de Kirk, nuestra división de máquinas de escribir por primera vez estaba a punto de mostrar utilidades. Desde que mi padre compró la Electro-Matic Typewriter Company, en 1933, habíamos estado tratando de convencer a los negocios norteamericanos de las virtudes de la máquina de escribir eléctrica. Mi padre pensaba que no podía fallar porque era rápida y les permitía a las mujeres escribir sin romperse las uñas; pero era varias veces más cara que la manual y después de la guerra todavía no se había popularizado. Sólo vendíamos once millones de dólares de máquinas de escribir y todos los años habíamos venido perdiendo dinero en ese renglón, así que en 1947 llamé a cuentas a Norman Collister, el jefe de la división. Le dije:

— Prefiero vender este negocio. No podemos seguir desangrándonos indefinidamente.

El me replicó con no menos firmeza:

— Es que estamos sentando las bases.

— Me cuesta mucho trabajo convencerme de eso — le repuse — porque hace trece años que estamos en lo mismo. Tenemos un gran sistema de distribución, una fuerza vendedora preparada, y no ha faltado dinero para desarrollo. Si hemos de salir adelante, ya debiéramos haber salido.

— Tom, con usted no se puede hablar de esto. Usted sencillamente no conoce el negocio de máquinas de escribir.

Esto equivalía a decirme que debía resignarme a seguir perdiendo dinero. Así que me fui a ver a mi padre, y le dije:

— No podemos seguir con este tipo. No sabe manejar un negocio sino arrojando saldos rojos. Reemplacémoslo.

Yo había pensado en H. Wisner Miller, a quien conocía desde antes de la guerra. Me llevaba unos pocos años y yo lo admiraba porque había tenido que luchar mucho para sobreponerse a la adversidad. Pertenecía a una familia distinguida y era estudiante de primer año en Princeton en 1929 cuando sobrevino el desastre de la bolsa de valores, en el cual su padre perdió todo lo que tenía. Wiz tuvo que abandonar los estudios. El único empleo que encontró por lo pronto fue vendiendo aspiradoras de puerta en puerta, en el Bronx. Se lo presentó a mi padre un miembro de la junta directiva de la IBM que lo conocía; mi padre lo contrató para que vendiera máquinas de escribir porque le gustó el espíritu del muchacho.

Eligiendo a Wiz para dirigir esa división yo corrí un gran albur. Mi padre accedió, a pesar de que eso significaba hacer saltar a Miller, de una posición inferior, por encima de otros a quienes él conocía mucho mejor; pero Wiz tenía precisamente el estilo que se necesitaba para vender esas máquinas. El método IBM de vender sistemas de tarjetas era demasiado analítico para máquinas de escribir eléctricas. Estas no se podían presentar en una forma demasiado complicada. Lo que Wiz aportó fue brío, entusiasmo y liderazgo. Era un placer verlo inspirar a sus hombres en una convención de ventas. Hacía colocar en el escenario, bajo un reflector, una sola máquina. Vistiendo un traje azul oscuro, se acercaba a ella, extendía un dedo para quitarle una imaginaria mota de polvo y, dando un paso atrás, decía: "Una máquina espléndida. No puedo tolerar que le caiga ni la más mínima mota de polvo. ¡Es tan hermosa!" Les enseñaba a los vendedores a emplear esa labia con las secretarias, y hacía producir las máquinas de diferentes colores, como rojo y habano. Hasta hizo una blanca que mi padre le regaló al papa Pío XII. Entre los ingenieros de sistemas, Miller pasaba por trivial y simplista, pero lo cierto es que fue uno de los grandes líderes de ventas de la IBM. En 1949 las máquinas eléctricas se popularizaron, y desde entonces la división creció, año tras año, a una tasa del 30 por ciento anual. El éxito había coronado mi primera medida importante en materia de personal.

# CAPITULO 18

En los últimos años del decenio de los 40, los periódicos estaban llenos de sueltos sobre computadores de laboratorio con nombres extraños como BINAC, SEAC, MANIAC y JOHNNIAC. Para las conferencias científicas sobre computación y electrónica los salones se llenaban de bote en bote. En la IBM no teníamos planes para construir tales máquinas, pero oíamos hablar constantemente de proyectos que realizaban universidades norteamericanas e inglesas, las grandes empresas como Raytheon y RCA, y algunas pequeñas principiantes que nadie conocía. Todas esas nuevas máquinas eran grandísimas y enormemente costosas; no las producían para venderlas comercialmente, y durante un buen tiempo la ENIAC, la célebre máquina de la Universidad de Pensilvania que Charley Kirk y yo fuimos a ver, era la única máquina computadora que realmente funcionaba, lo cual no obstaba para que la gente hiciera toda clase de conjeturas en cuanto a lo que el "gigantesco cerebro electrónico" iba a significar para la humanidad.

Desde luego, ha habido aparatos calculadores incluso desde antes que los chinos inventaran el ábaco, y había unas pocas calculadoras gigantescas, como la MARK I que la IBM construyó para Harvard durante la guerra, capaces de realizar una gran variedad de tareas matemáticas. Pero esto lo hacían, en esencia, contando con los dedos. Su mecanismo interno era electromecánico, como el de la máquina tabuladora corriente. Cuando se mostró la ENIAC, causó gran revuelo porque era fundamentalmente distinta: no tenía partes movibles, como no fueran los electrones que vuelan casi a la velocidad de la luz dentro de válvulas al vacío. Todos estos circuitos, en realidad, no hacían otra cosa que sumar uno y uno, pero tampoco necesitaban hacer más. Los más complicados problemas de la ciencia y los negocios suelen reducirse a pasos simples de aritmética y lógica, tales como sumar, restar, comparar y hacer listas. Pero para que sirvan de algo, estos pasos tienen que repetirse millones de veces, y antes del computador, ninguna máquina era suficientemente veloz. En nuestras máquinas perforadoras de tarjetas el mecanismo de relé más veloz apenas realizaba cuatro sumas por segundo, mientras que hasta los más primitivos circuitos de la ENIAC hacían cinco mil.

Esta velocidad prometía cambiar la vida de todos los que trabajaban con números. Oí a un ingeniero compararla con la diferencia entre tener un dólar y tener un millón de dólares. Un redactor de la revista *Time* que asistió al debut de la ENIAC dijo que sus "ágiles electrones" abrían toda una nueva frontera. Hasta entonces, había principios conocidos de ciencia e ingeniería que nadie utilizaba porque requerían demasiados cálculos numéricos. Por ejemplo, los proyectistas de aviones sabían perfectamente cómo predecir teóricamente la resistencia al viento, pero hacer los cálculos en la práctica era una operación tan sumamente larga que preferían utilizar el método aproximado de construir modelos a escala y ensayarlos en costosos túneles aerodinámicos; así que, cuando apareció la ENIAC, la gente soñó con computadores que ayudarían a romper la barrera del sonido, predecir el estado del tiempo, revelar los secretos de la genética y diseñar armas más terribles aún que la bomba atómica.

Al comienzo, mi padre pensaba que el computador electrónico no afectaría a los negocios de la IBM porque para él las máquinas perforadoras de tarjetas y los computadores gigantes pertenecían a reinos totalmente distintos. Bien podía la revolución de los computadores transformar el mundo científico; pero en la oficina de contabilidad seguiría reinando la tarjeta perforada. El era como un rey que ve estallar la revolución en el país vecino y luego se sorprende de que sus propios súbditos se alboroten. No entendía que la vieja era había terminado y comenzaba una nueva era. La IBM estaba en la clásica posición de la compañía que tiene visión de túnel a causa de su propio éxito. En esa misma época, los empresarios cinematográficos estuvieron a punto de perder la televisión porque pensaban que su industria era la del cine en lugar de la industria de la distracción. La industria ferroviaria estuvo a punto de perder los camiones y los fletes aéreos porque creía que su negocio eran los trenes y no el transporte. Nuestro negocio era el procesamiento de información, no sólo tarjetas perforadas... pero en la IBM nadie tenía todavía la visión necesaria para entenderlo así.

No quiero decir que mi padre desconociera por completo el reto que nos planteaban los computadores. Creía que nadie aventajaba a la IBM cuando se trataba de construir calculadoras gigantescas para la ciencia (para él los nuevos computadores no eran otra cosa) y se propuso demostrarlo. En la primavera de 1947, cuando yo todavía no era sino vicepresidente y dedicaba la mayor parte de mi tiempo a supervisar a la fuerza vendedora, llamó a su oficina a los ingenieros que habían trabajado en la máquina MARK I para Harvard y les dijo que quería una nueva "supercalculadora" que sería "la mejor, la más rápida, la más grande — mejor que la máquina de Harvard y, ciertamente, mejor que la ENIAC". Podían usar válvulas al vacío si así trabajaba mejor, pero quería verla terminada en ocho meses.

Mi padre tenía a los ingenieros intimidados y no se atrevieron a pedirle más tiempo sino que pusieron manos a la obra con alma y vida, dejaron a un lado todos los demás proyectos, trabajaron prácticamente día y noche todo el resto de 1947, gastaron cerca de un millón de dólares... y produjeron una máquina que sí funcionaba. Se llamó la Calculadora Electrónica de Secuencia Selectiva (SSEC). Era un fantástico gigante híbrido de partes electrónicas y mecánicas, mitad computador moderno y mitad perforadora de tarjetas. Medía 36.50 metros de largo, contenía 12 500 válvulas al vacío y 21 400 relés mecánicos, y podía hacer en una hora el equivalente a diez años de trabajo con lápiz y papel. Por algunos aspectos era una notable innovación: se ganó un lugar en la historia de la industria de los computadores como la primera calculadora grande que funcionó con software, lo cual la hacía mucho más práctica que la ENIAC: la SSEC se podía pasar a un nuevo problema con sólo alimentarle la memoria con otras instrucciones, mientras que para programar la ENIAC había que volver a ajustar a mano centenares de interruptores en sus consolas. Y, sin embargo, la SSEC, por sus entrañas mecánicas, era un dinosaurio tecnológico: era necesariamente más lenta que la ENIAC, que era totalmente electrónica, y velocidad era lo que pedían los usuarios.

Para que la SSEC recibiera tanta atención pública como la ENIAC, mi padre la hizo instalar en nuestra sala de exposición en la planta baja de la sede de la IBM en Manhattan, donde se podía ver desde la calle. Los transeúntes que pasaban por la Calle 57 miraban por las ventanas y la veían trabajar. Era una vista sorprendente en medio de la ciudad: tres largas paredes cubiertas de consolas y tableros eléctricos, todos llenos de botones, interruptores, manómetros y pequeñas luces indicadoras de neón que parpadeaban cuando se estaban realizando cálculos. Centenares de personas se detenían a mirar todos los días, y durante años ésa fue la imagen que acudía a la mente del público cuando se mencionaba la palabra "computador". Cuando Hollywood empezó a poner computadores en películas de ciencia-ficción, eran igualitos a la SSEC, pese a que ésta no podía realmente clasificarse como un computador. Mi padre destinó la máquina "al servicio de la ciencia en todo el mundo" y la puso a funcionar sin ánimo de lucro. Todo el que tuviera un problema de "ciencia pura" la podía usar sin costo alguno; a los demás (por ejemplo, a una compañía petrolera que quisiera hacer un análisis estadístico de un campo de perforaciones) se les cobraba una tarifa de trescientos dólares la hora para cubrir los costos de operación.

El gran misionero de la SSEC fue un influyente astrónomo de la Universidad de Columbia, Wallace Eckert (no era pariente de Presper Eckert, el inventor de la ENIAC), quien, a fines de los años 20, había sido el precursor del uso de tarjetas perforadas para la solución de problemas científicos. Era un hombre pequeño, retraído, fácilmente subestimable; pero desempeñó un papel muy importante, detrás de bambalinas, en la lucha contra los submarinos alemanes en la Segunda Guerra Mundial, calculando almanaques navales de una precisión sin precedentes. Estas tablas de navegación les permitían a los convoyes atacados en el Atlántico Norte calcular rápidamente su posición exacta y pedir socorro por radio. Eckert fue el primer científico con grado de Ph.D. que figuró en la nómina de la IBM. Después de la guerra, mi padre lo contrató como director de ciencia pura y lo instaló en un laboratorio de investigación cerca del campus de la Universidad de

Columbia. Su trabajo les dio a muchos científicos su primera vislumbre de las posibilidades de la computación con máquinas y llevó un gran número de personas a la SSEC.

Mi padre estaba convencido de que la SSEC era lo último en computadores y, en cierto sentido, no le faltaba razón. Era como un automóvil antiguo de vapor que yo tuve una vez, el Stanley Steamer — una notabilidad para su tiempo, pero no la tecnología del futuro. La SSEC marcó el final de una era en la IBM. Fue la última gran realización de un grupo de brillantes inventores que dedicaron su vida a trabajar para mi padre. Diseñaron las máquinas perforadoras de tarjetas, que fueron la base del éxito de la IBM, y ahora habían producido una de las máquinas más avanzadas del mundo; pero aun cuando llegaron hasta el umbral de la era de los computadores, pocos lo pasaron. La SSEC se construyó en espléndido aislamiento. Su diseño se mantuvo secreto, de manera que, a pesar de su éxito, no hizo mucho para cambiar la imagen de la IBM en el mundo científico. La nueva generación de ingenieros electrónicos siguió considerándonos una compañía atrasada, casada con las tarjetas perforadas y con el pasado.

Mi padre se mostró muy escéptico cuando los inventores de la ENIAC, Eckert y Mauchly, se retiraron de la Universidad de Pensilvania para entrar a competir con la IBM y establecieron su propia compañía en un local de Filadelfia. Pero pronto se vio que no sólo eran ingenieros brillantes sino también buenos vendedores. Bautizaron su nueva máquina Computador Universal Automático, o UNIVAC, y sostenían que sería útil tanto en el laboratorio como en la oficina de contabilidad. El primer UNIVAC aún tardaría varios años en estar listo, pero con sólo una descripción en papel, Eckert y Mauchly consiguieron apoyo económico de dos de nuestros clientes más grandes — la Oficina del Censo y Prudential Insurance — y por lo menos de otra compañía de seguros. Cuando mi padre se enteró, su escepticismo se convirtió en furia.

El miércoles anterior al Día del Trabajo[1] de 1947 entré en su oficina y lo encontré increpando a Frank Hamilton, uno de nuestros principales ingenieros. Se encontraba presente un se-

[1] El primer lunes de septiembre en los Estados Unidos *(N. del T.)*.

cretario que tomó la escena al pie de la letra. Mi padre empezó diciendo:

— Entiendo que a esos tipos que hicieron la máquina ENIAC los están financiando unas compañías de seguros para que les construyan algo para ellas. ¿Por qué no hacemos nosotros una máquina de acuerdo con esas mismas especificaciones?

— Pienso que tenemos la intención de hacer algo así — dijo Hamilton algo malhumorado, pues mi padre olvidó que él y los demás ingenieros habían venido trabajando día y noche para construir la supercalculadora. Pero la furia de mi papá subía de punto por momentos:

— ¡Nosotros *pensamos* y *tenemos intenciones* mientras las compañías de seguros apoyan a esa empresa para que les haga máquinas! ¡No podemos permitirnos el lujo de sólo pensar y tener intenciones! Este negocio no se hizo así. ¿Cuál es la manera más rápida de seguir adelante y hacer una máquina según las especificaciones de ellos en el menor tiempo posible?

— Lo mejor es estudiar las especificaciones para ver qué es lo que quieren.

— Las especificaciones las conocemos y ya hemos perdido tres meses en eso. Si no la podemos construir, salgámonos del negocio. Si podemos, hagámosla a un precio que ellos no puedan igualar. Si no somos capaces de construir una máquina y dársela a mejor precio que cualquiera, no tenemos derecho de estar en el negocio. *¡Es una acusación contra la IBM que a esos dos tipos los apoyen esas compañías de seguros!*

Al fin Hamilton comprendió cuán furioso estaba mi padre. Empezó a acceder a todo para salvar el pellejo:

— No hay duda de que la podemos hacer. No hay la menor duda. . .

Yo sabía qué era lo que más mortificaba a mi padre del diseño de el UNIVAC. Le parecía un insulto al elemento fundamental de nuestras ventas — la tarjeta perforada misma. Eckert y Mauchly decían que tales tarjetas no eran apropiadas para usarlas con equipos electrónicos modernos. En lugar de ellas, el UNIVAC almacenaría la información en el nuevo medio de cinta magnética — la misma que se usaba en las grabadoras magnetofónicas de la época. Este método todavía no se había probado bien, pero era el que se preveía en casi todos los nuevos diseños de computadores. Eckert y Mauchly les explicaban a los clientes que la cinta magnética ofrecía muchas ventajas sobre las tarjetas perforadas. En primer lugar, la velocidad: podía introducir y sacar datos de un computador grande a velocidades más compatibles con las de los circuitos electrónicos. En segundo lugar, era compacta. En un solo rollo del tamaño de un plato corriente de mesa se podían almacenar los registros de pólizas de seguros de todo un distrito que normalmente necesitaban unas 10 000 tarjetas que ocupaban varios metros de espacio.

Dudo que Frank Hamilton gozara de mucho descanso aquel Día del Trabajo. Al martes siguiente se presentó con aspecto macilento a una reunión convocada por mi padre en la gran sala de juntas, enchapada en nogal, contigua a su oficina. Allí estaban todos los altos ejecutivos de la IBM, lo mismo que el experto en actuariado de la compañía. Hamilton presentó un ambicioso proyecto de una máquina para competir con el UNIVAC. Utilizaría cinta magnética en combinación con tarjetas perforadas y costaría 750 000 dólares construirla. Todos se quedaron con la boca abierta. Era una suma fabulosa en comparación con el costo de las perforadoras de tarjetas. En esos días, el costo promedio de una instalación corriente era de unos 20 000 dólares, y se alquilaba por unos 800 dólares mensuales. En esa proporción, el arrendamiento de un computador de 750 000 dólares tendría que ser ¡como 30 000 dólares al mes!

Mi padre felicitó a Hamilton por este arduo trabajo y después procedió a desbaratar el proyecto punto por punto. Era obvio que no le gustaba porque se parecía al UNIVAC. Habiendo hecho su carrera a base de tarjetas perforadas, desconfiaba instintivamente de la cinta magnética. En una tarjeta la información quedaba registrada en forma permanente, uno la podía ver, tenerla en la mano. Hasta en los inmensos archivos de las compañías de seguros los empleados podían hacer muestreos y verificaciones manualmente. Pero en la cinta magnética la información se almacenaba en forma invisible en un medio *destinado a borrarse y volver a usarse.* Poniéndose en el lugar del cliente, mi padre dijo: "Podría uno seguir adelante, creyendo que había almacenado la información en la tal cinta magnética, y cuando tratara de recuperarla ¡encontrarse con que allí no había nada!" El proyecto de Frank Hamilton murió en la mesa mientras mi padre les decía a los encargados de marketing que fueran a ver a los ejecutivos de Prudential y los convencieran de que la idea del UNIVAC no era acertada.

En ese punto yo no estaba seguro de que construir computadores como el UNIVAC — o abandonar las tarjetas y pasarnos a cinta magnética — fuera un buen negocio. Los nuevos computadores eran muy complicados, sumamente costosos, y requerían tanta tecnología exótica e incluso no probada, que existía una posibilidad muy real de que nunca llegaran a ser lo bastante confiables para poderlos usar en los negocios. Compartía muchas de las dudas de mi padre, pero lo que me impresionaba era la increíble velocidad de los circuitos electrónicos. Los clientes se peleaban nuestro pequeño Multiplicador Electrónico 603, que mi padre había lanzado al mercado por insistencia mía. Comparado con el UNIVAC, era un ratoncito, diseñado para usarse con equipos corrientes de tarjetas perforadas, y se arrendaba por sólo 350 dólares mensuales. Pero fue un éxito (el primer éxito mío en la IBM), y pensé que podría ser un augurio de lo que vendría. Teníamos un pequeño equipo de ingenieros electrónicos trabajando en Poughkeepsie en una versión mejorada, la 604, pero yo empecé a preocuparme pensando que quizá no estábamos haciendo lo suficiente. Tal vez por allá en el subconsciente algo me recordaba que apenas contaba treinta y tres años de edad y que a la vuelta de un decenio o dos a la IBM se le podía acabar la cuerda.

En 1948 me puse más nervioso aún. Mi amigo Red LaMotte envió una carta de la oficina de Washington, diciendo que había comisionado a un subalterno para que asistiera a conferencias de ingeniería en todo el país. Según el informe de éste, había en marcha no menos de diecinueve proyectos significativos de computadores, casi todos a base de cinta magnética. Esto lo había puesto a pensar: "Puesto que la IBM va a la cabeza en el campo de equipos de cálculo", dijo Red, "¿no parece razonable que también se mantenga al día con todos los adelantos participando activamente en dicho campo?"

Al mismo tiempo, empecé a recibir avisos premonitorios de nuestros clientes, en el sentido de que la tarjeta perforada iba a ser descartada. Jim Madden, vicepresidente de Metropolitan Life y amigo de mi padre, me invitó a su oficina: "Tom", me dijo, "ustedes van a perder su negocio con nosotros porque ya tenemos tres pisos de este edificio repletos de tarjetas perforadas, y cada día la situación es peor. Sencillamente no tenemos con qué pagar tanto espacio de almacenamiento. Y me dicen que podemos llevar los registros en cinta magnética". Roy Larsen, presidente de Time Inc. me dijo poco más o menos lo mismo. Yo trabajaba con él en la campaña en favor del Fondo Hospitalario de Nueva York, y Time Inc. era uno de nuestros grandes clientes. Me explicó que el éxito de las revistas *Time* y *Life* dependía de que pudieran llegar a manos de millones de lectores cada semana antes que las noticias hubieran perdido actualidad. Time Inc. usaba equipos IBM para manejar las listas de correo y marbetes de direcciones, pero cada suscripción requería tres tarjetas, y como las listas aumentaban varios millares de suscriptores por mes, las máquinas escasamente daban abasto. "Tenemos todo el edificio lleno de sus equipos", me dijo Larsen. "Nos estamos ahogando. Si usted no nos puede ofrecer algo nuevo, vamos a tener que buscar por otro camino".

No me pareció prudente correr al despacho de mi papá con la idea de que las tarjetas perforadas se estaban muriendo, pues me habría plantado en la calle. En cambio, me valí de un enfoque sistemático que yo sabía que tendría sentido para él. En 1949 organicé una fuerza táctica, compuesta de dieciocho de nuestros mejores expertos en sistemas para que estudiaran si debíamos agregar cinta magnética a nuestra línea de productos. Para mi padre era casi un artículo de fe que las ideas para mejorar la línea de productos debían venir de la clientela. Por supuesto, los clientes no siempre pedían la misma cosa: unos querían máquinas más rápidas, otros pedían que imprimieran mejor y aceptaran más copias de carbón, algunos querían que hicieran menos ruido; y si nosotros nos dejábamos llevar del pánico y hacíamos todo lo que nos sugerían, pronto iríamos a la quiebra. Era preciso resolver qué mejoras eran realmente prácticas y se pagaban. La fuerza táctica estudió la cuestión de la cinta magnética durante tres meses, al cabo de los cuales rindió un informe en que afirmaba que las tarjetas perforadas eran lo mejor del mundo para la contabilidad y que en la IBM no había lugar para la cinta magnética. Ensayé otra vez reuniendo a los mejores vendedores y describiendo lo que podía hacer la cinta, pero todos llegaron a la misma conclusión: que era mejor seguir con las tarjetas. No me dieron nada que le pudiera llevar a mi papá.

Yo estaba empezando a aprender que a la mayoría, aunque sea la mayoría de los más competentes, no es a la que hay que consultar cuando hay que moverse. Uno tiene que percibir lo que está ocurriendo en el mundo, y moverse por su cuenta. Es una cosa que se siente. Yo no tenía suficiente confianza en mí mismo para insistir, pero allá en lo interior sabía que teníamos que meternos en computadores y cinta magnética. Con gran sorpresa de mi parte, hubo un hombre en la compañía que compartía estas ideas y me instaba constantemente para que actuara: Birkenstock, el antiguo compinche de Kirk. Haberlo disuadido de que renunciara cuando murió Kirk fue una de las mejores cosas que hice yo, pues Birkenstock hizo más que nadie por llevar a la IBM al negocio de computadores. Después de perder el cargo de gerente general de ventas, se había quedado a un lado en un pequeño departamento llamado Demandas Futuras, cuya función era afinar la línea de productos atendiendo a las solicitudes de la clientela. Sólo tardó unos pocos meses en convertir a Demandas Futuras en un perro guardián del futuro de la IBM. No era ingeniero pero tenía una comprensión natural de las cuestiones técnicas y la habilidad de darles expresión.

Birkenstock me decía constantemente que la tarjeta perforada estaba condenada a muerte, y lo mismo nosotros si no nos despabilábamos. Los clientes exigían más velocidad, y nosotros estábamos llegando al límite de la que era posible con nuestras máquinas. Si forzábamos los punzones a perforar más velozmente, se desgastarían más pronto; si llevábamos nuestra clasificadora de alta velocidad, de 600 tarjetas por minuto a 800, las tarjetas mismas comenzarían a volverse trizas. Me aguijoneaba sin cesar llamándome la atención hacia toda la actividad en el campo de la electrónica y preguntándome si realmente quería yo perdérmela. Oír esta misma cantilena día tras día me ponía los nervios de punta porque yo no encontraba la manera de convencer a mi padre. Pero sabía que sería una necedad taparme los oídos.

Poco después llegué a la conclusión de que la manera inteligente de proteger nuestro futuro era contratando ingenieros electrónicos — grandes números de ingenieros electrónicos. Ya fuera que emprendiéramos o no la comercialización de computadores y de cinta magnética, la IBM necesitaba entender lo que estaba ocurriendo. El campo de la electrónica avanzaba tan rápidamente, en tantos frentes distintos, que me parecía que un grupo pequeño no podría mantenerse al día. Necesitábamos una masa crítica. Pero esto era antes de que mi padre me nombrara vicepresidente ejecutivo, y en su departamento de investigación y desarrollo nadie me hacía caso. El principal laboratorio de la IBM, en North Street, Endicott, era un lugar muy peculiar. Trabajaban allí entre trescientas y cuatrocientas personas, pero todo giraba en torno de siete ingenieros senior a quienes mi padre llamaba sus "inventores". Eran en su mayor parte autodidactos, y llevaban con T. J. varios decenios. Aunque había un gerente de laboratorio y un vicepresidente de ingeniería, los inventores dependían directamente de mi padre. El era, en realidad, el ingeniero jefe. Cuando tenía una idea para un producto, llamaba a uno o dos de estos veteranos y les explicaba lo que quería; después los inventores volvían con la idea y se dedicaban a "ponerla en metal", como decían. Cada uno tenía taller y ayudantes propios, y mi padre ponía a dos o más de estos grupos a competir entre sí cuando había un problema técnico que forzosamente tenía que resolverse. "Nadie tiene bastante talento para resolver estas cosas por anticipado", solía decirme. Era una manera costosa pero muy eficaz de desarrollar productos, y más adelante yo mismo la utilicé.

Desgraciadamente, ninguno de los inventores de mi padre entendía de electrónica. El proyectista de la SSEC, por ejemplo, no sabía conectar válvulas al vacío y tuvo que salir a contratar ingenieros jóvenes, que se habían graduado hacía apenas dos o tres años, para que le hicieran ese trabajo. Los inventores habían tenido tanto éxito durante tanto tiempo que se habían encastillado en sus maneras de proceder y se reían de mi preocupación por nuestra falta de experiencia en electrónica. El vicepresidente encargado de ingeniería llegó a serme insoportable. Se había recibido de ingeniero eléctrico en Princeton y estaba con nosotros desde 1930. Era sumamente creativo, a su manera, y había tenido un éxito extraordinario fomentando el empleo de equipos

IBM en el mundo de los cómputos científicos, pues las perforadoras de tarjetas resultaron útiles para pequeños problemas en ese campo y una de éstas era tan popular entre los hombres de ciencia que la llamaban "la ENIAC de los pobres". Lo malo era que este vicepresidente era más ingeniero que ejecutivo; aun cuando le interesaba la electrónica, jamás pudo entender que para entrar en ese campo en forma adecuada era necesario darle a la IBM un cambio fundamental de dirección.

Los únicos expertos en electrónica que teníamos a nuestro servicio trabajaban al margen de las actividades regulares de la compañía. Tenían su laboratorio en Poughkeepsie, en una vieja mansión rural que tenía vistas al Hudson, y tenían que compartirlo con ingenieros de nuestra fábrica de máquinas de escribir, que quedaba cerca. Casi todos habían tenido durante la guerra experiencia en cosas como el radar. Su jefe, Ralph Palmer, había trabajado en proyectos electrónicos de máximo secreto para lo que fue después la Dirección de Seguridad Nacional. En 1947 y 1948 el proyecto principal en Poughkeepsie era mejorar mi máquina predilecta, la 603. El grupo también experimentaba con computación estilo UNIVAC y con cinta magnética, pero cuando Palmer solicitó más personal y fondos para ampliar sus esfuerzos, el vicepresidente de ingeniería se los negó; dijo que ese esfuerzo sólo serviría para consumir recursos que el laboratorio principal en Endicott podría utilizar para mejorar nuestra línea de tarjetas perforadas. Los de Endicott tenían puestas grandes esperanzas en diversos proyectos. Estaban trabajando en una nueva línea de máquinas que funcionaban con tarjetas gigantes; tenían el doble del tamaño de las corrientes y capacidad para mucha más información. Se contaba con ellas para no perder clientes tan buenos como Time Inc.

En la IBM había tanta resistencia interna a explorar el terreno de la computación electrónica que habría sido más fácil comprar simplemente a Eckert y Mauchly; y es una ironía que se nos presentara la oportunidad de hacer eso, precisamente. En 1949, su principal financiador se mató en un accidente de aviación; los inventores se quedaron al poco tiempo sin dinero, y vinieron a ver a mi padre. Estuve presente en la visita. Tenía curiosidad de conocer a Mauchly, a quien nunca había visto. Resultó ser un individuo larguirucho, muy descuidado en el vestir y empeñado en ir contra la corriente de toda convención social. Eckert, en cambio, era muy pulcro. Cuando entraron, Mauchly se repantigó en el sofá y puso los pies sobre la mesita de centro. Con él no iba eso de mostrar respeto por mi padre. Eckert empezó a describir lo que habían realizado hasta el momento, pero mi padre ya había adivinado el motivo de su visita y los abogados le habían informado que no era posible comprarles la empresa. El UNIVAC era uno de los pocos competidores que teníamos, y la ley antimonopolio no nos permitía absorberla. Mi padre le dijo:

— No debo permitirle que entre en mayores detalles. No podemos llegar a ningún entendimiento con ustedes y no sería justo darles a entender otra cosa. Nuestros asesores nos informan que, legalmente, no podemos.

Eckert comprendió perfectamente. Se puso de pie y dijo:

— De todas maneras, muchas gracias por su tiempo.

Mauchly no dijo una sola palabra. Todo desmañado, siguió a Eckert, que se dirigió a la puerta, siempre correcto. A los pocos meses apareció el anuncio de que los había comprado Jim Rand. La Remington Rand, nuestra vieja rival en tarjetas perforadas, se disponía a aceptar pedidos de seis UNIVACS.

El éxito de la Calculadora Electrónica 604 me convenció de que la electrónica se iba a desarrollar mucho más rápidamente de lo que todos pensaban. Como su antecesora la 603, esta máquina se proyectó para incluirse en una instalación corriente de tarjetas perforadas... hasta por su pesada caja negra de aspecto victoriano; pero lo que había debajo de esa cubierta no era nada anticuado. Palmer y sus colaboradores produjeron un diseño extraordinario que facilitaba el manejo de las válvulas al vacío, las cuales se fundían a cada rato o por cualquier otra razón se dañaban. Montaron cada válvula y sus circuitos de apoyo en una unidad independiente que se podía enchufar como cualquier otro aparato y se podía producir en serie a muy bajo costo. En esta forma, cada válvula se podía probar muy bien antes de ponerla en la máquina; y si se dañaba cuando la máquina estaba funcionando, era fácil reemplazarla. Este diseño nos permitió también aumentar la producción cuando la 604 empezó a venderse bien.

Cuando la sacamos, a mediados de 1948, esperábamos vender unos pocos centenares durante la vida útil de la máquina, pero a fines de 1949 ya habíamos instalado casi 300, y la demanda claramente iba hacia los millares. La 604 se arrendaba por 550 dólares mensuales, más o menos lo mismo que una refinada tabuladora electromecánica, pero podía dividir y realizar otras tareas cuyo costo era casi prohibitivo si se hacían mecánicamente.

Pero la operación de Palmer era una anomalía. En 1949, cuando ascendí al cargo de vicepresidente ejecutivo, hice una revisión total de nuestros proyectos de desarrollo y llegué a la conclusión de que la IBM estaba aún en la Edad Media. Al fin le dije a mi padre que necesitábamos algo distinto. Me sentía profundamente frustrado, y le critiqué su organización de Endicott en los términos más ásperos. Le dije:

— Allí no tienes más que un puñado de mecánicos de llave inglesa. ¿No lo ves? La época de forjar máquinas de metal ya pasó. Ahora hemos entrado en un terreno en que hay que usar osciloscopios y entender la teoría de corrientes de electrones y rayos exploradores dentro de válvulas al vacío. Tenemos que hacer cosas teóricas y tenemos que hacerlas con gente competente, con una preparación distinta de la que tienen los que trabajan hoy en la compañía. Tenemos que contratar ingenieros graduados... por montones.

Atacaba así una fuente del orgullo de mi padre. El le decía a todo el mundo que la IBM tenía el mejor departamento de ingeniería del mundo y que le merecía toda su confianza. No me contestó directamente. Lo que hizo fue tocar el timbre y cuando se presentó el secretario lo mandó a buscar al vicepresidente de ingeniería. Este llegó a los dos minutos y mi padre le dijo:

— Mi hijo me dice que nuestra organización de investigación no sirve para nada. ¿Es cierto?

El vicepresidente pensó un rato. Luego dio su respuesta lenta y deliberadamente:

— Tenemos la mejor organización de investigación del mundo.

Para mí, el hombre se acabó con esto. A todo hombre de negocios se le hace una pregunta por el estilo en algún momento de su vida. O la contesta con valor (y lo echan o lo ascienden), o la contesta como un bobalicón. El vicepresidente cometió un error mayúsculo porque mi padre no iba a vivir mucho tiempo y yo no iba a permitir que él siguiera conmigo. Si yo sabía que no teníamos la organización que necesitábamos, él debía saberlo también. Entendía de investigación y de ingeniería y debía tener suficiente visión del futuro como para darse cuenta de que andábamos mal. Creo que le daba miedo apremiar mucho a mi padre; tal vez presentía que mi padre no lo quería a él. Pero había muchas maneras de salir del paso. Podría haber dicho, por ejemplo: "Señor Watson, ambos tienen razón. Contamos con un departamento de ingeniería superior para lo que hemos hecho hasta ahora, pero vamos a tener que pasar a válvulas al vacío y circuitos electrónicos, y casi no tenemos a nadie que sepa de eso".

No sé cuánto tiempo nos habríamos quedado mi padre y yo en un callejón sin salida, si no hubiera sido por Al Williams, quien estaba aún en finanzas y llevó a cabo un estudio comparativo de los gastos para investigación y desarrollo de la IBM, la RCA, la General Electric y otras firmas importantes. El estudio mostró que nosotros íbamos a la zaga. Los demás invertían por término medio un tres por ciento de su ingreso en ese rubro — tres dólares por cada cien dólares, mientras que nosotros sólo gastábamos unos dos dólares y cuarto.

Williams le llevó esos datos a mi padre, y le dijo: "Señor Watson, no sé si usted lo sabrá o no, pero nos estamos quedando atrás en investigación". Mi padre no dijo nada que lo pudiera comprometer, pero, a la mañana siguiente, convocó una reunión de ejecutivos y les dijo: "Señores, he estado pensando en nuestras actividades de desarrollo y veo que no estamos haciendo lo suficiente. Quiero que se fortalezca este aspecto. Aquí el señor Williams — don Dinero — se quejará del costo; pero no permitan ustedes que él los detenga. Quiero que todos refuercen el sector de desarrollo".

Williams había procedido sin que yo lo supiera pero yo quedé encantado. Mi padre sabía muy bien que eso significaba una gran expansión en el terreno de la electrónica. Miré al vicepresidente de ingeniería, pensando con quién lo reemplazaríamos. Palmer no era el hombre para dirigir la expansión — colocar a la cabeza al líder de los rebeldes de Poughkeepsie sería una ofensa innecesaria a los inventores de mi padre en Endicott. Además, Palmer era sumamente importante en el laboratorio. Tardé varios días en decidirme por Wally McDowell, jefe del laboratorio de Endicott. McDowell tenía una lejana relación con mi padre porque su padre ejercía la medicina en el pueblo de Corning, a unos sesenta y cinco kilómetros del lugar en que se crió mi padre. Además, se había graduado en el MIT (uno de los pocos con que contábamos en ese tiempo), y si bien había ingresado en la IBM el mismo año en que ingresó el vicepresidente de ingeniería y gozaba del respeto de la vieja guardia, me daba la impresión de que tenía más visión. Aunque carecía de experiencia en la contratación de ingenieros, me pareció que lo haría bien.

No se siguió un proceso formal para ascender a McDowell o para retirar al otro; yo simplemente esperé el momento oportuno de proponérselo a mi padre. La ocasión se presentó en mayo de 1950; nos encontrábamos en Endicott para la convención del Club Ciento por Ciento. Hubo un día de campo, y mi padre y yo fuimos al club campestre de la IBM a ver los deportes. Alcancé a ver a McDowell cerca de las canchas de tenis, y le dije a mi padre:

— Papá, realmente tenemos que movernos para ampliar el programa de desarrollo. Creo que podríamos empezar con Wally. No tenemos otro. Tiene grado del MIT, y eso ya es algo. El que está ahora en ese cargo no me parece que tenga la energía necesaria, fuera de que él no ve la necesidad.

Probablemente mi padre ya había pensado en el problema y había resuelto que era necesario un cambio. Me contestó:

— Es una buena idea. ¿Por qué no vas y hablas con él?

Me acerqué al campo de tenis, llamé a McDowell y le pregunté si estaría dispuesto a trasladarse a Nueva York y ponerse a contratar ingenieros en cantidad.

— ¿Qué quiere decir "en cantidad"? — me preguntó — ¿Unas cuantas docenas? Eso lo puedo hacer desde aquí.

— No. Quiero decir por lo menos unos cuantos centenares, y tal vez unos pocos millares.

Wally se sorprendió, pero aceptó, y lo nombramos director de ingeniería. Su antecesor continuó como vicepresidente; y, cosa curiosa, al verse exonerado de la carga de la responsabilidad parece que se sintió libre y se convirtió en un vigoroso y eficaz partidario de la investigación electrónica, particularmente en el área de transistores. Mientras tanto, McDowell se dedicó a contratar gente. Al principio no era fácil atraer a los más brillantes del ramo porque no teníamos nada instalado. No les podíamos decir: "Vengan a ver lo que tenemos". Más bien debíamos contentarnos con: "Vengan a oír lo que vamos a hacer". Pero contratamos a muchos porque yo le dije a McDowell que tomara a cuantos mostraran una razonable probabilidad de ser buenos. No me importaba de dónde procedían. Así que en la redada cayó de todo: norteamericanos y europeos, egipcios e hindúes. Algunos procedentes de culturas demasiado distintas no dieron la medida; tuvimos un porcentaje más elevado de buen éxito con los ingleses y los norteamericanos, pero eso no importaba hasta que tuvimos una masa crítica. Los problemas de la computación electrónica eran tan diversos y tan vastos que no podíamos hacer nada sin un personal suficientemente numeroso. Una vez que lo tuvimos, pudimos seleccionarlo. Gracias a los esfuerzos de McDowell crecimos de quinientos ingenieros y técnicos a más de cuatro mil en un lapso de seis años.

Nuestros veteranos ejecutivos de ventas y planificadores veían esta ola de inmigrantes con extremo escepticismo. Eran ellos curtidos hombres de marketing, el núcleo vital de la IBM, y como las máquinas perforadoras de tarjetas se seguían vendiendo como pan caliente, para ellos no tenía sentido que nos metiéramos en electrónica. Les ponían apodos a los nuevos graduados del MIT que contratábamos. Pero mi padre nos dejaba seguir adelante, aunque después me enteré de que nos vigilaba muy de cerca. Al principio, cuando Wally McDowell se mudó a Nueva York, un mandadero llegaba a su oficina todas las mañanas a las 11:30 con dos almuerzos en cajas. A las 11:35 se presentaba mi padre, se sentaba, sacaba un emparedado y se ponía a hacerle preguntas a Wally. Esto nunca lo supe entonces, pero duró meses y ocurría casi todos los días.

Por fin empezamos a producir computadores después de estallar la Guerra de Corea. Corría el mes de junio de 1950; mi padre andaba por Europa organizando la compañía World Trade y desde allá le envió un cable al presidente Truman, en el cual puso a la disposición del gobierno los recursos de la IBM y me designó a mí para hacer contacto. Yo mandé a Washington a

Birkenstock con el encargo de averiguar qué podíamos hacer. Yo sabía que él iba a ofrecer construir un computador IBM para el esfuerzo de guerra, lo cual me parecía muy bien, pues pensaba que si podíamos contratar con el gobierno un par de máquinas, cada una única en su clase, ésa sería la manera de iniciarnos en el negocio. Birkenstock pasó el otoño de 1950 llamando a todas las puertas del Pentágono y visitando los laboratorios oficiales y a los contratistas de material de guerra para preguntarles qué necesitaban en materia de computación. Se llevó consigo a Cuthbert Hurd, un matemático del laboratorio de la Comisión de Energía Atómica en Oak Ridge, que había ingresado en nuestra empresa en 1949. Hurd dominaba el campo de la computación científica; en efecto, había contribuido a dirigir la campaña para introducir las perforadoras de tarjetas en los laboratorios y talleres de ingeniería.

Examinaron muchos campos relacionados con la defensa nacional: energía atómica, proyectiles dirigidos, criptoanálisis, meteorología, simulacros de guerra y otras cosas. Lo que hallaron fue que los ingenieros y los científicos necesitaban desesperadamente potencia computadora. Había un agudo sentido de urgencia en esos días en los Estados Unidos por causa de Corea. Apenas hacía cinco años que había terminado la Segunda Guerra Mundial pero ya nos habíamos desmovilizado totalmente — los soldados habían vuelto a la vida civil, los buques de las flotas estaban archivados, tanques y bombarderos se habían reducido a chatarra. El único ejército que teníamos en pie de guerra se vio comprometido en Corea, y muchos temieron que Rusia se aprovechara de esa circunstancia para atacar en Europa o en alguna otra parte del mundo. Por eso a fines de 1950 hubo una loca carrera de removilización y rearme. Mientras Birkenstock y Hurd viajaban, la situación empeoraba en Corea. Los chinos lanzaron en noviembre una sangrienta ofensiva que expulsó a nuestro Ejército de Corea del Norte y lo redujo a la tercera parte del territorio de la península.

En medio de aquella sombría situación Birkenstock y Hurd presentaron un plan mucho más audaz de lo que yo esperaba. Sostenían que debíamos construir un computador científico de usos múltiples para trabajar en *todas* las aplicaciones de defensa nacional que habían estudiado. "Probablemente no resolverá para nadie el ciento por ciento de sus problemas, pero sí le resolverá un noventa por ciento'', me dijo Hurd. El calculaba que encontraríamos clientes para unas treinta máquinas, idea que era radicalmente nueva por dos razones: técnicamente, porque probablemente no había más de unos doce computadores en existencia y, excepción hecha de Eckert y Mauchly, la mayoría de los diseñadores pensaban en función de una-máquina-de-un-solo-tipo; y financieramente, porque Birkenstock y Hurd querían que nosotros mismos sufragáramos los costos del diseño. Birkenstock sostenía que si aceptábamos dinero del erario, tendríamos que entregarle tanta información al gobierno que nunca podríamos aspirar a tener una sólida posición en materia de patentes.

— ¿Y cuánto va a costar? — le pregunté.

— El diseño y un prototipo, tres millones de dólares — me dijo —. Todo el programa, el triple o el cuádruple de esa suma.

Lo que me proponía era el proyecto más costoso en toda la historia de la IBM: diez veces más que la SSEC de mi padre. Quise enterarme más a fondo, y poco después del día de Año Nuevo de 1951 celebramos una reunión en mi oficina. Williams y yo éramos los únicos no técnicos entre los asistentes. Hurd, Palmer y Birkenstock pusieron sus maletines sobre la mesa y sacaron diagramas del nuevo computador: una confusión de cuadritos negros conectados con líneas. Después de años de aguijonear, me había llegado la hora de la verdad. Teníamos el dinero necesario, y sabía que podría justificar el proyecto ante mi padre y ante los demás jefes ejecutivos con sólo decir que era vital para el esfuerzo de guerra. No quería pedir la opinión de los funcionarios de ventas o de investigación de mercados porque ya sabía que pondrían el grito en el cielo en cuanto se enteraran de lo que queríamos hacer. Y no era una decisión que pudiera consultar detalladamente con mi padre, pues yo mismo no tenía sino una comprensión rudimentaria y no podría contestar los interrogantes que él seguramente iba a plantear. Estaba, pues, solo. Tenía una sala llena de técnicos talentosos y entusiastas que querían ensayar... pero había que arriesgar tres millones de dólares, suma igual al total del presupuesto de la IBM para desarrollo dos años antes. Le dije a Birkenstock: ''Vamos adelante. Pero quiero pedirle un favor: Tome estos planos, perfecciónenlos, y usted y Hurd salgan a ver si consiguen pedidos de la máquina''.

Mientras tanto, para contener a los escépticos del personal de ventas, le dimos al nuevo computador un nombre patriótico: Calculadora de Defensa.

Pero antes que Birkenstock y Hurd pudieran salir en su misión vendedora, teníamos que determinar cuánto les costaría a los clientes. En la IBM nadie sabía cómo ponerle precio a un computador, así que Palmer y sus ayudantes calcularon el costo de las válvulas al vacío, aumentaron esa cantidad en 50% y obtuvieron un precio de arrendamiento de ocho mil dólares mensuales. Luego Birkenstock y Hurd fueron a todos los laboratorios de defensa nacional que habían visitado antes y presentaron como argumento de ventas las cosas nuevas que la Calculadora de Defensa podía hacer. A los clientes les encantó la idea. En menos de dos meses encontramos once compradores, y diez más en perspectiva. Con pedidos en mano, Williams y yo le presentamos el proyecto a mi padre; él lo aprobó sin una sola objeción.

Muchos tenían la impresión de que mi padre y yo nunca estábamos de acuerdo en cuestión de electrónica. Hubo aquel caso único en que llamó al vicepresidente de ingeniería, pero, excepto esa ocasión, la electrónica fue la única cuestión grande por la cual no peleamos. A veces pienso que aunque yo no hubiera estado allí para empujar, mi padre, de todas maneras, habría llevado a la IBM a ese terreno, porque era un entusiasta de los cálculos veloces. Mucho antes de aparecer la Calculadora de Defensa, fue un día a visitar un laboratorio que él mismo había dotado para la Universidad de Columbia, donde los investigadores estaban experimentando con circuitos de alta velocidad. A su regreso pasó por mi oficina y se veía que venía impresionadísimo. Me dijo: "Tienes que ir a ver eso. No sé lo que era, ¡pero el hombre lo estaba haciendo doscientas mil veces por segundo!" Pero, viendo cómo resultaron las cosas, más bien creo que resolvió dejarme a mí la oportunidad en electrónica, y la Calculadora de Defensa fue el primer riesgo grande que me permitió correr como ejecutivo.

Una vez que estuvo en marcha el proyecto, la idea de producir un computador electrónico embargó mi imaginación como nunca pensé que podría hacerlo un negocio. El proyecto se me parecía a lo que hicieron los hermanos Wrights. Ellos querían volar, y encontraron cantidades de obstáculos en el camino. Se les presentó el problema de potencia y el problema de cómo hacer un ala que volara y el problema de cómo controlarla. Tenían el problema de cómo despegar. Tenían que construir hélices eficientes, y cuando trataron de seguir el modelo de las hélices de buques, descubrieron que eso no servía: no había comparación entre el agua y el aire. Cada uno de esos problemas era un caso aparte y distinto, y, si hubieran fracasado en cualquiera de ellos, jamás habrían volado. Y, sin embargo, esos dos hombres, junto con un ayudante de su tienda de bicicletas, resolvieron uno por uno todos esos problemas en el término de unos siete años.

A nosotros se nos presentaban problemas igualmente complicados, si bien contábamos con centenares de colaboradores y mucho más dinero para trabajar. Nos estábamos apartando de las tarjetas perforadas, un medio relativamente lento que conocíamos muy bien, para entrar en otro cien veces más veloz que no entendíamos. Estábamos tratando de desarrollar circuitos lógicos, circuitos de memoria, dispositivos para manejo de tarjetas, cabezas grabadoras, técnicas de pasar información de tarjetas a cinta magnética, y, junto con otros fabricantes, válvulas al vacío y las cintas mismas. El laboratorio de Palmer desbordó los límites de la vieja mansión y hubo que agregarle otro edificio, una antigua fábrica de encurtidos que había en nuestro terreno sobre el Hudson. Allí instalamos el laboratorio de investigación para válvulas y circuitos, y dejamos el trabajo de cinta magnética en la casa vieja. Básicamente, estábamos aprendiendo una industria nueva.

Para mí esto era maravilloso y sorprendente. Bastaba una visita a Poughkeepsie para darse cuenta del cambio fundamental que se estaba operando en ingeniería. Nuestro viejo laboratorio de Endicott siempre me había parecido un pomposo museo — un lugar donde las ideas eran escasas y había que guardarlas y protegerlas celosamente. En Poughkeepsie, por el contrario, todo era abierto: las ideas eran tan abundantes como el aire y uno tenía la impresión de un futuro sin límites. Los viejos inventores de Endicott trabajaban aislados unos de otros; en Poughkeepsie todo el mundo creía que la colaboración era la única manera de mover un complejo proyecto electrónico. Adondequiera que uno dirigiera la vista encontraba inmensa imaginación y creatividad. Recuerdo que un día, al entrar en la mansión, vi una aspiradora Hoover conectada a la base de una máquina de cinta magnética. Le pregunté al ingeniero, James Weidenhammer, qué estaba haciendo, y me dijo que tenía la idea de utilizar succión para que no se enredaran las cintas no tensionadas. Era un concepto muy original, y hasta el día de hoy todas las unidades de cinta de alta velocidad siguen ese sistema.

Cuanto más progresaba la Calculadora de Defensa, más participaban los demás sectores de la IBM. El proyecto ganó algunos aliados importantes, entre ellos Red LaMotte, que ya era vicepresidente de ventas, y Vin Learson, gerente de ventas de la división de tarjetas perforadas. Yo esperaba que mi padre me desautorizara en cualquier momento, pero eso no ocurrió. Por el contrario, le dio su bendición públicamente al proyecto cuando iba a mitad de camino; anunció en la asamblea de accionistas, en su reunión anual, en abril de 1952, que la IBM estaba construyendo una máquina electrónica "veinticinco veces más veloz que la SSEC", que se arrendaría y recibiría mantenimiento junto con nuestros productos corrientes. Le asignó un número, la IBM 701, lo mismo que a cualquier otro producto, en lugar de llamarla TOMMIAC o cosa parecida, lo cual le agradecí. Estoy seguro de que él había tenido sus dudas. En marzo había ido a Poughkeepsie con toda la junta directiva para ver el prototipo de la Calculadora de Defensa. Uno de los ingenieros que se la estaba mostrando se dejó llevar del entusiasmo, y dijo que el futuro era de la computación electrónica. Me contaron que mi padre se molestó porque se hiciera tanto hincapié en los computadores. Pero a mí no me dijo nada. Un año antes habría dicho: "¿Nadie le ha contado a ese joven que el futuro *de esta compañía* sigue siendo tarjetas IBM?" Creo que hacía un gran esfuerzo por dejarnos libre el campo a mí y a mi máquina.

# CAPITULO 19

Mi padre tenía setenta y tantos años y decaía lentamente. Llegaba más tarde al trabajo por las mañanas y después del almuerzo echaba una siesta de una hora o dos en el diván de la antesala contigua a su oficina, donde tenía una manta para abrigarse. Las secretarias le guardaban el secreto porque él quería proyectar una imagen de absoluto vigor. Cuando aparecía en público era el actor consumado: aunque no se sintiera bien, se erguía y andaba como un hombre treinta años menor. A veces parecía que el trabajo mismo le diera energía. Estando en una convención, me decía que se sentía agotado y que se iba a acostar; pero al dirigirse al ascensor se encontraba con algún conocido a quien hacía tiempo no veía y se ponían a hablar de negocios. Mi padre podía hablar veinte minutos de pie y parecía que eso lo rejuvenecía por completo.

Sin embargo, yo sabía que ya no tenía las mismas fuerzas de antes y empecé a protegerlo. Cuando viajábamos en tren, si me despertaba en medio de la noche siempre me acercaba a ver cómo estaba. Recuerdo que en una ocasión, en un viaje de Indiana a Washington, fui a verlo y no lo encontré en su litera. Entonces me vestí y me puse a buscarlo. Lo hallé caminando a lo largo del tren, completamente vestido en traje de calle y con corbata. Le dije:

— ¿Estás bien, papá?

— Sí. Tuve una sensación curiosa y decidí dar un paseo. Pero ya estoy bien.

Probablemente había despertado creyendo que se iba a morir. Sé que todos los viejos tienen a veces esta sensación — despiertan sobresaltados y les parece que les llegó su última hora. El sólo necesitaba dar un paseo para quitársela.

En 1950, una noche fui con él a una cena en el Hotel Biltmore, con ocasión de un premio que le daban los masones. Pronunció un discurso muy mediocre, para el cual no había hecho otra preparación que anotar unas pocas ideas en un papel, creyendo que podía improvisar, pero a los setenta y seis años eso ya no es tan fácil. Lo vi vacilar con sus notas y me dio mucha lástima. Después me preguntó:

— ¿Cómo estuve?

— Muy bien — le contesté —. Pero ¿sabes una cosa? Hacer discursos te exige mucho esfuerzo. No debieras pronunciar tantos.

Le dije que él ya tenía una posición tan destacada en los negocios que le bastaba con hacer observaciones de dos o tres minutos en lugar de discursos completos. De ahí en adelante hice todo lo posible por evitar que quedara mal en público. Cuando se aproximaba la fecha de nuestra siguiente reunión anual, le hice ver que si había fogueo en forma de preguntas de los tábanos profesionales, era yo el que debía aguantarlo. Estuvo perfectamente de acuerdo; se daba cuenta de que ya no tenía la misma capacidad de otros tiempos. En privado todavía insistía en ser el jefe, pero cada año me permitía dirigir más las reuniones anuales.

Jamás me pregunté: "¿Cuándo se irá este viejo?" Recuerdo que una vez George Phillips me dijo: "Tom, su papá tiene setenta y siete años. Ya pasó de la edad en que muchos otros caen de un ataque al corazón o de un cáncer. Si eso le fuera a pasar a él, ya le habría pasado. Así que seguramente va a vivir unos cuantos años más". Yo pensé: "¡Ojalá! Sería una maravilla", y no "Si dura tanto me muero yo". La mayor parte del tiempo él enriqueció mi vida pero ahora yo le podía proporcionar alguna ayuda y él me la agradecía. Sólo cuando nuestras relaciones se ponían muy tirantes llegaba yo a casa y le decía a Olive: "Sería mucho mejor que mi papá se retirara". Pero, en general, yo quería que continuara. Después tuve un buen amigo en la junta directiva de la IBM, Maersk Moller, que estaba casi en la misma situación con respecto a su padre; éste había fundado una de las más grandes compañías navieras del mundo, A. P. Moller, Inc., de Copenhague, Dinamarca, y Maersk estaba destinado a sucederlo. El viejo señor Moller tenía como noventa años, e ingresaba en un hospital porque se sentía cada vez más débil; pero, de pronto, se levantaba de la cama, iba a la oficina y contradecía todas las órdenes que había dado Maersk. La esposa de éste me dijo una vez que si el anciano hubiera vivido unos pocos años más, era Maersk el que habría tenido que ingresar en el hospital. Pero Maersk lo toleraba porque sentía por su padre la misma devoción irrevocable que yo sentía por el mío.

Qué bueno habría sido que mis relaciones con mi padre hubieran sido tales que yo hubiera podido entrar en su oficina, sentarme cómodamente e intercambiar ideas con él sobre el futuro de la IBM. Por allá en el año de 1950, consideré que ya había aprendido el negocio; entendía lo que estábamos haciendo, gozaba de la confianza de Williams y de los demás jóvenes y sabía a dónde quería que fuera la IBM. Pero mi padre todavía no había terminado conmigo. Yo no era sino vicepresidente ejecutivo, y él no me dejaba duda de que si quería mayores responsabilidades tendría que disputárselas a él palmo a palmo. Una vez, cuando me quejé del modo como me trataba, me dijo: "Yo no tengo mucho tiempo para enseñarte, y te estoy enseñando de la única manera que sé hacerlo". Estaba resuelto a no cejar hasta probarme, templarme y forjarme a su imagen y semejanza.

Solíamos reunirnos al final del día, después de lo que para mí había sido una dura jornada de trabajo. El sólo empezaba a trabajar de veras hacia las cinco, hora en que yo me disponía a tomar el tren para regresar a mi casa en Greenwich. Pero sonaba el timbre y yo, agotado, no tenía más remedio que ir a su oficina. Entonces me decía:

— Voy a mandar a Farwell a Kalamazoo — que era todo lo contrario de lo que habíamos convenido el día anterior. Yo replicaba:

— Papá, bien sabes que eso ya lo discutimos ampliamente y resolvimos que no convenía mandar a Farwell a Kalamazoo.

— Sí, pero lo volví a pensar y cambié de opinión.

— Pero yo ya le dije a Farwell...

— ¡No has debido decírselo!

Y volvíamos a las andadas. Nuestras peores peleas no eran en la oficina, donde podían escuchar los extraños, sino en la casa de mis padres en la Calle 75 Este. Cuando yo tenía una cena tarde en la ciudad o una cita muy temprano al día siguiente, pasaba allí la noche en lugar de regresar a Greenwich y dormía en el mismo cuarto que ocupé antes de la guerra. Viendo las cosas retrospectivamente, no sé por qué hacía esto. Para mi padre, esa opulenta mansión representaba todo lo que él había aspirado a tener en la vida; a mí sólo me traía memorias de los años infelices que viví allí siendo vendedor de la IBM.

Con frecuencia mis padres habían salido para cumplir algún compromiso social, pero yo tenía llave de la casa. Mi madre, siempre económica, no tenía servicio doméstico nocturno y todas las luces estaban apagadas, con excepción de una débil lámpara de diez vatios en el vestíbulo. Yo encendía luces. Había una hermosa escalera curva de mármol y en las paredes grandes cuadros al óleo, del estilo predilecto de mi padre: paisajes oscuros con vacas cansadas. En el segundo piso había un enorme salón con las paredes enchapadas, poltronas de tapicería color marrón y, por supuesto, alfombras persas. Todo el espacio de las mesas estaba cubierto de retratos de familia y fotografías de personajes mundiales con dedicatorias para mi padre. Las de Roosevelt y Churchill ocupaban puesto de honor en la repisa de la chimenea.

Mi alcoba quedaba un piso más arriba. Era cómoda pero austera. Yo me acostaba inmediatamente, y cuando mis padres volvían de su cena, estaba dormido. Mi padre me despertaba so pretexto de darme las buenas noches, se sentaba en una silla al lado de la cama, me preguntaba cómo estaba, y después de algún comentario banal, empezaba: "A propósito, hijo, quisiera que volviéramos a repasar el asunto de la región de ventas del Oeste".

No le importaba que yo ya hubiera trabajado largo tiempo en ese asunto y lo hubiera dejado resuelto. "No me gusta la manera como se está manejando", decía, y procedía a derrumbar el muro que yo había levantado laboriosamente ladrillo por ladrillo. Yo quería al viejo y él lo sabía, pero yo no tenía ni la energía ni el tiempo para volver a construir los muros que él destruía. En un dos por tres pasaba de un sueño profundo a una batalla campal.

La mejor estrategia habría sido dejarlo que se desahogara. Tal vez si hubieran sido las 9:00 A.M. y yo acabara de regresar de unas largas vacaciones, podría haberle dicho: "Volveré a estudiarlo". Pero mi reacción solía ser violenta, y nos enredábamos en otra pelea. El se ponía morado y le temblaba la mandíbula. Todas las viejas tensiones de familia salían a borbotones y yo le hablaba con la mayor dureza. Mi madre oía nuestras voces airadas: "¡Pues para que lo sepas!" "¡No me hables en ese tono!" Sería la 1:30 de la mañana y al fin ella se levantaba. La recuerdo en la puerta de la alcoba en su camisa de dormir, con el cabello desarreglado porque había estado durmiendo. Nunca se parcializó. Decía: "¿Por qué no se van a dormir los dos?"

La pelea acababa en lágrimas. Luego mi padre y yo nos abrazábamos... y nos íbamos a la cama frustrados. Jurábamos que nunca más volveríamos a pelear, y a las dos o tres semanas se presentaba cualquier otro motivo de desacuerdo que se convertía en otra disputa al rojo vivo. Me sorprende que dos personas pudieran torturarse mutuamente como nos torturábamos mi padre y yo, y no parar. Recuerdo una ocasión en que tuvimos una batalla espantosa en mi oficina y yo me salí furioso. En el corredor, un poco más adelante, quedaba la oficina de un primo lejano de mi padre, llamado Charley Love. Llegué hasta su puerta, me eché en el diván y sollocé; Charley permaneció sentado ante su escritorio. Tal vez él se alarmó, pero era un hombre sensible, y me preguntó qué me pasaba.

— Charley, ¿tú no tuviste peleas terribles con tu papá cuando eras joven?

— Claro que sí — me contestó, y con esto sentí alivio.

Mi padre quería cambiarme a mí, y yo quería cambiarlo a él. Yo quería un camarada suave como un zapato viejo, y él no podía ser eso. El hubiera querido que yo fuera más dócil y que no lo provocara tanto. Cada uno quería algo que el otro no le podía dar. Mi madre hacía lo posible por calmar las cosas; a veces me hablaba en privado: "Yo soy bastante menor que tu papá para saber que él es difícil. También sé que casi siempre hay que decirle que sí. Pero debes tener en cuenta que ya está muy viejo. Probablemente le haga daño exaltarse hasta que se pone morado. Tu remordimiento sería muy grande si algo le sucediera durante una de esas terribles peleas. Yo no sé cómo empiezan o qué se puede hacer para calmarlo, pero, por favor, haz tú lo que puedas. Trata de moderarte".

La verdad es que yo tampoco podía hacer mucho, y justamente por eso nuestras disputas eran tan preocupantes. Eran salvajes, primitivas e imparables. Mi padre me quería y quería verme triunfar; yo lo quería a él y quería que viviera su vida sin traumatismos, sin pasar vergüenzas, sin tensiones perjudiciales para su salud. Pero mientras que yo siempre trataba de llenar la medida de sus expectativas, él nunca estaba satisfecho porque ningún hijo puede complacer totalmente a su padre. Y cuando me criticaba, me era imposible dominar mi cólera.

En esa época, ya tenía yo muy pocas dudas sobre mi capacidad para manejar la IBM. Más me preocupaba cómo manejar a mi padre. Nuestras diferencias en materia de negocios provenían principalmente de que yo tenía un mejor sentido que él del crecimiento de la IBM. Aquello era una explosión. Cuando regresé de la guerra era un negocio de 140 millones de dólares al año; en 1952 esa cifra era más del doble. Mi padre no lograba compaginar los números grandísimos que empezábamos a manejar, con la manera como él había dirigido la pequeña compañía de cajas registradoras en ausencia de su jefe el señor Patterson. Me llamaba a su despacho y me decía: "Al Williams y tú están manejando muy mal la operación de ventas". Yo le preguntaba por qué y me decía que la única manera de seguir el curso del negocio era que los gerentes de sucursal y de distrito leyeran los informes de visitas. Un informe de visita era el que rendía por escrito un vendedor después de hablar con un posible comprador. Mi padre los leía todos cuando era gerente regional en la Cash, así que yo tenía que ponerme a explicarle que nos estaba pidiendo un imposible, pues nuestros vendedores hacían por término medio cuatro visitas al día y en las oficinas grandes teníamos cuarenta vendedores; en un distrito de ventas se producían fácilmente 4 000 informes diarios. Si el gerente los leyera todos, no le quedaría tiempo para nada más. Yo no me cansaba de repetirle: "¡Ahora ésta es una compañía grande, con problemas grandes!"

Por la misma razón, él no quería dinero prestado. Estábamos construyendo fábricas y produciendo máquinas para arrendar, que sólo a la vuelta de varios años producirían utilidades, de modo que el negocio requería muchísima financiación a crédito. A mi padre le gustaba el crecimiento pero detestaba las deudas. Habiendo pasado por varias depresiones, creía que uno debía contar siempre con suficientes activos líquidos para cubrir cualquier vencimiento. En 1950 debíamos 85 millones de dólares — no mucho, si se tiene en cuenta que sólo teníamos que pagar el 2.5% de interés, a lo cual podíamos atender con el ingreso constante de nuestro negocio de arrendamientos. Pero en las juntas, mi padre insistía: "No me puedo quitar de la cabeza esa deuda de 85 millones. Ahí está todo el tiempo. No es cuestión de risa. Todos tenemos que pensar en ella constantemente".

Su idea era que el crecimiento de la IBM se debía financiar volviendo a invertir las utilidades en el negocio. Eso no era fácil, pues también creía que a los accionistas se les debían pagar dividendos apreciables. Durante varios años, resolvió este dilema valiéndose de hábiles maniobras contables. En lugar de pagar los dividendos en dinero, los pagaba en acciones, de modo que si uno tenía, digamos, cien acciones recibía otras cinco al final del año. Al mismo tiempo, les ordenaba a los contadores que registraran las acciones de nueva emisión en el balance general de la IBM, no por su precio de mercado, que era como de 200 dólares por acción, sino por un valor nominal de sólo cinco dólares. En esta forma apenas se necesitaba una pequeña fracción de las utilidades para nivelarlo.

Esta era una linda maniobra, y nuestras utilidades crecían tanto que el accionista no corría riesgo alguno; pero las autoridades de la Bolsa de Nueva York se ponían nerviosas. Nada podía impedir que una compañía mal administrada, a diferencia de la IBM, emitiera acciones para encubrir el hecho de que no tenía utilidades con qué pagar dividendos. Entonces Emil Schram, presidente de la Bolsa, adoptó medidas estrictas: dispuso que las acciones emitidas como dividendos tenían que contabilizarse por su precio real de mercado.

Eso no lo aceptó mi padre. Cada primavera, cuando llegaba la hora de declarar el dividendo anual, se apretaba el cinturón y decía: "Tengo que ir a Wall Street y mostrarle a Emil Schram cómo son las cosas en esta tonta cuestión de la contabilización". En 1949 me permitió acompañarlo, pero con la advertencia: "Si quieres venir, está bien; pero no abras la boca".

Cuando llegamos le dijo a Schram:

— Emil, le quiero enseñar los resultados del negocio el año pasado.

Schram era un hombre corpulento y trataba de enfrentarse con mi padre, pero no sé por qué mi padre siempre lo apabullaba. Schram decía:

— No veo cómo le puedo permitir que siga haciendo esto. Tendré que autorizar también a otras compañías para hacer lo mismo.

— Mi compañía no es como las otras. ¡Mire los resultados!

Al fin Schram lo autorizaba para que hiciera lo que quería por un año más. En 1951, Schram se jubiló, e ingresó en la Bolsa un nuevo jefe, Keith Funston, ex rector de Trinity College en Hartford, Connecticut. Funston me conocía un poco porque nos habíamos visto el año anterior en algún almuerzo, y me llamó para decirme: ''Mis colaboradores me han informado sobre su padre y sobre el dividendo en acciones. He estudiado el asunto muy a fondo, le he dedicado muchas horas y, francamente, no podemos permitirle que continúe con esa práctica. Así que, por favor, no lo deje que venga a verme. No quisiera empezar mi actuación en Nueva York peleando con uno de los hombres de negocios más respetados de la ciudad''.

Le informé a mi padre, y me dijo: ''Eso es absurdo. ¡Absurdo!'' Esta vez sí tuve el talento de no decir nada por el momento. Después volví a tocarle el punto una segunda y una tercera vez. Al fin me dijo: ''Está bien, ve tú y trata de sacar el mejor partido posible''. Desde entonces, se expresaba despectivamente de Keith Funston: ''¿Sabes? Ese tal Funston no está bien. No entiende de finanzas''. Pero a mí me gustaba Funston por su temple, y después de la muerte de mi padre lo invité a formar parte de la junta directiva de la IBM.

Teníamos que endeudarnos porque aunque mi padre hubiera podido volver a invertir hasta el último centavo de utilidades en el negocio, no habría sido suficiente. En la IBM todos lo sabían. Si mi padre hubiera sido más tolerante en esa materia, las cosas habrían andado sin tropiezo. Williams, LaMotte y todos los demás constantemente me decían: ''Su padre no quiere contraer más deudas, y necesitamos el dinero''.

Ninguno quería enfrentarse con él. Yo tenía que ir a hablar con mi padre, y él me decía: ''La única razón por la cual tenemos que endeudarnos es que ustedes gastan sin control''. Yo pasaba ratos muy amargos hasta que di en el argumento perfecto: ''Muy bien, papá. No tenemos que tomar dinero prestado. Pero tenemos que dejar de contratar vendedores porque ya tenemos todos los pedidos que podemos servir''.

Esto sí lo mataba porque él mismo había sido vendedor y creía que los vendedores significaban crecimiento. Entonces decía: ''Permíteme examinar esos números otra vez''. En seguida le ordenaba a su secretario que concertara una cita para que fuéramos a Prudential a solicitar nuevos créditos.

El problema más serio que se nos presentó a él y a mí fue el de la campaña contra los trusts. La administración Truman fue muy dura con los grandes negocios, y la Secretaría de Justicia ganaba demandas bajo la legislación antimonopolio a diestro y siniestro. Rompió el dominio de Alcoa sobre el mercado del aluminio en 1945, y pocos años después obligó a la United Shoe Machinery Corporation a diversificarse y tolerar competición de fabricantes extranjeros. Sabíamos que, tarde o temprano, podía entablar demanda contra nosotros. Nuestros equipos estaban en los departamentos de contabilidad de casi todas las principales empresas norteamericanas; el gobierno nos conocía muy bien porque estábamos también en todas las dependencias oficiales. Cobrábamos tarifas de primera por un servicio de primera, y nuestro crecimiento y nuestras utilidades eran asombrosos: año tras año, ganábamos unos 27 centavos, antes de impuestos, sobre cada dólar de ingreso; pero, a pesar de ser el negocio tan lucrativo, habíamos atraído muy poca competencia: todavía teníamos como el 90 por ciento del mercado de máquinas perforadoras de tarjetas; todo lo cual, para la Secretaría de Justicia, probaba que la IBM era un monopolio. Inmediatamente después de la guerra empezaron a investigarnos y a husmear por todas partes. A veces la investigación languidecía, pero teníamos otro año récord, o la División Antimonopolio ganaba otro pleito grande, y volvían contra nosotros.

El ánimo de mi padre para hacer frente a este problema no era bueno. El terrible traumatismo de haber sido condenado a seis meses de cárcel por infracción de la ley antimonopolio cuando estaba con la Cash, nunca le pasó, aunque ya habían transcurrido treinta y cinco años, y seguía siendo como una herida abierta de su amor propio. Juró que pelearía ''hasta morir''. Ese punto de vista era fácil de entender para la mayoría de los empresarios. La IBM tenía éxito, no porque sacara del negocio a los demás sino porque tenía buenos productos, vendedores inmejorables, muchísimos clientes satisfechos — incluso el propio gobierno federal — y porque manteníamos concentrada la energía en tarjetas perforadas. Mi padre no veía por qué nada de esto podía ser malo. ¿Dónde estaba la ley que prohibía forjar un gran negocio? Y si no era ilegal ¿por qué perseguían a la IBM? Lo que nunca podía aceptar era que bajo la ley antimonopolio no había que *hacer nada* para *estar* fuera de la ley. La Secretaría de Justicia nos perseguía únicamente porque le parecía que en nuestro mercado no había suficiente competencia.

Mi padre estaba seguro de su terreno. Publicó anuncios de página entera en los periódicos para ensalzar el sistema de libertad de empresa, y le dijo al gobierno que estábamos dispuestos a cooperar en todo porque no teníamos nada que esconder. Entregó millares de páginas de documentos y dedicó muchas horas a reuniones con funcionarios del gobierno para explicarles pacientemente su filosofía mercantil y las prácticas comerciales de la IBM. A veces la Secretaría de Justicia hacía cosas que lo sacaban de sus casillas, como una vez que mandó agentes que se hicieron pasar por expertos en contraespionaje y examinaron nuestros libros de comercio exterior; pero él confiaba en que algún día el gobierno vería la luz. No sólo quería que desistieran: quería una completa exoneración pública de la IBM. En una reunión de ejecutivos nos dijo: "Si ellos están dispuestos a reconocer que nosotros no hemos violado la ley, lo mejor que pueden hacer es una declaración pública al respecto, inclusive refiriéndose a nuestra política equitativa de prestarles buen servicio a los usuarios y hacerles aumentos de sueldo y brindarles otros beneficios a nuestros empleados . . . Una declaración de este tipo le demostraría al público que la Secretaría de Justicia, cuando se entera de los hechos, hace justicia".

Pero la investigación se prolongaba, y al fin mi padre pidió una entrevista con el procurador general Tom Clark. Mi padre pensó que podría convencerlo de que suspendiera el ataque antes que el asunto pasara a los tribunales. Lo mismo que muchos casos de monopolio, éste, en resumidas cuentas, dependía de la manera como se definiera el mercado, y mi padre me encargó de presentar nuestra definición. Yo hice para el procurador un gran diagrama que representaba el mundo de la contabilidad como una pirámide.

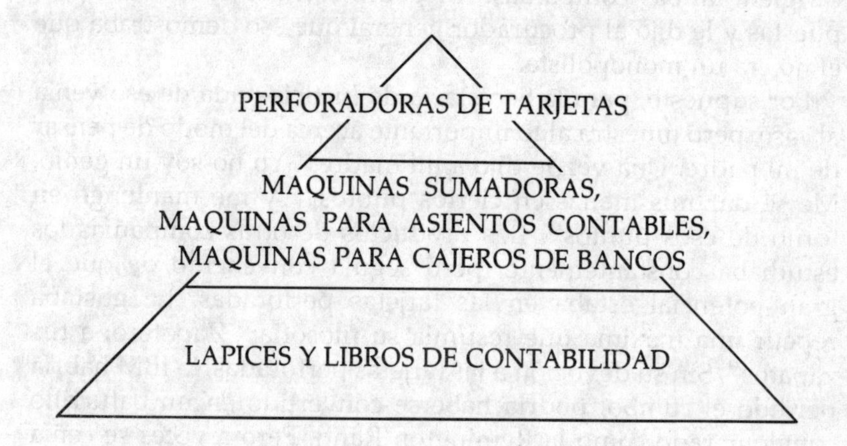


El punto era sencillo. Si el mercado se definía como el mundo entero de cálculos mercantiles, entonces teníamos muchísima competencia, y la inmensa mayoría del negocio estaba en manos de los fabricantes de lápices y papel corrientes, en comparación con los cuales la IBM era un negocio pequeño. Presenté algunas estadísticas oficiales para reforzar nuestra posición: una comisión del Congreso había calculado que la IBM hacía sólo el 16 por ciento del trabajo de contaduría en los Estados Unidos; las cifras de la Secretaría de Comercio indicaban que nosotros éramos sólo el 9 por ciento del total de horas-hombre de producción en la industria de "máquinas de oficina y almacén". Nuestros propios datos (sacados de la cabeza de mi padre) eran que la IBM no realizaba sino el 2 por ciento de todos los cálculos numéricos de los negocios del país. "Nosotros no somos un monopolio", le dije al procurador general. "En realidad, apenas hemos arañado la superficie".

Mi padre señaló que él había rechazado muchísimas oportunidades de comprar a los competidores en otras partes de la pirámide de equipos de oficina; muchas veces habían tratado de venderle patentes para toda clase de máquinas y tuvo la posibilidad de adquirir a Underwood Typewriter, Eckert-Mauchly

Computer y otras compañías. Después de la muerte de John H. Patterson, en 1922, los banqueros inversionistas de la National Cash Register le propusieron que fusionara la IBM con la Cash y dirigiera ambas compañías. Mi padre rechazó todas esas propuestas y le dijo al procurador general que eso demostraba que él no era un monopolista.

Por supuesto, para la Secretaría de Justicia nada de eso venía al caso; pero muestra algo importante acerca del modo de pensar de mi padre. Una vez le dijo a mi madre: ''Yo no soy un genio. Me sé dar mis mañas en ciertos puntos... y me mantengo en torno de esos puntos''. Los productos de otras compañías los estudiaba constantemente, pero seguía convencido de que el gran potencial estaba en las tarjetas perforadas. Le gustaba repetir una máxima que resumía su filosofía: ''Zapatero, a tus zapatos''. Sin su devoción a las tarjetas perforadas, la IBM habría perdido el rumbo; podría haberse convertido en un baturrillo conglomerado como la Remington Rand. Pero a veces se ceñía demasiado a sus zapatos: Estuvimos a punto de perder el negocio de computadores, y en 1941 no quiso comprar las patentes de la xerografía. El inventor Chester Carlson vino de Queens y se las ofreció, antes de fundar la empresa que más adelante se convirtió en la Xerox. Esa fue la oportunidad más grande que mi padre perdió en su vida.

El procurador general no quedó convencido con nuestra pirámide, y no lo culpo porque yo mismo no estaba convencido. Probablemente entre las personas reunidas en ese cuarto la única que creía plenamente en nuestros argumentos era mi padre, porque él era el único que tenía la visión de la pirámide como un solo gran mercado abierto. Creía realmente en el enorme potencial de la contabilidad con tarjetas. Habría sostenido que algún día las máquinas de contabilidad le quitarían el negocio al lápiz... como lo han hecho hoy los computadores personales. Pero Tom Clark no lo veía así. Escuchó y luego dijo simplemente: ''Nosotros pensamos que las tarjetas perforadas son una industria aparte''. Desde luego, allí sí teníamos nosotros el monopolio.

Si mi padre hubiera sido razonable en esa materia, podríamos haber llegado entonces a una transacción. La Secretaría de Justicia pensaba que necesitábamos competidores, pero no pretendía hacer nada radical, como desbaratar la IBM. Le parecía suficiente que aflojáramos un poco nuestra garra sobre el mercado — otorgándoles a otras entidades concesiones para fabricar, bajo algunas de nuestras patentes, y ofreciendo nuestras máquinas a la venta lo mismo que en arrendamiento. Entonces las fuerzas naturales de los competidores harían lo demás. Esto implicaría complicadas modificaciones de nuestro negocio, pero a mí no me parecía que fueran tan perjudiciales como lo sería un pleito judicial. Desde los años 30, la nación había ganado el 90 por ciento de las demandas contra los monopolios, y si nosotros pleiteábamos y perdíamos, el tribunal bien podría desarticular la compañía. Pero cuando le propuse a mi padre que transigiéramos, se mostró irreductible — para él, transigir era lo mismo que reconocerse culpable.

Los abogados contribuyeron a empeorar las cosas. Los socios del bufete que se encargaba generalmente de los negocios de la IBM sabían que debíamos transigir (ellos fueron los que inicialmente me convencieron a mí de esta idea), pero con mi padre no se mostraban tan firmes como yo hubiera querido. Era muy difícil decirle a él que estaba equivocado. La cuestión antitrust lo preocupaba de tal modo que se agarraba de cualquiera que estuviera de acuerdo con su posición. Contrató en Washington un abogado adicional, llamado Joseph Keenan, para que ayudara a negociar con la Secretaría de Justicia. Keenan era un juez federal retirado, pero era intrigante y mañoso. Le dijo a mi padre: "Estas cosas siempre se pueden arreglar, señor Watson", y nos pasó una cuenta fantástica. Pero la investigación siguió adelante. En 1950, con gran alivio de mi parte, mi padre contrató un tercer abogado. Era éste el juez Robert Patterson, que había sido el primer secretario de Guerra en el gabinete de Truman, y era un gran hombre. En cuanto llegó, le advirtió a mi padre que estos casos no se podían arreglar y que tenía que prescindir de Keenan.

Mi padre hizo a Patterson miembro de nuestra junta directiva, y yo tuve la esperanza de que él le abriera los ojos a mi padre. Estando mi padre en Europa en 1950, Patterson fue a pasar un tiempo con él y yo le pedí que le hablara de transigir en el pleito. Pasó allá la mitad del verano, pero yo no tuve ninguna noticia, y cuando regresó lo invité a almorzar.

— Bueno, ¿convenció a mi papá? — le pregunté.

— Honestamente, la verdad es que no lo convencí.
— ¡Cómo puede ser! — exclamé indignado —. Pasó usted allá seis semanas. ¿Qué hizo?
— Tom — me dijo — , es muy difícil hacer cambiar de opinión a su padre cuando no quiere cambiar.

Eso yo lo sabía muy bien, pero me había forjado la ilusión de que Patterson me pudiera lavar esa pieza de ropa sucia. Quizá lo hubiera logrado más adelante, pero no se le dio la oportunidad: la Secretaría de Justicia entabló pleito contra la IBM el 21 de enero de 1952. Al día siguiente, Patterson murió en un accidente aéreo.

Mi padre y yo éramos tan aficionados a pelear que hasta convertimos en lucha mi ascenso a presidente de la IBM. En 1950 Al Williams y yo éramos los que en la práctica dirigíamos la compañía; mi padre se asomaba a ratos para vigilarnos o tomar alguna decisión importante, pero pasaba la mayor parte de su tiempo resolviendo problemas de World Trade. George Phillips continuaba interpuesto entre mi padre y yo, sin que el sistema funcionara mejor. Williams y yo resolvíamos tomar determinada medida, informábamos a Phillips y éste nos decía que siguiéramos adelante; pero luego hablaba con mi padre, que decía: "¡Eso es lo más ridículo que se les ha podido ocurrir!" Entonces el viejo Phillips recogía velas y daba vueltas y más vueltas. Yo, en realidad, no lo culpaba. El era totalmente leal con mi padre, y todos necesitan unas pocas personas así. Pero en la primavera de 1951, cuando yo me esforzaba por adelantar los trabajos de la Calculadora de Defensa, la copa se colmó. No recuerdo a propósito de qué, pero yo entré furioso en la oficina de mi padre y dije:
— ¡Maldita sea! Tienes a tu secretario como presidente de esta compañía. Primero conviene con algo que yo quiero hacer, luego viene a hablar contigo ¡y cambia de opinión!

Mi padre me hizo salir a la antesala donde hacía sus siestas, llamó a Phillips y estuvieron un rato hablando en voz baja. Luego me hizo entrar otra vez. Los dos se volvieron hacia mí y mi padre dijo:
— Hemos resuelto nombrarte presidente.

Yo iba preparado para continuar la pelea, y mi padre vio que me había dejado con la boca abierta.

— ¿Qué te pasa? — me preguntó —. ¿No quieres el puesto?

A mí me habría gustado que él hubiera considerado mi acceso a la presidencia como un gran triunfo de su vida, a la par con haber ganado la mano de mi madre y todo lo que había realizado en la IBM a lo largo de los años. Pero no; me lo concedía como si no fuera más que una manera de evitar otra disputa. Me sentí abrumado. El también estaba alterado, y partió en un viaje de negocios sin decirme una palabra más ni escribirme una nota siquiera. Le dejó instrucciones a Phillips para que me mandara una carta de confirmación de lo que habíamos hablado. Sin embargo, se ocupó en los detalles y dispuso las cosas de manera que yo me pudiera posesionar como presidente en enero de 1952. Mientras tanto, Phillips recibió aumento de sueldo y promoción al nuevo cargo de vicepresidente de la junta directiva — donde mi papá siguió sirviéndose de él como parachoques. Yo dispuse de más autonomía que antes, pero todavía tenía que tramitar por conducto de Phillips las cuestiones importantes de finanzas y otras por el estilo, y mi padre siguió utilizándolo a él para desautorizarme a mí.

La víspera de asumir oficialmente el cargo, con la esperanza de que mi ascenso a la presidencia de la compañía suavizaría mis relaciones con mi padre, le escribí una carta de agradecimiento para tratar de fijar un nuevo tono:

> Querido papá:
> Estoy muy agradecido contigo por lo que vas a hacer mañana. Quiero mucho mi trabajo y a la compañía, pero además pienso que con esta medida tu vida puede hacerse mucho más placentera. Tú eres y serás siempre la IBM para todos nosotros y a tu guía y tus consejos debo el 90 por ciento de mi preparación actual. Tengo la esperanza de que continúes al frente de la IBM como jefe ejecutivo durante muchos años, dándonos al señor Phillips y a mí tus ideas sobre la política y las altas decisiones de la compañía y quizá dejándonos a nosotros algo de los detalles desagradables.
>
> Comparto tu fe en que la compañía puede continuar creciendo rápidamente. Mi incentivo es grande — sueldo, acciones, etc. — pero aun sin eso seguiría queriendo mi trabajo con tal de ganarme la vida porque la IBM es tu compañía y yo soy tu hijo.

Siempre he pensado en el día de mi promoción a presidente de la IBM como un día de completa realización para mí. Por supuesto, estoy muy contento, pero no tendré la sensación de realización a que aspiro mientras no vea en tu rostro y en tus ojos que mi trabajo y mi desempeño te complacen. Ningún hijo creyó jamás más hondamente que yo en su padre.

Afectuosamente,
Tom

Resultó, empero, que los seis meses siguientes fueron un verdadero infierno. La IBM pasó la raya de los 250 millones de dólares al año y había demasiado que hacer, demasiadas decisiones que tomar. Yo trabajaba con frenesí, visitando a los clientes importantes, entrando en el campo de la electrónica y tratando de parar la demanda antimonopolio antes que pudiera causarnos verdadero daño. También destinaba mucho tiempo fuera de la IBM a actividades de servicio público como los Boy Scouts y otras. Mi nueva posición me imponía muchas responsabilidades ceremoniales, como pronunciar discursos en las convenciones y visitar oficinas en todo el país para celebrar "comidas de familia", como las llamaba mi padre, con el personal que trabajaba allí.

Los deberes administrativos me quitaban muchísimo tiempo. Por ejemplo, los salarios de todos los trabajadores de la compañía tenían que mejorarse, en parte por la inflación y en parte porque mi padre veía que los sindicatos obreros obtenían aumentos en otras industrias. Cualquier otra compañía simplemente habría anunciado un alza general desde la sede, pero así no era como hacía las cosas mi padre. El pensaba que declarar un alza general de paga minaría las relaciones entre los trabajadores individuales y sus respectivos gerentes, y les daría a los sindicatos una apertura al hacer a los trabajadores receptivos a la idea de negociación colectiva, de modo que en la IBM todo aumento de sueldo se tenía que presentar como un *aumento individual por mérito,* concedido a cada trabajador por su jefe. En lugar de informar a un departamento de veinte personas que a todos se les iba a subir el sueldo, el gerente tenía que celebrar veinte entrevistas individuales y decirle lo mismo a cada persona: "Usted ha hecho un buen trabajo, aquí tiene su aumento". Cuando hacíamos un aumento general, decenas de millares de entrevistas tenían que coordinarse en toda la compañía, y el negocio casi se paralizaba. Los empleados sabían muy bien lo que estábamos haciendo, por supuesto; era una ocasión que probablemente les recordaba a algunos el ritual de la vida en el ejército.

La frustración de trabajar con mi padre me hacía a mí muy exigente con los demás. Cuando salía a inspeccionar una oficina de ventas, no era ciertamente un tonto benévolo que iba de paso diciendo que todo estaba de color de rosa. Por el contrario: llevaba por dentro la cólera que me devoraba, y dejaba salir un poco de ella. Un poco, nada más. Sabía que probablemente no volvería a ver a los empleados de una oficina antes de dos o tres años. Entonces me refrenaba por la razón práctica de que si los dejaba muy resentidos, ese sentimiento se iría enconando cada vez más y sería perjudicial para el negocio. Con frecuencia acababa por llevar mi frustración conmigo a donde mi mujer, y mis hijos eran las víctimas. Ya Olive y yo teníamos a Tom, Jeannette, Olive y Cindy, desde ocho hasta dos años de edad. Olive pasaba todo el día trabajando con ellos y los tenía bien limpiecitos y preparados para recibirme en casa. Yo entraba y lo primero que decía era: "Esa niña no tiene las medias bien templadas. Esta no está peinada. ¿Qué hacen esas cajas en el pasillo? Debieran haber ido al correo". Era la misma actitud exigente de la IBM y para todos era muy dura.

No creo que mi padre cayera en la cuenta de cuánto me acosaba. Había veces en que me parecía que yo iba a sufrir una postración nerviosa. Ese verano murió en California uno de los gerentes de nuestra división de máquinas de escribir. Era un empleado de bastante antigüedad, casado con una mujer de espíritu vengativo que por alguna razón se había formado la idea de que la IBM no había tratado a su marido con equidad, y le dijo a alguien que iba a demandar a la compañía porque a su esposo le había fallado el corazón por levantar pesadas máquinas de escribir. Cuando supe esto, me pareció importante darle una muestra de respeto asistiendo a las exequias, lo cual en ese tiempo implicaba un vuelo de nueve horas en un avión de hélices llamado Constellation. Cuando me disponía a salir para el aeropuerto, mi padre me llamó a su oficina y tuvimos una disputa terrible. Al fin yo dije: "No tengo tiempo de hablar contigo. Tengo que tomar un avión". Y me salí.

Mi padre bajó, tomó su automóvil y, no sé cómo, me tomó la delantera. Wiz Miller, jefe de la división de máquinas de escribir, viajaba conmigo y cuando llegamos al aeropuerto de La Guardia e íbamos por la pista para subir al avión, vi a mi padre. Era ya un anciano de setenta y ocho años, y lo recuerdo avanzando trabajosamente en la sombra del edificio del terminal donde su automóvil permanecía estacionado. Me pareció que abusaba de su edad. Se me acercó lentamente por la pista, y a la vista de mucha gente que presenció la curiosa escena, estiró su arrugada mano y me agarró del brazo. Yo perdí totalmente los estribos y exclamé: "¡Maldito viejo! ¿No me vas a dejar nunca en paz?" No lo golpeé pero sí retiré violentamente el brazo, le volví la espalda y subí al avión.

Fueron las nueve horas más largas de vuelo que he hecho en mi vida. Yo estaba fuera de mí, aterrado de pensar que mi padre podía morir sin que yo pudiera volver a hablar con él, y que tendría que vivir el resto de mi vida con el remordimiento de haber maldecido a mi padre. Cuando aterrizamos, no veía el momento de correr al primer teléfono para llamarlo y pedirle perdón.

Esa pelea pasó, como todas las demás, pero me dejó traumatizado. Por primera vez comprendí que mi padre se podía morir. Empecé a darme cuenta de que ya no podía seguirme comportando como un adolescente. Ese otoño llevé a mi familia de vacaciones; aunque hacía menos de un año que ejercía la presidencia, todos necesitábamos un descanso. Pasamos dos semanas tranquilas en una casa de madera en la Isla de Pescadores frente a la costa de Connecticut. Jugué con mi hijo y mis hijas y pensé mucho en mi padre. Después pasé otra semana navegando a la vela por el litoral oriental con Williams, Learson y algunos otros ejecutivos con quienes podía contar. Esto me dio más tiempo aún para reflexionar. Finalmente, en el viaje de regreso en tren después que atracamos, saqué un taco de papel rayado y puse por escrito el afecto y la ternura que me inspiraba el viejo.

> Mi querido papá:
> He estado pensando esta carta desde que me embarqué para el Chesapeake. Durante la navegación con los compañeros de la

IBM empecé a recordar nuestros 38 años juntos. Mi tema básico parecía ser el reconocimiento reiterado de cuán maravilloso, justo y comprensivo has sido tú siempre conmigo. Esto siempre lo he sabido, pero lo veo más claro ahora que tengo un hijo con quien trabajar. Mi esperanza es que cuando él crezca piense en mí como yo pienso en ti. Claro, confío en que él no me discuta ni me desafíe como yo a ti, pues sé lo penoso que esto puede ser para un padre.

Recuerdo muy bien los problemas que te causé en la escuela de Short Hills cuando tú estabas en la junta, y volví a la escuela cuando estaba en Carteret y me metí en una pelea con barro que fue denunciada a la junta. Tuviste paciencia . . . me temo que yo no la habría tenido.

He pensado igualmente en tu constante problema conmigo por las malas calificaciones que sacaba, y que nunca te encolerizabas por mi desaplicación.

Recuerdo bien la mañana que tú y yo salimos de Camden con el propósito deliberado de encontrar una universidad que me recibiera. Me alegro de que me haya recibido Brown. Luego el problema del vuelo y todo lo demás . . . sin prohibirme nada, sólo razonando conmigo. Ojalá que yo pueda hacer lo mismo con Tom.

Me pesa no haber sido un hijo mejor en innumerables cosas. Tú y mi mamá me dieron siempre un ejemplo excelente, pero sigo en la brega, y siempre *quise* que se sintieran orgullosos de mí.

Todos los detalles de nuestros momentos juntos inundan mi mente desde hace tres semanas como una agradable nube. Hemos tenido nuestras batallas, y yo, honradamente, creo que en el 90 por ciento de los casos tú tenías la razón; y en el 10 por ciento restante, un buen hijo se hubiera quedado callado.

Te he escrito muchas veces, papá, diciéndote que me manejaría mejor; pero esta vez me siento distinto, desde que viajé al sur. Ansío tanto que te sientas satisfecho.

Lo que pretendo expresar es que te quiero y te respeto profundamente y quisiera tener otra oportunidad de demostrártelo. La compañía es tu sombra y tu salud y espero poder conservarla así. Hoy más que nunca deseo tu dirección y tu consejo en el negocio y me gustaría pasar la mayor parte del tiempo contigo cuando vengas a la oficina, si lo podemos arreglar así.

Esta carta probablemente no te transmite lo que siento en el fondo del corazón, pero de todas maneras quise ensayar.

Lo que quiero decir esencialmente es que nadie podría haber desempeñado mejor ni en forma más comprensiva que tú y mi mamá los deberes de padres, y yo ahora me voy a esforzar más que nunca para que ambos se puedan sentir orgullosos de mí.

Afectuosamente,
Tom

Me alegro mucho de haber escrito esta carta, porque creo que fue el momento más feliz que le di a mi padre.

Mi querido Tom:

Después de leer tu carta mi corazón está tan lleno de felicidad que no puedo pensar en otra cosa, así que me voy a casa para que tu mamá también la lea, y pasaremos unas horas tranquilos y felices con gratos pensamientos y oraciones por tu felicidad y tu utilidad para tu familia y el clan Watson en general. Sé que te podemos ayudar y tú nos puedes ayudar a nosotros.

Sencillamente, no puedo escribir más por hoy, pero bien puedes imaginar lo que llena mi corazón y llenará el de tu mamá en cuanto yo llegue a casa. Que Dios te bendiga y te proteja y me ayude a mí a ser un padre mejor para ti y para Olive.

Con el corazón lleno de amor,
Tu papá

La carta no puso fin a nuestras disputas, pero les quitó algo del rencor de una y otra parte.

# CAPITULO 20

Un día, a comienzos de los años 50, me detuve en Washington para cambiar de avión y Red LaMotte, que estaba entonces encargado de nuestra oficina en Washington, fue al aeropuerto a saludarme. Con su estilo tranquilo, me dijo: "Tom, los de la Remington Rand tienen ya una de esas máquinas UNIVAC en la Oficina del Censo, y pronto tendrán otra. Están causando sensación. Han hecho a un lado un par de tabuladoras para hacerles sitio". Yo sabía todo acerca del UNIVAC, por supuesto, pero en la Oficina del Censo fue donde se iniciaron las máquinas perforadoras de tarjetas, por allá en los años 80 del siglo pasado, y siempre había sido un feudo de la IBM. Pensé: "¡Por Dios! Nosotros estamos tratando de construir Calculadoras para la Defensa mientras los del UNIVAC son tan listos que se están llevando el mercado de aparatos de uso civil". Estaba aterrado.

Regresé a Nueva York en las últimas horas de esa tarde y convoqué una reunión que se prolongó hasta bien entrada la noche. No había en la IBM ni una sola alma que captara ni siquiera una centésima parte del potencial de los computadores. No éramos capaces de visualizarlo. Pero una cosa sí entendíamos, y era que estábamos perdiendo negocios. Algunos de nuestros ingenieros ya habían iniciado ensayos para diseñar un computador de aplicaciones comerciales, y resolvimos convertir ese esfuerzo en un programa prioritario para enfrentarnos con el UNIVAC. Dos años y medio después, este producto saldría al fin al mercado como el IBM 702, pero el nombre que tenía mientras estuvo en el laboratorio era Máquina Procesadora de Cinta. Para todos era obvio que al fin dábamos pasos importantes alejándonos de las adoradas tarjetas perforadas de mi padre.

Tuvimos entonces dos proyectos importantes de computador avanzando paralelamente, con equipos de ingenieros que trabajaban por turnos las veinticuatro horas del día. Todas las mañanas yo dejaba a un lado todas mis otras responsabilidades para pasar unas horas con los gerentes de proyecto y mantenerme al tanto del progreso y apremiarlos. Los empleados inventaron la expresión "modalidad pánico" para describir la manera como trabajábamos: había días que me sentía como si todos estuviéramos a bordo del *Titanic.* Una mañana de 1952 McDowell se me presentó con un nuevo análisis de lo que iba a costar la Calculadora de Defensa. "Esto no le va a gustar", me dijo. El hecho era que el precio que les habíamos estado cotizando a los clientes era demasiado bajo — un 50%. La máquina cuyo arrendamiento mensual habíamos calculado en 8 000 dólares iba a costar entre 12 000 y 18 000. No había más remedio que ir a informar a los clientes. Tuve la enorme sorpresa de que no perdimos ni a uno solo de los que habíamos conseguido inicialmente. Entonces me dije *¡Eureka!* Estaba claro que habíamos encontrado una nueva y poderosa fuente de demanda. La clientela estaba tan ansiosa de obtener computadores que podíamos duplicar el precio sin asustar a nadie.

Sabíamos que el UNIVAC nos llevaba varios años de ventaja. Peor aún, la Remington Rand sabía explotar muy bien todas las circunstancias. En 1952, la noche de las elecciones, cuando Dwight Eisenhower estaba derrotando a Adlai Stevenson, apareció un UNIVAC en la CBS. Esta cadena había convenido en usar el computador para ir haciendo la proyección de los resultados electorales, y fue así como millones de personas conocieron el UNIVAC, presentada por Edward R. Morrow, Eric Sevareid y Walter Cronkite, quien la llamó "el maravilloso cerebro electrónico". La máquina funcionó a la perfección... tanto que los mismos que la manejaban no podían dar crédito a lo que les decía. Todas las encuestas preelectorales indicaban que la votación iba a ser muy pareja entre los dos candidatos; en cambio el UNIVAC, sobre la base de una pequeñísima fracción de los votos contabilizados, predijo que Eisenhower iba a ganar por una gran mayoría. Esto puso tan nerviosos a los de la Remington Rand que desconectaron una parte de la memoria del UNIVAC para que su predicción no se alejara tanto del resultado de las encuestas.

Pero la máquina tenía razón, y, ya avanzada la noche, un ingeniero apareció en la pantalla y confesó muy contrito lo que había hecho. La máquina de la Remington Rand se hizo tan famosa que cuando nosotros sacamos nuestro primer computador la gente lo llamaba "el UNIVAC de la IBM".

La Calculadora de Defensa, o IBM 701, como se llamó oficialmente, salió de la línea de producción en diciembre de 1952. Por varios aspectos era distinta de todos los computadores que se habían hecho hasta entonces, pues desde el principio lo concebimos como un producto, no un aparato de laboratorio, y a pesar de su enorme complejidad lo construimos en una fábrica, no en el laboratorio de ingeniería. También era distinto de los demás computadores por su forma, porque lo diseñamos para que fuera fácil de transportar e instalar. Otras máquinas constaban de grandes armazones y tableros que había que llevar separados y luego armarlos trabajosamente en las oficinas del cliente. El UNIVAC tenía un mueble principal del tamaño de un camión pequeño. En cambio, el 701 se componía de unidades modulares, cada una más o menos del tamaño de una nevera grande. Nuestros ingenieros las desempacaban, las unían con sus cables, y en tres días las tenían rindiendo trabajo útil. Cualquier otra máquina tardaba por lo menos una semana.

Mi padre quería lanzar el 701 con el bombo usual de la IBM, en parte porque necesitábamos quitarle atención al UNIVAC; de modo que el primer 701 se despachó a Nueva York, se instaló en la planta baja de la sede de la compañía, y quedó listo para una gran inauguración. Para hacerle sitio a la nueva máquina desarmamos la máquina SSEC, la calculadora gigantesca de mi padre que apenas cinco años antes era la última palabra en calculadoras pero que ya era obsoleta por causa del rápido progreso de la electrónica. La ceremonia se celebró en abril, con asistencia de ciento cincuenta de las figuras más eminentes de los Estados Unidos en los campos de la ciencia y de los negocios, incluyendo a William Shockley, inventor del transistor, John von Neumann, el gran teórico de los computadores, el general David Sarnoff, director de la RCA, y los jefes de AT&T y de la General Electric. El invitado de honor fue J. Robert Oppenheimer, el brillante físico que presidió el equipo científico que produjo la primera bomba atómica. En su discurso dijo que el 701 era "un tributo al alto esplendor de la mente", y en nuestros boletines de prensa nos jactamos de que el 701 "rompería la barrera del tiempo que se opone a los técnicos dedicados a vitales proyectos de defensa".

A nuestros visitantes les impresionó el computador, y los periódicos del mundo entero publicaron la noticia. Pero la reacción más ruidosa fue la de los clientes grandes que desde hacía años nos venían presionando para que empezáramos a producir computadores. Ahora que habíamos producido el 701 para uso científico, querían que anunciáramos el que estábamos diseñando para los negocios. "Déjense de evasivas", me dijo mi amigo de Time Inc., Roy Larsen. Muéstrennos lo que están haciendo para que podamos resolver si debemos comprar un UNIVAC o no. Algunos de nuestros ejecutivos de tarjetas todavía seguían sosteniendo que los computadores jamás resultarían económicos, pero el hecho de que tuviéramos clientes esperando me permitió sobreponerme a sus objeciones. Anunciamos el IBM 702 en septiembre, y en el término de ocho meses conseguimos cincuenta pedidos.

Mientras tanto, dediqué mi atención a la venta más importante de toda mi carrera. En los años 30, mi padre había llevado a la IBM a la altura de las grandes corporaciones suministrándoles perforadoras de tarjetas a la Administración del Seguro Social y al New Deal. Durante los gobiernos de Truman y de Eisenhower no hubo análogos programas de acción social masiva que nosotros pudiéramos aprovechar. Fue la guerra fría la que contribuyó a poner a la IBM a la cabeza del negocio de computadores. Después que los rusos hicieron explotar su primera bomba atómica en 1949, la Fuerza Aérea de los Estados Unidos consideró que necesitaba un sistema de defensa muy perfeccionado, incluyendo computadores, idea muy audaz entonces porque tales máquinas eran apenas algo más que un experimento. El gobierno celebró un contrato con el MIT [Instituto de Tecnología de Massachusetts], y allí algunos de los mejores ingenieros del país trazaron los planes de una vasta red de computadores y radar que debía cubrir todo el territorio de los Estados Unidos, operar día y noche y calcular la ubicación, el rumbo y la velocidad de cualquier bombardero que se aproximara. El nombre militar de este sistema fue Medio Terrestre Semiautomático, o

SAGE [Semi-Automatic Ground Environment]. Hasta entonces, la defensa antiaérea consistía en unas pocas estaciones dispersas de radar, donde los observadores hacían sus cálculos con regla de cálculo y en seguida diagramaban a mano las trayectorias de vuelo. Cuanto más aumentaba la velocidad de los aviones, más difícil era rastrearlos. Un comandante de defensa antiaérea podía recibir mensajes redundantes de dos o tres operadores distintos de radar, cada uno de los cuales creía haber visto algo. La idea de SAGE era evitar confusiones. El comandante lo podía utilizar para cubrir toda la región y transmitirles órdenes a sus aviones de interceptación y baterías antiaéreas.

El ingeniero del MIT a quien se le asignó la responsabilidad de obtener los computadores para el SAGE fue Jay Forrester, hombre austero, como de mi edad, a quien animaba la convicción de que los computadores podían hacer muchas más cosas de lo que creía la gente. En el verano de 1952 hizo un viaje de reconocimiento de la industria y visitó a las cinco compañías que estaban en la competencia: La RCA, Raytheon, la Remington Rand, Sylvania y la IBM, todas las cuales le mostraron cuanto tenían. La RCA y Sylvania lo pasearon por sus enormes fábricas de válvulas al vacío que surtían a toda la industria. La Remington Rand presentó el UNIVAC y llevó como su vocero al famoso general Leslie Groves, quien durante la guerra dirigió el Proyecto Manhattan, el cual produjo la bomba atómica.

Traté de no preocuparme por Groves ni los demás competidores. Dejé simplemente que la IBM hablara por sí misma, para lo cual llevé a Forrester a conocer nuestras plantas y le presenté a nuestros colaboradores más capaces. El se sentía muy presionado para poner el sistema en producción lo más pronto posible, y creo que lo que lo impresionó fue que nosotros ya estuviéramos haciendo computadores en una fábrica. Obtuvimos un pequeño contrato para la primera etapa del proyecto, para hacer prototipos de computador en colaboración con el MIT.

Para que el SAGE fuera posible, los computadores debían operar en una forma en que jamás habían operado antes. En esos tiempos, una computación típica se hacía en lo que se llamaba modalidad de tanda. Esto quería decir que primero se reunían los datos, después se alimentaba la máquina, y finalmente uno esperaba un momento hasta que saliera la respuesta. Un procesador en tanda se podría comparar con un zambullidor de altura en un circo — cada prueba implica un largo redoble preparatorio de tambor, una zambullida muy veloz, luego una rociada. Pero el sistema SAGE debía rastrear un amplio cuadro de defensa aérea que cambiaba a cada instante. Eso significaba que tenía que recibir una corriente constante de nueva información de radar y digerirla en forma continua en lo que se llama "tiempo real". De modo que un computador para el SAGE era más bien como un malabarista que debe mantener en el aire media docena de pelotas, echando constantemente a un lado las pelotas viejas y recibiendo en cambio las nuevas que sus ayudantes le lanzan desde todas direcciones. Y como si la computación de tiempo real no fuera de suyo un verdadero desafío técnico, la Fuerza Aérea quería además que el sistema fuera absolutamente digno de confianza. En aquellos días se consideraba un triunfo hacer un computador capaz de trabajar ocho horas seguidas sin fallar. Pero el SAGE se esperaba que funcionara impecablemente día y noche y año tras año sin parar.

Cuando Rusia hizo explotar su primera bomba de hidrógeno, en el verano de 1953, la necesidad del SAGE se hizo más urgente aún. Retiramos a muchos de nuestros mejores ingenieros de otros computadores y los pusimos a trabajar con Forrester y su gente. Un año después de empezar, teníamos setecientas personas dedicadas al proyecto SAGE y sólo tardamos catorce meses en diseñar y construir un prototipo capaz de realizar la tarea. Era un monstruo de máquina, mucho más grande que cualquier computador producido hasta entonces. La Fuerza Aérea lo bautizó el AN/FSQ-7, o Q7 para abreviar, y contenía 50 000 válvulas al vacío y docenas de cajas esparcidas en una bodega grande. Era tan grande que aunque la electricidad pasa por un alambre a una velocidad cercana a la de la luz, a veces las señales tardaban demasiado en llegar de una parte a otra del computador.

Pese a que habíamos construido un prototipo satisfactorio, no teníamos asegurada la etapa siguiente del proyecto. La tajada del león del SAGE — el contrato para fabricar y mantener los computadores que constituirían el sistema mismo — estaba todavía en disputa. A mi modo de ver, para el futuro de la IBM era absolutamente esencial que lo ganáramos, pues la compañía que construyera esos computadores se colocaría a la cabeza de la industria, porque aprendería los secretos de su producción en serie. Ya llevábamos una ventaja por haber construido el prototipo, pero en nuestro trato con el MIT hubo muchas ocasiones en que me pareció que todo lo habíamos echado a perder.

Forrester era un genio en hardware de computadores, pero no comprendía cuán difícil es organizar un proceso de producción confiable. Le parecía que estábamos manejando el proyecto muy mal. Su idea de administración era lo que llamaba "el principio del hombre del caballo blanco". Ese hombre era Napoleón. Forrester creía que todo proyecto de ingeniería necesitaba un dictador, y así no era como le gustaba trabajar a nuestro personal de fabricación, que se enfurecía y se empecinaba con su crítica constante, hasta tal punto que llegué a temer que se llevara el SAGE a otra parte. Por obtener ese contrato trabajé más que por ninguna otra venta de cuantas he hecho en mi vida y viajé constantemente al MIT, pero Forrester vacilaba y vacilaba, hasta que al fin le dije que si me prometía asignarme la producción, le construiría una fábrica sin esperar a firmar el contrato. "Deme su palabra, y empezaremos la construcción de la planta esta semana", le dije. Yo sabía que a él le preocupaba la posibilidad de tener que esperar mucho tiempo por el papeleo de la Fuerza Aérea. Entonces me autorizó para proseguir.

A la vuelta de un par de años teníamos a millares de personas trabajando en el SAGE y, los enormes Q7 operaban en todo el continente. Construimos cuarenta y ocho en total. A veces, si uno viajaba por una región remota, encontraba un centro del SAGE. Estos eran edificios de hormigón sin ventanas, cada uno en un área de 4 000 metros cuadrados y ocupado por dos máquinas. La sala de mando era muy amplia, iluminada por una espectral luz azulada. El oficial de guardia se sentaba frente a un enorme mapa de toda la región, en el cual el computador graficaba en amarillo el movimiento de todos los aviones que hubiera en los cielos, junto con símbolos que indicaban si eran amigos o enemigos. Si alguno era un atacante, el oficial simplemente señalaba el correspondiente punto luminoso con un dispositivo llamado un "cañón de luz" y el SAGE transmitía por radio automáticamente la información relativa a su posición a los aviones interceptadores y a las baterías antiaéreas. El sistema hasta tenía la confiabilidad que la Fuerza Aérea quería. Resolvimos ese problema haciendo que los Q7 trabajaran en parejas, turnándose en el servicio. Mientras una de las máquinas atendía al radar, su gemela esperaba o recibía mantenimiento. Gracias a este método, un centro SAGE promedio podía permanecer alerta el 97% del tiempo.

El SAGE se ensalzó como una de las grandes realizaciones técnicas de la época; pero, aunque funcionaba a la perfección, la carrera de armamentos lo volvió obsoleto aun antes de terminarlo. Era eficaz contra ataques de bombarderos, pero no contra proyectiles dirigidos, de modo que cuando los rusos lanzaron el Sputnik en 1958, el SAGE quedó atrasado. Recuerdo que yo estaba en el comedor de un hotel en Bremen cuando se tuvo la noticia del Sputnik. Un camarero que sabía que yo era norteamericano se me acercó y me dijo: "¿Dónde está el Sputnik de ustedes? ¿Dónde está?" Nos asustamos otra vez porque habíamos quedado nuevamente expuestos a ataque desde el espacio. Pero, para ser justos con Jay Forrester y con todos los militares que decidieron construir el SAGE, hay que reconocer que ninguno de nosotros puso jamás en duda su utilidad en el momento que se diseñó. Y le dio a la IBM el gran impulso que yo buscaba. Hasta finales de los años 50, el SAGE constituía casi la mitad de nuestras ventas totales de computadores. Ganamos muy poco dinero en ese proyecto, por causa de la política de mi padre, de no aprovechar la guerra para enriquecerse. Pero nos permitió construir antes que nadie fábricas altamente automatizadas y capacitar a millares de trabajadores en electrónica.

A pesar de que la IBM suministraba una gran proporción de los cerebros electrónicos de la Secretaría de Defensa, yo no era un entusiasta de la guerra fría. Como todas las cosas que se conciben por obra del miedo, el sistema de defensa sólo *parecía* tener sentido. Lo construimos porque los rusos tenían la bomba y temíamos que pudieran volar a destruir a Nueva York. Me asombra que a nadie se le ocurriera preguntar por qué iban a querer hacer semejante cosa. Nuestra propia Secretaría de Estado probablemente nos habría podido decir que los rusos jamás atacarían porque sabían que nosotros podíamos ejercer represalias contra sus ciudades. Y en realidad, ellos no contaban con ningún avión capaz de realizar ese vuelo. De modo que el SAGE fue una costosa fantasía, la SDI* de su tiempo. Pronto nos encontramos grandemente superarmados y en peligro de mutua aniquilación.

Pero en ese momento el país se encontraba en un terrible estado de paranoia producido por el miedo a "los rojos". El senador Joe McCarthy celebraba audiencias y veía comunistas hasta en las grietas de la pared. En una ocasión yo temí seriamente que la IBM perdiera la oportunidad de trabajos para la defensa por causa de las persianas de mi oficina. En ese tiempo casi todas las que se ponían en las ventanas eran horizontales, el tipo corriente de persianas; pero se acababan de inventar persianas verticales, y éstas eran las que habían instalado en mi despacho. Un día que teníamos reunión en mi oficina, las vio uno de los asistentes, un ingeniero de la IBM, y resolvió hacerlas instalar también en la suya, para lo cual trazó un pequeño diagrama de cómo funcionaban sobre ejes en el piso y en el techo. Puso el papelito en el bolsillo de la camisa y se olvidó del asunto. Pocos días después, el empleado de la lavandería a donde mandaba su ropa el ingeniero, registrando la camisa antes de echarla a la lavadora encontró el papelito — nada más que un diagrama sin ninguna explicación. McCarthy había asustado hasta tal punto a este país que cada uno creía que todos los demás eran bolcheviques. Así, pues, el de la lavandería le mandó el papelito a McCarthy, y pronto investigadores del Senado se presentaron al ingeniero diciéndole: "Hemos identificado esto como un proyecto de antena de radar y queremos que nos lo explique. No vamos a cometer ninguna injusticia, pero sabemos que es una antena de radar y la camisa en que se encontró pertenece a usted". El hombre exclamó: "¡Por Dios santo, ésas son las persianas de la oficina de Watson!"

Pues vinieron a verme a mí. Cuando entraron en mi oficina y me informaron lo que les había dicho el ingeniero, yo les dije: "Sí, esas persianas están aquí". Se las mostré y les hice ver cómo funcionaban. Las examinaron con muchísimo cuidado y luego se marcharon. Pensé que les había dado una explicación satisfacto-

---

* "Strategic Defense Initiative", nombre de un proyecto de defensa estratégica denominado por el público "Guerra de las Estrellas", o "Guerra de las Galaxias" *(N. del T.)*.

ria, pero no estaba seguro. Tuve miedo. Estábamos trabajando en el SAGE y habría sido absurdo perder así nuestra acreditación de idoneidad para trabajos de defensa.

Los años de McCarthy fueron un período formativo para mí. Empezaba apenas a dirigir la empresa y no sabía hasta qué punto debía hablar vigorosamente en público. Mi reacción a McCarthy fue como la de muchos otros ciudadanos conscientes: al principio me pareció que quizá él tendría razón, pero gradualmente empecé a sentirme ofendido y angustiado por sus atropellos y sus mentiras. Una vez, en Suiza, a donde había ido a pasar una semana esquiando, leí en mi habitación un artículo del *International Herald Tribune* sobre las acusaciones que hacía McCarthy contra las más altas personalidades del gobierno, y pensé: "¿Cómo es posible que le permitamos seguir así? Está haciendo aparecer a los Estados Unidos como a Salem en los tiempos de las cacerías de brujas". Por primera vez en mi vida sentí vergüenza de mi país, y así se lo dije a mi padre cuando regresé a Nueva York. El compartía mi aversión por McCarthy pero me aconsejó prudencia. "Estas cosas son pasajeras", dijo. Era a la vez una fuerza y una debilidad de mi padre el hecho de que su optimismo le impedía hacer en público declaraciones negativas sobre ninguna cosa. En este caso yo no estaba seguro de que tuviera razón. Años antes, él me había dado un poderoso ejemplo tomando desde el principio una posición clara en favor de Franklin Roosevelt y del New Deal.

Poco después de esto, me invitaron a un almuerzo en Lehman Brothers, banco de inversión de Wall Street que en esos días era todopoderoso. Asistieron algunos personajes muy importantes, y tomamos asiento en torno a una gran mesa redonda. Bobby Lehman, presidente de la firma, habló de McCarthy, diciendo:

— El hombre es rudo, y a mí no me gusta su método; pero ninguno de nosotros puede criticar la idea de extirpar el comunismo de nuestro gobierno.

En seguida me pidió mi opinión y yo contesté:

— No estoy de acuerdo con el senador McCarthy. Me parece que está haciendo más mal que bien. No creo que las altas esferas del gobierno estén infestadas de comunistas. Me parece indeseable que unos pocos oficinistas del ejército sean comunistas, pero eso no tiene mayor importancia.

El grupo era muy conservador. Entre la veintena de personas allí reunidas, yo fui el único que adoptó esa posición. Eso no me importaba. Lo que sí me preocupó mucho fue recibir la semana siguiente cartas de varias de las personas que habían asistido al almuerzo, todas las cuales me llevaron un mensaje parecido: "Yo no quería comprometerme en público, pero ciertamente estoy de acuerdo con todo lo que usted dijo".

El hombre de negocios cuya posición frente a McCarthy yo admiraba más era Walter H. Wheeler hijo, jefe de Pitney-Bowes, próspera compañía manufacturera de Connecticut. El "Chiquito" Wheeler medía más de un metro con ochenta de estatura y pasaba de 104 kilogramos de peso. Estaba furioso porque el senador McCarthy entabló demanda por dos millones de dólares contra el senador William Benton de Connecticut. Benton en un discurso había dicho que McCarthy era un mentiroso y que sus tácticas de cacería de brujas iban a acabar con el país. McCarthy lo demandó por injuria y calumnia y ayudó a derrotarlo cuando buscó la reelección, pero después retiró la demanda, cuando estaba a punto de iniciarse el juicio; dijo que sus abogados le habían informado que no podrían probar daños y perjuicios porque no habían encontrado a nadie que creyera en las declaraciones del senador Benton. El "Chiquito" Wheeler no tenía nada que ver en el caso, pero le mandó a McCarthy un telegrama que decía: "Sus abogados seguramente no buscaron mucho. Yo con mucho gusto le serviría de testigo de que creo en lo que el senador Benton dijo de usted, y estoy seguro de que millones de personas en este país lo creen igualmente. Walter H. Wheeler, Pitney-Bowes Incorporated". Envió copias a los periódicos, y el telegrama se publicó al día siguiente en el *New York Times.* Fue uno de los actos más valerosos de un hombre de negocios en aquellos días — lo cual hoy parece extraño, pero en aquel breve período el poder de McCarthy era pavoroso. Llamé a Wheeler por teléfono, fui a visitarlo, y desde entonces fue uno de mis héroes en el mundo de los negocios.

Una ilustración gráfica de cómo no se debe proceder se me ofreció en Washington, cuando fui a escuchar el testimonio del secretario del Ejército, Bob Stevens, en las audiencias de McCarthy. Stevens era amigo de mi padre, y había sido jefe de la gran fábrica de tejidos J. P. Stevens, de propiedad de su familia.

Pero no era para medirse con McCarthy. Quiso ceñirse a lo que prescriben las reglas de urbanidad y tratarlo como a un honorable senador, diciéndole: "Ciertamente, deseo ayudarle, señor", pero cuanto más cooperaba, más se metía en líos. Yo pensé: "Seguramente ha recibido una educación demasiado esmerada. No se está metiendo en la alcantarilla con este tipo. Para pelear con un puerco hay que meterse en la pocilga". La mayor parte de mis conocidos devoraban esas audiencias contra el ejército; las últimas sesiones se transmitieron por televisión. Fue la primera vez que la TV desempeñó un papel en un gran debate nacional. El abogado de Stevens, un brillante estratega, contrató a un abogado de Boston llamado Joseph Nye Welch para que asumiera la representación del ejército. Este fue el que le dijo a McCarthy en presencia de millones de personas: "¿No tiene usted sentido de la decencia, señor, al fin y al cabo?" Esa frase marcó el comienzo de la caída de McCarthy.

Antes de esto yo ya había llegado a la conclusión de que McCarthy era un síntoma de debilidad de los Estados Unidos que yo debía atacar públicamente, aunque esto significara adoptar una posición negativa distinta de la de mi padre. Ese mismo año me pidieron que hablara en Fort Wayne, Indiana, ante una numerosa concentración de vendedores de diversas industrias. Mi anfitrión era Ernie Gallmeyer, jefe de la Wayne Pump Company. Ernie me había conocido en la Sociedad Americana de Ejecutivos de Ventas y me consideraba un brillante joven de negocios. Esa región es muy conservadora aún hoy, y entonces era el corazón del macartismo, por lo cual me pareció un foro ideal para hacer un discurso contra McCarthy. "Muchos de ustedes no estarán de acuerdo conmigo. ¡Eso está bien!", les dije. La tesis que sostuve fue que en una atmósfera de libre discusión McCarthy jamás habría podido llegar a donde llegó. Les dije que, como vendedores que se ganaban la vida hablando, tenían el deber patriótico de promover la discusión reflexiva de los asuntos públicos:

> Nosotros como vendedores tenemos un deber más allá de vender nuestros productos. Debemos poner nuestro arte al servicio del ideal de vida norteamericano — y no permitir que sospechas malévolas o no justificadas aterroricen al pueblo.

> Tenemos el deber de contribuir a la formación de una opinión pública honrada y justa en este país... La sospecha descontrolada es como una plaga. Acabaría con los Estados Unidos. Así que si esa sospecha descontrolada empieza a extenderse otra vez, tenemos que combatirla. Será un período que exigirá cabezas frías y arte de vender persuasivo.

Cuando terminé hubo un modesto aplauso — muy modesto. A pesar de que ya había muchas personas distinguidas que criticaban a McCarthy, y aun cuando mi discurso había sido relativamente moderado, Ernie Gallmeyer estaba escandalizado y trató de sacarme del salón antes que nadie pudiera hablar conmigo. A juzgar por su reacción, lo que yo dije era tan desagradable para la gente de Fort Wayne que él sentía que su reputación se había manchado. Desgraciadamente, esto sucedió antes de los días en que uno volaba de regreso después de una reunión, y tuve que pasar en su casa una noche embarazosa. Yo había creído que me los podía ganar a todos, y sentirme tratado como un extraño me mortificó tanto que cuando volví a mi hogar le dije a Olive:

— Fue como si yo tuviera una enfermedad contagiosa.

Después comenté el caso con mi padre y él me dijo:

— Tom, yo también me sentí siempre como un extraño porque hablaba por los pobres, y en favor del alza de impuestos y mejores programas sociales.

Leyó mi discurso y no tuvo ninguna objeción:

— Estas son cosas que hay que sacar a la luz. Me alegro de que tú las digas. Y me alegro de ver que adoptas posiciones en público, aunque sean posiciones de minoría.

Después de un tiempo, dejé de avergonzarme porque otros hombres de negocios me tuvieran por un chiflado liberal. Me sentía como mi padre. El país le dio a él muchísimo, y me estaba dando a mí también muchísimo. Yo tenía una compañía muy rentable, gozaba de juventud y de vigor, y estaba dispuesto a decir lo que creía. Ser capaz de pronunciar discursos liberales es un lujo para un hombre de negocios. Todo el cuadro habría sido distinto si los márgenes de utilidad de la IBM hubieran sido más bajos. El público no se habría interesado tanto en oírme hablar, y yo jamás habría hablado con tanta franqueza. Cuando me presentaba en público siempre tenía la inmensa maquinaria de la

IBM tocando un silbato que decía: ''Ojo a esta compañía. Este chico es el que la dirige. No lo subestimen porque él sabe lo que hace''. Si en cambio yo hubiera sido el presidente de una compañía carbonera que ganara, digamos, el seis por ciento al año en lugar del 23 por ciento, jamás habría logrado atención pública para mis puntos de vista.

# CAPITULO 21

En 1955 apareció mi foto en la cubierta de *Time.* Mi padre no fue nunca honrado en forma semejante y me sentí orgulloso pero, al mismo tiempo, un poco corrido, pues, aunque yo ya manejaba la compañía prácticamente por mi cuenta, obviamente él era el que más merecimientos tenía. Un ejemplo perfecto de ello fue el artículo de *Time.* La revista había encargado a una reportera llamada Virginia Bennett que investigara en qué iba la automatización en el país. En esos días, la Remington Rand tenía su sede cerca de la nuestra, en Manhattan, y ella fue a entrevistar a sus ejecutivos por causa del UNIVAC. Por fortuna para nosotros, ellos no se mostraron muy accesibles ese día, y la señorita Bennett no logró la entrevista que necesitaba. Regresaba a su oficina un poco desilusionada cuando acertó a pasar frente a la IBM. Vio por la ventana la Calculadora de Defensa y debió de pensar: "Esta gente también está en el negocio de computadores; veré qué es lo que tienen".

Aquí fue donde surtió efecto el sistema de mi padre, que no toleraba ni el menor descuido en la manera de recibir al público en la puerta. En el vestíbulo siempre teníamos recepcionistas bien preparadas y escogidas personalmente por él, que les hablaba de la importancia de tratar bien al público y les decía que si un extraño parecía importante, se le debía dar el tratamiento de un personaje. Una de estas recepcionistas expertas estaba de servicio el día que entró la señorita Bennett y se presentó como reportera de *Time,* y que tenía la idea de escribir un artículo. La recepcionista sabía lo bastante para decirle: "El jefe de esta compañía es el señor Watson. Hoy no está en la oficina, pero está su hijo Tom, que es el presidente y tendrá mucho gusto en recibirla".

Diez minutos después, Virginia Bennett, sentada en mi oficina, me oía hablar de las maravillas electrónicas de la IBM.

Los redactores de *Time* tenían la teoría de que con la electrónica se había iniciado una segunda revolución industrial, y les gustó la forma en que la IBM encajaba en ese tema. A los pocos días, enviaron reporteros a entrevistar a todos nuestros altos funcionarios. A uno lo mandaron a ver a mi padre en Palm Beach, otro asistió a una de nuestras convenciones de ventas en Chicago. Yo pasé tres días con él en una pieza del hotel contándole la historia de mi vida. Después tomaron fotos de nuestros computadores, de nuestras fábricas y de mi familia. Cuando salió el correspondiente número de la revista, en la cubierta campeaba mi foto sobre el fondo de un computador gris que se llevaba un dedo mecánico a los labios y oprimía sus propios botones de control. El título era:

**THOMAS J. WATSON JR., DE LA IBM**
**CLINK. CLANK. THINK.**

Era la mejor publicidad que un ejecutivo podía desear. Para millones de lectores, *Time* equiparaba nuestros productos con el avance de la civilización. "Las perspectivas para la humanidad son verdaderamente asombrosas" decía el artículo. "La automatización de la industria significa nuevos horizontes de descanso, nueva riqueza, nueva dignidad para el trabajador". Aunque mi padre se había mantenido muy alejado de los proyectos de computador, dejándonos a Williams y a mí encargados de ellos, ése era el mensaje que él siempre había querido transmitir. Decenios antes de existir los computadores, él había visto ese potencial en las máquinas perforadoras de tarjetas.

En el artículo apareció una pequeña foto de mi padre y decía cómo había hecho él la IBM. Sin embargo, yo en su lugar me habría sentido desairado viendo que todos los honores eran para mi hijo. Eso empañó mi entusiasmo. Cuando me enteré de que probablemente iba a aparecer en la cubierta, me sentí obligado a suavizar el golpe a su amor propio enviándoles una carta a él y a mi madre: "Cualquier cosa que digan de mí, si es favorable, será un reflejo de ustedes dos. Papá, no existiría la IBM para que yo la presidiera si no hubiera sido por tu iniciativa y por tu valor.

Esto lo sé, y se lo dije a *Time.* Si bien confío en tener hoy la capacidad necesaria para desempeñar bien mi oficio, sé que no tengo la que tú tuviste para hacer la compañía''. Fue un esfuerzo torpe pero sincero por tranquilizarlo, aunque dudo que lo hiciera sentir menos desairado. No me habló del artículo en absoluto. Nunca dijo ''Espléndido'' y yo nunca lo traje a cuento.

A mediados de los años 50, ''computador'' se había vuelto una palabra mágica tan popular como vitaminas. Los altos jefes ejecutivos creían (y en esto no se equivocaban) que las compañías del futuro serían manejadas por computador. Presidentes de juntas directivas decían: ''¡Tenemos que conseguir un computador!'' Todo el mundo quería uno, aunque las aplicaciones precisas de la máquina seguían siendo un misterio. La opinión común era que la administración corría mayor riesgo esperando que lanzándose inmediatamente a la computarización.

Si la Remington Rand hubiera puesto su dinero y su corazón en el UNIVAC desde el principio, tal vez habría salido en la revista *Time* en lugar de nosotros; pero en los altos círculos de esa empresa nadie tuvo la visión de lo que podrían ser los computadores. Jim Rand era más bien un conglomerador. Mientras que mi padre decía ''Zapatero, a tus zapatos'', la compañía de Rand vendía de todo, inclusive equipos de oficina, máquinas de afeitar eléctricas, pilotos automáticos y maquinaria agrícola. Rand ni siquiera les permitió a Eckert y Mauchly que se sirvieran de sus vendedores de tarjetas perforadas para vender computadores — decía que eso le salía demasiado caro. Por el contrario, las cosas se dispusieron de tal manera que si un nuevo UNIVAC desplazaba equipos de tarjetas Remington Rand, el vendedor del equipo de tarjetas perforadas perdía comisiones.

En la IBM jamás hubo la menor duda: pusimos todo el peso de nuestra fuerza vendedora al servicio de los computadores en cuanto éstos se anunciaron. Desde luego, al principio nuestros vendedores no sabían casi nada sobre los nuevos aparatos, de modo que hicimos que nuestros altos ejecutivos e ingenieros que sí sabían estuvieran disponibles para ayudarles a vender. Meses antes de estar listas las máquinas para la entrega, contratamos a docenas de matemáticos graduados, físicos e ingenieros para ayudarles a nuestros clientes a decidir en qué forma podían utilizar los computadores cuando les llegaran. Para difundir el conocimiento del campo realizamos seminarios en Poughkeepsie para nuestros clientes y nuestros vendedores.

En la historia de la IBM, no fue la innovación tecnológica lo que nos dio el triunfo. Infortunadamente, muchas veces fuimos segundos en este campo. Pero la tecnología resultó ser menos importante que los métodos de venta y distribución. Sistemáticamente superábamos a otros que tenían mejor tecnología, empezando por el UNIVAC, porque nosotros sabíamos cómo presentarle el asunto al cliente, cómo instalar bien la máquina y cómo conservar a nuestros clientes una vez que los conseguíamos. El secreto de nuestro método de ventas fue el mismo que le dio tantos éxitos a mi padre con las perforadoras de tarjetas: el conocimiento de sistemas. Ahí era donde la IBM tenía su monopolio. Ningún competidor le prestó nunca tanta atención a este aspecto, ni siquiera la Remington Rand, que debía saberlo puesto que también estaba en el negocio de tarjetas perforadas.

En la primavera de 1954, los computadores IBM y UNIVAC corrían parejas. En cuanto a computadores realmente instalados, la Remington Rand todavía iba a la cabeza más o menos por veinte contra quince, pero nuestros vendedores, adelantándose muchísimo a nuestras fábricas y a nuestros ingenieros, acumularon pedidos suficientes para permitirnos rebasar cuatro veces a la Remington Rand. Todo lo que teníamos que hacer era entregar. El computador que mejor se vendía era el que habíamos anunciado para aplicaciones contables, el 702. Teníamos pedidos de cincuenta de éstos, que nos proponíamos construir en un ciclo de producción de tres años empezando en el otoño. El programa marchaba puntualmente, pero era tanto lo que dependía del 702 que todos los que tenían algo que ver con él estaban sumamente nerviosos. Hasta mi padre percibía la tensión y le preocupaba que otras compañías nos quitaran el negocio. "Al paso que vamos, jamás podremos despachar esos pedidos", dijo.

Sacar el 702 a tiempo significaba que todos los departamentos de la IBM — planificación de productos, ingeniería, manufactura, ventas — tenían que cooperar. Yo no di por sentado que esto fuera a ocurrir en forma automática: el proyecto era demasiado complicado, y eran muchos los veteranos de máquinas perforadoras de tarjetas para quienes habría sido un alivio que desaparecieran los computadores. Era fácil que nosotros mismos nos echáramos zancadilla, y resolví designar a un funcionario para que se encargara de que esto no ocurriera. Elegí para el caso a Vin Learson, quien se había destacado como uno de los mejores ejecutivos de operaciones en la IBM. Tenía un metro con noventa y ocho de estatura y su sola presencia en un salón llamaba la atención. Este empleo resultó ser uno de los más importantes en la historia de la IBM.

En el verano nuestros ingenieros descubrieron horrorizados que el 702 probablemente no era el gran vencedor del UNIVAC que nos habíamos imaginado. Un gran problema era su memoria. Nuestros circuitos de almacenamiento eran más veloces que los del UNIVAC, pero también "olvidaban" trozos de información con mayor frecuencia. Podíamos hacer que el 702 funcionara en forma suficientemente confiable para que su entrega a los clientes no perjudicara la reputación de la IBM, pero para ello debíamos suministrar equipos de especialistas capacitados en el laboratorio que cuidaran de las máquinas. Los ingenieros y los gerentes de producción no sabían qué hacer.

Learson convirtió este dilema en un triunfo. Su primera medida fue ordenar el rediseño urgente de la máquina. Tomó lo que habíamos aprendido trabajando con la Fuerza Aérea en el SAGE y lo utilizó para saltarse un grado, digámoslo así, en el desarrollo del computador. Los ingenieros del MIT que trabajaron en el SAGE habían logrado un histórico avance decisivo en tecnología de memoria, que incluía almacenamiento de información en series de imanes diminutos que tenían forma de rosquillas, llamados "núcleos". La memoria nuclear era ultraconfiable, y nuestros ingenieros se proponían incorporarla en la siguiente generación de computadores IBM, unos tres años más adelante. Pero Vin les dijo que la pusieran en práctica inmediatamente. Los presionó tan ferozmente que en menos de seis meses habíamos reestructurado totalmente nuestra línea de computadores, que ahora quedaron con memoria nuclear. Mientras tanto, Vin dispuso que siguiéramos fabricando el poco confiable 702, pero únicamente como un recurso temporal y durante un año. Apenas entrara en producción el nuevo diseño, pasaríamos a los clientes a éste, y las viejas máquinas, o bien las renovaríamos, o bien las reemplazaríamos.

En poco más de un año empezamos a entregar computadores rediseñados. El UNIVAC quedó obsoleto, y pronto dejamos muy atrás a la Remington Rand. Cuando llegaron las elecciones presidenciales de 1956, teníamos 87 máquinas en operación y 190 pedidas, contra 41 en operación y 40 pedidas de todos los demás fabricantes. Eisenhower volvió a derrotar a Stevenson, pero esta vez los computadores que se vieron en la TV eran IBM.

Dondequiera que teníamos superioridad tecnológica para complementar nuestro conocimiento de sistemas, nuestro negocio florecía enormemente. Así ocurrió cuando empezamos a entregar un computador pequeño llamado el 650, en 1954. Era mucho menos poderoso que la Calculadora de Defensa, pero mucho más barato. Competidores como Underwood Typewriter y la National Cash Register se afanaban por hacer computadores pequeños que se pudieran usar en negocios comunes y corrientes, pero el 650 los superó a todos, y en el curso de los años siguientes nos permitió llevar a millares de usuarios de tarjetas perforadas a la era del computador. El 650 se alquilaba por unos 4 000 dólares al mes y era la elección perfecta para compañías que deseaban ensayar, pues lo diseñamos para trabajar junto con un equipo corriente de tarjetas perforadas, aunque podía realizar tareas contables que estaban fuera de las posibilidades de aquéllas. Por ejemplo, las compañías de seguros gastaban mucho dinero calculando facturas de primas porque a cada cliente de seguro de vida se le cobraba una tarifa distinta, de acuerdo con la edad, el sexo y otros factores. Todos estos cálculos había que hacerlos a mano. Los empleados buscaban las tarifas en las tablas y computaban lo que cada uno debía valiéndose de máquinas sumadoras. En cambio, con el 650 las compañías podían introducir en su memoria las tablas actuariales, y el computador hacía el trabajo. Su capacidad para estas aplicaciones cotidianas le ganó una gran popularidad. Mientras que nuestras máquinas gigantes de la serie 700, que valían un millón de dólares, obtenían la publicidad, el 650 fue el Modelo T de los computadores.

Desempeñamos un papel grande en la creación de nuevas profesiones tales como programación e ingeniería de sistemas. Cuando al fin fue obvio que estábamos dando a luz toda una industria nueva, descubrimos que el mundo no estaba aún preparado para nuestras máquinas. Era como si tuviéramos aviones pero no quien los piloteara ni dónde aterrizar. Con frecuencia los clientes se quejaban de que lo más difícil era conseguir empleados que supieran manejar los computadores. Nos pedían ayuda, pero nosotros no podíamos suministrar todos esos técnicos, y no había ninguna universidad donde se hiciera un curso de computadores. Hasta se dio el caso de que tuviéramos que abstenernos de aceptar algún pedido por este motivo. Entonces hice una visita al MIT en 1955 e insté a las directivas para que iniciaran la preparación de especialistas en la ciencia de la computación. Le regalamos un gran computador y dinero para operarlo, y el Instituto compartió la máquina con otras diez universidades del Nordeste. Para el 650 adaptamos un programa muy atrevido de descuentos universitarios que ya existía para nuestras máquinas perforadoras de tarjetas: concedíamos el 40% por establecer un curso, ya fuera de procesamiento de datos de negocios o de computación científica, y el 60% de descuento por establecer ambos cursos. Coloco esta política educativa entre las que ocupan lugar más alto en la lista de medidas claves de la IBM porque a la vuelta de cinco años ya había toda una nueva generación de científicos de computador, que hicieron posible el florecimiento del mercado.

En esos años, en todos mis viajes por diversas regiones del país trataba de buscar los mejores técnicos para las labores de investigación y desarrollo de la IBM. Los ingenieros más difíciles de atraer eran los que se graduaban en Stanford, en el Instituto Tecnológico de California y en la Universidad de California: los más inteligentes no querían abandonar el sol de la Costa Occidental para ir a vivir al Este. Entonces resolvimos fundar un laboratorio en aquel Estado, en San José, y para ello compré un edificio que se había construido para un supermercado. Como director del nuevo laboratorio enviamos a Reynold Johnson, uno de los inventores autodidactos de mi padre en Endicott. Había iniciado su carrera como maestro de escuela secundaria en Minneapolis y llegó a la IBM en los años 30 a ofrecernos una máquina que leía y calificaba automáticamente pruebas de elección múltiple para exámenes escolares. Unos ejecutivos le dijeron que la idea no era práctica, pero mi padre los desautorizó, puso a Johnson en la nómina y lo autorizó para construir su máquina. La IBM ganó varios millones de dólares con máquinas de calificar exámenes, y el método se sigue empleando hasta el día de hoy en pruebas de admisión en las universidades.

Johnson quedó encantado con la idea de escapar de las rivalidades y las presiones de Endicott e ir a dirigir su propio laboratorio. Se mudó a California, contrató a tres docenas de ingenieros jóvenes y en menos de tres años le presentó a la IBM un invento realmente espectacular: el disco para computador. En éste, la información se almacena en forma de diminutos puntos magnetizados en su superficie, y uno de los problemas que se le presentaron a Johnson fue cómo darle al disco un revestimiento suficientemente uniforme para permitir esto. Tengo muy presente el día que nos demostró su solución. Se situó enfrente de un disco de aluminio que giraba sobre su eje, con un vasito de papel que contenía algún revestimiento magnético, y fue vertiendo éste lentamente, como si fuera leche batida, en el centro del disco. Cuando el líquido se extendió casi hasta el borde, dejó de verter, y tuvo su disco magnético. La máquina que inventó, y que llamamos el RAMAC, contenía 50 de esos discos, apilados como en un tocadiscos pero con la diferencia de que éstos giraban todos al tiempo. Un pequeño brazo se movía hacia dentro y hacia fuera entre los discos, llevando una cabeza registradora sobre la superficie de éstos para captar los datos que se necesitaran. Los descendientes de los discos de Rey Johnson son el principal dispositivo de almacenamiento prácticamente en todos los sistemas de computador de nuestros días, desde los más grandes hasta el computador personal ordinario, y revolucionaron su utilidad. La cinta magnética, como la que se usaba en la Calculadora de Defensa, no funciona tan bien en aplicaciones en que el aparato debe buscar un dato específico, por ejemplo, el saldo de la cuenta de un cliente o cuántos puestos quedan libres en un avión que va a partir. Sin los discos de Rey Johnson, estas aplicaciones no habrían sido prácticas. Veamos por qué: basta imaginar el caso de un amante de la música que tiene una colección de discos y de casetes. Si quiere escuchar una canción que está en un casete, tiene que hacer avanzar la cinta y esperar a que llegue hasta el punto donde comienza la canción; pero si está en un disco, le basta llevar la aguja fonográfica sobre el surco correspondiente, y escucha la canción inmediatamente. Un computador dotado de disco busca el dato en forma parecida, y el

RAMAC permitió recuperar información doscientas veces más rápidamente que con la cinta magnética.

Aun cuando estábamos orgullosos de nuestros computadores, discos y unidades de cinta magnética, yo no era tan tonto como para creer que la IBM poseyera mucha habilidad científica. Eramos unos fabricantes de equipos electromecánicos que trataban de penetrar, casi sin experiencia, en un campo sumamente complicado, por lo cual no omití ningún esfuerzo por aumentar el flujo de información técnica hacia la IBM. Por ejemplo, cuando empezamos a hacer computadores le pedí a John von Neumann, el eminente teórico de la Universidad de Princeton, que hiciera una serie de seminarios para nuestro personal de Poughkeepsie. Von Neumann fue uno de los precursores de la bomba atómica y, prácticamente, definió el concepto moderno de software. Yo no entendía su trabajo, pero sí sabía cuán importante era. De ahí en adelante mantuvimos una corriente continua de expertos que venían a dar conferencias, y, con frecuencia, también mandábamos a nuestros ingenieros a seguir cursos en las universidades.

Pero pronto se vio que esto no bastaba, y empezamos a buscar científicos experimentados que vinieran a organizar dentro de la IBM un programa de investigación pura. Wally McDowell, nuestro jefe de ingeniería, pasó la mayor parte de 1955 buscando candidatos por todo el país. Yo gasté como un mes dando vueltas para entrevistarlos, a pesar de que estaba un poco a oscuras por no conocer bien los círculos científicos. Al fin me decidí por uno que había realizado una tarea impresionante organizando la facultad de ingeniería en una gran universidad; pero antes de presentárselo a la junta directiva de la IBM, asistí a una reunión en el MIT y mencioné su nombre en una charla con Jim Killian, rector del MIT. Killian se horrorizó:

— ¡Oh, no! Ese candidato no es idóneo para el cargo — me dijo.

— ¿Por qué no? — le pregunté sintiendo que me ardían las orejas por haber dicho alguna necedad sin darme cuenta. Killian fue evasivo en su respuesta, así que al fin le dije:

— Escuche: Necesitamos un científico distinguido. Hasta hace un momento, yo creí que lo había encontrado. Pero si usted conoce a alguien mejor que este hombre, ¡dígamelo!

Lo que yo no entendía entonces, y Killian sí sabía, era que la ciencia norteamericana estaba dominada por una camarilla de científicos que trabajaron juntos durante la guerra, hombres como Leo Szilard y el equipo que construyó la bomba atómica, e Isidor Rabi y el equipo precursor del radar. La idoneidad del individuo que yo había encontrado era inobjetable, dijo Killian; pero, a pesar de eso, si yo no contrataba a alguna persona de este círculo, la IBM podía gastar grandes sumas, y, sin embargo, salir con un laboratorio apenas de segunda porque nos costaría trabajo atraer a otros científicos de primera categoría.

— Entonces, ¿a quién llamo? — le pregunté, y Killian me contestó sin vacilar:

— A Emanuel Piore.

Este era uno de ellos. Nunca lo había oído nombrar, pero Killian me puso al tanto: Hasta el año anterior, Piore había sido científico jefe de la Oficina de Investigación Naval y había desempeñado un papel principal en la financiación de trabajo militar durante la guerra fría en diversas universidades. Se había retirado del gobierno y a la sazón trabajaba con un contratista de la defensa, en Nueva York. Esa noche lo busqué por teléfono y a la mañana siguiente fui a verlo. Creí reconocerlo, y resultó ser sobrino de Michael Romanoff, quien se autodenominaba príncipe ruso y había fundado el Restaurante Romanoff en Hollywood. En mis días de cabarets, el príncipe era una celebridad. Emanuel, o "Manny", era en lo físico exactamente igual a él, con las cejas muy pobladas, peludo y despeinado, cutis trigueño y perpetuamente caído de hombros. Fumaba pipa, hablaba entre dientes y no lo miraba a uno a la cara. A pesar de todo, yo lo encontré muy atractivo, y por la recomendación de Killian lo contraté.

Habiendo resuelto así el asunto, me quedé dudando si habría elegido bien. No sabía qué pensar de la extraña modestia de Manny. Pero unos dos meses después, lo llevé a Zurich para que lo conocieran en el laboratorio que teníamos allá. En la cena que nos dieron, Manny hablaba en voz baja, como era su costumbre, y un científico suizo, muy orgulloso, creyó que podía lucirse con él. Se puso a criticarlo en un tono detestable por no haber fijado normas y metas suficientemente precisas para la IBM. Piore se volvió contra él como un león.

— Eso se lo voy a contestar — le dijo, y dio una respuesta detallada de cinco puntos. Luego agregó:

— ¿Hay algún otro aspecto que quiera que le explique además? Vine aquí esta noche para asegurarme de que nos entendemos. Pensé que sería un intercambio amistoso, pero estoy muy dispuesto a mostrarle también los colmillos si eso es lo que usted quiere.

El otro se quedó mudo. Yo me dije: "Este lleva las de ganar. Killian tenía razón".

Piore les dio también un sacudón a algunos de nuestros ingenieros dedicados a desarrollo de productos. Eran como corredores de carrera corta que se encuentran por primera vez con un corredor de maratón y se asombraban de que la IBM financiara experimentos en campos extraños que no parecían destinados a dar fruto durante decenios, si es que los daban, como superconductores e inteligencia artificial. Lo que los ingenieros consideraban investigación básica, para Piore no era más que desarrollo de productos a largo plazo, y lo que él llamaba investigación se alejaba tanto de lo que ellos estaban haciendo, que no veían su razón de ser. A instancias de Piore, duplicamos el porcentaje de ingresos destinado a investigación y desarrollo, y una gran parte del gasto adicional fue específicamente para ciencia pura.

Con todo este fermento creativo, el potencial de la IBM parecía ilimitado mientras no cometiéramos horribles equivocaciones — cosa mucho más difícil de evitar de lo que yo creía. Una mañana, hacia el fin de mi primer año como presidente, fue a verme a mi oficina Al Williams con una cara lúgubre. Ejercía entonces el cargo de tesorero, y acababa de sacar los resultados del ejercicio económico de 1952. "Menudo problema tenemos", me dijo. Las ventas habían aumentado el 25% . . . pero las utilidades apenas mostraban aumento. Me quedé desconcertado. Sin darnos cuenta, habíamos permitido que los costos se comieran las utilidades de más de 60 millones de dólares de negocios nuevos. Ya era demasiado tarde para remediarlo. El dinero — unos 17 millones de dólares — se había esfumado. Peor aún era la manera como esto había ocurrido: habíamos gastado más de lo que creíamos porque la IBM no tenía presupuesto. Williams y yo habíamos venido manejando esta gran corporación a ojo, como mi padre. Tal vez eso estaría bien antes de la guerra, cuando la

IBM era una compañía de 40 millones de dólares, pero ahora era casi diez veces más grande.

Esa noche Al y yo trasnochamos buscando una manera de darles la noticia a los accionistas sin que se perjudicara el precio de las acciones. Nos convencimos de que lo mejor era explicarles con toda franqueza cómo se habían invertido los dineros: en actividades muy necesarias para el crecimiento de la IBM, como desarrollo de nuevos productos, ampliación del personal de ingeniería y contratación y capacitación de nuevos vendedores. A la mañana siguiente cuando mi padre llegó a la oficina yo lo estaba esperando. ''Me da vergüenza mostrarte esto'', le dije, y le mostré las cifras. ''Me enredé por falta de controles financieros''. Para él no fue una sorpresa que nos hubiéramos sobrepasado en los gastos, pues nos lo había venido advirtiendo desde hacía tiempo, pero nos había dejado en libertad de actuar por nuestra cuenta y nosotros creíamos que él no se daba cuenta de la magnitud del negocio. Se mostró tranquilo y serio como se mostraba a veces cuando se veía ante un problema grave, escuchó la declaración que yo me proponía hacer y dijo simplemente: ''Creo que los accionistas la aceptarán''. Tenía razón. El precio de las acciones de la IBM se mantuvo firme cuando dimos a conocer las cifras. Sin embargo, yo entré en la asamblea anual ese año lleno de temor, esperando que en cualquier momento alguno de los asistentes dijera: ''Tengo que hacerle una pregunta al señor Watson hijo. ¿Es éste el tipo de desempeño que debemos esperar de usted como presidente?'' Por fortuna, nadie hizo tal pregunta, pero yo me sentí tembloroso como me he sentido algunas veces después de haber cometido un error tonto en un avión y haber sobrevivido por pura suerte.

Por lo general, a mí me basta un golpe en la cabeza para aprender una lección — característica que he venido a considerar absolutamente indispensable en los negocios. Al y yo dispusimos las cosas de manera que nunca más volviéramos a ser víctimas de una sorpresa: implantamos presupuestos para todos los departamentos, nombramos director de presupuesto al hombre más duro que pudimos encontrar, y lo hicimos depender directamente de mí. De ahí en adelante, siempre supe desde junio cuál iba a ser aproximadamente nuestra posición financiera en 31 de diciembre.

Pese a los errores que cometimos entre los dos, yo no habría podido dirigir la IBM sin Al. El fue mi alter ego. Tenía la habilidad de ser analítico, mientras que yo era intuitivo, y de ver que todo estuviera en orden y se hiciera correctamente mientras yo estaba al frente estableciendo el ritmo del negocio. Sin él, mi éxito no habría sido posible, y sin mí, él no habría cosechado tantos triunfos como cosechó. Nuestra amistad fue de las pocas que cultivé en la IBM fuera del trabajo. Lo buscaba simplemente por gozar de su compañía, y Olive lo quería tanto como yo. El y su mujer Pat querían aprender a navegar a la vela, así que durante un año entero Olive y yo estuvimos yendo a su casa una vez al mes para enseñarles lo básico de ese arte. En una visita trabajábamos con cartas de marear — cómo trazar un derrotero, con todas sus variantes y desviaciones; otro día yo ataba los nudos básicos, los prendía en una tabla y se los llevaba. Les hice diagramas para mostrar cómo se comporta un barco en el viento, cómo las fuerzas de éste y la resistencia al avance y el momento de inercia actúan sobre la quilla.

Al era modesto en extremo, no le gustaba presumir, pero cuando yo le ofrecía una oportunidad, siempre la aprovechaba. Lo introduje en los círculos de los negocios nombrándolo tesorero de los Boy Scouts de Nueva York; de ahí en adelante lo invitaron a formar parte de la directiva de un banco pequeño, y al fin terminó como miembro de las juntas directivas del First National City Bank, de Mobil y de la General Motors. Cuidé de que también hiciera carrera dentro de la IBM diciéndole que nunca sería promovido fuera del departamento financiero hasta que preparara gente capaz de reemplazarlo a él. "Allí no tienes sino empleados de oficina", le dije. Esto era una exageración, pues Al sí tenía dos funcionarios excelentes, Barney Wiegard y Herb Hansford, que eran los pilares del departamento financiero, pero, prácticamente, todo tenían que hacerlo ellos mismos. En un dos por tres Al repasó montones de tarjetas perforadas e identificó dentro de la organización de la IBM en todo el país a todos los individuos que habían asistido a facultades de negocios. Llevó a Nueva York a los jóvenes mejor preparados, y a la vuelta de un año no sólo tenía al departamento financiero manejándose solo, sino que descubrió verdaderos líderes, como Dick Bullen, que se destacó como el mejor arquitecto organizacional que tuvo la IBM, y un futuro presidente de la junta directiva, Frank Cary.

Esos años fueron confusos para la IBM. Aun cuando mi padre hubiera tenido diez años menos y hubiera retenido en sus manos el control de las operaciones, no habría podido conservar mucho tiempo más ese estilo de administración unipersonal. Problemas importantes tardaban demasiado en penetrar hasta la cima y en todos los rincones se nos acumulaban asuntos pendientes de decisión. Salvo excepciones notables como Learson, la mayoría de los ejecutivos estaban tan acostumbrados a bailar en el extremo de la cuerda de mi padre que no se atrevían a pensar por sí mismos, pese al famoso lema de la compañía. Un proyecto secreto con la Xerox se fue a pique por esta causa en vísperas de encargarme yo de la presidencia. La idea era combinar su tecnología con nuestras máquinas tabuladoras para imprimir a grandes velocidades. Era un proyecto modesto, pero a mí me interesaba porque me parecía que podía conducir a una alianza entre la IBM y la Xerox. Pero nuestros ingenieros y los de ellos se dieron de topetadas, y cuando yo me enteré de que había algún problema, ya el proyecto había fracasado. Este era el aspecto desesperante de la alta concentración del poder en una compañía en crecimiento.

Mi primer paso para romper este orden de cosas fue rodearme de los individuos más capaces, de modo que no todos los asuntos tuvieran que esperar la decisión del jefe. Para encontrar siquiera media docena de ejecutivos idóneos tuve que descender hasta la segunda y la tercera fila de la IBM. Esto muestra la magnitud del vacío que se había creado en la cima. Heredé de mi padre ocho vicepresidentes, pero fuera de Williams y LaMotte, sólo dos pensaban por sí mismos, y esos dos eran especialistas en manufactura e indispensables en las fábricas de Endicott y de Poughkeepsie. Al y yo organizamos un círculo interior con hombres como Birkenstock, que estaba encargado de nuestro departamento de patentes; McDowell, nuestro ingeniero jefe; Miller, director del negocio de máquinas de escribir; Jack Bricker, director de personal; y Learson.

A estos hombres yo les podía confiar muchas responsabilidades, de manera que empezamos a avanzar a grandes pasos. Nos lanzamos al negocio de computadores, cumplimos los compromisos adquiridos para la Guerra de Corea y ampliamos el negocio de tarjetas perforadas en otro 50% sin que la IBM se desintegrara. Pero durante el año que estuve tan ocupado tratando de obtener el contrato del SAGE, nuestro proceso de toma de decisiones se nos volvió a empantanar. Todavía había quince altos empleados que dependían directamente de mí, contando los de la vieja guardia y los nuevos que yo había reunido, y me sorprendí a mí mismo viendo que yo también obligaba a la gente a hacer antesala para hablar conmigo, lo mismo que mi padre. Teniendo en cuenta el nuevo ritmo que había adquirido el negocio, me dije que no era posible continuar así.

Entonces di otro paso que me distanciaba más aún del estilo personal de mi padre: Le dije que iba a nombrar vicepresidentes ejecutivos a LaMotte y a Williams, y a hacer que todos los demás ejecutivos dependieran de ellos. LaMotte supervigilaría ventas e investigación y desarrollo, y Williams manufactura y finanzas. Con esto, mi trabajo se agilizaría porque a mi mesa sólo llegarían los problemas que Al y Red no pudieran resolver solos. Los escogí porque se complementaban el uno al otro. Al era el mejor de la nueva guardia, y yo quería que me ayudara a conducir la IBM por entre los cambios radicales que preveía. Red, por su parte, se acercaba a los sesenta años y representaba la continuidad del negocio. Cuando se trataba de motivar y dirigir al personal, era capaz de obtener enormes cantidades de trabajo sin mostrarse nunca duro, como una versión no intimidante de mi padre. Yo lo veía casi como un tío; me costaba menos trabajo aceptar críticas de él que de ninguna otra persona.

La idea de delegar tanta responsabilidad era totalmente contraria al modo de ser de mi padre, y durante varias semanas combatió mi plan. Creo que le preocupaba que yo estuviera malbaratando mi patrimonio, y cuando ya habíamos agotado todos los argumentos racionales, apeló al fin a hacer intervenir a mi madre. Un fin de semana que estábamos los tres en la sala de su casa empezó a criticar mis candidatos a promoción. Era fácil no hacerle caso cuando dijo que LaMotte era descuidado; yo sabía que Red le caía mal por sus antecedentes de clase alta y porque no era de los que se cuadraban cuando él entraba en una pieza. Pero lo que sí me sorprendió fue la manera como censuró a Williams, diciéndome sin ambages que Al no era de confiar.

"Cuida tus flancos", me dijo sombríamente. "Todos están de parte tuya hasta que ven la oportunidad de volverse contra ti".

Al oír esto no supe qué pensar, y tal vez habría replicado con violencia, si no hubiera sido porque mi madre intervino y con su manera conciliadora explicó que mi padre recordaba cómo perdió su puesto en la compañía de cajas registradoras por la duplicidad del señor Deeds. Fijaba en mí la mirada mientras decía esto y yo comprendí que trataba de recordarme que hablaba con un hombre de ochenta años. Se me disipó toda la cólera. Me volví a mi padre y le dije: "Al Williams es mi mejor amigo. Si me equivoco con él, merezco perder hasta la camisa". Después de esto mi padre se calló, y cuando fui a proponer los ascensos ante la junta directiva, entramos juntos en el salón.

Hasta para mí era difícil entender el crecimiento de la IBM. Corría el año de 1955 y estábamos a punto de pasar de los 500 millones de dólares en ventas. El grueso del negocio lo constituían máquinas perforadoras de tarjetas y computadores, pero hasta nuestras líneas accesorias eran ya más grandes que toda la IBM de antes de la guerra. Teníamos un complejo fabril en las afueras de Endicott que producía miras para bombarderos de la Fuerza Aérea bajo contrato que venía desde la Guerra de Corea; el negocio de máquinas de escribir eléctricas; un grupo de plantas dedicadas a producir centenares de millones de tarjetas perforadas. En conjunto, la IBM se estaba expandiendo a razón de cerca del 20% anual... y la marca de los mil millones de dólares distaba sólo unos pocos años.

Si sentí miedo al asumir la presidencia, más sentía ahora. La IBM había llegado a un tamaño al cual me parecía prudente adoptar una tasa más lenta de crecimiento, que estuviéramos seguros de poder financiar y manejar. Ese verano le pedí a Al Williams que dejara libres un par de días de su agenda para que nos sentáramos a discutir el futuro de la compañía. Estuvo de acuerdo en que convenía pensar en frenar un poco a la IBM, pero lo grave era que esto no se podía hacer con los computadores. La demanda de estos aparatos se estaba acelerando, y parecía claro que el mercado no iba a esperar. Si la IBM no lo aprovechaba, lo aprovecharían otros, y nunca más se nos volvería a presentar una oportunidad igual. Lo mismo que todos los demás empleados de mi padre, Al y yo habíamos aprendido a pensar que un solo pedido que se perdiera era un desastre. Así, pues, resolvimos impulsar a la IBM tan rápidamente como lo permitiera el mercado, aun cuando esto significara crecer en una escala sin precedentes en los negocios norteamericanos.

Sabíamos que al aproximarse a la cima de las 500 de Fortune, la IBM tendría que transformarse totalmente. Toda compañía empresarial, si tiene éxito, tiene que llegar a un punto en que se impone la transición a una administración profesional. En nuestro caso, mi padre la había manejado con tanta habilidad que este proceso de maduración se había retardado. Siendo tan grande como era, la IBM carecía de casi todo lo que le permite a una corporación evitar que los problemas pequeños se vuelvan grandes, como, por ejemplo, una clara línea jerárquica, descentralización en grande escala, un proceso de planificación, o políticas mercantiles formales. La manera de proceder nosotros consistía principalmente en la sabiduría que tenían en la cabeza una pocas personas. Si continuábamos creciendo y pretendíamos administrar al azar un negocio de mil millones de dólares, la IBM probablemente no sobreviviría. Estallaría como una supernova y acabaría como una estrella enana.

De modo que Al y yo nos pusimos a pensar cómo organizar la compañía en forma más científica. Recuerdo que lo primero que hicimos fue echar por la borda el tabú que mi papá tenía contra los diagramas de organización. Conseguimos grandes pliegos de papel, los extendimos sobre una mesa y diagramamos todos los segmentos de la IBM tal como funcionaban bajo mi padre. En épocas pasadas, él habría despedido a cualquiera que encontrara haciendo semejante cosa. Quedamos abismados con el resultado. Aparecían 38 o 40 casillas que dependían directamente de T. J. Watson. Luego hicimos otro diagrama que mostraba a la IBM bajo Williams, LaMotte y yo. Era casi el mismo caos, con la diferencia de que el oficio de mi padre lo habíamos repartido entre tres.

Por último, trazamos un nuevo organigrama que mostraba cómo sería la IBM reorganizada. Yo quería que el personal de la sede quedara en libertad para concentrarse en computadores y en máquinas perforadoras de tarjetas, y para ello convertimos las demás operaciones (productos militares, máquinas de escribir, tarjetas perforadas y relojes registradores) en divisiones autónomas, cada una con su propia fuerza vendedora, personal de finanzas e investigación, y su propio gerente general, que tomaría decisiones y cosecharía los triunfos y los dolores de cabeza. Este fue el comienzo de un proceso de reorganización que continuó todos los años que yo dirigí la compañía.

Una vez que Al y yo estuvimos satisfechos con nuestros organigramas, los guardé bajo llave en una gaveta de mi oficina. Esa misma semana nombré a mi asistente Dick Bullen director de organización, para que graficara otros cambios. Mientras tanto, le expliqué a mi padre mis ideas sobre las nuevas divisiones. Las aprobó sin la alharaca que armó por Williams y LaMotte, pero no creo que quedara muy contento con la reorganización. A un periodista le dijo que, viendo a la IBM descentralizada, a él le interesaría más trabajar como gerente divisionario de ventas que como presidente de la junta directiva.

En la nueva estructura que creamos quedó amplio campo para que World Trade operara aparte del resto de la IBM. Esta parte del negocio, que era la que manejaba mi hermano Dick, prosperaba grandemente, y gracias a la recuperación de Europa y al genio de mi padre para salvar las trabas arancelarias, estaba creciendo tan rápidamente como la IBM Doméstica; World Trade pasó de los 100 millones de dólares en ventas en 1954. La dirigía mi padre, y Dick había ascendido hasta que ese verano mi padre lo nombró presidente. Por esa misma época, World Trade se mudó de la sede de la IBM en Madison Avenue a oficinas situadas enfrente del nuevo edificio de las Naciones Unidas.

A Dick le iba muy bien en su trabajo. Sabía francés y aprendió italiano, alemán y español, viajaba incesantemente y manejaba ese complicado negocio con extraordinaria habilidad. Cuando llegó a la presidencia, ya World Trade operaba en setenta y nueve países, con filiales nacionales en treinta y seis de ellos y sucursales y agencias de ventas en los demás. No había una compañía igual en el mundo. De los 16 000 empleados que trabajaban a las órdenes de Dick, sólo unos 200 eran norteamericanos y casi todos estaban en Nueva York. Mi padre sostenía que alemanes debían venderles a los alemanes, franceses a los franceses, etc., de modo que la dotación y dirección de todas las ofiinas estaban en manos de ciudadanos de los respectivos países.

Yo tenía sentimientos contradictorios con respecto al ascenso de mi hermano y aun hoy me cuesta trabajo aclarar la verdadera naturaleza de tales sentimientos. Sentía el deseo de dominar totalmente la compañía que dirigía, pero, al mismo tiempo, quería a mi hermano y sabía que mi padre quería que manejáramos la IBM entre los dos. Para ese entonces él desplegaba más actividad en el lado del negocio de Dick que en el mío, sin duda porque no quería interponerse en mi camino; pero yo sospechaba que también lo hacía por espíritu de competencia, dedicándose a World Trade como para decirme: "Ahora lo vas a ver, Tom. Como no quieres escucharme, entraré en negocios con tu hermano". Que él pensara así o no, existían fuertes razones mercantiles para que se concentrara en World Trade. Quería que la IBM fuera una fuerza global, y World Trade era la parte de la compañía que necesitaba más trabajo. El venía buscando esa meta desde que tenía cuarenta años, y el hecho de que ya tuviera ochenta lo hacía más impaciente. Viendo ahora las cosas, imagino cuán duro debió ser eso para Dick; pero en ese momento yo estaba celoso de la intimidad a que él y mi padre habían llegado trabajando juntos, día tras día. Esto salió a la luz en una ocasión, cuando mi padre sufrió una especie de espasmo cerebral. Estaba en una reunión de la directiva de la Guaranty Trust Company y empezó a decir algo, pero no pudo pronunciar las palabras. No es raro un episodio así en personas de edad. Puede ser preludio de una congestión cerebral, aunque, en el caso de mi padre, no ocurrió. Cuando recuperó el habla después de unos minutos, se dirigió al teléfono y llamó a Dick para que fuera a recogerlo. Eso lo sentí yo como un golpe y me quedé pensando: "¿Por qué no me llamó a mí?" Quizá trató de llamar a mi oficina y no me encontró; pero revisé la libreta de mi secretaria y no había habido ninguna llamada.

Mi padre estaba muy orgulloso de Dick y éste era muy reservado en cuanto a los detalles de su operación. Yo no podía hacer otra cosa que abstenerme de intervenir, y me veía en una situación en que debía dirigir a la IBM con razonable unidad en medio de un vasto crecimiento, viajando constantemente, entendiéndome con un número enorme de personas, y, sin embargo, obligado a marchar por un sendero específicamente demarcado cuando se trataba del negocio en el exterior. Mi padre quería que World Trade fuera lo más independiente posible, pero era claro que no podía ser totalmente independiente. Los dos aspectos tenían que coordinarse, y constantemente surgían cuestiones de común interés, como, por ejemplo, si World Trade debía fabricar una nueva máquina o simplemente pedirla a nuestras plantas de los Estados Unidos. Ni siquiera me daban información financiera sobre esa parte del negocio. Al fin, exasperado, le escribí a mi padre:

> Estoy totalmente de acuerdo con tu plan de administrar la World Trade Company como una filial independiente. Defenderé este concepto y operación mientras esté en la IBM porque comprendo lo sensato que es tener un equipo aparte para las operaciones en el exterior. Sin embargo, un mínimo de información relativa a los resultados económicos de World Trade es indispensable para que nuestro departamento financiero pueda contestar adecuadamente las preguntas de fuera sobre nuestra compañía. Siempre que surge este tema de discusión entre los funcionarios de la IBM y tú, a ti te parece que estamos tratando de usurpar poderes de World Trade. Nada está más lejos de nuestro pensamiento; pero si no puedes creer esto y quedar tranquilo, el único remedio es cambiar el equipo de la IBM a tu gusto.

No recuerdo si al fin nos dieron los informes que necesitábamos, pero el problema de fondo jamás se resolvió. Mi padre seguía convencido de que yo lo que quería era echarle zancadilla a mi hermano. Una y otra vez le dije que se equivocaba y que yo tenía la esperanza de que algún día Dick me sucediera en la dirección de la IBM. A mi hermano le decía yo que sus triunfos eran míos y los míos suyos. Esto yo lo creía, pero ahora cuando pienso en ello descubro cierta emulación en mi actitud frente a Dick que mi padre sí veía y yo no. Esto explica en parte por qué en su ancianidad trabajó tanto por darle a mi hermano una esfera propia.

Mi padre tiene que haber sentido que la IBM ya no le pertenecía a él exclusivamente... pero yo tampoco sentía que fuera mía, y a menudo me preguntaba si estaría ejerciendo una verdadera influencia en ella. Es cosa extraña heredar uno de su padre un negocio unipersonal. Cuando yo viajaba como presidente, grupos de empleados de la IBM salían a recibirme al aeropuerto, en parte por curiosidad, pero principalmente porque eso era lo que se acostumbraba en tiempos de mi padre. Me recordaba escenas de mi niñez: numerosas delegaciones de la IBM esperando en las estaciones de ferrocarril o en el muelle de Liverpool la llegada de la familia. A mi padre le encantaban estas atenciones, pero a mí me avergonzaban, y les pedí a los empleados que las suspendieran.

Uno de los deberes de mi oficio era inspeccionar la oficina local de la IBM en cualquier ciudad que visitara, y me bastaba entrar en ellas para recordar a quién le pertenecía aún la IBM. Estaban llenas de prácticas anticuadas y tradiciones iniciadas por mi padre. Todavía se conservaban las canciones, las banderolas y las consignas, los periódicos de la compañía, las normas de conducta y de vestido y una fotografía de mi padre en todos los cuartos. Algunas de estas costumbres se empezaban a moderar por sí solas. Por ejemplo, la mayor parte de los gerentes de sucursal ya no les exigían a los vendedores que cantaran por la mañana antes de salir a ver a los clientes. Yo quería acabar con toda esa bambolla, que me parecía impropia de una empresa seria, pero lo que podía hacer tenía sus límites porque muchas de esas prácticas eran tan caras para los que trabajaban en esas oficinas como lo eran para mi padre, y yo no quería ofender a nadie. Con todo, necesitaba algo que indicara que ahora era yo el que dirigía la IBM y que los tiempos habían cambiado. Eramos una compañía de computadores, no una compañía de tarjetas perforadas; nos encontrábamos firmemente en los años 50, no en los años 20; éramos los líderes en un campo nuevo destinado a moldear el futuro.

Resolví poner mi sello en la IBM mediante el diseño moderno. Mi padre siempre le había concedido mucha atención a la apariencia de la compañía, lo cual fue una clave de su éxito: entendió antes que la mayoría de los hombres de negocios del país la importancia de proyectar una imagen corporativa. Desde el principio, cuando la compañía apenas se agarraba con las uñas, mejoró el aspecto que presentaban los empleados, los productos y las oficinas y le dio a la compañía un aire de solidez que levantó el espíritu de trabajo y se ganó a la clientela. Pensé que lo que le había dado a él buen resultado también me daría a mí. Los computadores que estábamos construyendo eran el epítome de la tecnología moderna... por dentro; pero por fuera no ofrecían más atractivo que unas cuantas gavetas de archivador. Al mismo tiempo, todo lo demás de la IBM parecía obsoleto. Yo quería que nuestros productos, oficinas, edificios, folletos y cuanto viera el público de nuestra compañía fuera llamativo y moderno.

La inspiración para el programa de diseño me vino un día durante un paseo por la Quinta Avenida a principios de los años 50. Me llamó la atención una tienda que había sacado a la acera mesitas con máquinas de escribir para que el público las ensayara. Las máquinas eran de diversos colores y elegantes diseños. Entré y vi muebles modernos y colores vivos que daban la impresión de vitalidad. Encima de la puerta se leía el letrero Olivetti. Unos pocos meses después, un viejo amigo de la familia, gerente de la IBM en Holanda, me mandó un abultado sobre en el cual encontré dos paquetes de folletos y fotos. En una breve nota me explicaba que el primero contenía una colección de anuncios de la Olivetti y su material de propaganda, fotografías de sus sedes, plantas, oficinas de ventas, viviendas de empleados y productos. El segundo paquete era de material análogo relativo a la IBM. Mi amigo holandés sugería que con sólo extender todo esto en dos columnas en el piso me bastaría para darme cuenta de que la IBM tenía que mejorar. Hice lo que me dijo, y, efectivamente, tenía razón: el material de la Olivetti estaba lleno de colorido y vida y encajaba en todas sus partes como un hermoso rompecabezas de paisaje. El nuestro parecía como instrucciones para preparar bicarbonato de soda.

A fines de 1954, llevé el paquete a una conferencia de ejecutivos de la IBM que se celebraba en un viejo lugar de veraneo en las Poconos, muy del gusto de mi padre. Aprovechando un momento tranquilo llamé a la puerta de su apartamento y le dije:

— ¿Te puedo mostrar una cosa? — y poniendo el material en una mesa grande para que lo viera, agregué —: Creo que nosotros podemos hacer algo mejor aún, si presionamos a nuestros diseñadores para que pongan la mira más arriba.

No hice más fuerza porque sabía que él personalmente había aprobado todos los productos y los edificios que aparecían en los folletos. Se quedó mirando los de la Olivetti y los de la IBM, y dijo simplemente:

— Comprendo. ¿Qué te propones hacer?

Le dije que quería contratar al mejor diseñador industrial que conocía. Se llamaba Eliot Noyes y lo había conocido durante la guerra cuando era director del programa de planeadores de la Fuerza Aérea. Años después lo volví a encontrar, y entonces nos diseñó para la IBM una nueva máquina de escribir muy atractiva. Era un hombre compacto, con gruesos lentes y parecía que fuera dúctil y blando de carácter, pero, en realidad, tenía ideas muy precisas sobre qué entraba y qué no entraba en el diseño de un producto. Básicamente, pensaba que una máquina debe parecer lo que es, no disfrazarse con falsas líneas aerodinámicas o adornos. El mismo principio lo aplicaba a la arquitectura, que también había estudiado.

La primera tarea que le confié fue modernizar la planta baja de la sede de la IBM. Eliot vino a Nueva York, y los dos la examinamos. Era algo que realmente ofendía la vista y proyectaba una doble personalidad. Si uno miraba desde afuera por las ventanas que daban a la Calle 57, se veía la Calculadora de Defensa — una serie de austeros muebles grises en un cuarto grande con alfombras oscuras y cortinas amarillas. Pero si doblaba la esquina de Madison Avenue y entraba por la puerta principal, se encontraba en un vestíbulo de los años 20. Mi padre lo había decorado a su propio gusto, como un salón de primera clase en un transatlántico, con las alfombras orientales que tanto le gustaban y columnas de mármol negro con adornos de hoja de oro. A lo largo de las paredes había en exhibición máquinas de perforar tarjetas y relojes registradores, tras cordones de terciopelo sostenidos por postes de bruñido bronce.

Nuestra IBM sería espectacularmente distinta. Para el verano siguiente se había programado la instalación del nuevo 702 en el vestíbulo, y resolvimos aprovechar esa ocasión para dar golpe. Tapamos las ventanas que dan a la calle y cerramos con tabiques de cartón todo el espacio del vestíbulo detrás de la recepcionista. Así permaneció toda la primavera mientras alistábamos el lugar. Mi padre lo había aprobado en teoría, pero cuando se vio privado de su amado vestíbulo se puso muy nervioso. Todas las mañanas entraba en el edificio, se quedaba mirando la barrera de cartón y me decía: "¿Por qué no puedo entrar allá?" Yo sabía que si lo dejaba, probablemente vetaría todo el proyecto.

El nuevo Centro de Procesamiento de Información era moderno, austero y muy espectacular. Eliot hizo el piso completamente blanco y las paredes de un rojo vivo. Colocó letreros discretos que decían "IBM 702" en letras plateadas sobre el rojo de las paredes. Fue una bella presentación para los que tuvieran interés en el diseño moderno. El producto transmitía el mensaje, no el medio que lo rodeaba.

Antes de abrir el vestíbulo al público invitamos a mi padre para que lo viera. Se presentó con todo un séquito de individuos que llevaban libretas de apuntes. Examinó el 702, con su acabado normal gris y adornos cromados, sobre el fondo rojo de la pared. Mi padre miraba y miraba la pared, luego el computador, y otra vez la pared. Al fin le pregunté:

— Bueno, papá, ¿qué opinas?

— Me gusta — respondió — . Me gusta mucho. Sobre todo me gusta la pared, que es pintada. Si algunos de ustedes llegan a aburrirse con ella la pueden cambiar de la noche a la mañana.

Ese cumplido, aunque ambiguo, me bastó. Dejé la pared tal como estaba. Al día siguiente abrimos las puertas a un centenar de reporteros y fotógrafos, y al día subsiguiente cuarenta jefes de ferrocarriles de todo el país vinieron por invitación nuestra a pasar una mañana aprendiendo lo que era el nuevo computador. El Centro de Procesamiento de Información produjo enorme revuelo. Lo mismo que el SSEC y el 701 que lo precedieron en la ventana, el 702 era en la práctica una máquina de trabajo. Los que querían que les arrendáramos el computador por horas simplemente traían sus datos y nosotros manteníamos el aparato funcionando día y noche. El que pasara por Madison Avenue a medianoche podía verlo tras el gran ventanal de vidrio, manejado por técnicos bien vestidos en un ambiente claramente iluminado.

Trabajar con Noyes fue toda una educación. Pertenecía a una vieja familia de Boston y tenía una vena de real independencia yanqui. Le ofrecí un puesto importante como director de todo el diseño industrial y arquitectónico de la IBM pero lo rechazó inmediatamente: "Trabajaré con usted pero no para usted", me dijo. "La única manera como puedo realizar bien este encargo es teniendo acceso total a la alta administración''. Llegamos a un acuerdo mediante el cual él dedicaría la mayor parte de su tiempo a la IBM y lo nombré director consultor de diseño. El siguiente asunto en que me hizo rectificar mi criterio fue la idea que yo tenía de darle a la IBM un estilo fácil de reconocer. Yo quería que las fábricas, los productos y las oficinas de ventas se presentaran en forma tal que todo el que las viera dijera inmediatamente: ''¡Eso es IBM!'' Pero Noyes opinó que sería contraproducente. Si fijábamos una imagen corporativa única y uniforme, con el tiempo se volvería aburridora y anticuada. En cambio, sugirió que el tema de la IBM debía ser simplemente lo mejor en diseño moderno. Cuando necesitáramos construir o decorar alguna cosa, llamaríamos a los mejores arquitectos, diseñadores y artistas y les daríamos mano libre para explorar nuevas ideas en su propio estilo. Noyes resultó tener un juicio fantástico para elegir individuos de talento, y los que nos consiguió hicieron aportes tan grandes como los productos y los edificios que él mismo diseñó.

Necesitábamos en particular arquitectos porque íbamos a iniciar la expansión fabril más grande en la historia de la IBM. En 1955 las fábricas que teníamos en Endicott y en Poughkeepsie estaban atestadas de trabajadores, unos 10 000 cada una. En las poblaciones cercanas de Owego y Kingston estábamos construyendo grandes plantas satélites para acomodar a otros 10 000 para nuestro trabajo militar, pero todavía necesitábamos más, y yo no quería que todo se concentrara allí. Ya corríamos el peligro de que la compañía absorbiera esas poblaciones y ahuyentara a otros empleadores. Iniciamos entonces un gran movimiento hacia el Oeste.

Mi padre había extendido el negocio a través de los Estados Unidos viajando sin cesar en trenes y automóviles, pero le gustaba tener cerca sus fábricas y por esa razón las mantuvo en Nueva York. Pero yo era piloto y estoy seguro de que el Oeste Medio y California me parecían a mí mucho menos distantes que a él. Resolvimos construir plantas grandes en Rochester, Minnesota, que es el hogar de la Clínica Mayo, y en San José. Estos lugares los visualizábamos como otro Endicott — un centro IBM con todo y su fábrica, su escuela y su laboratorio de ingeniería; sólo que el diseño sería distinto.

Eero Saarinen fue el arquitecto que Eliot escogió para Rochester. Fue la primera gran prueba de su idea de que debíamos contratar a los mejores, porque Saarinen ya era famoso y muy caro. Diseñó un complejo de edificios conectados entre sí y dispuestos como en un casillero de damas alrededor de jardines y patios. Era hermoso y práctico y llamó la atención de todas las revistas de arquitectura. Esto era agradable, pero lo que realmente me ganó a mí fue que la planta se terminó a tiempo y por debajo del presupuesto. Eso me demostró que contratar a un buen arquitecto es buen negocio.

La planta de San José también nos mereció aparecer en las revistas. El arquitecto fue un californiano llamado John Bolles, quien diseñó los edificios largos y bajos en forma de H, con un nuevo estilo de "campus". Estaban situados alrededor de una plaza con estanques de reflexión, un puentecito peatonal y esculturas modernas. Paneles metálicos de colores llamativos adheridos a las paredes daban vida al ambiente, y los empleados podían sentarse a almorzar en la terraza con vista a las montañas distantes.

Esa planta ocupa un pequeño lugar en la historia como la primera fábrica de computadores en el área de San José. Recuerdo el día que fui a comprar el terreno, un bosque de nogales de 73 hectáreas. Le había dicho a nuestro gerente de bienes raíces que teníamos que edificar muy rápidamente para no vernos en dificultades. Salió a encontrarme al aeropuerto y me dijo:

— Podemos tomar posesión cuando queramos; pero costará 800 000 dólares extra si lo ocupamos dentro de los próximos cinco meses.

— ¡Cómo! ¿Y eso por qué?

— Porque eso es lo que vale la cosecha de nueces.

Yo estaba tratando de no excederme en materia de compromisos financieros y preferí esperar a que el granjero cosechara sus nueces. Después edificamos nuestra fábrica. Había algunas otras compañías en los alrededores, especialmente contratistas para la defensa como Lockheed, y estábamos sembrando la semilla de lo que más tarde vino a ser Silicon Valley.

# CAPITULO 22

Mi padre sabía que se exponía a la crítica por continuar tanto tiempo en su puesto. El mismo había fijado la edad de jubilación en la IBM en los sesenta y cinco años, y ya pasaba de los ochenta y seguía recibiendo su sueldo más un porcentaje de las utilidades, lo cual montaba más de mil dólares diarios. Se propuso no hablar nunca de su edad ni de su salud, y aun cuando cada año disminuía su actividad, ningún accionista puso en tela de juicio que se estuviera ganando su paga, porque los hechos hablaban por sí mismos. Mi amigo Robert Galvin, de Motorola, tenía su filosofía sobre este punto. Una vez me dijo: "El fundador de un negocio tiene derecho a conservar su cargo de por vida, y a gozar de todos los privilegios y todas las prerrogativas. Pero los que lo suceden, sea que pertenezcan a su familia o no, no tienen el mismo derecho". Galvin había estado meditando sobre este asunto porque estaba a punto de recibir de su propio padre la empresa Motorola, y a mí me sirvió de guía. Si era bueno o malo tener a mi padre conmigo es un interrogante que no he podido resolver. A veces me costaba mucho trabajo dominarme para no decirle: "Por Dios, papá, yo soy el jefe ahora", porque me sentía frustrado. Pero, por otra parte, mientras él fuera jefe ejecutivo yo no tenía que soportar todo el peso de las responsabilidades. Discutía con él las decisiones importantes y siempre sentía que tenía en quién apoyarme.

Hacia el final de su vida mi padre desaparecía de la oficina semanas enteras. Le gustaba hacer largos viajes sin itinerario fijo alrededor de los Estados Unidos, pues se sentía mejor cuando estaba en movimiento. Con mi madre y su chofer metían unas cuantas maletas en el automóvil y se marchaban a Chicago, o bien salían de San Francisco hacia el Este, visitaban oficinas de la IBM por todo el camino y todas las noches asistían a una "cena en familia" con el grupo local de la IBM. En estas reuniones siempre se dirigía a los circunstantes para expresar su agradecimiento a mi madre y hacer reminiscencias de cómo habían viajado juntos más de un millón y medio de kilómetros. "En realidad, nunca hemos estado lejos del hogar porque siempre hemos estado con la familia IBM", les decía. Mi madre, sentada a su lado, sonreía dulcemente, y a veces lo tiraba del saco cuando se estaba excediendo en sus divagaciones. Ella por su parte nunca tomaba la palabra como no fuera para decir simplemente "muchas gracias".

Yo nunca sabía qué esperar cuando mi padre salía de viaje. Una de sus excentricidades, que lo hacían tan difícil, era la convicción que tenía de que podía descubrir un talento con sólo mirar a un hombre. En todas las cenas a que asistían él y mi madre se paraban en la línea de recepción mientras él les daba la mano a todos los asistentes, uno por uno, aun cuando fueran quinientos. Siempre había un secretario que se colocaba disimuladamente enfrente, con una libreta de apuntes. Cuando mi padre creía haber encontrado un hombre recto y competente, hacía una leve seña, y el secretario buscaba al individuo después y le decía: "El señor Watson quiere saber su nombre, su posición y dónde vive usted". Con frecuencia mi padre nos mandaba al hombre a Nueva York. Casi siempre acertaba, pero cuando se equivocaba, se creaba una situación penosa para el empleado y para mí.

Durante sus viajes mi padre enviaba a veces un memorándum para expresar su preocupación por los gastos que estaba haciendo la IBM en el terreno; a veces visitaba a un cliente e intervenía para ayudarle a una oficina local a clausurar un negocio. Una vez visitó a los ejecutivos de un banco de Miami, quienes durante el almuerzo dijeron que estaban pensando en reemplazar una o dos máquinas IBM por equipo especializado de banca fabricado por otra firma. Este era un problema rutinario de ventas, y lo estaba manejando nuestra oficina local, pero la posibilidad de que un competidor nos ganara un negocio alteraba a mi padre. Me mandó una carta urgente de tres páginas a renglón seguido en que señalaba: "Esto me ha llevado a hacer esfuerzos mucho mayores que cuantos he hecho antes en todos mis años con la compañía por una aplicación particular de las máquinas". Por fortuna, yo le pude contestar que estábamos a punto de anunciar un nuevo equipo para los bancos, que haría precisamente lo que ese cliente quería, y la cuenta se salvó.

Investigar situaciones locales es algo que todo buen ejecutivo hace en ocasiones, pero a mí no me gustaba que mi padre se preocupara tanto, y para tranquilizarlo dejaba a un lado cualquier otro asunto. Sin embargo, al fin se me acabó la paciencia. A principios de 1955, una señora le escribió una carta a mi madre quejándose de que a su marido lo habían despedido injustamente de la IBM. El hombre era un gerente de bajo nivel, a quien llamaré Smith; lo habían sorprendido haciendo algo indebido y lo echaron. Mi madre se disgustó con la carta, se la mostró a mi padre, y él se alteró hasta tal punto con la supuesta injusticia que cayó en cama.

A mí me parecía que aquí había algo más que el tratamiento que se le había dado a un empleado. Mis padres se angustiaban pensando que, al disminuir la actividad de mi padre, la administración de la IBM estaba perdiendo aquella solicitud por el individuo en que él siempre insistió. Yo estaba convencido de que esto no era así, y me senté a explicarles por escrito el papel que quería que desempeñara mi padre. Era la carta más larga que les había escrito — doce páginas — y en ella puse todo lo que pensaba acerca de la IBM, nuestras perspectivas y nuestros problemas, y mis realizaciones como presidente. Quería convencerlo a él, de una vez por todas, de que no se mortificara tanto y me dejara a mí el cuidado del negocio.

> Todas las ideas que tú, papá, me has expresado . . . la posibilidad de que las cosas no marchen bien en la IBM — el hecho de que tenemos que vigilar los gastos — el hecho de que si el negocio empieza a vacilar es difícil pararlo — todas estas son cosas que yo sabía antes que me las dijeras. En verdad, son posibilidades que me acompañan todas las noches al acostarme. Si se convierten en realidad, mi reputación de hijo capaz se termina. Por eso pienso en ellas con frecuencia. Tengo que salir adelante.
>
> Incidentes como el caso de Smith se presentan por centenares todo el año. Es lamentable que la señora Smith haya resuelto escribirle a mamá; pero antes que escribiera esa carta, ya

el asunto se había arreglado bien y en forma justa. Por tanto, creo que no debemos dejarnos llevar del pánico ni tomar decisiones precipitadamente porque un empleado que faltó a la honradez haya sido despedido. Yo me inclino a desestimar sus amenazas y exageraciones. Pero supongamos que la señora Smith no hubiera escrito esa carta y que nosotros hubiéramos manejado el asunto como lo manejamos. ¿No es vital que, como equipo, seamos capaces de resolver acertadamente situaciones de esta especie, puesto que ni ustedes las pueden conocer todas ni yo tampoco? Si el equipo actual no está operando a satisfacción tuya, me parece que debes efectuar modificaciones hasta que tengas un grupo que merezca toda tu confianza — un grupo que te pueda infundir tranquilidad con respecto a la Compañía IBM.

Nada me complacería más o me ayudaría más que recibir tu consejo sobre todos los asuntos que se presentan a mi atención . . . gran parte del tiempo estoy bastante a oscuras. Pero no comparto tus temores sobre la IBM. Creo que la compañía está tan fuerte y tan bien dirigida como siempre lo estuvo. Esto se debe a que tú me enseñaste a pensar como tú y porque me has permitido elegir un equipo compuesto por los hombres más fuertes en el negocio.

Si tengo razón en lo que pienso de la IBM, entonces debiera ser posible para el fundador de este gran negocio pasar por aquí y charlar con nosotros sobre los problemas realmente importantes: el caso de la Secretaría de Justicia, qué parte de nuestra inversión de capital se debe dedicar a electrónica, cómo podemos mejorar la división de relojes, cómo podríamos encontrar y preparar más posibles ejecutivos en el terreno. Esto, y no ponerte a criticar . . . nuestras operaciones como en el caso Smith o en la administración general de la compañía.

¿No puedes convencerte, examinando nuestro Informe Anual, de que no lo estamos haciendo del todo mal? ¿No sientes orgullo de que la tarea la estén ejecutando hombres capacitados por T. J. Watson? ¿No te produce satisfacción personal ni te tranquiliza ver que esta maravillosa empresa mercantil que tú creaste asciende a nuevas alturas y avanza en todos los frentes con una espléndida utilidad continua dirigida por tu equipo?

Afectuosamente,
Tom

Viendo ahora las cosas, una gran parte de lo anterior no era pertinente y sólo revela mi deseo de ejercer la totalidad del mando, porque en los asuntos grandes que afectaban al futuro de la IBM, mi padre ya me había cedido la dirección y actuaba más como consejero que como jefe. Ya había dejado de pelear tanto conmigo, aun cuando tardé un poco en notarlo. Por ejemplo, había dejado su aversión a las deudas y, con su permiso, Williams y yo aumentamos el endeudamiento de la IBM a una tasa más o menos equivalente a la de su crecimiento. Acabamos debiéndole a la Prudential más de 330 millones de dólares, todo ampliamente cubierto por utilidades que nos entraban por equipos nuevos construidos en nuestras fábricas ampliadas. También me permitió mi padre efectuar una espectacular mejora en los planes de pensiones y prestaciones de la IBM. Los cambios estaban de acuerdo con su idea de postguerra de librar a los empleados de la IBM "del temor por el cuidado de sí mismos y de sus familias", pero habían sobrepasado lo que él había pensado. Las pensiones que él estableció eran avanzadas para su época, pero lo máximo que recibía un empleado al jubilarse eran 3 300 dólares al año, de acuerdo con los años que hubiera trabajado en la empresa. Según la nueva fórmula alternativa, más acorde con los tiempos, tomábamos en cuenta tanto el sueldo como los años de servicio, y un jubilado podía recibir hasta 25 000 dólares al año. También fue la IBM una de las primeras compañías de los Estados Unidos que ofrecieron seguro médico de importancia.

Pero la concesión que más me sorprendió fue que mi padre se dejara persuadir a darles por primera vez a los empleados la opción de adquirir acciones. Se mostró siempre muy conservador en cuanto tuviera relación con acciones de la IBM. A pesar de que personalmente nunca fue dueño de más de un 5% del capital social — incluyendo acciones que puso en fideicomiso familiar o que les dio a otros miembros de la familia —, manejaba la compañía como si fuera suya exclusivamente. En los primeros años, la sola idea de vender acciones lo enfurecía. Nunca dio opciones ni creía en ellas, pero sí les recomendaba a los empleados, lo mismo que a las personas de fuera, que invirtieran en la IBM. Algunos de los hombres que hacían emparedados detrás del mostrador en la farmacia de Halper's, que quedaba al lado de nuestra sede, y a donde yo iba a tomar café cuando era vendedor antes de la guerra, acabaron haciendo una fortuna. Pero a pesar de que las opciones no le gustaban, mi padre dejó de objetar cuando le dije que ésa era la práctica aceptada por todos y que sin ella no podríamos retener a nuestros mejores ejecutivos. Las opciones que dimos eran muy generosas, como el quíntuplo del sueldo del empleado, de manera que ejecutivos que ganaban 70 000 dólares al año obtenían 350 000 dólares en opciones que probablemente valdrían más tarde 7 millones de dólares. En las dos primeras vueltas, cincuenta individuos las obtuvieron, y todos llegaron a ser hombres ricos.

La única cuestión por la cual todavía peleábamos era el juicio antimonopolio. Después que el gobierno entabló la demanda en 1952, la IBM pasó el último año de la administración Truman y los dos primeros de la de Eisenhower negociando con la Secretaría de Justicia. Yo estaba resuelto a llegar a una transacción antes que se iniciara el juicio. Los abogados me hacían comparecer periódicamente al tribunal federal en Manhattan y sentarme a una larga mesa con los abogados de la Secretaría de Justicia y el juez de la causa, un hombre de corta estatura y de voz desapacible, llamado David Edelstein, apenas unos pocos años mayor que yo. Era el caso antimonopolio más grande que le había tocado juzgar, y estaba decidido a hacer un trabajo ejemplar. Pero a mí no era mucho lo que tenía que decirme, ni tampoco los fiscales, y me parecía que en esas reuniones se avanzaba muy poco, bien fuera porque tuvieran sus razones jurídicas para no hablar o bien porque pensaran que no valía la pena perder su tiempo con un tonto como yo, cosa que nunca supe. Mi impresión era que se entendían mejor con nuestros abogados.

Mi padre sabía que estábamos negociando, pero en el fondo de su conciencia se oponía tenazmente a que firmáramos un consentimiento. Un día se presentó en la oficina más temprano que de costumbre, cuando yo me disponía a salir para el tribunal. Estaba en su despacho repasando el correo para ver si había algo interesante o algo que tuviera que hacer, y me imagino que pensó: "¡Tom! Puedo ver a Tom". Así que como a las nueve de la mañana sonó el fatídico timbre que él tenía en mi oficina. Mi cita era para las nueve y media, pero yo nunca dejé de acudir a su llamada, de modo que subí a su despacho.

— Buenos días, hijo. Siéntate — me dijo. Me senté y esperé un minuto mientras él seguía leyendo su correspondencia.

— Oye, papá, tengo una cita.

— ¿Cómo dices?

— Que tengo una cita. Debo ir al centro.

— Muy interesante. ¿A qué vas a ir al centro?

— Es por el asunto del juicio. Voy a hablar con el juez.

Inmediatamente montó en cólera.

— Tú eres totalmente incompetente para hablar de eso. No tienes antecedentes. ¿Cómo es eso, que vas a hablar con el juez?

— Escúchame, papá: Yo he estado hablando con el juez todas las semanas... Eso lo sabes tú... y vamos a hablar un poco más hoy.

— Joven, yo he estado mezclado en esto de las leyes antimonopolio toda mi vida. Conozco muy bien esa legislación. Conozco muy bien a esa gente de la Secretaría de Justicia. Es muy fácil decirles lo que no se debe decir.

Yo era un hombre de cuarenta y un años, y me trataba como un estropajo. Le dije:

— Voy a llegar con diez minutos de retraso si salgo inmediatamente. Así que, o me dices que quieres que vaya, o me dices que no quieres, y, en ese caso, llamo para excusarme.

— Está bien. Vete. Pero no tomes ninguna decisión.

A la puerta me esperaba un automóvil. Bajé y lo tomé. Estaba tan alterado que temblaba. Llegué al edificio de los tribunales y me senté a la larga mesa, pero estaba tan tenso que hablé muy poco con los demás. En el fondo de la pieza apareció el secretario personal de mi padre. "Dios mío", me dije, "seguramente le dio un síncope y se murió". Pero el secretario simplemente me pasó un papelito arrancado de una libreta de la IBM. La nota decía:

100%
Confianza
Aprecio
Admiración
Amor
Papá

Esa era la manera de decirme mi padre: "Comprendo que no debo tratarte así, a tu edad".

El alivio que sentí fue tan grande que se me llenaron los ojos de lágrimas. El juez dijo:

— Parece que recibió una mala noticia...

— No — le contesté — . Por el contrario, es más bien buena. Pero es una noticia emotiva.

Al fin mi padre se dejó convencer de que lo prudente era aceptar el decreto por consentimiento, y nuestros abogados lo firmaron a nombre de la IBM en enero de 1956. El arreglo de ese caso fue una de las mejores medidas que tomamos porque le abrió a la compañía el camino para que siguiera desarrollándose a toda velocidad. Para mi padre, el decreto por consentimiento fue siempre una espina, y nunca volvimos a hablar de ese asunto. Pero ya no nos quedó duda ni a él ni a mí de que el director de escena era yo.

Hoy pienso que tal vez mi padre sintió alivio de que la lucha hubiera terminado. Ojalá lo hubiera notado entonces porque eso me habría permitido ser menos duro con él. Una cosa en que seguí insistiendo fue en que aflojara un poco su rígida prohibición de bebidas alcohólicas en la IBM, aunque sabía que toda la vida su posición al respecto había sido apasionada. Le dije:

— Papá, celebramos estas comidas de la IBM, y la gente llega con media hora o tres cuartos de hora de anticipación, y tiene que beber jugo de naranja. Es un rato embarazoso para todos. Podríamos servir vino blanco.

— Con eso no se puede contemporizar — me contestó —. Se empieza con vino blanco y no se sabe a dónde...

— Mira, seamos realistas — le dije —. ¿Qué es lo que hacen ahora los empleados? Van a un banquete y uno de cada diez de ellos toma un cuarto en un hotel, lleva una buena provisión de licores y todos acuden allí a reconfortarse antes de la fiesta. Eso tampoco es tan bueno que digamos.

Mi padre parecía resuelto a no ceder. Pero a la semana siguiente se iba a celebrar una numerosa reunión de ingenieros y científicos en la Florida, y tanto él como yo debíamos asistir. Yo andaba de viaje y llegué un poco tarde. Al entrar en el salón me pareció percibir un ambiente un poco más ruidoso que de costumbre. Me condujeron a la mesa de honor, y cuando me incliné para besar a mi padre ¡vi que tenían vino! En baldes de hielo, y no sólo en la mesa de mi padre sino en todas las mesas. Llamé aparte al jefe de ingeniería McDowell y le dije:

— ¿Esto qué quiere decir?

— Su padre me llamó veinte minutos antes de la cena y me dijo: "¿No le parece que debemos ofrecerles vino a todos?" De modo que yo ordené que se sirviera vino.

Cuando me tocó el turno de hablar les dije:

— En esta cena se rompe un precedente.

Estalló una carcajada general. Pero después de la comida fui a ver a mi padre en su departamento y le pregunté por qué había hecho eso. Me contestó: "¡Como insististe tanto en eso del vino! Tú estás joven, tú entiendes estas cosas, y yo no quiero ser un viejo cascarrabias. ¡Por eso cambié!" El sabía, desde luego, que la noticia de esa cena llegaría hasta el último rincón de la IBM instantáneamente y que a mí me iba a exigir unas cuantas semanas de trabajo poner otra vez orden en nuestra política con respecto a bebidas alcohólicas. Me sorprendió mucho. Era la primera vez que mi padre dejaba ver el lado malicioso de su personalidad quizá en veinticinco años. Ahora que yo era el jefe, él se divertía haciendo el papel de mi sacristán.

Tres meses después, en mayo de 1956, me traspasó formalmente el cargo de jefe ejecutivo. Fue un gesto espontáneo de su parte, realizado con la mayor dignidad, y significó mucho para mí porque fue la primera vez que me concedió un ascenso sin pelear. Una vez que lo aprobó la junta directiva, fui a un banco y compré un saco de monedas de oro de a cinco dólares. Durante el almuerzo las repartí entre los miembros de la junta e hice un discurso diciendo que los años de mi padre habían sido la edad de oro de la IBM. Hubo luego una rueda de prensa, y a la mañana siguiente salió en el *New York Times* una foto en que estamos mi padre y yo estrechándonos la mano. El insistió en decirles a los periodistas: "No es que yo me haya retirado. Simplemente, quiero dedicar más tiempo a la IBM World Trade Corporation". En el término de una semana, hizo lo mismo con Dick, promoviéndolo a jefe ejecutivo de World Trade.

No sé por qué allá en el subconsciente yo tenía la idea de que mi padre iba a durar indefinidamente, que siempre estaría a mi lado como una especie de asesor, tal como había venido a ser en el último año. Pero su salud había empezado a deteriorarse. Lo pasó mal aquel invierno en la Florida. No comía bien, por causa de úlceras en el estómago. Desde que yo recuerdo, siempre sufrió del estómago; tenía una indigestión crónica y constantemente tomaba bicarbonato de soda. Cuando yo era niño lo oía dar unos formidables eructos a puerta cerrada, después de lo cual se iba para la oficina. A veces también sangraba, aunque no sentía dolores. La idea de que tuviera úlceras le resultaba intolerable porque, según su modo de pensar, a la antigua, sólo a los bebedores les daban úlceras. Olvidaba que durante veinticinco años fumó cigarros, uno tras otro, y nunca aceptó la idea de que la úlcera puede ser causada por la tensión nerviosa.

Su médico era el doctor Arthur Antenucci, un gran clínico entre cuyos pacientes se contaba el Duque de Windsor. Cuando examinó la radiografía del estómago de mi padre, me dijo: "Parece el campo de batalla del Marne". Las tensiones de la vida de mi padre lo habían desbaratado por dentro. Antenucci declaró que la acumulación de tejido cicatricial era tan grave que la salida del estómago se le estaba cerrando y por eso no podía comer. Una operación sencilla habría sido el remedio, pero mi padre no quiso que lo operaran. Detestaba la cirugía como detestaba un vuelo en avión. Nunca lo habían operado, ni siquiera para corregir las dolorosas hernias que lo molestaron la mitad de su vida. Sencillamente se ponía su braguero todas las mañanas y nunca se quejaba. Antenucci le advirtió que la acumulación de tejido cicatricial lo podía matar si llegaba al punto de una oclusión total, y, por un tiempo, mi padre convino en dejarse operar, pero después cambió de opinión. Una noche en una comida le dijo a mi madre:

— Creo que no me voy a dejar operar.

— Pero Tom, ya le dijiste al doctor Antenucci que sí — repuso ella.

— Así es; pero cuando él salía de la pieza me lo imaginé afilando los bisturíes.

A falta de la intervención quirúrgica, la digestión le empezó a fallar, y lenta pero seguramente se fue muriendo de hambre. En el término de un año perdió entre diez y doce kilos y en la primavera de 1956 se veía muy débil. Lo único que le permitió al doctor Antenucci fue que le hiciera transfusiones de sangre. Los últimos meses de su vida iba al Hospital Roosevelt cada tres semanas más o menos a recibir sangre nueva que lo revivía un tiempo; pero luego recaía en un estado de postración hasta la transfusión siguiente.

Para mí es muy extraño que un hombre tan poderoso como era mi padre fuera tan supersticioso. Pero estaba totalmente lúcido cuando resolvió no operarse, y ninguno de nosotros se creyó con derecho a intervenir. El viejo tuvo arranques asombrosos de vigor hasta el final. Nunca olvidaré la última vez que lo vi frente a un auditorio de personal de la IBM. Fue en marzo de ese año en una reunión de ventas en Washington. En el salón de actos de un hotel se habían congregado unas quinientas personas. Mi padre llegó tarde. El que dirigía la reunión lo alcanzó a ver al fondo del salón y dijo: "Veo que tenemos el honor de contar con la presencia del señor Watson. ¿Quiere usted subir y tomar la palabra, señor Watson?" Mi padre era un anciano endeble de ochenta y dos años. Dio unos pasos con mucho cuidado por el pasillo. Los asistentes se pusieron de pie. Aplaudían y gritaban, y cuanto más aplaudían y más avanzaba por el pasillo en declive, más se erguía él. Se fue enderezando y caminando cada vez más rápido, hasta que llegó a la escalerilla de la tarima, subió los escalones con tal agilidad que pareció que los salvara de dos en dos. La emoción de verse así ovacionado por sus vendedores fue tan grande que ese día recorriendo ese pasillo mi padre se rejuveneció treinta años. Subió a la tribuna y pronunció un discurso emocionante, golpeando con el puño la palma de la mano y diciéndonos que teníamos que aprovechar las oportunidades que se nos ofrecían, y que la IBM duraría por siempre.

Cuando me entregó a mí la compañía, creo que ya debía sentir en el hombro la mano de la muerte. Acaso eso fue lo único que lo pudo llevar a la decisión de retirarse. Pero también pienso que si rechazaba el tratamiento médico era porque quería morir. Si Dick y yo no hubiéramos estado preparados, si todavía mi padre creyera que la IBM dependía totalmente de él, tal vez habría corrido el riesgo de la operación y habría vivido unos pocos años más. Pero veía que yo manejaba bien el negocio y que Dick ganaba cada vez más prestigio en el exterior. Me imagino que pensaría: "Ha sido una vida buena. Creo que ya va siendo tiempo". A la vuelta de un mes era obvio que se moría. Era un sofocante día de junio en Nueva York, y mi padre estaba en su casa de campo en New Canaan. La campaña electoral de 1956 avanzaba, y él se entretenía mucho siguiéndola por televisión y riéndose de la manera como los políticos se repiten. Estaba totalmente en sus cabales, sin dolor ninguno, pero las fuerzas se le habían agotado porque no comía. Le hicieron más transfusiones que le daban momentáneamente nueva vida, pero luego decaía otra vez.

Lo visité a principios del mes antes de dirigirme a Newport, Rhode Island, a fin de prepararme para las regatas de Newport a las Bermudas. Tenía una buena tripulación, y mi yate estaba listo. Mi padre se encontraba algo indispuesto cuando lo dejé, pero su estado parecía estable. La regata comenzaba al día siguiente. Mi madre me telefoneó y yo contesté la llamada en el extremo del muelle. Me dijo:

— Tom, quería decirte que no me parece que debas alejarte. No sé por qué, pues tu padre no está demasiado grave, pero no debes alejarte.

Volví al yate, nombré capitán al marino más experto y le dije:

— Lleve usted el bote a las Bermudas.

Cuando regresé a New Canaan mi padre estaba todavía perfectamente lúcido. Me dijo:

— Ah, hijo, no debías haber interrumpido la regata.

— Quería estar contigo — le contesté.

Mi hermano y mis hermanas también estaban en la casa. Mi padre yacía en la cama y nosotros íbamos entrando uno por uno para conversar con él. Entonces mi madre dijo:

— Déjenlo descansar un rato.

Después de un tiempo entraba el siguiente. Mi padre sabía que se iba a morir, pero nunca dijo: "Así es como yo quiero que cuiden de su mamá", ni nada por el estilo. Sólo quería reanudar el contacto con cada uno de sus hijos. Yo sostuve con él una larga y agradable conversación en que hablamos sobre todo lo imaginable. El me habló de la confianza que había adquirido en mí a lo largo de los diez años que trabajamos juntos, me dijo que estaba seguro de que la compañía avanzaría rápidamente por buen camino y llegaría a ser muchísimo más grande. Luego, no sé por qué, tocamos el tema de muebles antiguos. Me dijo:

— Si encuentras un mueble que te guste, cómpralo, aun cuando no tengas con qué. Porque si no lo compras, te arrepentirás toda la vida.

Mi padre tuvo la oportunidad de hablar con todos nosotros, pero al día siguiente perdió el conocimiento. Era domingo, y llamamos a un médico. Dijo que mi padre sufría un ataque cardíaco y pidió una ambulancia para llevarlo a Nueva York, mientras yo llamaba al doctor Antenucci, quien tenía una casa en Shelter Island. Yo estaba enojado con él porque entonces no entendía yo, como entiendo ahora, que muchos médicos destinan determinado tiempo a atender su trabajo — y entonces están dispuestos a salir a medianoche o hacer lo que sea necesario — y otros tiempos a descansar. Antenucci estaba en un período de descanso. Pidió una pieza para mi padre en el Hospital Roosevelt y dispuso que un asistente suyo lo recibiera en la puerta, pero él no se presentó personalmente hasta el día siguiente.

Ya era demasiado tarde para intentar la operación de la oclusión estomacal. Antenucci me dijo: "Su padre va a morir". Mi padre recuperó el conocimiento, pero empezó a fluctuar entre consciente e inconsciente. Entrábamos a verlo, y unas veces nos conocía y otras no. El estómago se le hinchó; se notaba bajo las sábanas. De todas partes del mundo empezaron a llover telegramas y mensajes. El presidente Eisenhower trató de llamar, y cuando supo que mi padre no podía hablar envió un mensaje que decía más o menos: "Su vida ha sido magnífica, pero tiene muchas más cosas que dar, así que mejórese pronto". Entré y se lo leí varias veces, y parece que lo oyó.

Antenucci hacía cosas que me mortificaban, como ponerle tubos, y otras cosas. Era obvio que a mi padre no le gustaban porque hacía ruidos que así lo indicaban. Entonces le dije al médico:

— ¡Por Dios santo! Mi padre se está muriendo. Déjelo morir en paz. No hay ninguna esperanza de que viva, ¿no es verdad?

— No, ninguna. Pero nosotros los médicos tenemos que hacer todo lo posible.

— Pues le advierto que hablé con mi madre y con los demás hijos, y todos estamos de acuerdo en que usted debe tratar de que no sufra, pero no estarle metiendo cosas.

Entonces suspendió. Pasaron un par de días. De cuando en

cuando cada uno de nosotros iba a la iglesia que había en la misma calle a orar aunque no con la idea de que mi papá pudiera vivir más. Fueron días de profunda tristeza. Este anciano caballero se había ganado en diversas formas un profundo amor y respeto de nosotros cinco. No puedo interpretar el dolor de los demás sino el mío propio, pero yo sentía como si me arrancaran un gran trozo de mi vida. El era el cimiento sobre el cual me mantuve durante cuarenta y dos años. Experimenté un profundo sentimiento de vacío para el futuro, cómo sería sin este hombre con quien tanto luché. Al fin y al cabo, nadie ejerció jamás tanta influencia en mí como T. J. Watson.

Jamás olvidaré el momento de su muerte. Toda la vida cultivamos un tremendo deseo de vivir. Saltamos para evitar un automóvil, corremos para librarnos de un incendio. El instinto se ha transmitido en la raza humana desde hace millones de años. Yo nunca había visto esta voluntad de vivir tan patente como la vi entonces. Ahí estaba acostado, la cabeza un poco levantada, la pieza bien iluminada, cerrados los ojos, sin máscara de oxígeno. Mi madre y nosotros estábamos presentes. El respiraba profundamente. Después, nada. Luego volvía a hacer una profunda inspiración. Cada resuello en esos últimos minutos parecía más difícil que el anterior. El tiempo entre uno y otro era cada vez más largo. Finalmente, tomó otro largo resuello, una especie de estertor, y soltó el aire. Como para decir: esto se acabó, todos los cuidados del mundo desaparecieron. Y no respiró más.

Esperamos un momento. Mi madre se puso a llorar. Creo que todos estábamos llorando. Entró la enfermera, y luego el médico, que le tomó el pulso y declaró que había muerto.

Creo que regresé a la oficina con mi hermano para ver que todo estuviera dispuesto para el entierro. Dick y yo habíamos convenido en que la mejor manera de honrar su memoria sería que las exequias fueran tan bien dirigidas como cualquier reunión de la IBM durante su vida. Ya habíamos hecho planes en conferencias con otros miembros de la compañía. Primero, se despacharon telegramas a todas las dependencias de la IBM y a todos los amigos de mi padre. Cerramos todas nuestras plantas en todo el mundo e hicimos izar las banderas a media asta. A todo empleado que quisiera viajar a Nueva York para asistir al entierro se le dio licencia pero no ofrecimos llevarlos a costa de la compañía porque lo habrían interpretado como señal de que se esperaba que todos asistieran. Hicimos colocar elogios con borde de luto en el vestíbulo de la sede. La necrología de mi padre en el *Times* ocupó cuatro columnas, y se citó una declaración del presidente Eisenhower que decía: "Con la muerte de Thomas J. Watson la nación pierde un ciudadano espléndido, un industrial que fue ante todo un gran ciudadano y un gran filántropo. Yo perdí un buen amigo cuyo consejo se caracterizó siempre por un profundo interés en los demás".

Mi padre quería exequias formales a la antigua: ataúd destapado y a la vista de los amigos, y luego un gran servicio religioso en la iglesia presbiteriana Brick en Park Avenue, cuyo ministro era su viejo amigo el doctor Paul Austin Wolfe. Dick y yo dispusimos que todo se hiciera así. Vestimos de luto y entramos en la capilla, Dick y yo solos, para pasar unos minutos ante el féretro destapado. Los primeros que llegaron fueron Spyros Skouras y Bernard Gimbel, ambos grandes comerciantes y hombres duros. Gimbel había fundado su gran tienda y la había vuelto famosa. Skouras comenzó organizando una cadena de teatros en St. Louis y llegó a ser el jefe de la Twentieth Century-Fox. Fue muy bondadoso con mi padre en sus últimos días; le mandó un proyector de cine sonoro y cada mes, o cada dos meses, le enviaba alguna película que mi padre quería ver. Estos dos amigos entraron y nos dijeron: "Tienen que serenarse, muchachos. Su muerte les dejó un gran vacío, pero piensen en lo que hizo en vida. Miren ese rostro y recuerden de dónde vino. Piensen en la granja, en la Cash Register Company". Sus palabras significaron mucho para mí porque ambos eran hijos de sus propias obras y conocían la historia de mi padre. Acudieron centenares de personas — el secretario general de la ONU, diplomáticos y jefes de negocios y gente común y corriente que trabajaba para la IBM.

Cuando llegó la hora, cerramos el ataúd y pasamos a la iglesia. Las honras fúnebres se celebraron el primer día de verano, día de calor en Nueva York, con una lluvia persistente. La iglesia Brick se llenó de bote en bote. Había gente de pie en el vestíbulo, otros ocuparon asiento en una capilla auxiliar, y todavía más en el sótano. Habíamos hecho instalar un sistema especial de sonido para que todos pudieran escuchar las palabras del doctor Wolfe, quien hizo un elocuente elogio de mi padre, refiriéndose a la perseverancia y a la gran sencillez que le permitieron triunfar en la vida, y a su dedicación al servicio de los demás. Terminado el servicio religioso, la familia fue sola al cementerio de Sleepy Hollow a enterrar a mi padre. El había comprado allí un lote durante la guerra, cuando Olive y yo perdimos nuestro primogénito, y a su lado enterramos a mi padre. En su sermón, el doctor Wolfe había citado palabras de la Biblia para consolarnos a Dick y a mí: "Cuando los días de David llegaron a su término, le dio instrucciones a su hijo Salomón diciendo: Yo me voy por el camino de todo lo terreno; ten ánimo y pórtate varonilmente". Pero yo no me sentía como el rey Salomón en aquel cementerio enterrando a mi padre; me sentía destrozado.

Llevé a Olive y a dos de nuestras hijas a las Bermudas. Nos alojamos en un club en la playa y alquilamos motocicletas para poder conocer la isla de verdad. Después de unas dos noches, sentí finalmente el golpe de la muerte de mi papá y tuve una reacción alérgica terrible, parecida a las que Dick había sufrido desde hacía años. Se me hinchó la garganta y no podía respirar. Olive tuvo que llamar de urgencia a un médico, que me puso una inyección de adrenalina para evitar que muriera asfixiado. Pero me salió una terrible erupción que no desaparecía por nada. Cuando regresé a Nueva York fui a ver a Antenucci, y me dijo que eso era una reacción psicosomática a la aflicción.

Me preocupaba cómo se acomodaría mi madre a la muerte de mi padre. Desde el principio nos dijo a Dick y a mí:

— No podré vivir sin él.

Pero después de las exequias empezó a verse su fortaleza. Le pregunté:

— ¿Qué quieres hacer, mamá? ¿Qué planes tienes?

— Vender la casa — me contestó. Nunca le había gustado la mansión que tenían en Nueva York. Era como un palacio, y, desde su punto de vista, un gran dolor de cabeza. La manejaba para mi padre, y la manejaba muy bien, pero el lujo y las grandes atenciones nunca le interesaron. Dick y yo pusimos la casa a la venta y en el término de cuatro horas se vendió por el precio que pedimos. Llamé a mi mamá para informarle. Entonces se alarmó y me dijo:

— Debe ser una señal de tu padre. ¿Qué crees tú que significa?

— Mamá, es una señal positiva, no negativa. El comprador no pidió rebaja ni discutió nada.

Eso me quitó un gran peso de encima. Mi madre tenía bastante tiempo para desocupar la casa, y mis hermanas la llevaron a España y a Irlanda para distraerla. Yo la visité durante seis días en Irlanda, y la encontré de muy buen ánimo. Vivía en las cercanías del castillo de Ashford, en una región bellísima del país, y había tomado en alquiler un antiguo Bentley con su conductor, un irlandés locuaz con quien se entendía muy bien. Como siempre, mi madre quería verlo todo y enterarse de la historia local, de modo que todos los días salían a pasear por la campiña. En particular le llamaron la atención las hermosas murallas de piedra de tres metros de altura construidas por los ingleses alrededor de algunos de sus edificios, y me las mostró para que las admirara. El conductor dijo: "Debe recordar, señora, que durante el hambre la gente trabajaba todo un día por un plato de sopa, y así fue como se hicieron estas murallas". Mi propio abuelo había huido de Irlanda durante esa época de hambre, y en adelante mi madre habló menos de las murallas de piedra.

Cuando regresé a Nueva York traté de ir a la oficina, pero estaba todavía demasiado alterado para poder trabajar. En la IBM todo me traía el recuerdo de mi padre, a pesar de que yo había pasado cuatro años cambiando las cosas para poder dirigir la compañía en lugar de él. Pensé que la única medicina bastante fuerte para hacerme olvidar todo esto era pasar un tiempo con mi propio hijo. Resolví llevarlo lejos durante una semana, y escogí a Alaska porque me pareció que entusiasmaría a Tom. Quería darle algo para recordar, llevarlo al borde de la civilización y mostrarle glaciares y montañas y el estrecho de Bering, que yo crucé al regresar de Rusia en un avión soviético de carga, cuando su madre y yo llevábamos apenas un año de casados.

Antes de partir fue a verme uno de los miembros de nuestra junta directiva, Gilbert Scribner, socio mayoritario de una firma de bienes raíces de Chicago y hombre de influencia, que presidía nuestro comité de remuneraciones. Me dijo:

— ¿Cuánto quiere que le paguemos?

A mí no se me había ocurrido que eso fuera materia de discusión. Yo esperaba que se me pagara lo mismo que a mi padre. Le contesté:

— Bueno, Gilbert, remuneración igual por trabajo igual. Quiero precisamente lo mismo que recibía mi padre, con la misma participación en utilidades.

— ¡Su padre empezó este negocio de la nada! — replicó —. Tenía que ir a visitar a los bancos. ¡Fue mucho lo que tuvo que hacer!

Eso me hizo dar ira. Le dije:

— Mi papá estuvo mucho menos activo en los últimos años, y nosotros venimos sosteniendo un crecimiento del 16 por ciento. Supongo que eso es lo que sus colegas de la junta esperan que continúe, ¿no es cierto?

Dijo que tenía que volver a consultarlo con el comité. Me ponían en una posición muy difícil, acabando de morir mi padre; pero pensé que si empezaba como un bobalicón, jamás podría dominar a la junta. Ni me pasó por la mente que mi posición pudiera ser un poco irrazonable. Me ofendió que la cuestión siquiera se hubiera planteado y partí para Alaska sin esperar la decisión de la junta.

Tom estaba en un campamento de verano en Maine. Conseguí un avión y un copiloto de la IBM, y compartí los gastos con la compañía porque tenía la intención de visitar nuestras oficinas en Alaska. Recogimos a Tom y a su amigo John Gaston en el aeropuerto de Bar Harbor y partimos con rumbo al Oeste. Fue un viaje muy penoso para hacerlo en una avioneta — era una Beechcraft bimotor de muy baja velocidad de crucero, unos 255 kilómetros por hora. Tardamos dos días y cerca de 21 horas de tiempo de vuelo para llegar a la costa occidental del Canadá. Yo me concentré en Tom, en su amigo y en los detalles del vuelo. Fuera de eso, mi mente quedó en blanco. No volví a pensar en mi padre durante toda la semana que pasamos en Alaska. Pero mi sentimiento de impotencia y de dolor se colaba en cien formas distintas mientras observaba cómo tenía que luchar la gente para sobrevivir en ese yermo. La disputa con Gilbert Scribner también me mortificaba y me lo pasé llamando a Al Williams donde quiera que encontraba un teléfono.

Nuestra primera parada fue en la isla de la Reina Carlota, frente a la costa canadiense. Yo quería mostrarle a Tom todo lo posible, y en esa isla había una gran explotación maderera. Nos alojamos en un hotelito de la empresa, y, por primera vez en mi vida, vi cómo desbastan un árbol vivo y lo usan como grúa para levantar y apilar a sus vecinos a medida que los van talando. Después volamos por la costa, nos abastecimos de combustible y llevamos el avión a ras de agua sobre la bahía de Glacier. Yo no sabía si algún día se me presentaría la oportunidad de navegar a la vela por aquellos parajes, pero simulamos la navegación en la avioneta. Era un día bellísimo, el sol se reflejaba en los glaciares y las montañas y el agua estaba cubierta de témpanos de hielo. Pernoctamos en Juneau, y a la mañana siguiente salimos y vimos osos sacando peces de un río vecino. Recuerdo que era un día caluroso de verano, los osos se sentaban en el agua fresca, y me imagino que la encontrarían deliciosa; pero el caso de los peces era un poco melancólico. El guía nos explicó que cuando los salmones remontan el río para ir a desovar, ya están tan viejos que se están desbaratando. Mientras nadan están agonizando. De alguna manera logran subir, ponen sus huevos, y se mueren.

No pude haber elegido mejor compañero que Tom para este viaje. Heredó la suavidad de Olive y su don de simpatía, y aun cuando apenas tenía doce años y no hablamos directamente de la muerte de mi padre, comprendía la crisis que yo sufría. Tenerlo a mi lado fue un gran consuelo. Le fascinaba la fauna silvestre y tomó fotos notables de un alce durante uno de los paseos accesorios que arreglé para él y su amigo mientras yo iba más al Norte a visitar nuestra oficina de ventas en Fairbanks.

En el aeropuerto de Fairbanks había una exhibición de colmillos de mamut, todos de miles de años de edad, que habían sido desenterrados de la tundra. El gerente local de la IBM salió a recibirme acompañado de un vendedor que se había distinguido mucho. En una pared del terminal aéreo había un mapa en que se veía parte de Rusia. Yo estaba tan orgulloso de conocer ese país que seguramente empecé a jactarme de mis experiencias en la guerra y de cómo nos habíamos quedado varados cuando nuestro avión estuvo a punto de estrellarse. Señalé al mapa y dije:

— Allí estuve, precisamente allí, ¡en Yakutsk!

— Oh, oh, muy interesante — repuso el vendedor en un tono muy sarcástico. Lo mismo que otros empleados de la IBM, a quienes conocí en Alaska, este hombre tenía temple. Yo no me molesté. Al contrario, le agradecí la indirecta y dije interiormente: "Tengo que moderarme. Seguramente he hablado como un vanidoso".

Esa noche celebramos una reunión en un restaurante, a la orilla de un lago. Me impresionó porque casi todas las casas que daban al lago tenían un hidroplano amarrado enfrente. Era la forma principal de transporte en esa parte de Alaska. A la reunión asistieron unos quince empleados de la IBM, casi todos de instalaciones ferroviarias y de defensa y algunos llevaron a sus esposas. El restaurante sólo tenía una pieza, y una parte la separaron para nosotros con una cortina. Todo marchó bien hasta que me llegó el turno de hablar. Apenas me había puesto de pie cuando comenzó un espectáculo al otro lado de la cortina. Era un actor que cantaba y bailaba y hacía chistes para hacer reír a la gente. Miré al gerente local y le dije:

— Será mejor que esperemos a que el tipo se siente.

— No — me dijo —. Todas estas son personas ocupadas. Algunos tienen niños que los esperan en su casa. Lo mejor es que hable usted ya.

Se mostraba tan duro conmigo como el vendedor. Me hubiera gustado negarme, pero hay situaciones que uno tiene que aceptar. No dije sino muy pocas palabras, pero eso sí, a voz en cuello para poder sobrepujar al cómico que estaba al otro lado de la cortina, o por lo menos para hacerme oír del lado nuestro. Alaska estaba tan lejos de nuestros centros que aquí el hecho de que yo fuera el jefe ejecutivo de una gran corporación no impresionaba a nadie . . . ni a mí mismo. Encontré que esto era una alivio.

Regresé para recoger a los niños y luego cruzamos la Divisoria, un espinazo de montañas que cortan el Estado diagonalmente. Necesitábamos combustible y aterrizamos en una pista diminuta, por la cual llevé el avión hasta la puerta de una tienda general. Sacaron del porche una manguera y llenaron el tanque de gasolina. Pensé que aquél era el lugar más remoto donde había estado después de Siberia. Me hubiera gustado ir hasta Point Barrow, la población más septentrional de los Estados Unidos, pero la Fuerza Aérea estaba construyendo la línea de radar de Alarma Temprana a Distancia, y el aeropuerto de la ciudad ya estaba copado. Tuvimos que regresar a Kotzebue en el estrecho de Bering, al otro lado del círculo polar ártico. Logré elevar el avión a suficiente altura para alcanzar a ver las islas soviéticas de Pequeña Diomedes y Gran Diomedes, no lejos de Anadyr, el último lugar donde yo había estado en Siberia durante la guerra. Todo se lo conté a Tom.

Volamos de regreso a Nome, 320 kilómetros al Sur, y pasamos dos noches en un hotel que tenía un restaurante llamado Café del Mar de Bering. Conocí al joven que lo administraba. El y su esposa cenaron una noche con nosotros, y les pregunté a los chicos si habían leído cuentos de Jack London sobre el Yukon. Tom contestó que sí, y el hostelero les dijo:

— ¿Les gustaría ir a sacar oro con gamella?

A Tom se le abrieron los ojos como platos.

— ¡Claro! — dijo —. Formidable. Pero ¿qué hacemos con el oro?

El hostelero sacó de un fajo de billetes uno de cinco dólares y les dijo:

— Vayan calle abajo y llamen a la puerta de la ferretería. Díganle al propietario que yo mando por una gamella para lavar oro.

Tom y su amigo volaron a la ferretería y regresaron con la gamella. Al día siguiente, el hostelero nos condujo a un lugar muy apartado. Vimos tarmiganes, hermosa especie de perdices blancas que viven en climas fríos y se distinguen porque tienen las patas pobladas de plumas hasta las garras. Al fin llegamos a un lugar donde un hombre y su mujer explotaban con agua a presión y una presa unos aluviones que habían denunciado. A lo largo del pequeño valle habíamos visto a nuestro paso centenares de miles de dólares de tractores, remolques, bombas, automóviles y camiones abandonados. Encontramos al hombre y la mujer sentados en unas cajas, con una hogaza de pan abierto y un poco de manteca de maní enfrente. Hablamos con ellos y yo les pregunté cómo marchaba su operación.

— Nos da de qué vivir — contestó el hombre. Yo agregué:

— Cuando uno habla de minería de oro, piensa en algo grande.

— Sí, nosotros hemos pasado por muchas cosas. Probablemente verían algo por el camino. Ahora nos va bastante bien y tenemos un camión decente. Podemos ir a pasar el invierno a Seattle.

Seguía evadiendo la pregunta verdadera.

— No — le dije —. Lo que le pregunto es si han ganado dinero.

En realidad, no habían ganado nada. Seguían abrigando la esperanza de encontrar el gran lingote. Mientras tanto Tom y su amigo encontraron oro en el río — unas pequeñas partículas que pusimos en una tarjeta sujetándolas con cinta pegante para poder verlas. Cuando nos despedimos, me quedé pensando en la futilidad de aquella vida, de esa pareja que no hacía más que trabajar para comer, sacar un poquito de oro, comprar un camión, llevar el camión, trabajarlo hasta acabar con él, dejarlo abandonado, encontrar otro poquito de oro, comprar otro camión, y volver a empezar.

Después de siete días, todos estábamos agotados. Pasamos la última noche en un hotel de Anchorage, y encontré al amigo de Tom llorando en su cama. Tenía la nostalgia de su hogar. Yo no sabía qué hacer. No le podía llevar a su madre (era huérfano de padre, su madre era viuda) ni lo podía llevar a él a su hogar, de modo que la situación era imposible. Al día siguiente emprendimos el viaje de regreso. Volamos directamente desde Anchorage a Nueva York en 22 horas. No sé cómo lo aguantamos el copiloto y yo. Volamos tan rápidamente que Tom y Joe pudieron llevarles a sus madres truchas frescas que habíamos comprado en Anchorage antes de salir.

El comité de remuneraciones se reunió por fin en septiembre, cuando yo ya estaba en Nueva York, y convino en que se me pagaría lo mismo que a mi padre. Poco después, fue a verme Gilbert Scribner y me dijo:

— Supongo que usted querrá que yo renuncie.

— De ninguna manera — le contesté.

— Desde que su padre me llevó a la junta directiva . . .

— Un momento, Gilbert — le interrumpí —. Mi padre no lo llevó a usted a la junta directiva. Lo llevé yo. Yo lo conocí en la junta de la Mutual Life Insurance, lo admiré muchísimo y usted fue muy bondadoso conmigo a pesar de que yo era un recién llegado. Cuando mi papá me pidió que le sugiriera a alguien para miembro de la junta directiva por el área de Chicago, le di el nombre de usted.

Esta aclaración puso fin a nuestro desacuerdo y Scribner siguió siendo un valioso miembro de la junta directiva durante muchos años.

# CAPITULO 23

El temor de fracasar llegó a ser la fuerza más poderosa de mi vida. Creo que todo el que llegue a un cargo como el mío debe sentir un poco de temor, a menos que sea un tonto, pues son grandes los peligros a que uno está expuesto; pero el que yo sentí a mi regreso a la IBM me tomó enteramente por sorpresa. Antes de la muerte de mi padre, yo dirigía el negocio y, sin embargo, me irritaba que, por estar él presente, no se reconociera todo lo que yo hacía. No me daba cuenta de cuánto necesitaba de él emocionalmente. Recuerdo que al regresar de Alaska me quedé parado en el corredor mirando las escaleras que conducían a su oficina; si mi padre no hubiera muerto yo habría podido seguir siendo jefe ejecutivo durante años sin sentirme abrumado por tan pesada carga.

Decidí que sería una necedad comportarme como si pudiera llenar del todo su vacío. En lugar de mudarme a su amplio despacho enchapado de madera, conservé mi propia oficina en el piso inferior y desde ahí dirigí la compañía. La oficina de él la convertimos más tarde en una biblioteca. Abandoné su título de director y conservé el de presidente, que era el que él me había dado. Quedaba el problema de qué hacer con su puesto en la junta directiva; lo resolví pidiéndole a mi madre que lo ocupara ella. Mi madre había permanecido a su lado tanto tiempo que muchos empleados de la IBM sentían hacia ella una lealtad que yo no quería perder.

Lo peor que puede pasar cuando fallece un líder es que sus secuaces pierdan la inspiración y se conduzcan como autómatas. Actué con la mayor rapidez para impedir que esto ocurriera, y antes que terminara el año convoqué una conferencia en Williamsburg, Virginia, a un centenar de altos ejecutivos entre quienes distribuí el poder y la responsabilidad más ampliamente que antes. En tres días transformamos la IBM en una forma tan completa que casi nadie salió de aquella reunión con el mismo empleo que tenía cuando llegó.

Escogí a Williamsburg, Virginia, porque es un lugar histórico, y esa reunión debía ser algo así como una convención constituyente para la nueva IBM. Todos conocían de antemano algunos detalles de lo que nos proponíamos hacer, y era palpable la expectativa en aquel salón de conferencias alquilado. Después de los grandes acontecimientos de ese año — el arreglo del pleito antimonopolio, mi promoción a jefe ejecutivo, y la muerte de mi padre — todo el mundo presentía que éste era el punto de arranque. Era la primera reunión importante de la IBM sin mi padre, y sabíamos cuánto habíamos avanzado desde aquellos días de las reuniones de su Club Ciento por Ciento con sus toldos de circo, sus banderolas y sus canciones. De la vieja guardia sólo estuvo en Williamsburg George Phillips, y él estaba para jubilarse al mes siguiente. En cambio, había muchos hombres jóvenes y una mujer joven. Mi edad y mi experiencia eran típicas de los asistentes: yo tenía cuarenta y dos años, y había estado en administración escasamente diez años.

Lo que realizamos no fue propiamente una reorganización sino más bien la primera *organización* de arriba abajo que nunca había tenido la IBM. Fue en gran parte obra de Dick Bullen, el joven a quien yo había nombrado arquitecto organizacional el año anterior. De acuerdo con su plan, tomamos las divisiones de producto que ya habíamos creado, las ajustamos de manera que cada ejecutivo tuviera su oficio claramente definido, y luego dejamos a las unidades en libertad de funcionar con flexibilidad. Estas eran los brazos y las piernas de la IBM, por decirlo así. A la cabeza de la corporación, para supervigilar los planes y las decisiones principales, colocamos un comité de administración compuesto de seis personas que éramos Williams, LaMotte, mi hermano, Miller, Learson y yo. A cada uno le confié la responsabilidad de una parte principal de la IBM, y me dejé en libertad para intervenir en toda la compañía. Finalmente, superpusimos un estado mayor corporativo compuesto de expertos en áreas como finanzas, fabricación, personal y comunicaciones. Su tarea era actuar como una especie de sistema nervioso y evitar que nuestra adolescente compañía tropezara y se enredara como había ocurrido pocos meses antes, cuando se dio el caso de que dos divisiones, sin saberlo, pujaran la una contra la otra en una licitación por obtener un terreno para una fábrica.

A mediados de los años 50, ya casi todas las corporaciones grandes habían adoptado la llamada estructura de línea y estado mayor. El modelo fue la organización militar del ejército prusiano en la época napoleónica. En esta forma de organización los gerentes de línea son como los comandantes en el terreno — su deber es cumplir las metas de producción, superar las cuotas de ventas y capturar participación del mercado. Por su parte, los funcionarios de estado mayor equivalen a los ayudantes de los generales — asesoran a sus superiores, le transmiten a la organización la política del cuartel general, se encargan de los complicados detalles de la planificación y de la coordinación y ven que las divisiones ataquen los objetivos pertinentes. Du Pont y la General Motors empezaron a aplicar este sistema a los negocios desde los años 20, pero para los empleados de la IBM reunidos en Williamsburg en 1956 era una novedad. Todos los asistentes a esa conferencia habíamos sido capacitados durante la administración de mi padre exactamente en la misma manera — todos empezamos como vendedores y todos fuimos moldeados como gerentes de línea. La expresión que más se oía para encarecer el éxito de un ejecutivo era: "Sabe cómo hacer para que el burro suba la cuesta". Todos sabíamos hacer que el burro subiera la cuesta, pero cuando se trataba de pensar *cuál cuesta,* o si no sería más sensato dar un rodeo en lugar de subir la loma y volver a bajar, éramos tan burros como el burro mismo. En la reunión pronuncié un breve discurso diciendo que los tiempos habían cambiado: "Hemos sido una compañía de hombres de acción. Ahora tenemos que aprender a acudir al estado mayor y confiar en su capacidad de pensar y hallar soluciones para los múltiples problemas complejos de la compañía".

Entonces creamos el estado mayor a la vista de todos. Había docenas de puestos que llenar, y como la IBM tenía muy pocos especialistas en su nómina, "creamos" nuestros expertos simplemente nombrando individuos para los diversos cargos. Williams y yo rechazamos la idea de contratar gente de fuera, salvo en campos altamente especializados, como leyes y ciencia. Habíamos pasado años sacando a los incondicionales de mi padre y reemplazándolos por hombres de recia voluntad, con capacidad de tomar decisiones. Si hubiéramos contratado un puñado de profesores o consultores para que vinieran a hacer el papel de estado mayor frente a esos hombres, éstos se los habrían comido vivos. Lo que hice fue colocar a los mejores ejecutivos en los nuevos puestos, empezando por Al como jefe de estado mayor. Fue un gran sacrificio sacarlo de la vía jerárquica, y para él significó cambiar un puesto en que tenía bajo sus órdenes a 25 000 personas por otro en que sólo dependían directamente de él 1 100. Pero llevando a nuestras estrellas al estado mayor logramos que éste mereciera el respeto de las divisiones, que era la clave para que todo funcionara.

La gran fuerza del plan de Williamsburg consistía en que les daba a los ejecutivos las metas más claras posibles. Un gerente de operaciones se juzgaba únicamente por los resultados de su unidad, y cada empleado de estado mayor por su esfuerzo para hacer de la IBM un líder en su especialidad. En esta forma, cuando se proponía un plan de operaciones, los hombres de finanzas exigían que se les dijera en qué forma ese plan mejoraría las utilidades; los de relaciones públicas se preocupaban por que se realzara la imagen de la IBM; y los de fabricación insistían en que se mantuviera la más alta productividad en nuestras plantas y la máxima calidad de los productos. Cuando terminó la conferencia, después de un par de días de talleres de trabajo, no cabía duda de que la IBM se había modificado totalmente, y para recalcar ese hecho sacamos en un número especial del periódico de la compañía el primer organigrama que tuvo en su vida la IBM. Es curioso que yo no tuviera ni la menor impresión de que íbamos en contra de mi padre. No creía que él se hubiera alarmado por lo que estábamos haciendo. Si le hubiera preguntado "¿Cómo quieres que dirijamos esto?", probablemente me habría contestado: "No sé, hijo; estaba ya tan grande cuando yo me separé que difícilmente la entendía. Haz lo que te parezca". Ese era el mandato que yo creía tener. No pasaba un día sin que lo recordara, pero lo que realmente me preocupaba era el peligro de estropear el negocio.

Mi amigo Al nunca trabajó más en su vida que durante esos

días de organizar el nuevo estado mayor. Tuvo que tomar hombres de acción y convertirlos en hombres de pensamiento. Trece personas dependían de él directamente y trabajaba 16 horas diarias, seis o siete días a la semana. Lo primero que hizo fue enseñarles a escribir. Un buen informe de estado mayor debe ser inteligible y directo. Debe presentar un problema en forma concisa y terminar con una recomendación clara, para que lo único que tenga que hacer la alta administración sea leerlo y decir: "Sigan adelante" o "No sigan". Al les dijo: "Tienen que prestar atención a la redacción. Recuerden que cada informe va a un gerente superior, quien debe entenderlo. Si aprueba su recomendación, la pasa a otra persona para que la ejecute, y esa otra persona también tiene que entenderla". No escucharon este consejo. Transcurridos seis meses, los informes seguían siendo tan caóticos que Al se desesperó. Reunió al estado mayor y mostrando una carpeta les dijo: "Voy a tomar una carpeta como esta y cada vez que uno de ustedes me entregue un informe descuidado, lo voy a meter en el bolsillo de la izquierda. Luego voy a redactar el informe como debía haberse redactado originalmente, lo pondré en el bolsillo de la derecha, y la carpeta la haré circular entre todos los que están presentes". De ahí en adelante, si alguno presentaba un trabajo descuidado, lo veían todos sus doce colegas. La calidad del trabajo escrito mejoró extraordinariamente.

Constantemente Al tenía que servir de árbitro en disputas entre el estado mayor y personal de línea. Era típico que cuando alguno de ellos descubría alguna cosa mala en una división, inmediatamente volvía a ser un hombre de acción y enviaba un enérgico memorándum en el cual ordenaba lo que se debía hacer. Esto hacía que los jefes de división se quejaran de que el estado mayor se estaba inmiscuyendo en lo que no debía. El estado mayor también adquirió la mala costumbre de retardar los proyectos que no le gustaban. Un centenar de veces debió Al amonestar a su gente: "No sigan actuando como burócratas. Tienen que facilitar las cosas, no estorbarlas".

En los meses que precedieron a Williamsburg, Al y Dick Bullen pasaron muchas horas discutiendo cómo transformar las tensiones naturales entre el estado mayor y la línea en energía que impulsara a la IBM en vez de producir rozamientos retardatarios. La solución organizacional que encontraron al fin fue tan sencilla y brillante como el transistor — un sistema de frenos y cortapisas que después se hizo famoso en la IBM como administración contenciosa. Esta no sólo hacía que fueran tolerables los conflictos entre el estado mayor y la línea sino que hasta los estimulaba. Ningún plan de operaciones en la IBM se consideraba final sin la aprobación de un miembro del estado mayor, y si éste lo firmaba, su empleo corría el mismo riesgo que el del ejecutivo que había elaborado el plan. Cuando un ejecutivo y un miembro del estado mayor no se podían poner de acuerdo, el problema automáticamente pasaba a un nivel más alto. Los dos tenían que comparecer a ventilar sus diferencias ante el comité corporativo de administración, que no aceptaba fácilmente ninguna indecisión. Esto bastaba para que nuestros ejecutivos resolvieran por sí mismos los problemas, salvo los más espinosos, y, al mismo tiempo, hacía que los más importantes salieran rápidamente a la luz para que los viera la alta administración.

Siendo el nuevo sistema tan contencioso, ¿por qué tuvo éxito? Por una parte, porque todos los empleados de la IBM tenían asegurado el empleo, lo cual venía desde los días en que mi padre se negó a despedir gente durante la Depresión. Si un empleado resultaba incapaz de desempeñar un nuevo cargo, no era despedido sino que se le buscaba otro puesto a un nivel en que pudiera desempeñarse mejor. Al efectuar estos traslados, a veces heríamos la dignidad de un individuo, pero en seguida hacíamos grandes esfuerzos por restaurarle su amor propio. También continuamos la vieja costumbre de la IBM de hacer las promociones desde dentro. Por inexpertos que fueran en sus nuevos cargos, nuestros ejecutivos habían ascendido todos desde abajo y conocían perfectamente los ideales y el espíritu de la IBM.

El dinero era otra razón para que el sistema funcionara. En una ocasión, yo estaba despotricando en un comité de administración sobre algún tema (que espero que valiera la pena), y un tipo algo sarcástico y francote llamado Tom Buckley se volvió hacia Spike Beitzel, después alto vicepresidente, y le preguntó: "¿Sabe por qué se lo aguantan a él?" Beitzel, que en ese momento no tenía interés en hacerse notar de mí, se encogió de hombros y Buckley continuó: "Porque todos se están enriqueciendo".

Yo me esforcé por recompensar a las personas con quienes

más contaba la IBM. No sólo había lucrativas opciones de adquisición de acciones para los que estaban en los puestos más altos sino que antes de terminar 1956 me reuní con la junta, y sin hacer mucho ruido creamos un notable plan de incentivos basado en el sueldo de mi padre, que, desde luego era ahora mi sueldo. El siempre había recibido un sueldo más un porcentaje de las utilidades, y cuando murió, yo insistí en que este mismo acuerdo se mantuviera en pie para mí, pero después de Williamsburg esto ya no era equitativo. Si alguien tenía derecho a un porcentaje, no era Watson sino el equipo de Watson. Ese año mi participación fue del 2.5 por mil de las utilidades después de dividendos, o sea 298 000 dólares, suma que compartí con Williams y LaMotte, dejando que ellos fijaran las proporciones que les parecieran justas para cada uno. Así resultó que mi propia paga fue solamente dos terceras partes de lo que habría sido. En los años subsiguientes tomamos esos dineros y los repartimos más ampliamente aún, entre los trece funcionarios más altos. Este acuerdo produjo un poderoso efecto psicológico, pues demostró que los días de la administración unipersonal habían terminado.

De ahí en adelante, administré la IBM con un equipo de quince o veinte ejecutivos superiores. Algunos eran mis amigos, pero nunca vacilé en promover a individuos que no me gustaban. El asistente cómodo, el tipo simpático con quien a uno le gusta ir a pescar, es un gran peligro en la administración. Yo preferí buscar hombres despiertos, duros, ásperos, casi desagradables, pero capaces de ver las cosas como son y decírselas a uno. Si uno se puede rodear de suficientes personas de este tipo y tiene la paciencia de escucharlas, sus posibilidades son ilimitadas. Mi contribución más importante a la compañía fue mi capacidad de elegir hombres fuertes e inteligentes para esos puestos y luego mantenerlos unidos como un equipo, valiéndome de persuasión, excusas, arengas, disciplina, charlas con sus esposas, atención cuando estaban enfermos o involucrados en un accidente, y utilizando todos los instrumentos que estaban a mi alcance para que cada uno pensara que yo era un tipo decente. Sabía muy bien que no me podía medir con todos intelectualmente, pero pensaba que si empleaba plenamente todas las capacidades que tenía, podría mantenerme al nivel de ellos.

Yo mismo era bastante duro y exigente. Quería que todos los

jefes sintieran la misma urgencia que yo sentía; hicieran lo que hicieran, nunca era bastante. Fui un líder mudable, quizá más mudable aun que mi padre, y esto lo justificaba diciéndome que nunca fui tan exigente con ninguno de mis colaboradores como lo fue él conmigo. Sólo gradualmente aprendí la virtud de la moderación. En esos días teníamos un ejecutivo llamado Dave Moore, un hombre rubicundo y vigoroso a quien conocía desde niño. Nuestras familias habían sido amigas. Lo mismo que había sido su padre antes que él, Dave era gerente de nuestra división de Internacional de Relojes Registradores, que vendía principalmente relojes para fábricas y databa desde los orígenes de la compañía. Hasta fines de los años 30, había sido una de las unidades más fuertes de la empresa, pero después de la guerra se impuso el criterio de una administración de fábricas más flexible y tolerante, y el reloj registrador se convirtió en un símbolo de despotismo. Esto no solamente era malo para la imagen de la IBM sino que además muchas compañías dejaron de usar estos aparatos. La división se estancó y perdió importancia porque había muchos otros fabricantes de relojes registradores y todos competían por un mercado cada vez más pequeño.

Moore hacía todo lo posible por corregir esta situación, pero año tras año, los resultados eran peores, y, finalmente, Al y yo resolvimos que a Moore había que reemplazarlo. Le prometimos un empleo equivalente con el mismo sueldo, pero él se ofuscó y acudió a su superior inmediato, Red LaMotte, y le dijo: "Bajo mi dirección la división de relojes registradores ha tenido éxito, ¿no es verdad?" Claro está que si realmente hubiera tenido éxito nosotros no lo habríamos retirado del cargo, pero Red era un hombre bondadoso y no lo quiso contradecir. Cuando yo me enteré de esa conversación debí haber dejado las cosas de ese tamaño, pero siempre perdía los estribos cuando un empleado de la IBM se negaba a ver un problema claramente. Llamé a Moore y le dije: "No sé cómo demonios puede usted sostener semejante cosa, Dave. Seamos realistas. El negocio de equipos de tiempo no va a ninguna parte. ¿Cómo puede usted decir que eso es un éxito? Puede decir que hizo todo lo posible, teniendo en cuenta las circunstancias. Pero ¿ganó dinero? ¿Su división avanzó? No. Usted no ha tenido éxito". Salió de la reunión, y mis palabras le quedaron ardiendo. Pocos meses después renunció, vendió todas sus acciones de la IBM y aceptó un cargo civil en la Fuerza Aérea. Siempre me he arrepentido de haber hecho salir a Moore, sobre todo porque, viendo hoy las cosas, comprendo que se le exigía un imposible. Su sucesor tampoco pudo enderezar el negocio, y más tarde vendimos esa unidad.

Poco a poco, aprendí a controlarme mejor. Pero habría sido un error fatal esperar una armonía perfecta en la IBM. No se puede manejar un negocio simplemente anunciando: "Mañana vamos a hacer A, el viernes B y el año próximo pasaremos a C". La mejor manera de motivar a las personas es hacerlas competir, y yo constantemente trataba de estimular la emulación interna. Esto me llevó, pocos años después de Williamsburg, a una de mis decisiones más controvertidas. A pesar de todos nuestros esfuerzos por lograr la descentralización, la División de Procesamiento de Información, responsable de todos nuestros computadores y máquinas de perforar tarjetas, era sencillamente demasiado grande, y corría el peligro de volverse inmanejable y burocrática. Entonces nombré un grupo ad hoc con el encargo de estudiar la manera de dividirla en partes manejables. Transcurrido un mes, regresaron y me dijeron:

— Es imposible. Es un solo negocio. No hay forma de dividirlo.

— Está bien — les dije —. Entonces lo haré yo. Todos los productos que se alquilan por más de 10 000 dólares mensuales pertenecerán a una división y los que se alquilan por menos se colocarán en otra división.

Me decidí por ese límite de 10 000 dólares porque era el precio promedio de arrendamientos y quedaban los dos campos más o menos iguales, cada uno con unos 30 000 empleados. Pero fuera de esto, era una división muy arbitraria y partió nuestro negocio de computadores en dos mitades competidoras. El estado mayor corporativo se vio en grandes aprietos tratando de distribuir los laboratorios, las fábricas y la fuerza vendedora entre las dos unidades.

A mí no me parecía que pudiéramos dirigir la IBM de ninguna otra manera. De ahí en adelante, no teníamos que depender de la brillantez de la alta administración para decidir qué necesitaba cambiarse. Cuando se tienen unidades separadas compitiendo entre sí, se disciplinan a sí mismas en alto grado. El nuevo plan llevó vientos cálidos de competición a los oídos de todos los ejecutivos y nos permitió medir la eficiencia de la IBM comparando una división con la otra. En lugar de decirle al jefe de la División de Sistemas de Información: "¡Caramba!, ¿está usted seguro de que sus costos fijos son razonables?", le podía decir: "¿Cómo es que los costos fijos de la División de Productos Generales son más bajos que los suyos?", o "¿Por qué tarda usted cuatro años en desarrollar un computador, cuando Productos Generales sólo tarda dos en desarrollar una máquina comparable?" Muchas veces ni siquiera era necesario hacer tales preguntas. Procter & Gamble estaba haciendo algo parecido con productos de consumo — desarrollaban dos o tres marcas de detergente y las ponían a competir unas con otras en los supermercados — y, desde luego, la General Motors vendía diferentes líneas de automóviles. Pero era una idea radical aplicar el conflicto interno en la medida en que lo aplicó la IBM. Muchas personas me decían que esto no daría resultado, pero fue uno de los secretos de por qué crecimos tanto como crecimos.

La organización de Williamsburg vino muy a tiempo porque el crecimiento de la IBM se estaba *acelerando.* En los dos años que siguieron a la muerte de mi padre, el negocio creció más rápidamente que en toda su historia anterior, excepción hecha de la expansión de tiempo de guerra, en 1943. Una vez que sobrepasamos a la Remington Rand, la psicología del mercado se volvió completamente a nuestro favor. A pesar de que los computadores eran la herramienta de negocios más complicada y más costosa que se había visto jamás, los clientes estaban convencidos de que no se podían privar de ellos. Se decidían por la IBM por nuestra reputación tanto en máquinas como en servicio. Teníamos vendedores y técnicos que sabían ofrecer sistemas que funcionaban bien, muchísimos expertos capaces de resolver difíciles problemas de programación, y una inmensa biblioteca de programas de computador que poníamos a la disposición de nuestros clientes sin costo alguno. Comprar un computador era una inversión importante que requería aprobación de la junta directiva en casi todas las compañías, y para el ejecutivo encargado de escoger la máquina adecuada, la IBM se convirtió en la elección segura. Como lo dijo en ese tiempo la revista *Fortune,* "las juntas directivas no conocerán mucho de máquinas, pero sí conocen a la IBM".

A pesar de que cosechábamos éxito tras éxito, yo me preocupaba pensando si seríamos capaces de mantener la ventaja que habíamos ganado. La RCA iba a entrar en la industria, y yo creía que sería un competidor muy serio. Por su parte Al Williams pensaba que la rivalidad más seria provendría de la General Electric, que en esos días consiguió un enorme contrato para computarizar las operaciones bancarias al por menor del Bank of America. La GE es una compañía inteligente, bien organizada y cuando toma a su cargo cualquier cosa, así se trate de motores de reacción directa o de lavadoras de platos, hace el trabajo de verdad concienzudamente. A mediados de los años 50, la RCA era una y media veces más grande que nosotros; la GE, cinco veces más grande. Si cualquiera de estas dos empresas hubiera resuelto contratar a algunos de nuestros mejores colaboradores y destinar grandes cantidades de dinero a este negocio, nos habrían borrado del mapa.

Poco después de la muerte de mi padre, cuando estábamos proyectando la reunión de Williamsburg, me llamaron de la RCA para que fuera a ver al general David Sarnoff. La RCA había estado experimentando con computadores desde los años 40, y acababa de entregar una máquina gigantesca llamada BIZMAC al arsenal de tanques de los Estados Unidos en Detroit, donde la utilizaban para seguirles la pista a los inventarios. Algunos ejecutivos de la RCA creían que los computadores serían tan importantes para el futuro de su compañía como la televisión en colores. No me era fácil dejar de sentir un poco de temor en presencia del padre de la radio y de la TV en el país. El general era un hombre de baja estatura, pero, o se sentaba en una silla muy alta o en una plataforma, y a mí me pareció grandísimo. Mientras hablaba, chupaba esporádicamente un largo cigarro.

Aun cuando yo ya lo conocía socialmente, éste era un general Sarnoff distinto. Me dijo que quería concesiones de derechos de producción bajo nuestras patentes de computadores; creía que no estábamos muy dispuestos a concedérselas a pesar de que estábamos obligados a ello en virtud de nuestro nuevo decreto de consentimiento. Me dijo que la pericia de la RCA en la producción de televisores se podía utilizar también para hacer computadores y que eso era lo que él esperaba aprovechar. Yo, a pesar de todo el respeto que me inspiraba, me permití decirle que el mercado de computadores era altamente especializado y dependía más de la pericia en ventas y en sistemas que de las máquinas mismas. Agregué que le daríamos la concesión de todas las patentes que quisiera, pero que, a mi modo de ver, el negocio de los computadores le iba a dar muchísimo trabajo.

Mientras tanto, una de las personas que nos ayudaron a preparar la conferencia de Williamsburg fue el consultor de administración John L. Burns. Yo lo había conocido ocasionalmente — un hombre corpulento, que tenía un grado de Ph. D. de Harvard, que había empezado su carrera durante la Depresión como obrero en una planta siderúrgica y había ascendido hasta ser socio mayoritario de la firma de consultores Booz, Allen & Hamilton. Cuando le pedí que trabajara para la IBM, dijo que él era consultor de la RCA y tenía que pedir permiso. Luego aceptó, y trabajó íntimamente con nosotros hasta Williamsburg. Poco más de tres meses después de la conferencia, me telefoneó para decirme que Sarnoff le había ofrecido la presidencia de la RCA. Me preguntó si yo tendría alguna objeción. "¡Claro que sí!", le contesté, porque nosotros le habíamos confiado todos los detalles de nuestra organización, los métodos y los planes. A pesar de todo, él aceptó el cargo en la RCA.

La amenaza que nos planteaba la nueva posición de Burns habría sido mucho más grave si yo no hubiera escuchado los consejos de Al Williams. Un día Al me telefoneó para decirme que el equipo de Booz Allen quería que le diéramos una explicación de nuestras prácticas de fijación de precios.

— Claro — le dije —. Es como al médico: hay que contarle todo.

Williams insistió en que no era prudente darles esos datos. Yo me molesté porque tenía un elevado concepto de Burns, pero como siempre atendía a la opinión de Al, le dije:

— Está bien; si eso te parece tan importante, no les des ninguna información.

Las prácticas de fijación de precios se habían ido formando desde los primeros días de la IBM. Para fijar el canon de arrendamiento de cada producto teníamos en cuenta nuestros propios costos de marketing y de mantenimiento y la tasa prevista de obsolescencia — todo lo cual se mantenía cuidadosamente en secreto. En manos de Burns, esta información le habría permitido a la RCA atacar por donde era más débil la línea de producto IBM y evitar el ataque de donde éramos fuertes y podíamos rebajar precios para mantener a raya a la competencia.

Tratamos de actuar de manera que a los rivales bien financiados como la GE y la RCA les pareciera demasiado arriesgado el negocio de computadores. Con este fin nos volvimos en extremo sensibles a la menor incursión extraña en el mercado. La opinión general entre nuestros vendedores era que si la General Electric lograba un cinco por ciento, lograría también el ciento por ciento. Si un vendedor perdía un cliente sin haber prevenido con anticipación a su gerente de que esa cuenta peligraba, se exponía a acción disciplinaria. Los vendedores de la IBM tenían que rendir informes de ventas de dos tipos; los primeros eran de rutina; los segundos, que se llamaban informes especiales de cuenta, eran de dos colores: rosados para situaciones en que la IBM competía con alguien para ganar un cliente nuevo, y amarillos que representaban cuentas enfermas, cuando el cliente no estaba satisfecho. Estos informes se reunían y se analizaban minuciosamente por zona geográfica, por tipo de cliente y por tipo de producto. Junto con otras investigaciones, los informes especiales nos permitían evaluar con mucha precisión la posición de la competencia.

Cualquier penetración de un competidor como la RCA era peligrosa para nosotros. En una industria que crecía como la nuestra, yo tenía la firme convicción de que era absolutamente indispensable ganar y conservar una participación en el mercado. Cualquier desviación de esta meta por tratar de maximizar las utilidades a corto plazo, reduciría a la larga el monto total de nuestras ganancias. Al mismo tiempo, tratar de escoger un número limitado de áreas para ser fuertes en ellas, era una política tonta y peligrosa, y, si la seguíamos, limitaríamos la escala de nuestro negocio, facilitando así el avance de la competencia.

A mi modo de ver, la única forma en que la IBM podía ganar era moviéndose, moviéndose, moviéndose continuamente. A medida que crecía la industria de los computadores nosotros teníamos que crecer con ella, por rápido que fuera ese crecimiento. Nunca me separé del precepto administrativo de que lo peor que podíamos hacer era quedarnos quietos frente a cualquier problema. Resolverlo, resolverlo rápidamente, resolverlo bien o mal. Si se resuelve mal, vuelve a aparecer y entonces uno lo puede resolver bien. Quedarse quieto y no hacer nada es una alternativa cómoda porque no presenta riesgo inmediato, pero es una manera absolutamente fatal de manejar un negocio. Por eso yo nunca vacilé en intervenir si veía que la compañía se estaba estancando. Pocos meses después de Williamsburg, nos vimos ante el gravísimo problema de cómo pasar a producir transistores. El transistor era, obviamente, la onda del futuro en electrónica: era más rápido que la válvula al vacío, generaba menos calor y tenía gran potencial de miniaturización. Nadie vendía entonces computadores transistorizados, pero muchas compañías estaban compitiendo por perfeccionarlos, entre ellas la RCA, Honeywell, Control Data, la NCR y Philco. Nosotros también estábamos experimentando con calculadoras y computadores transistorizados en nuestro laboratorio de Poughkeepsie. Los primeros transistores no eran confiables — eran sensibles al calor, a la humedad y a las vibraciones — pero ya en 1956 Ralph Palmer y sus colaboradores en Poughkeepsie habían realizado suficientes pruebas para estar seguros de que esas limitaciones se podían superar.

El gran obstáculo que quedaba era el costo. Los transistores se vendían por 2.50 dólares cada uno, más o menos, y parecía imposible diseñar un computador transistorizado que produjera dinero. Pero Birkenstock, que era el que siempre me empujaba en materia de tecnología, señaló que si actuábamos rápidamente podíamos hacer desaparecer esta dificultad. El principal proveedor de transistores era la Texas Instruments, de Dallas. Pocas personas habían oído hablar de ella, pero les había madrugado a los fabricantes de válvulas como la GE y Sylvania aprendiendo primero que todos a fabricar transistores en serie. Pat Haggerty, su jefe de fábrica y después presidente, entendía mejor que nadie los detalles económicos de la producción de transistores. Cuando la Texas Instruments entró en el negocio, estos dispositivos costaban hasta 16 dólares cada uno. Una de sus primeras aplicaciones prácticas fue para audífonos para los duros de oído. Haggerty pensó que si el precio se bajaba a 2.50, la compañía podría abrir un mercado masivo para radios portátiles. Arriesgaron dos millones de dólares en diseño de circuito y proceso de producción, y en 1956 nació el radio de transistores. Tuvo una gran acogida entre los consumidores y colocó a la Texas Instruments a la cabeza.

Nosotros pensamos que una magia parecida le podía servir también a la IBM. Diseñando computadores sobre el supuesto de que el costo de los transistores se podría rebajar más aún, tal vez a 1.50 dólares, pudimos fijar precios atractivos para la clientela y, además, realizar utilidades. Birkenstock fue a Dallas a solicitar la colaboración de la Texas Instruments. Convinieron en construir una fábrica con líneas de producción de alto volumen que rebajarían el costo de los transistores en forma tan espectacular que serían más baratos que las válvulas al vacío de alta calidad que veníamos usando entonces. Nosotros por nuestra parte nos comprometimos a tomar la tajada del león de los millones de transistores que produciría la nueva planta.

Aquí fue donde estuvimos a punto de estancarnos, pues este audaz plan nos dio un incentivo para transistorizar todos nuestros productos, computadores y máquinas de perforar tarjetas por igual, porque cuanto más usáramos transistores más baratos nos resultarían. Si bien la idea de transistorización les encantó a los ingenieros de computadores en Poughkeepsie, levantó una tormenta de protestas entre los diseñadores de tarjetas perforadas en Endicott. Estos escasamente habían aprendido a entenderse con electrones dentro de una válvula al vacío, y este nuevo invento los desconcertó. Yo iba al laboratorio y les decía: "¿Por qué no transistores?", con la esperanza de que entendieran la indirecta. Pero durante muchos meses todos los diseños nuevos que nos mandaban a Nueva York estaban llenos de válvulas. Por último, despaché un memorándum que decía: "A partir del 1° de octubre no diseñaremos más máquinas con válvulas al vacío. Firmado, Tom Watson, hijo". Los de Endicott estaban furiosos y decían: "¿Qué sabe él de estas cosas?" Pero yo conseguí un centenar de esos pequeños radiorreceptores transistorizados que estaba produciendo la Texas Instruments y llevaba unos cuantos cuando iba a Endicott. Cada vez que le oía a un ingeniero decir que el transistor no era confiable, sacaba un aparato de mi maletín y se lo daba para que lo usara a ver si se le dañaba.

En Wall Street, las acciones de la IBM gozaban de un prestigio tan grande que los corredores de bolsa cuando querían encarecer los méritos de una compañía nueva la promovían como "la próxima IBM". El valor de nuestras acciones se había quintuplicado desde que yo asumí la presidencia; y si una familia hubiera tenido la suerte de invertir 2 750 dólares en cien acciones durante el año que *mi padre* tomó el negocio, en 1957 esa inversión valdría 2.5 millones de dólares. Ese año nuestra primera venta de acciones fue un gran acontecimiento en Wall Street. Mi padre siempre había rechazado la idea de emitir nuevas acciones, pero al fin esto llegó a ser una cuestión de sentido común. Habíamos llegado al límite de lo posible en materia de endeudamiento — le debíamos a Prudential bastante más de 300 millones de dólares, lo que nos colocaba en la posición de ser los más grandes deudores en el mundo de los negocios, a pesar de lo cual, al paso que íbamos en la construcción de fábricas y equipos para alquilar, íbamos a necesitar más capital, mucho más. Al Williams calculó que fácilmente podríamos invertir otros 200 millones de dólares. Llamé, pues, a nuestro agente en la firma Morgan Stanley, Buck Ewing, quien hasta el momento era probablemente el banquero de inversión más subempleado de cualquier gran corporación. Buck y yo habíamos volado juntos en la Segunda Guerra Mundial, y después de la guerra Morgan Stanley lo destinó a manejar la cuenta de la IBM. La primera vez que nos visitó para preguntar si la IBM necesitaba capital, yo le dije:

— No creo que mi padre lo desee — pero, sin embargo, se lo presenté. Conversaron brevemente, y cuando Buck salió, mi padre me comentó:

— Ese hombre no usa la cabeza. Lo que menos haríamos sería vender acciones.

El jefe de Morgan Stanley era Perry Hall, a quien mi padre había conocido en la iglesia episcopal de Short Hills. Hall era astuto. Escuchó una vez los puntos de vista de mi padre sobre la venta de acciones y jamás volvió a tocar el punto. Buck, por el contrario, nos visitaba todos los años, y al fin mi padre, que admiraba la perseverancia, le concedía cinco minutos y conversaban amistosamente.

Así, pues, cuando Williams y yo resolvimos proseguir, lo lógico era llamar a Buck. Se presentó al instante con todo un equipo, y la cosa se hizo. La firma Morgan Stanley apareció a la cabeza de la lista de aseguradores, lo cual fue un gran golpe porque 200 millones de dólares constituían la venta más grande de acciones en la historia de Wall Street, después de la de 328 millones de dólares que ofreció la General Motors en 1955.

Alcanzamos la marca de mil millones de dólares a fines de 1957, mi primer año completo como jefe ejecutivo. Vender mil millones de dólares de cualquier cosa en aquellos días era como el vuelo supersónico — no había muchas organizaciones que lo hubieran logrado. Sólo treinta y seis compañías industriales norteamericanas — tales como Procter & Gamble, la Boeing y la Standard Oil — eran más grandes que la IBM, y casi todas dependían de nosotros en cuanto a computadores. Ya no se necesitaba el optimismo Watson para decir que éramos un factor significativo en la economía de los Estados Unidos. Me permití una pequeña celebración. Hacía tiempo que queríamos mejorar los aviones de la compañía, de modo que compramos un Convair, un bimotor para cincuenta pasajeros, y lo arreglamos con literas y con un área para reuniones. Lo usábamos para llevar clientes a las demostraciones de ventas, no para pasear, pero de todas maneras es emocionante para un tipo de cuarenta y tres años comprar un avión de un millón de dólares, como ése.

Yo estaba tremendamente orgulloso de mis comienzos. No me gustaba que me compararan con mi padre, pero me parecía que si podía seguir desempeñando mi cargo igualmente bien durante los diez años siguientes, podría contarme en la misma categoría que él. Por eso recibí como una bofetada la noticia de que un miembro de mi familia había resuelto cubrirse contra el riesgo de que no lo lograra. Al segundo año de la muerte de mi padre, mi hermana Jane vendió un millón de dólares de acciones de la IBM, que eran como la tercera parte de las que tenía. Esto equivalía a un voto de desconfianza y era la primera vez que un Watson vendía acciones de la IBM. Me hirió tan hondo que fui a verla a su casa en Washington. "Claro está que tú tienes derecho de hacer lo que quieras", le dije. "Pero ¿por qué vendiste?"

Jane se sorprendió muchísimo de que yo estuviera al tanto de esa transacción. No sabía lo suficiente de corporaciones como para entender que una venta de un millón de dólares siempre se le informa a un jefe ejecutivo. Pero sacarle a ella una respuesta era exactamente lo mismo que discutir con mi padre. A veces, cuando uno trataba de concretarlo, mi padre salía con una respuesta ridícula. Si uno le decía: "Te llevaste mi maleta y me dejaste en la estación", a lo mejor le contestaba: "Pensé que te querías ir a pie a la casa". Así fue la respuesta absurda que recibí de Jane:

— No pensé que te interesara.

— ¿Cómo podías pensar eso? Yo he venido manejando este negocio, y tú te has beneficiado; pero nunca has insinuado siquiera que creas que lo hemos hecho bien.

— Oh, Tom, tú sabes que sí lo creo.

— Entonces ¿por qué vendes las acciones?

— Porque tengo que proteger el futuro de mi familia.

Seguramente Jane seguía el consejo de algún asesor financiero que la había convencido de que era prudente diversificar sus inversiones. Pero en ese momento el hecho de que vendiera sus acciones me dio una fuerte sacudida y puso fin a nuestras buenas relaciones durante muchos años.

# CAPITULO 24

La administración no es una ciencia. Es un proceso demasiado humano para eso. Como construíamos máquinas de negocios muy avanzadas, la gente pensaba en la IBM como un modelo de orden y lógica, una organización totalmente aerodinámica en que desarrollábamos planes racionalmente y los llevábamos a cabo con absoluta precisión. Yo nunca pensé ni por un momento que tal fuera el caso. Aunque los años 50 fueron una época de bonanza para campos como la ingeniería organizacional y análisis de sistemas, ése no era el tipo de liderazgo que esperaba la gente de la IBM, ni era el oficio para el cual yo fui capacitado. Mi padre me había enseñado que un buen hombre de negocios tiene que ser un actor. Tiene que aparentar enfado más bien que enfadarse realmente; tiene que aparecer más preocupado de lo que en realidad está cuando quiere estimular a alguien para que resuelva un problema. Mi padre era un maestro en esta exageración teatral y yo seguí su ejemplo siempre que se me presentó la oportunidad.

A medida que la IBM crecía y se descentralizaba, el problema era encontrar la manera de mantener contacto personal con los empleados y motivar a otros ejecutivos para que siguieran el ejemplo. Un día de julio un avión en que viajaban varios funcionarios de la IBM capotó al despegar, en Rochester, Nueva York, en medio de una tempestad. Murieron siete personas, entre ellas un empleado de la IBM, y otros ocho o nueve de nuestro grupo fueron hospitalizados. Yo estaba en una conferencia en Vermont cuando tuve noticia del accidente, y rápidamente actué para asegurarme de que todos los jefes de división afectados fueran a Rochester a ayudar. Pero un ejecutivo estaba todavía en su oficina en Westchester. Lo hice pasar al teléfono y le pregunté:

— ¿Va a ir a allá, al hospital y visitar cama por cama? ¿O voy yo?

— Ah, Tom, no lo había pensado.

El hombre llevaba ya bastante tiempo con la compañía, y le pregunté cómo era posible que hubiera olvidado el ejemplo de mi padre después del accidente ferroviario de Port Jervis en 1939, cuando se levantó de la cama a medianoche y fue en automóvil al lugar del desastre a visitar a los heridos de la IBM que estaban hospitalizados y a sus familias.

— Le advierto — le dije — que usted debe dirigir su división como si fuera su propia compañía; pero si no está en Rochester antes de la noche, iré yo mismo.

— Lo llamo del hospital — me contestó, y así lo hizo unas cuatro horas más tarde.

Lo mismo que mi padre, yo asistía cada año a docenas de "comidas de familia" para empleados de la IBM, y visitar las oficinas locales era para mí cuestión de rigor en los viajes de negocios. Mantenía todo un equipo de secretarios ocupados haciendo las cosas de la misma manera que las había hecho mi padre — asegurándome de que toda carta que recibiera fuera contestada en el término de 48 horas, enviándole flores a la esposa de un empleado que estuviera hospitalizada y haciendo otros mil pequeños gestos de consideración. A menudo, mi padre contestaba personalmente el teléfono, y lo mismo hacía yo siempre que podía. Si el que llamaba era un cliente, se sorprendía gratamente de poderse comunicar directamente con Watson; si era un funcionario de la IBM, le daba un gran ejemplo de cómo tratar con igual consideración a los que lo llamaban a él. Probablemente un experto en eficiencia habría condenado estas prácticas como una monumental pérdida de tiempo para un jefe ejecutivo, pero en una compañía orientada al servicio, como la nuestra, estos detalles de cortesía y estilo, al parecer pequeños, eran sumamente importantes para omitirlos. Si el que está a la cabeza deja de interesarse en ellos como cuestión personal, muy pronto los demás también pierden interés.

Yo había logrado cambiar muchas cosas en la IBM — la organización de la compañía, la tecnología que vendíamos, hasta el aspecto mismo de la empresa; pero lo más difícil de todo era lo que Williams y yo llamábamos "montar el caballo desbocado":

mantener la IBM coherente a medida que su tamaño se multiplicaba. Con el tiempo pude destilar en una sencilla serie de preceptos la filosofía que había seguido mi padre en la administración del negocio durante 40 años:

Darle importancia plena a cada empleado, individualmente.
Destinar mucho tiempo a dejar a los clientes contentos.
Realizar hasta el último esfuerzo para que todo se haga bien.

Me parecía que para sobrevivir y triunfar teníamos que estar dispuestos a cambiarlo todo en la IBM, excepto estos preceptos básicos. Mi padre siempre les transmitió a los empleados su modo de pensar mediante visitas personales, discursos y la fuerza misma de su personalidad. Todos entendían tan bien sus valores que, excepción hecha de los viejos lemas como "Un gerente es un asistente de sus empleados", nunca llegó a codificarlos. Yo me sentí obligado a cambiar eso porque la IBM era ahora muchas veces más grande que cuando él estaba en su apogeo; todos los años contratábamos a millares de personas nuevas y grandes números de empleados, relativamente inexpertos, se promovían a empleos administrativos.

Lo más importante que tenían que aprender estos jóvenes gerentes no eran los aspectos profesionales o técnicos de sus cargos, sino la manera adecuada de tratar a la gente que trabajaba a sus órdenes. Mi padre llamaba este contacto diario la "relación empleado-gerente" y era tan esencial para la IBM como la familia lo es para la sociedad. De esa relación dependía que se conservara el respeto por el individuo, sin que importara cuán altamente estructurado llegara a ser el resto del negocio. Siempre que los trabajadores y los supervisores se entendieran bien, los sindicatos serían superfluos en la IBM; pero si permitíamos que ese lazo se aflojara, tarde o temprano el negocio con toda seguridad se convertiría en un campo de batalla.

Nuestros métodos de capacitación en ese tiempo todavía eran sorprendentemente primitivos. Teníamos escuelas de ventas y de máquinas, pero nada para enseñarle a una persona cómo ser jefe de los demás. Un gerente de sucursal llamaba a un vendedor y le decía: "Usted fue ascendido a gerente auxiliar. Tenga cuidado con la gente, no diga malas palabras y use camisa blanca".

Por la época de la conferencia de Williamsburg llamé a uno de los gerentes de ventas más capaces, Tom Clemmons, y lo encargué de dirigir el desarrollo organizacional para ejecutivos. Inició su programa educativo en el Club Campestre de Sleepy Hollow, con casos tomados del programa de la Escuela de Administración de Negocios de Harvard. Lo llevé aparte, y con mi acostumbrada falta de diplomacia, le dije que si queríamos que la compañía se distinguiera de todas las demás, teníamos que enseñar cosas distintas. El me dijo:

— Pensé que lo que usted quería era que los preparáramos para ser buenos administradores.

— No me entendió. Lo que quiero es que aprendan administración IBM: comunicación, esfuerzos supremos de ventas y servicios, ir a la casa de un empleado si la mujer está enferma y ver cómo se le puede ayudar, hacer visitas de pésame.

Estas son cosas que no se pueden leer en ningún libro de texto. Eran las prácticas que habíamos adoptado durante el transcurso de los años, y los nuevos gerentes debían aprenderlas además de la tecnología. De modo que Clemmons cambió de dirección, y el sistema de capacitación llegó a ser tan bueno que más tarde sentamos la regla de que nadie podía administrar nada en la IBM sin haber pasado por esa escuela. Los cursos duraban de dos a seis semanas, y a cada grupo lo visitaba yo personalmente u otro alto ejecutivo porque era muy importante para los educandos conocer a las personas para quienes trabajaban.

Jamás pensé que un alto ejecutivo debiera permanecer frente a un escritorio despejado, mirando el techo, soñando con grandes cosas para el futuro y trazando nuevas líneas en el organigrama. Yo pasaba el equivalente de por lo menos un día a la semana atendiendo a las reclamaciones de los empleados o paseando por las plantas, conversando con los vendedores y charlando con los clientes. Preguntaba qué andaba bien y, lo que es más importante, qué andaba mal. Uno no se entera de lo que anda mal en su compañía si no pregunta. Es fácil oír las cosas buenas, pero para oír las malas hay que hurgar bajo la superficie. Trabajando en esta forma, descubrí descuidos y deficiencias en la IBM que pudimos corregir antes que se volvieran muy serias.

Por ejemplo, en 1964, uno de nuestros gerentes de sucursal organizó un espectáculo burlesco en una conferencia de ventas en el Oeste Medio. La obra era increíblemente vulgar; la escena era un pueblo de indios en que el gerente mismo hacía el papel de jefe y unas modelos muy ligeras de ropas, el de indias. Hasta tenían gallinas de verdad andando por el escenario. Al final, el gerente desaparecía con una de las modelos en una tienda de campaña y cuando entraban, el público veía en su espalda un letrero que decía más o menos: "Gerente de sucursal: yo hago de todo para todos". Luego él y la muchacha cerraban la entrada de la tienda. Entre el auditorio había familias, y algunos de los que presenciaron el espectáculo me escribieron diciéndome: "¿Es esto lo que ustedes llaman la dignidad de la IBM?" Inicié una investigación. Ese gerente era uno de los mejores que teníamos, pero la política de la compañía no toleraba cosas sucias, e insistí en que había que despedirlo. Sus superiores hicieron todo lo posible por conservarlo, y hasta trataron de ocultármelo trasladándolo a la Costa del Pacífico, pero al fin tuvo que salir porque todos sabían que siempre que se mencionara su nombre yo iba a armar un alboroto.

Siempre que yo intervenía en cuestiones de política de personal o que veía algo que no me gustaba en una sucursal o en una planta, lo anotaba en una libreta que llevaba en el bolsillo y que muchas veces me servía como materia prima para un tipo de memorándum llamado Información Administrativa, que se les enviaba a todos los gerentes, hasta a los capataces de los talleres. A la redacción de estos memorandums dedicaba tanta energía como mi padre a sus editoriales en la revista *Think.* Cuando se tiene un negocio lleno de nuevos gerentes, aprende uno a no dar nada por sentado. Por ejemplo, uno de mis memorandums era un texto sobre la manera de dirigir una reunión sin perder tiempo. (Mi consejo era hacerla lo más pequeña posible, corta y al grano.)

Escribí cerca de un centenar de esos memorandums tratando de enseñar a resolver los problemas cotidianos a la manera IBM. Por ejemplo, el problema de traslado de empleados. Esta era una práctica común en la vida de los negocios en los años 50, pero cuando la gente empezó a hacer chistes diciendo que la sigla "IBM" significaba *"I've Been Moved"* [A mí me trasladaron], comprendí que la cosa se nos estaba saliendo de las manos. Investigamos el asunto, y descubrimos que muchos traslados se estaban haciendo únicamente por conveniencia de la compañía sin tener en cuenta al empleado, cuya familia se desarraigaba. Esto violaba uno de los principios básicos de la filosofía IBM — darle importancia al individuo. Entonces les escribí a nuestros gerentes que a nadie se le podía ofrecer un traslado sin darle un aumento sustancial de paga y de responsabilidades. El número de traslados disminuyó inmediatamente. Otro caso típico fue el de un empleado a quien despidieron porque no se quiso afeitar la barba; el gerente le dijo que su aspecto no estaba de acuerdo con el ambiente ni con la imagen corporativa de la IBM. Muchos de los científicos y matemáticos que contratamos en las universidades venían con sus barbas y su indumentaria informal. A mí me gustaba que los empleados de la IBM vistieran correctamente, pero me parecía que en los laboratorios de investigación la informalidad estaba bien, de modo que insistí en que al empleado despedido le volvieran a dar su puesto, e hice circular un memorandum en el cual expliqué que el programa de diseño corporativo de la IBM se aplicaba a los productos, los edificios y la decoración, pero no a las personas.

Es cierto, desde luego, que una apariencia conservadora había sido siempre la costumbre en la IBM, y se desarrolló toda una leyenda acerca del conformismo en la compañía — las camisas blancas y los trajes oscuros; pero había una razón para esto. En una forma o en otra, en la IBM todos éramos vendedores, individual y colectivamente, y nada distrae más de una venta que una apariencia estrafalaria. El traje conservador tenía su razón de ser como herramienta de marketing, exactamente lo mismo que una visita a la planta, un programa educativo para el cliente, o una reputación de excelencia. Denotaba que tomábamos en serio nuestro trabajo.

La cualidad que yo más buscaba en un gerente y que valoraba prácticamente por encima de todo lo demás era el sentido común. Mi padre hacía menos hincapié en éste, tal vez por lo que el suyo era tan grande y lo que él más necesitaba en los empleados era entusiasmo. Pero ahora que éramos una gran corporación y teníamos negocios con millares de compañías más pequeñas, el celo excesivo podía resultar perjudicial. Por ejemplo, teníamos un contratista que nos vendía leche para la cafetería de la compañía en Poughkeepsie. El interventor local de la IBM, tratando de economizar en los gastos, lo amenazó con quitarle el contrato si no rebajaba el precio. Hay un límite por debajo del cual no es posible vender leche sin quebrar, y teníamos al pobre tipo casi a ese nivel. Finalmente, me escribió diciéndome: "Ustedes están abusando de su poder económico para acabar conmigo". Fui a Poughkeepsie, hablé con el interventor, y encontré que eso era cierto. Me dio mucha cólera que un funcionario de la IBM pudiera ser tan torpe.

Tuvimos un problema parecido con un cliente de Providence, un negocio pequeño que usaba equipos IBM para hacer su facturación. Luchaba por sobrevivir, y el hombre se negaba a pagar la instalación diciendo que no estaba satisfecho con su funcionamiento. La manera como nuestra oficina local manejó este asunto carecía de toda lógica. Debían haber dejado al cliente satisfecho o haber retirado las máquinas, pero lo que hicieron fue mandarle cuentas y más cuentas por mora, y, finalmente, lo demandaron. Yo no me enteré hasta que el juicio estaba a punto de iniciarse. La estupidez de lo que habíamos hecho me sacó de quicio. Bastaba tener dos dedos de frente para prever lo que el abogado de la defensa iba a decir ante el jurado: "Aquí tienen ustedes a este coloso que se gana centenares de millones de dólares al año, abusando de este pequeño empresario que no paga porque sus máquinas no funcionan". No era así como yo quería que se viera la IBM. Di órdenes para que se llegara a un arreglo, y al final tuvimos que pagarle al hombre como dos millones de dólares.

Yo podía sentar todas las reglas del mundo para tratar de evitar semejantes situaciones, pero descubrí que a veces el enfado era la mejor manera de dar una lección de administración. En el otoño de 1956 supe que dos jóvenes que habían acudido a nuestra sede en solicitud de empleo habían sido tratados despectivamente y se habían marchado con la impresión de que eso se debía a que ellos eran judíos. Uno de ellos me mandó la queja y después de investigar encontré que ni siquiera les habían concedido una entrevista, sino que alguien simplemente los caracterizó como "Obviamente, no son del tipo IBM". Cuanto más pensaba en esto, más cólera me daba porque la compañía tenía una regla clara en contra de toda discriminación al contratar personal. Yo mismo había redactado esa regla en 1953 durante las primeras etapas del movimiento de derechos civiles. Me llevé la carta del solicitante a la conferencia de Williamsburg e interrumpí una sesión para leerla en voz alta. "¿Cómo esperan ustedes que yo represente a la IBM ante el mundo exterior si estas cosas ocurren en el interior?", grité ante los ejecutivos allí reunidos. En seguida, según me dicen, señalé a Jack Bricker, nuestro nuevo jefe de personal que ocupaba asiento en una de las primeras filas, y le ordené arreglar ese asunto y sancionar a la persona que lo había manejado tan mal. Fue una actuación teatral mía, pero puse una cosa en claro: no podía haber ninguna diferencia entre lo que la IBM decía y lo que hacía.

Con el correr del tiempo me fui volviendo más intolerante con los ejecutivos que violaban las reglas de la ética. Un negocio es una especie de dictadura. La legislación antimonopolio le dice a uno qué puede hacer, y no se necesita que nadie le diga que no debe ser un ladrón, pero dentro de esos límites el que está a la cabeza goza de facultades muy amplias. Puede conceder bonificaciones injustas, indicar políticas equivocadas, utilizar los aviones para ir a los clubs de golf. Yo nunca critiqué a mis contemporáneos en público, pero durante mi administración muchas cosas se hicieron en la IBM de una manera distinta de la de otros negocios. Para mí el jefe de un negocio tiene casi tanta responsabilidad como el jefe de un gobierno, pero sin corte suprema ni frenos y cortapisas fuera de las que imponen el mercado mismo y el informe anual. Uno de los errores más graves que puede cometer es aplicarles normas distintas a los gerentes y a los empleados. Si un gerente hace algo que no se ajuste a la ética, hay que despedirlo, exactamente lo mismo que a cualquier obrero de fábrica. Este es el ejercicio sano del poder del jefe.

Cuando descentralizamos la compañía, yo di por sentado que todos los ejecutivos aplicarían automáticamente las mismas altas normas de conducta. Tardé varios años en comprender que el ejecutivo tiene que vigilar las decisiones que tomen los subalternos. En una ocasión, unos gerentes de una de nuestras plantas iniciaron una "cadena de la buena suerte" con bonos nacionales de ahorro. La idea era que un gerente les escribía una carta a otros cinco gerentes, cada uno de los cuales les escribía a otros cinco, y éstos, a su vez, le mandaban, cada uno, un bono al iniciador de la cadena y les escribían a otros cinco gerentes, y así sucesivamente. Pronto se les acabaron los gerentes y empezaron a enviarles las cartas también a los empleados. Estos se sentían presionados para entrar en la cadena y pagarles a los gerentes. Yo recibí quejas y le llamé la atención al jefe de la división. Esperaba que, por lo menos, diría: "Tenemos que despedir a unos cuantos", pero se contentó con decir: "Sí, eso fue un error". No lo pude convencer de que despidiera a nadie. Se puede admirar a un individuo por proteger a los de su equipo, pero me parece que hay veces en que la integridad se tiene que imponer sobre la lealtad al grupo. Con todo, no insistí, y más tarde pagué muy caro por no haber actuado enérgicamente.

Unos dos años después, en la misma división, un gerente despidió a un empleado de bajo nivel que había estado robando planos de ingeniería y vendiéndoselos a un competidor. Despedirlo estaba bien, pero el gerente lo hizo en forma brutal. El empleado tenía una cosa en su vida, de la cual se enorgullecía muchísimo: su rango en la Reserva del Ejército, en la cual ostentaba el grado de mayor. En lugar de llamarlo y decirle: "Usted se robó los planos y vamos a despedirlo", el gerente escogió una semana cuando el tipo estaba en un campamento militar para darle el golpe. Las autoridades militares se enteraron de la falta que cometió y degradaron al hombre. La humillación que sufrió lo puso fuera de sí y dedicó los años siguientes a atacarme a mí. Mandó fotos de Thomas Watson hijo tras las rejas de una cárcel a los senadores y representantes por su distrito y a todos los magistrados de la Corte Suprema, y armó un gran escándalo con lo de la cadena de la buena suerte, porque sabía que no habíamos despedido a los responsables de esa falta. Al fin se aplacó, pero el incidente me enseñó una lección. Después de eso, despedí sin contemplaciones a todo gerente que violara las normas de integridad. Lo hice así tal vez en una docena de casos, incluyendo un par de altos ejecutivos, y en todos los casos tuve que desautorizar a muchas personas que opinaban que debíamos contentarnos con degradar al culpable o trasladarlo, o que el negocio se acabaría sin él. Pero, invariablemente, la compañía se benefició con la decisión y el ejemplo.

Yo sabía exactamente cuál era la actitud que yo quería cultivar en los empleados: quería que sintieran interés de propietarios y que todos tuvieran algún conocimiento de los problemas de los demás. También quería que sintieran que tenían acceso a la alta administración, y que no había ninguno tan bajo en la jerarquía administrativa que no se le pudiera informar sobre el rumbo que llevaba el negocio. A medida que la jerarquía crecía, y tenía ya cinco, seis y siete niveles de autoridad, esto se volvió un problema muy serio. Yo buscaba constantemente maneras de conservar lo que llamaba la actitud de compañía pequeña. Una de las cosas sorprendentes que aprendimos fue que para superar los problemas del cambio teníamos que aumentar la comunicación dentro de la IBM fuera de toda proporción con nuestra tasa de crecimiento. Nos servíamos de diversos canales para escuchar a los empleados, inclusive encuestas, programas de sugerencias y hasta un programa de preguntas y respuestas llamado "¡Hable!", en el cual se habían incorporado procedimientos burocráticos para proteger de la alta administración la identidad del que hablaba.

Uno de nuestros mejores métodos para disminuir la distancia entre el vendedor u obrero de fábrica y la alta administración era la de Puerta Abierta, práctica de mi padre que venía desde los primeros años 20. Era principalmente un sistema de justicia, pero también me daba a mí una medida de la salud de la IBM que no habría podido obtener de ninguna otra manera. Los empleados descontentos debían primero llevar sus quejas a sus respectivos gerentes, pero si no quedaban contentos, tenían derecho a apelar directamente a mí. Nueve de cada diez casos eran cuestiones que se debían haber resuelto a un nivel más bajo, o en que la baja administración ya había tomado una decisión acertada; pero, de todas maneras, yo los escuchaba. Así aprendí muchísimo sobre los problemas del trabajador y adquirí un íntimo conocimiento de la IBM que me permitía escuchar una queja y decir: "*Aquí* hay algo que anda mal".

Por lo menos en una ocasión, una queja llevó a un cambio sustancial en nuestra manera de manejar el negocio. Un maquinista a quien iban a despedir de nuestra planta de Poughkeepsie fue a verme y me dijo:

— No están tratando a la gente con equidad. Yo hago más piezas que cualquier otro en nuestro taller y recibo la paga más baja.

— No veo cómo puede ser eso — le contesté, pero llamé al gerente de la planta y le conté lo que el mecánico me había dicho. Me explicó:

— Bueno, es que ése es un empleado que no coopera. No pertenece al Club IBM, no participa en actividades por fuera, y a veces no viene bien vestido al trabajo.

Eso no era lo que yo le había preguntado. Llamé al supervisor de la planta y le pregunté:

— ¿Es cierto que él hace más piezas que los demás y que le pagan menos?

— El no es bueno para la imagen de la compañía. En el patio de su casa tiene un par de automóviles desbaratados. Y no cuida de sus hijos.

El maquinista se había enfrentado con lo que yo llamaba la Sociedad Protectora de la IBM, en la cual los gerentes locales cerraban filas para encubrir el mal trato que recibían algunos empleados, tal vez sin culpa alguna. Por último, los gerentes admitieron que el hombre decía la verdad. Le mejoramos el sueldo, sancionamos a los gerentes, y luego examinamos la situación en todas nuestras plantas en el país y vinculamos la paga a la productividad. Esto causó conmoción, porque introducir un sistema que recompensaba a los mejores productores significaba deshacer la decisión de mi padre veinte años antes, de abolir el trabajo a destajo.

Muchos empleados no querían recorrer todo el camino para exponerme sus quejas, pero el solo hecho de que existiera la Puerta Abierta fomentaba el buen espíritu de trabajo, haciéndolos sentirse en libertad para hablar con el jefe de personal o con el que administrara la planta, cuando tenían un problema. A medida que la IBM crecía, tratamos de que más casos de Puerta Abierta se ventilaran a nivel de jefe de división y que a mi oficina sólo llegaran los casos más graves de mala administración que podían afectar el prestigio de la IBM. Pero aun así, en mi oficina se atendían entre doscientos y trescientos casos al año, y para resolver cada uno se necesitaban varios días. La mayor parte de este trabajo recaía en mis asistentes administrativos, a quienes yo escogía entre nuestros jóvenes administradores que más prometían. Este era el mejor aprendizaje para un joven ejecutivo, pues ponía a prueba su capacidad para tratar asuntos altamente sensitivos, y exigía comprensión total de la filosofía de la compañía. Periódicamente, yo mismo atendía a los quejosos para que se supiera que sí era posible hablar con el jefe.

Mi padre siempre se había sentido muy cerca del trabajador porque, por sus orígenes humildes, había conocido los malos tiempos, el trabajo rudo y el desempleo, y, en consecuencia, trataba de abolir toda distinción entre empleado y obrero. No solamente les daba seguridad en el empleo y buena paga, sino que el hecho de que durante muchos años las pensiones de la IBM se basaran exclusivamente en antigüedad de servicio y no en el sueldo o la posición, le resultó muy ventajoso. Durante el período comprendido entre los años 30 y los 40, cuando hubo mucha agitación obrera en los Estados Unidos, los organizadores sindicales atacaban duramente los generosos planes de jubilación que algunas compañías les ofrecían a sus ejecutivos. Yo no creo que la principal motivación de mi padre hubiera sido excluir a los sindicatos, pero ése fue uno de sus efectos.

Si bien las fábricas siempre estuvieron más íntimamente asociadas con mi padre que conmigo, yo buscaba la manera de ampliar más aún la filosofía de él. En 1957 Jack Bricker, director de personal, me presentó una propuesta radical: que aboliéramos la paga por horas y pasáramos a todo el personal a ganar sueldo. Esto eliminaba la última diferencia entre trabajo de fábrica y de oficina y ponía a toda nuestra gente en pie de igualdad. Era un plan atrevido que afectaba a unos 20 000 de nuestros 60 000 empleados en los Estados Unidos, y Bricker tenía los detalles tan bien estudiados que todo lo que yo tenía que hacer era aprobarlo.

En enero de 1958 anuncié este cambio en una difusión telefónica a todas las fábricas del país. Aun cuando el cambio resultó bien, algunos gerentes predecían que muchos trabajadores se iban a aprovechar de la nueva política para dejar de ir al trabajo cuando les diera la gana. Circuló el gracejo de que el primer día de la temporada de caza nadie se presentaría a nuestra planta de Rochester, Minnesota. Hasta donde yo sé, fuimos la primera compañía industrial grande que puso a todo su personal a sueldo. Fue ésta una pequeña contribución a la historia laboral de los Estados Unidos, y se debió exclusivamente a Jack Bricker, pero yo me sentía muy orgulloso. Pocos meses después, en una reunión en Washington, Walter Reuther, el gran líder de la central obrera United Auto Workers, no resistió la tentación de molestarme: "¿Qué es lo que se proponen?", me dijo. "¿Hacernos quedar mal a nosotros?"

Estudié medidas más radicales aún para aumentar el compromiso de la IBM con sus empleados. Cuando conversábamos con mi mujer por la noche, yo le hablaba de distintas maneras de compartir más ampliamente nuestro buen éxito. Los que estaban en la cima ganaban fantásticamente gracias a las opciones de acciones — a pesar de que Williams y yo dejamos de tomar opciones en 1958 porque él me dijo: "No debemos aparecer como unos cerdos". Si bien los trabajadores ganaban buen dinero, no podían aspirar a las ricas ganancias de capital que tenían los ejecutivos con opciones. En mi caso, por ejemplo, yo tenía opciones de acciones que valían como cinco veces mi sueldo, o sea cerca de dos millones de dólares. Sobre esa inversión iba a ganar decenas de millones si la IBM seguía tan bien como iba. Me pregunté: "¿Cuánto más valgo yo para la IBM que el tipo que está en el peldaño más bajo de la escala de paga? ¿Dos veces más? Seguro. ¿Diez veces más? Tal vez. ¿Veinte veces más? Probablemente no". Me sentía cada vez más desconcertado por la idea de recompensar a los ejecutivos a una tasa totalmente distinta de la que se aplicaba a todos los demás trabajadores de la empresa.

Entonces empecé a pensar maneras de compartir el éxito de la IBM. Mi primera idea fue distribuir las utilidades entre todos, incluso los mandaderos de la oficina. Cuando le hablé de esto a Williams, se horrorizó. "Eso acabaría con la compañía", me dijo, y me mostró cómo, si calculábamos lo que probablemente valían nuestras opciones de acciones y sacábamos el promedio durante el tiempo de nuestro servicio activo, esa suma seguramente triplicaría nuestra paga anual. "Si triplicáramos toda la nómina", agregó, "estaríamos entregando la totalidad de las utilidades. No quedaría nada para los accionistas".

Esto me hizo pensar más. Me pregunté si nuestra actual forma de capitalismo será, a la larga, la mejor para apoyar la democracia norteamericana. No me parecía que así fuera. Pensé que la corporación modelo del futuro debe ser en gran parte de propiedad de los que trabajan en ella, no de los bancos ni de fondos mutuos ni de accionistas que pueden haber heredado sus acciones de sus padres sin haber hecho nada por merecerlas. Los empresarios y los capitalistas siempre ocuparían un lugar clave: si uno arriesga su dinero confiándoselo a Henry Ford, ciertamente debe tener derecho a gozar del fruto de su inversión. Pero la propiedad es una fuerza inmensa: la gente se adhiere fuertemente a las cosas que le pertenecen, especialmente si puede influir en el éxito o el fracaso de ellas — y me parecía imprudente permitir que la propiedad de un negocio quedara en manos de personas e instituciones que no están directamente comprometidas. Remediar esta situación tendría que ser un proceso evolutivo, pero, como yo lo imaginaba, gradualmente en el curso de dos o tres generaciones un negocio debía pasar, por ley, a manos de los trabajadores.

Aun cuando nunca encontré una forma práctica de lograrlo en una escala significativa, busqué maneras de aumentar la participación de los empleados en la propiedad de la IBM. En 1958 creamos un plan de compra de acciones, en virtud del cual cualquier trabajador podía destinar hasta el 10% de su salario para adquirir acciones por un 85% de su valor en el mercado. Esto era un paso más allá de lo que mi padre había estado dispuesto a hacer. Aun cuando él animaba a los empleados a comprar acciones, no llegó a establecer un programa formal porque no quería que corrieran riesgos indebidos los que no se podían permitir sufrir pérdidas. Nunca olvidó cómo se había visto él en dificultades con los acreedores cuando las acciones se quedaron sin piso, en los años 30.

Si en la IBM todos hubieran empezado a comprar acciones cuando se inició el plan y las hubieran conservado, la compañía pertenecería hoy a los empleados y habría miles de millonarios IBM. Pero no fue así como resultaron las cosas. Por el contrario, muchos compraban acciones pero pocos las conservaban. La mayoría, cuando llegaban a un 25% de aumento sobre su inversión, vendían. También descubrimos que el plan era perjudicial para el espíritu de trabajo cuando el valor de las acciones declinaba. Yo hacía todo lo posible por animarlos a que esperaran, sin llegar personalmente a promover las acciones; por ejemplo, todos los años publicábamos cifras que mostraban cómo se enriquecía la gente siendo propietaria de la IBM a largo plazo;

pero los empleados nunca aprovecharon el plan en el grado en que yo hubiera querido.

¿Significaba esto que el trabajador de fábrica era un tonto? No lo creo. Pensé que si se deshacían de las acciones era principalmente por circunstancias económicas. Probablemente un individuo vendía porque prefería reducir la hipoteca sobre su casa a mantener su dinero expuesto a riesgo en acciones. El salario medio en la IBM, aunque superior al promedio nacional, no dejaba mucha latitud para jugar con riesgos de inversión. Llegamos a la conclusión de que podíamos servir mejor a nuestros empleados desarrollando prestaciones tales como un seguro médico importante, becas para estudios, préstamos para pagar matrícula universitaria, y donaciones para beneficencia y escuelas. Yo quería que la IBM se conociera como una de las empleadoras más generosas de los Estados Unidos.

# CAPITULO 25

En los últimos años del decenio de los 50, mi familia era muy popular. La revista *Life* mandó sus reporteros a Greenwich e hicieron un reportaje fotográfico sobre nosotros. Poco después, aparecimos en la cubierta de *Sports Illustrated.* "Familia esquiadora: los Watsons", decía, y en la foto aparecíamos Olive y yo con cuatro de nuestros hijos jugando en una escena de nieve en Vermont. Si hubiera existido entonces la revista *People* creo que también habríamos salido allí. Parecía que todo lo teníamos: mi éxito, la belleza de Olive, y ya para entonces seis hijos lindos y llenos de vida. Sin embargo, detrás del telón la vida no era tan ideal. Sufríamos las tensiones y presiones que cualquier familia grande puede entender, pero el problema principal era mi mal genio.

Si mi temperamento hubiera sido mejor, yo podría haber hecho una brillante carrera como padre, porque hacía por mis hijos muchísimas cosas imaginativas. Desgraciadamente, mi falla más grande era que no comprendía cómo cambiar mi modo de ser cuando salía de la oficina. Eso es lo más difícil que tiene que aprender un administrador. Todo el día yo enfrentaba un desfile de personas que querían decisiones: si preocuparse o no por un producto nuevo de un competidor, cómo resolver una ambigüedad en la política de personal, qué hacer con un gerente a quien paralizó el dolor por la muerte de su esposa. El teléfono sonaba constantemente. Más gente con más problemas. Las decisiones en sí no eran nunca muy difíciles; lo que era duro era el efecto acumulativo de tener que ser árbitro de todo, día tras día. Por más que me esforzara, nunca podía delegar suficientes responsabilidades.

Cuando llegaba a casa por la tarde ya no quedaba nada de mí.

Encontraba el desorden corriente en un hogar numeroso — uno de los chicos había disparado su escopeta de juguete contra un automóvil que pasaba, dos niñas estaban peleando, o alguno había sacado malas calificaciones. Estas cosas me parecían crisis que había que resolver inmediatamente, y, sin embargo, no tenía ya energía suficiente para ello. Deseaba desesperadamente que alguien interviniera y tomara las decisiones para que me aliviara de esa carga. Entonces estallaba. Los niños se dispersaban como pajaritos y Olive se aguantaba todo el peso de mi frustración. En realidad, ella era una madre maravillosa, paciente y comprensiva. Tal vez yo esperaba que fuera tan estricta y ordenancista como había sido mi madre conmigo, pero eso habría sido contrario a su naturaleza. Tardé años en comprender la diferencia fundamental entre manejar una compañía y ser jefe de una familia. Conducir a la IBM era como conducir un automóvil: al llegar a una esquina podía doblarla con toda facilidad y el automóvil continuaba por una nueva vía. Aquí y allí podía encontrar algún tropiezo, pero, en general, el automóvil iba al sitio que yo quisiera. Con la familia el caso no era igual. La familia era más bien como un automóvil con dos timones, o con muchos timones, y sólo uno de ellos me pertenecía a mí. Siempre estaba tratando de ejercer más control del que tenía. Cuando veía que no podía hacer plegar a mi esposa y a mis hijos a mi voluntad, me sentía completamente obstaculizado y encerrado. Esos eran los momentos más negros de mi vida. A veces, una disputa con Olive y con los niños me ponía tan malhumorado que lo único que podía hacer era encerrarme en mi dormitorio y cerrar con llave. Olive se paraba al otro lado de la puerta tratando de hacerme salir. Al fin ya no podía más, y llamaba a mi hermano para que fuera a ayudarle. Dick venía desde New Canaan. El siempre sabía cómo hacer que mis responsabilidades parecieran menos onerosas y me hacía retornar al mundo.

Mi mal genio también me resultaba contraproducente en mi trabajo para la comunidad. Durante varios años fui presidente de la junta de síndicos en la Escuela Diurna de Greenwich, donde estudiaban nuestros hijos. Trabajaba muy seriamente en ese oficio, y creo que mis colegas habrían dicho: "Watson es un hombre que está bajo una enorme presión, pero es creativo y nunca falta a una reunión". Mi caída ocurrió en un verano, cuando el periódico local publicó un informe de la policía, según el cual se había sorprendido a uno de los maestros de la escuela seduciendo a un vago para un encuentro homosexual. Hubo gran revuelo en la comunidad. El director de la escuela, que debía haber manejado el asunto, acababa de salir de vacaciones con su esposa. Cuando lograron ponerse en contacto con él por teléfono, sugirió que le confiaran el asunto al subdirector. Pero entonces yo hice lo que habría hecho en la IBM. Nombré un grupo ad hoc de miembros influyentes de la junta, investigamos el incidente y despedimos al maestro, dándole una suma de dinero para contribuir a pagar un tratamiento psiquiátrico. Ahí debía haber terminado la cosa. Pero yo estaba tan indignado con el director por no haber atendido personalmente al problema, que cuando regresó de sus vacaciones lo llamé a cuentas. Se puso realmente furioso. Comprendí demasiado tarde que no debiera haber peleado con este hombre. Era un administrador muy competente y mucho más necesario que yo para el buen funcionamiento de la escuela. Nuestra disputa pasó a conocimiento de la junta, la cual rechazó mis esfuerzos por arreglar las cosas haciendo una donación de fondos para uno de los proyectos principales del director. Finalmente, yo renuncié a la presidencia, pero no sin antes haber estado a punto de llegar a las manos en una reunión con un colega de la junta, un distinguido banquero que me acusó de ser un egoísta, y yo lo agarré de un brazo y lo hice girar en redondo para enfrentarme con él; ya iba a pegarle, cuando oí que alguien dijo a mi espalda: "¡No sea usted un chiquillo!" Este exabrupto perjudicó tanto mi reputación que de ahí en adelante nunca me volvieron a invitar a formar parte de ninguna junta en Greenwich.

En la casa, mis berrinches por lo general no duraban mucho. Mi padre me había enseñado a no permitir nunca que llegara la noche sin haber puesto fin a una disputa de familia. Cuando me serenaba veía mi error y abrazaba a Olive y le pedía perdón por mi conducta inexcusable. Cuando mi arbitrariedad y mi genio volátil causaban desavenencias en la familia, era la paciencia y la comprensión de ella lo que mantenía a la familia unida. Olive tenía la capacidad de amar en una forma perfectamente natural y profunda, y con frecuencia me mostraba mayor bondad de la que yo merecía.

Como buenos padres, tratábamos de mejorar la forma en que a nosotros nos criaron. A mí me parecía que mi padre jamás destinó tiempo suficiente a su vida privada. Siempre fue el señor IBM, y cuando no estaba trabajando, estaba en alguna otra parte en el escenario público perfeccionando su reputación y la de la compañía. Yo no quería que la IBM monopolizara mi tiempo como monopolizó el de mi padre, y era bastante joven y vigoroso para poder hacer con mis hijos lo que él nunca hizo conmigo. Reservaba los fines de semana para llevarlos a esquiar o acampar o navegar a la vela, y hacía todo lo posible por darles el sentimiento de diversión y aventura.

Olive no tuvo sino un hermano, y siempre pensaba lo bueno que sería tener una familia grande. A fines de los años 30, tuvo la oportunidad de observar de cerca a un clan numeroso: el de los Kennedys. Aunque Joseph Kennedy era por entonces embajador en Inglaterra, la familia no era todavía muy conocida. Por pura casualidad, Olive había hecho amistad con Jack y dos de sus hermanas en la escuela. Durante los veranos pasaba algún tiempo en casa de ellos, en Hyannis Port. Hasta cierto punto, la cena de los domingos en nuestra casa seguía el modelo de los Kennedys. Olive la organizaba eligiendo un tema de discusión, que podía ser cualquier cosa, desde caballos hasta el Japón; pero sólo había un tema, y uno tenía que prepararse para poder tomar parte. En el hogar Kennedy, los temas siempre eran serios: política, sucesos de actualidad, noticias internacionales. El embajador presidía la mesa, y una de esas comidas impresionó mucho a mi esposa. Ese día, la conversación versó sobre una figura pública, y el niño Teddy, que por entonces tenía apenas unos cinco años, levantó la mano y dijo: "Tiene el pelo crespo". Todos sus hermanos se rieron, pero el señor Kennedy ordenó: "¡Silencio!", y dirigiéndose al chico le dijo: "Eres un niño muy observador". El sabía cómo inspirarles confianza a todos sus hijos, y eso era lo que Olive quería proporcionarles a los nuestros.

Nuestra casa en Greenwich tenía quince piezas que rebosaban de niños, animalitos consentidos, y amigos. Estaban decoradas con una docena de curiosidades que yo había llevado de todas partes del mundo, como una colección de sombreros de Asia y América Latina y una miniatura de canoa con flotadores, del Pacífico. Detrás de la casa había un prado ondulado y grandes árboles, de los cuales colgué una red de carga, sobrante de guerra, para que los niños pudieran trepar por ella. Teníamos un automovilito Messerschmitt para paseos de juego, y en alguna parte había conseguido un botecito de vela que se podía plegar y guardar en un par de maletas. Lo utilizábamos para navegar en los ríos de los alrededores y en el pequeño lago que lindaba con nuestro terreno.

El año que la familia apareció en la revista *Life,* mi hijo cumplió trece años, y entró en un internado. Era un muchacho fuerte y serio. Sus hermanas se quejaban de que quería dominarlas. El y yo hacíamos camping y también pasábamos muchas horas en el jardín practicando tiro al blanco. Jeannette tenía once años; a veces era un poco soñadora y muy adicta a Elvis Presley; ya mostraba talento como narradora de cuentos y tenía un gran sentido del humor que me recordaba el de mi madre. Olive era dos años menor pero mucho más impositiva y extrovertida; mientras que los demás me decían papá, ella me decía Tom sólo por torearme. Cindy, que tenía siete años, seguía el modelo de Olive y no conocía el miedo. Y Susan, de cuatro, años, era una niñita encantadora dedicada a sus muñecas. La última era Helen, de un año. Era una nenita linda, pero yo todavía no la tenía muy en cuenta, pues nunca supe jugar con un bebé.

Nos concentrábamos en deportes en que toda la familia pudiera tomar parte. Hicimos un campo de tenis con la idea de que todos aprendieran juntos. Todos teníamos bicicletas, y los fines de semana salíamos a pasear en familia, de lo cual nuestros adolescentes se avergonzaban a veces. El centro de actividades invernales era nuestra casa de campo para esquiar, en Vermont. Olive y yo habíamos seguido yendo a esquiar a Vermont desde que nos conocimos allí por invitación de amigos comunes, y cuando la IBM alcanzó el nivel de los mil millones construimos allí una casa. Desde el punto de vista de la economía familiar, esta decisión nos pareció tan seria y tan arriesgada como las que yo tomaba en el trabajo. Esquiar no era todavía muy común. Sólo había otro esquiadero cerca del sitio donde nosotros edificamos, como a diez kilómetros de Stowe, al pie del monte Mansfield, y el elevador de asientos de esa montaña fue el primero en Nueva Inglaterra; subía los asientos en fila sencilla, y en un fin de semana de mucha concurrencia era suerte no tener que esperar turno más de 45 minutos. La casa tenía altos techos abovedados y una pared de vidrio que daba a los bosques cubiertos de nieve. Tenía cabida para veinte personas, con dos alcobas para parejas y dormitorios para niños y para niñas. La llenamos de recuerdos traídos de nuestros viajes por los Alpes y Escandinavia, y en el piso tendimos tapetes que se podían enrollar y dejar desnuda la superficie de linóleo para bailar. Cerca de la chimenea colgaba una pintura común y corriente de una ladera cubierta de nieve, símbolo de lo que Vermont significaba para mí. Había estado originalmente en la sala de banquetes del club campestre de la IBM en Endicott, donde mi papá daba interminables cenas en honor de alguien. A mí me recordaba determinada vuelta de una de las pistas de esquí de Stowe. Me aguantaba esas comidas en Endicott mirando el cuadro y pensando: "Dentro de dos días estaré allá".

Casi todos los fines de semana hacíamos el viaje de siete horas en automóvil a Stowe. En esa casa transcurrieron algunos de los días más felices de la familia; todavía recuerdo cuando paraba frente a la puerta con la camioneta llena de niñitos alegres que no veían la hora de saltar fuera e ir a mostrarles a sus amiguitos dónde iban a dormir. La casa estaba llena de sorpresas para los invitados, pues constantemente nos hacíamos bromas los unos a los otros: culebras de caucho escondidas entre las sábanas, tazas de agua guardando equilibrio en el borde de una puerta. Olive y yo les exigíamos a los niños que llevaran sus deberes escolares, pero lo más corriente era que a la entrada dejaran en cualquier parte el maletín de los libros y no se volvieran a acordar de ellos casi hasta que se acababa el fin de semana. En parte, yo tenía la culpa, pues los mantenía tan activos que no les quedaba tiempo para estudiar. Los despertaba a las siete de la mañana encendiendo las luces de los dormitorios y poniendo música tirolesa a todo volumen. Les dábamos de comer, luego los soltábamos a las laderas, y nadie podía regresar a la casa antes de las cuatro de la tarde, cuando se cerraba el elevador.

Intencionalmente observábamos la mayor austeridad posible durante esas salidas a esquiar. No se podía evitar que los niños se dieran cuenta de que vivían rodeados de riqueza, pero no queríamos malcriarlos ni consentirlos demasiado. Toda la limpieza y la cocina la hacíamos Olive y yo. Preparar la comida es algo que a mí me encanta, desde los días en que me gané una insignia de mérito en cocina en los Boy Scouts bajo la mirada comprensiva de mi madre. Organicé la cocina con letreros en todos los cajones y las gavetas de manera que la persona que me estuviera ayudando supiera dónde volver a colocar las cosas. Olive inventó una manera muy original de organizar los dormitorios. Descubrió que se podían conseguir toallas de seis colores normales, así que las seis camas de cada dormitorio las hizo pintar de esos mismos colores. A los pies de cada cama se colgaban las toallas del color correspondiente, y en los cuartos de baño los muebles también se distinguieron así, de modo que no volvió a haber discusiones para conservar los dormitorios en orden. Mientras tanto, yo trataba de infundirles el espíritu de economía de mi madre. Mi hija Jeannette dice que yo siempre los fastidiaba a todos para que apagaran las luces al salir de un cuarto. Esta campaña fracasó y, finalmente, una mañana esperé hasta que todos salieron, desatornillé las bombillas que habían dejado encendidas, y las escondí. Cuando los niños regresaron por la tarde, no pudieron encender la luz.

Construir un refugio para esquiar fue una empresa bastante seria, pero yo tenía ideas más grandes aún para una casa de verano. Pensaba en una propiedad donde se pudiera aterrizar en un avión y anclar el barco que tenía para regatas marítimas, y esto era cosa que nos podíamos permitir mientras los niños estaban todavía pequeños, sin esperar a que la IBM creciera más aún. Olive y yo alquilamos una avioneta para buscar el terreno que queríamos. Volamos sobre ambas costas de Long Island, luego sobre Block Island, Martha's Vineyard, Nantucket y Cape Cod. Llegamos hasta la costa de Maine, cerca de Camden donde mi padre tenía una casa de veraneo cuando yo era niño. Por fin encontramos un sitio interesante en la isla North Haven, a unos cuantos kilómetros de Camden, en la bahía de Penobscot. La tierra que vendían se llamaba Oak Hill Farm — una hermosa y abrupta península como de un kilómetro de longitud con playas rocosas, bosques de abetos, campos de pasto recortado por muchas generaciones de ovejas, y, en el lugar más alto, unos pocos robles solitarios que le daban el nombre a la finca. La única edificación era una vieja alquería con chimeneas que se estaban cayendo, pero había una buena ensenada y suficiente terreno plano para una pista de aterrizaje.

No hay nada más bello que el verano en la costa de Maine, cuando todo florece durante ese breve intervalo tras nueve meses de frío y niebla. Desde entonces, ese mágico lugar fue el centro de nuestras actividades todos los veranos, y allí acudían en corriente continua las visitas — aviadores, dueños de yates, amigos y condiscípulos de los niños. La casa había estado desocupada veinte años cuando la compramos; el propietario anterior había tenido la idea de arrasarla para edificar toda una mansión en el punto más elevado de la finca, pero Olive y yo resolvimos conservarla, arreglando previamente las chimeneas y el techo. En realidad, constaba de un granero y dos casas, levantadas cincuenta años antes. Las casas tenían bastantes piezas pequeñas y cómodas, y el granero era un amplio espacio para recreación. Un año invitamos a toda la isla a un baile de figuras, y esto se volvió costumbre todos los veranos.

Hicimos senderos con hermosas vistas por los bosquecillos de abetos; compramos caballos, ponies y asnos para montar. Se me ocurrió soltar por toda la finca muchos animales no dañinos que sería agradable tener, y para ello hablé con Dillon Ripley, jefe de la Institución Smithsoniana, para que me diera nombres de especies no peligrosas. A la cabeza de la lista figuraban llamas, así que conseguimos una pareja de llamas. Luego venados de pelaje alazán tirando a rubio, que son sumamente tímidos, y faisanes, becadas y pavos silvestres. Casi consigo búfalos, cuando me enteré de que en Maine había dos criaderos de estos bovinos. Llamé al primer criador, y cuando le dije que quería búfalos como animales consentidos exclamó: "¿Cómo se le ocurre? Estos animales son bravos. Si están de mal humor, embisten". Le di las gracias y llamé al otro criador, que era mejor vendedor y me aseguró que los búfalos eran tan mansos como conejitos. "Les damos de comer a la puerta de la casa", me dijo. Ambos estaban dispuestos a venderme búfalos, pero yo resolví seguir el consejo del primero y me contenté más bien con una pareja de renos y unos carneros de grandes cuernos en espiral, que son domesticables y se parecen a las cabras montesas de las Montañas Rocosas.

Oak Hill era para mí el lugar donde ningún proyecto era demasiado fantástico para realizarlo. Me encantaba pasear con los chicos subiendo y bajando lomas en un viejo Modelo T, como el que compré a escondidas cuando tenía doce años. Los niños bautizaron los caminos con nombres familiares, como "Camino Duro pero Bueno" y "Camino de Ven, Papá". Tuvimos en una ocasión un automóvil anfibio de color rojo vivo; los chicos invitaban a sus amigos a pasear, y luego los sorprendían pidiéndome a mí que los llevara en el auto por agua a una pequeña isla a unos 180 metros de la orilla. En algunos proyectos sí se me fue la mano. En un cerro que había cerca del agua, se quedó un junco chino. Lo compré en un viaje a Hong Kong, y lo hice transportar a Maine, pero resultó demasiado difícil de gobernar, y a los niños no les gustaba, de modo que lo sacamos del agua y lo pusimos sobre bloques como adorno. En la cumbre de otra loma hay un poste totémico de 15 metros de longitud, obra de un piel roja trashumante que decía llamarse el jefe Kickpou. Lo encontré un año en el Canadá, y, aunque nunca supe a qué tribu pertenecía, me pareció un hombre encantador. Me convenció de que le permitiera llevar a sus ayudantes para hacernos un poste totémico. Después de un tiempo, se veía muy solitario en su loma, así que conseguí en Colorado, durante un viaje, estatuas de bronce, de tamaño natural, de indias de las llanuras moliendo maíz y las pusimos entre la maleza cerca de la base. Pienso en el poste totémico del jefe Kickpou como un monumento a todos los vendedores persuasivos del mundo.

Olive y yo llevábamos a nuestros hijos de viaje siempre que podíamos. Los viajes impresionan muchísimo a los niños, y a mí me parecía que eso era de lo más importante que podíamos hacer. En esto seguía el ejemplo de mi padre. Recuerdo que él nos llevaba en caravanas de autos a lugares como las cataratas del Niágara y Washington. Olive y yo nunca vacilamos en sacar a un hijo de la escuela cuando nos parecía que un viaje le aprovecharía más. Cindy me acompañó en varios de mis viajes de negocios, y Jeannette no olvida la vez que la encontramos muy decaída de ánimo y la llevamos a pasar una semana en París.

Cada dos años, yo me iba de vacaciones, lejos de la IBM, y llevaba a la familia en alguna expedición importante, a la cual le dedicaba tanto trabajo y preparación como a cualquier cuestión grande de la oficina. Con meses de anticipación, los chicos me veían haciendo largas listas de cosas que había que hacer, estudiando mapas extendidos sobre la mesa del comedor o consultando libros sobre los lugares que nos proponíamos visitar. Lo primero que hice fue hacerles conocer a los niños su propio país. Tomé en alquiler un avión de la compañía, y, piloteando yo mismo, volamos desde White Plains hasta California y regresamos con muchas paradas. Pasé muy bajo sobre los campos de maíz para que vieran cómo eran de planos; los llevé sobre el centro de las Montañas Rocosas. Cuando paramos en Las Vegas a tomar combustible, todos corrieron al terminal y se pusieron a jugar en las máquinas de monedas hasta que el propietario salió y me dijo que a los menores de edad les estaban prohibidos los juegos de azar. Olive era la mejor compañera posible para estas aventuras. Aceptaba con buen humor las incomodidades y era intrépida cuando las cosas andaban mal. Una tarde resolví mostrarle a la familia el Gran Cañón del Colorado. El avión se sacudía duramente por causa de la turbulencia del aire, y los niños menores se marearon. Jeannette recuerda la escena: yo en la cabina de mando mostrándoles las bellezas que pasaban a nuestro lado y Olive atrás sosteniendo bolsas de vomitar para dos niños a la vez. Era toda una camarada.

Yo me valía de cuantos instrumentos vinieran a mis manos — imaginación, dinero, las viejas amistades de mi padre — para hacer estos viajes memorables para los niños. El primer viaje internacional grande lo hicimos en el verano de 1958, cuando me ausenté de la IBM durante seis semanas y llevé a la familia a viajar por Suecia en barco, navegando por el canal Goeta y de un extremo a otro del mar Báltico. La navegación a la vela me produce casi tanto placer como el vuelo, y nuestro barco era una yola de 13 metros y medio que había hecho construir en los astilleros de los famosos constructores de yates Abeking & Rasmussen, de Bremen. Recibimos el barco en el astillero y lo bautizamos *Palawan,* por una linda isla de las Filipinas que yo había visitado durante la guerra. La creencia general es que no se puede tener un yate cómodo para la familia y que sea al mismo tiempo muy marinero, pero hasta cierto punto el *Palawan* era ambas cosas. Al año siguiente, gané con él mi primer triunfo importante en una regata del New York Yatch Club alrededor de Long Island.

Olive y yo trabajamos mucho para organizarlo todo a bordo, hasta las listas de comida y los horarios de deberes de cada uno. Ambos habíamos estado antes en Suecia, pero ninguno de los niños sabía qué esperar. El *Palawan* pronto se convirtió en un cuadro flotante de la vida con niños, y nos veían llegar a los puertos con la ropa de los chicos puesta a secar sobre las bordas de nuestro elegante yate nuevo. Las poblaciones que visitábamos eran muy seguras, para que los niños tomaran las bicicletas que habíamos llevado y exploraran por su cuenta. Hasta la pequeña Susan, que apenas tenía cuatro años, salía sola: Olive la mandaba por leche y la niña iba a la tienda más cercana con su cubo en la mano. Una cosa que sorprendió mucho a los niños fue la sensualidad de los suecos: les encanta desnudarse cuando sale el sol, y la vista de personas nadando desnudas asombraba a mis cuatro hijitas pudorosas, para no hablar de mi hijo. El chiste a bordo era que los dos Toms se peleaban por el binóculo.

El único equipo IBM que teníamos a bordo del *Palawan* era una máquina de dictar (las hacía la división de máquinas de escribir) y la utilizamos para llevar el diario del viaje. A cada miembro de la familia le tocaba encargarse de esta tarea un día de la semana. Volví esto un juego, sosteniendo el micrófono enfrente de las más pequeñitas y haciéndoles preguntas. También tomé centenares de fotos y cuando regresamos las pusimos en un álbum, cada una con una leyenda escrita a máquina tomada de las cintas del dictado.

Fue tan feliz esta experiencia que posteriormente hicimos otros viajes parecidos a Israel, Grecia y el Japón. Pero estos viajes también fueron un buen ejemplo de cómo mis tendencias dictatoriales minaban mi eficacia como padre. Realizaba un trabajo inmenso proyectando un viaje, pero luego frustraba mi propósito por no hacer participar a los niños en los preparativos. En lugar de preguntarles si les gustaría ir, les daba la orden. Viendo hoy las cosas retrospectivamente, me parece que habría sido muy fácil entusiasmarlos con la idea con sólo decirles, pongo por caso: "Hay un canal que atraviesa toda Suecia", y al día siguiente: "¿Cómo será navegar por ese canal...?", hasta que los chicos se interesaran y me pidieran que los llevara a conocerlo. Pero lo que yo les decía era: "Reservé pasajes en TWA para junio, y esto es lo que vamos a hacer".

El lugar de la Tierra donde yo me sentía libre para olvidarme de que era cabeza de cosa alguna y para divertirme de veras, era Europa. Todos los inviernos Olive y yo nos tomábamos dos semanas para ir a esquiar a los Alpes sin los niños. Viajábamos en grupo con unos diez amigos. Mis esquiaderos favoritos eran las poblaciones de Kitzbühel y Davos — especialmente Kitzbühel por la hermosa música de cítara que se oye allí y que a mí me encanta. Esquiábamos todo el día, y por la noche había reuniones en los pequeños restaurantes de los pueblos, y a veces en la cima de una montaña. No costaba casi nada hacer que el ferrocarril de cremallera llevara un solo vagón lleno de amigos a lo alto de la montaña para la velada. Tocaban música, corría el dulce vino de Austria, y más tarde bajábamos de la montaña llenos de romance y con las bellas danzas alpinas sonándonos todavía en los oídos.

Europa, por supuesto, era el territorio de la IBM World Trade, o sea el territorio de mi hermano, no el mío, pero siempre se me presentaba una o dos veces por año la ocasión de hacer una visita de negocios. Dick y yo siempre habíamos encontrado tiempo para alejarnos de la oficina, y esto llevó a algunos de los mejores momentos que pasamos juntos. Una tarde, a fines de los años 50, él y yo volamos a Berlín con Wiz Miller. Teníamos una cita al día siguiente para hablar con Willy Brandt, distinguido socialdemócrata que era a la sazón alcalde de la ciudad y más tarde fue canciller de Alemania Occidental. Los cabarets, por supuesto, eran el mayor atractivo de Berlín, y ninguno de nosotros se sentía inclinado a quedarse en el hotel estudiando las notas para la entrevista del día siguiente, así que resolvimos correrla. Vimos un par de espectáculos muy originales, y terminamos en un famoso cabaret en el cual cada mesa ostentaba un número muy visible y un teléfono. La idea era que si uno veía en el salón una chica que le gustara, podía llamarla y presentarse. Dick y Wiz y yo nos divertimos de lo lindo presenciando esa escena y nos las arreglamos para quedarnos casi hasta la madrugada sin dar escándalo. Pero a la mañana siguiente, todos estábamos muy confundidos. Ninguno se acordó de dejar en la recepción orden de que nos llamaran y, cuando yo me desperté, apenas teníamos menos de media hora para ir a cumplir la cita con Brandt. Nunca vi a tres hombres ponerse camisa blanca con tal velocidad. Atravesamos la ciudad a toda carrera en un taxi, disputando sobre quién tenía la culpa de que nos hubiéramos quedado dormidos. La reunión con el alcalde transcurrió perfectamente, así que el honor de la familia Watson no sufrió menoscabo. Pero yo no podía dejar de preguntarme qué habría dicho mi padre.

# CAPITULO 26

A mediados de 1959 oí por radio que Nikita Khrushov se preparaba a visitar los Estados Unidos. Entonces se me ocurrió una manera segura de destacar a la IBM: invitarlo a visitar una de nuestras fábricas. Antes de enviarle la invitación llamé a la Secretaría de Estado para estar seguro de que no violábamos el protocolo diplomático. Pasó al teléfono un funcionario de los encargados de planificar la visita de Khrushov.

— Quisiéramos invitar al Primer Ministro a visitar la IBM — le dije —. ¿Tiene la Secretaría de Estado algún inconveniente?

— Ninguno, pero no aceptará — me contestó.

Le envié el cable directamente a Khrushov al Kremlin. Decía: "Me gustaría mucho enseñarle a usted una planta electrónica avanzada. Las tenemos en Poughkeepsie, Nueva York, y en San José, California. Podemos hacer su visita tan corta como usted quiera, pero si desea entender bien el producto y a las personas que lo hacen, le recomendamos que venga por la mañana y se quede a almorzar con nosotros".

Pasaron varias semanas sin que recibiera ninguna respuesta. Hicimos algunas diligencias, aunque sin esperanza de que la cosa resultara. Un buen día me llamó el director de la planta de San José, Gav Cullen, y me dijo:

— ¿Qué se trae usted entre manos?

— ¿Cómo? ¿Por qué?

— Aquí vinieron dos tenientes generales soviéticos que quieren revisar la planta.

Fue así como me enteré de que Khrushov había aceptado.

Apenas un mes antes, yo había estado en Moscú. Ese año se había roto brevemente el hielo en la guerra fría y Eisenhower y

Khrushov trataban de fomentar un entendimiento entre nuestros dos pueblos. Los Estados Unidos hicieron una gran exposición de productos de consumo y tecnología en el parque Sokolniki de Moscú, a la cual la IBM llevó una máquina RAMAC que durante seis semanas estuvo realizando proezas de memoria electrónica. Dos y medio millones de rusos concurrieron a ver ésta y otras pruebas de la prosperidad norteamericana. Una de las muestras era una casa modelo dotada de los aparatos electrodomésticos más adelantados, en la cual Khrushov y el vicepresidente Richard Nixon sostuvieron su famoso "debate de cocina". La discusión versó sobre si los Estados Unidos querían engañar a los rusos mostrando aparatos que ningún americano común y corriente podía permitirse el lujo de tener.

A pesar de toda la tirantez entre nuestros dos países, para mí fue una experiencia asombrosa volver a caminar por las calles de Moscú, que no había vuelto a ver desde la guerra, y alojarme otra vez en el Hotel Nacional que da a la Plaza Roja. Durante muchos años había estado vedado a los extranjeros, pero por algún milagro los rusos me asignaron a mí, la suite Lenin — el mismo departamento donde vivió Lenin cuando regresó del destierro en 1917, y que era algo así como un santuario nacional, pero para mí era muy familiar porque en ella fue donde se alojó la misión Bradley, y más de una noche jugamos al póker en esas habitaciones en 1942.

La IBM pasó varias semanas preparándose para recibir a Khrushov, quien debía visitar también un estudio de Hollywood, una universidad y una granja; pero entre las compañías grandes, John Deere Corporation y la IBM fueron las únicas que lo recibieron. El mundo de los negocios se echó atrás, en parte por razones ideológicas pero también por miedo. Tantas personas habían sido criticadas por tratar de mejorar nuestras relaciones con los rusos que los líderes de los negocios temían ser censurados. Con el único que tenía cita Khrushov fuera de las compañías ya nombradas, era con Roswell Garst, empresario de Iowa que les vendía semilla de maíz a los rusos.

Lo primero que hice fue ir a las Naciones Unidas a contratar un intérprete. Varios días antes de la llegada de Khrushov fui a San José e instalé mi oficina en un hotel. Preveía la posibilidad de que se presentaran muchos problemas e incidentes que era preferible evitar. Por ejemplo, la IBM había estado a la cabeza de las industrias norteamericanas que contrataron refugiados cuando Khrushov aplastó la revolución húngara. Era natural que muchos de nuestros trabajadores lo odiaran, y yo quería estar seguro de que no habría provocación de fuera, así que fijé en las carteleras de la fábrica un boletín que decía: "Mi invitación al primer ministro Khrushov no significa que estemos de acuerdo con su régimen. Creo que su visita conviene a los intereses de los Estados Unidos. Todo empleado que tenga reparo a su visita puede tomarse dos días de licencia con paga". Pensé que un solo día no era suficiente para inducir a los posibles alborotadores a ausentarse. Unos veinte empleados aceptaron mi oferta.

La demostración de computador que planificamos para Khrushov fue bastante espectacular. Programamos el RAMAC para que funcionara como un libro de historia electrónico, al cual se le podía preguntar en diez idiomas distintos cuáles fueron los acontecimientos sobresalientes en cualquier año desde el año 4 antes de Cristo hasta el presente. Desde luego, unos eran más interesantes que otros, pero para cada año había algo que decir. Por ejemplo, si se le pedía el año 30 de nuestra era, la máquina escribía: "Salomé pidió y obtuvo la cabeza de San Juan Bautista". O algo de más actualidad: Si uno decía 1917, contestaba: "La Revolución Rusa". Esta demostración era muy cara a mi corazón porque yo mismo la inventé. Para que manejara el RAMAC escogimos a un recio inmigrante polaco de Los Angeles que hablaba muy bien el ruso y decía llamarse Eddie Corwin, pero yo lo había conocido en la escuela de vendedores en 1937, cuando su nombre era todavía Eddie Sochaczewski. Cuando Hitler invadió a Polonia, Eddie peleó en la caballería polaca, cayó prisionero la primera semana de combate y pasó seis años en un campamento nazi de prisioneros. Pocos días antes de la llegada de Khrushov, yo estaba en la planta revisando la programación y le pregunté a Eddie:

— ¿Cuánto va a durar la demostración?

— Unos quince minutos, incluyendo las preguntas.

— Pero hemos destinado para esto veinte minutos. ¿Qué vamos a hacer en los cinco que sobran?

— Yo le hablaré de los padecimientos de los refugiados polacos en la Unión Soviética — me contestó mirándome fijamente.

— Eddie, eso no puede ser.

— Para mí es muy importante.

— Khrushov es nuestro invitado. Si usted no me da su palabra de honor de que no le va a decir tal cosa, no le puedo permitir que haga la demostración.

Miró a un lado, frunció el ceño, y al fin accedió, de modo que lo dejamos tomar parte en el programa.

Khrushov empezó por la Costa Oriental y luego fue a Los Angeles. Yo seguí todos los informes por TV y en los periódicos, y me pregunté en qué lío nos habíamos metido. Insultó a los periodistas de Washington, que le pagaron en la misma moneda; fue descortés con la señora Eleanor Roosevelt en su casa; y estuvo a punto de producir un incidente internacional porque el alcalde de Los Angeles le dijo que por razones de seguridad no podía ir a Disneylandia. Según los periódicos, en el banquete, Khrushov dio puñetazos sobre la mesa y exclamó: "¿Por qué no? ¿Es que tienen allí una plataforma de lanzamiento de cohetes? ¿O los gangsters se apoderaron del lugar? ¡La situación no es concebible! ¡Yo no encuentro palabras para explicarle esto a mi pueblo!" Yo temí que fuera a utilizar a la IBM como tribuna para atacar la forma de vida norteamericana. Día y noche imaginaba situaciones en que Khrushov iba a decir alguna cosa ofensiva, y yo tendría que encontrar la manera diplomática de contestar. Pero después de Los Angeles se operó un cambio sorprendente de tono. Por alguna razón tanto él como los norteamericanos se mostraron más cordiales. Su mensaje seguía siendo el mismo, pero súbitamente su manera cambió: era todo sonrisas. Entró al hotel en San Francisco y una gran multitud lo vitoreó cuando salió al balcón a saludar. A la mañana siguiente, cuando se dirigía a nuestra fábrica, causó un gran revuelo porque resolvió intempestivamente entrar en un supermercado, y después se detuvo sin anuncio previo en un salón de contratación del sindicato de braceros.

Al fin nos llegó el turno a nosotros. La caravana de automóviles llegó momentos antes de la hora del almuerzo y ahí estaba el premier, un curioso hombrecito redondo con un traje habano arrugado. Llevaba una gorra blanca brillante de bracero, que había cambiado momentos antes por su sombrero en el salón del sindicato. Su acompañante oficial era Henry Cabot Lodge, embajador de los Estados Unidos ante la ONU, a quien yo conocía un poco. Venían con ellos incontables dignatarios de ambos países y una multitud de periodistas. Olive y yo salimos a recibirlo (la señora Khrushov se había quedado en San Francisco haciendo compras) y lo condujimos a la planta.

A Khrushov le encantaba comer, y lo que rompió el hielo fue que habíamos dispuesto las cosas de manera que lo primero de todo fuera el almuerzo. Esa semana yo le había dado instrucciones precisas al contratista de nuestra cafetería: "Queremos mostrarle a Khrushov cómo es un día típico en nuestra planta. Nada de cosas especiales. Sirva lo de todos los días". El contratista respetó la carta habitual, pero no sé cómo se las compuso para producir la más increíble comida de cafetería que he visto en mi vida — hermosas ensaladas de California y una colección de carnes frías que habrían honrado las mesas del Waldorf. Le di a Khrushov una bandeja, tomé otra para mí, y pasamos por la línea de autoservicio. La práctica allí era limitar la cantidad que uno podía tomar del *buffet* usando platos y cuencos más bien pequeños, pero eso no desanimó a mi invitado. A medida que avanzábamos observé que ponía más y más comida en su plato. Yo estaba resuelto a no sonreír porque estábamos rodeados de fotógrafos y sería una foto muy embarazosa si yo salía riéndome de él. Pero seguramente me leyó el pensamiento. Rellenó su escudilla a una altura de ocho o diez centímetros, me miró y sonrió con picardía. Yo tuve que soltar la risa y, claro, la cámara del *New York Times* hizo clic y a la mañana siguiente salimos en el periódico.

Parece que el almuerzo lo puso de buen humor. "Usted sabe mucho de psicología — me dijo —. Empezó nuestras relaciones trayéndome a este comedor". Su intérprete, Viktor Sukhodrev, era mucho mejor que el que yo había traído de las Naciones Unidas, de modo que éste no pudo meter baza. Esto no me molestó porque era obvio que Sukhodrev hacía una traducción fiel. Más tarde, cuando paseábamos la planta, Khrushov observó: "En la Unión Soviética tenemos plantas como ésta", pero en seguida se corrigió como hablando consigo mismo: "En la Unión Soviética *tenemos que tener* plantas como ésta". No sé por qué Sukhodrev no omitió estas palabras en su traducción.

Khrushov constantemente entraba en contacto directo con la

gente. En el breve tiempo que gastamos en visitar la planta se las arregló para impresionar personalmente a todos los trabajadores. Mi padre era la única persona que yo había conocido capaz de afectar en esa forma a toda una multitud. Teníamos toda la gira programada y coreografiada con precisión, pero Khrushov se separó cuando recorríamos la planta y se acercó a unos trabajadores. "¿Qué trabajo hace usted?", le preguntaba a cada uno. "¿Cuánto gana? ¿Cuánto gasta en el mercado? ¿Es ése un salario típico?" Los rusos habían lanzado con éxito una sonda lunar llamada Lunik, y Khrushov les prendió a los trabajadores medallas conmemorativas. Cuando se alejó, ellos se las quitaban y se quedaban mirándolas. Unos se las volvían a poner y otros decían: "Grandísimo bellaco", y las tiraban a la basura.

Pasamos al micrófono, y Khrushov nos dio las gracias por la cordial bienvenida que le habíamos dado. Las declaraciones que hizo en seguida fueron, según informó la prensa, las más amistosas que había hecho en su visita a los Estados Unidos; dijo que Rusia quería ser amiga del pueblo y del gobierno norteamericanos, y que él no reconocía ninguna diferencia entre uno y otro. En su discurso sólo hubo una insinuación que a mí no me gustó, y fue cuando declaró: "Siempre que me reúno con hombres de negocios no tenemos conflictos. Pero, a veces, cuando trato, por ejemplo, con dirigentes sindicales o con algunos políticos, resulta que las cosas no salen tan bien". Tomé esto como una ofensa velada a Eisenhower, quien acababa de sostener con él tres días de duras conversaciones en Camp David a propósito de Berlín. Por más que quisiera ser un buen anfitrión, no podía dejar pasar eso. Así que cuando él terminó, yo dije: "Señoras y señores, el premier me atribuye a mí un tono pacífico, pero ese tono lo estableció el presidente Eisenhower, no yo". Por fortuna para mí, Khrushov no siguió adelante con este asunto, de modo que en la cafetería de la IBM no se continuó el debate de cocina de Nixon.

Me seducía la idea de hacer figura en el escenario nacional. No era que buscara una carrera política — por lo menos, no en ese momento —, pero quería ser conocido como un ciudadano capaz de ir a Washington y realizar una tarea para el gobierno con la misma eficiencia con que dirigía la IBM. El servicio al gobierno era una oportunidad de superar lo que mi padre había logrado. A pesar de que él fue íntimo de Roosevelt y ayudó a organizar el Consejo Asesor de Negocios, vivió siempre tan ocupado con la IBM y con la Cámara Internacional de Comercio que limitó sus actividades oficiales a tareas ceremoniales. A mí, por el contrario, me atraía la perspectiva de tomar parte activa e ir a Washington con regularidad, y no me detenía otra consideración que tal vez sí lo detuvo a él: Cuando un hombre de negocios — aunque sea un hombre de gran éxito que se halla en el cenit de su carrera — sale de su compañía y se encarga de un negocio oficial, se desprende de una gran parte de su poder y vuelve a ser un principiante. Esto no era del gusto de mi padre, quien, por encima de todo, quería mandar en la IBM. Pero yo era joven y no me molestaba aparecer como un principiante siempre que pudiera aprender.

Siendo uno de los pocos liberales en el mundo de los negocios a fines de los años 50, me sorprendió el grado de controversia que despertaba con mis actuaciones... y me gustó. Por ejemplo, dos meses después de la visita de Khrushov pronuncié un discurso en el Waldorf ante la Asociación Nacional de Manufactureros [N.A.M.], y escandalicé a mis oyentes abogando por un alza de impuestos. Sostuve que para poder mantenernos adelante de los Soviets era indispensable más dinero:

> Tenemos que entender que es preciso hacer un sacrificio. No podemos hacer todo lo que tienen que hacer los Estados Unidos, tanto en el país como en el exterior, dejando que las cosas sigan como están. Uno de los primeros sacrificios debe ser aceptar impuestos más altos, si es necesario, para cumplir nuestro propósito de mantener a los Estados Unidos a la cabeza del mundo en todos los aspectos.

Había proyectado salir inmediatamente después del discurso sin volver siquiera al salón. Bajé de la tribuna, salí por la puerta de atrás a un automóvil que me estaba esperando, y partí para Europa inmediatamente. No fue sino mucho después cuando me enteré de la conmoción que había causado mi discurso. A la mañana siguiente la noticia apareció en primera plana en el *Times* y el *Herald Tribune:*

**Watson ataca la posición de la N.A.M. sobre impuestos. Rechaza la idea de dejar las cosas como están.**

El presidente de la asociación convocó una rueda de prensa y aseguró que lo que yo había querido decir era todo lo contrario de lo que dije. La posición de la N.A.M. era, desde luego, que el Congreso debía tratar de aumentar las rentas nacionales... fomentando la economía con impuestos más bajos.

Yo quería darles ejemplo a todos nuestros gerentes. No hacía muchos años de las audiencias de McCarthy, y los insté a participar en el proceso democrático. ''La posición de ustedes en la IBM les da una plataforma en la comunidad'', les dije. ''Aprovéchenla y traten de influir en el país para el bien tal como ustedes lo ven''. Estábamos en el crepúsculo de la era de Eisenhower y las personas distinguidas de las universidades y los negocios y los sindicatos empezaban a pensar en el futuro en una forma emocionante. En su último año de gobierno, Eisenhower nombró una Comisión de Metas Nacionales bajo la presidencia de Henry Wriston, rector emérito de la Universidad Brown, y le confió una tarea mayúscula: trazar rumbos para los Estados Unidos en los años 60, en áreas críticas como derechos civiles, política exterior, desempleo y decadencia urbana. Más de cien personas participaron, desde George Meany, de la AFL-CIO hasta Crawford Greenewalt, director de la Du Pont. Yo presidí una subcomisión sobre cambio tecnológico compuesta por Walter Reuther, líder de United Auto Workers, George Shultz, entonces joven profesor de economía, Charles Percy, todavía presidente de Bell & Howell, y nuestro Manny Piore de la IBM.

A pesar de que a los miembros de la Comisión los nombró Eisenhower, lo que produjeron fue prácticamente el mapa para la Nueva Frontera de Kennedy. Llegaron a un consenso bipartidista sobre docenas de asuntos, desde el apoyo nacional a las bellas artes hasta el empleo del poder federal, si era necesario, para garantizar el derecho al sufragio. Cuando se publicó el informe final, pocos días después de la elección de Kennedy, el comentarista Howard K. Smith, de la CBS, dijo: ''Si no existieran pruebas evidentes de que el senador Kennedy ha estado totalmente ocupado con otras cosas últimamente, se podría jurar que él mismo escribió el documento''.

La victoria de Kennedy transformó mi posición en el mundo de los negocios, de la misma manera que Roosevelt transformó la de mi padre. Antes de Kennedy, los hombres de negocios me veían a mí como un tipo al borde del liberalismo y más o menos toleraban mis opiniones a causa del éxito de la IBM. Ahora se me ofrecía de pronto la oportunidad de ser un pez mucho más grande. El Consejo Asesor de Negocios, por ejemplo, me sacó del anonimato haciéndome su vicepresidente, y pronto me encontré tratando de hacer de pacificador entre los grandes negocios y la Casa Blanca.

La familia Kennedy había entrado en mi vida unos años antes, en el andén de una estación de ferrocarril, en Suiza, en 1952. Olive y yo debíamos transbordar para ir a Davos, y vimos un gran montón de equipaje al parecer de lujo. Olive se acercó a ver las etiquetas y exclamó: "¡Las Kennedys!" De pronto aparecieron Jean y Pat Kennedy, y la abrazaron efusivamente. Iban también a Davos, de manera que nos vimos mucho toda la semana y salíamos juntos por la noches. Eran muy alegres. Al final de la semana tuvieron que regresar de prisa a su casa a dar tés para Jack, que era por primera vez candidato a senador.

Después, varios Kennedys iban a Stowe con frecuencia. Aunque no se alojaban en nuestra casa, ésta era con frecuencia el lugar de reunión para las veladas. Pat se presentaba con mi buen amigo Bill MacDougall, piloto de Pan Am con quien ella salía entonces, y Bobby y Ethel llevaban el automóvil lleno de niñitos. En la casa teníamos cabida hasta para unos veinticinco chiquillos haciéndolos sentarse en las escaleras y en la pasarela, en un lado de la sala, para proyectarles películas. Los niños eran traviesos pero simpáticos. Cuando hacíamos fiestas, a los Kennedys les gustaban las mismas diversiones y jugarretas que a nosotros.

Yo no conocí a Jack Kennedy hasta 1958, cuando nos encontramos en un avión del puente aéreo a Washington. Yo me le presenté y charlamos sobre la familia de él y la mía. En los últimos años lo había oído elogiar tanto por sus hermanas y por mi mujer que abrigaba cierta prevención contra él, pero ésta se disipó por completo cuando lo vi en los debates con Nixon por televisión. Después del segundo debate no me quedó ninguna duda de que iba a ganar las elecciones. Le escribí una carta diciéndole: "Yo lo apoyo". Uno de sus ayudantes me llamó para preguntarme si estaría dispuesto a hacer esa declaración por la prensa; pero como yo era presidente de una corporación que hacía muchos negocios con demócratas y republicanos por igual, no podía complacerlo. En cambio, les dije a los encargados de la campaña que no tendría en secreto por quién iba a votar, y que si querían divulgarlo, bien podían hacerlo. Trabajé mucho por la elección de Kennedy haciendo donaciones, escribiendo cartas y tratando personalmente de conseguir apoyo. En el mundo corporativo él era tan impopular que los hombres de negocios al enterarse de lo que yo estaba haciendo pensaron que me había vuelto loco. Antes del día de las elecciones, Olive y yo asistimos a una reunión del Consejo Asesor de Negocios, y nos costó trabajo que los miembros nos hablaran siquiera, tan indignados estaban.

Me puse feliz con el triunfo de Kennedy, y me dejé llevar del entusiasmo cuando hablé ante el Club Ciento por Ciento ese invierno. "Tuve que guardar silencio antes de las elecciones", les dije a nuestros vendedores, "pero ahora que Kennedy es el presidente de toda la nación, puedo hablar claro. Creo que ustedes convendrán conmigo en que debemos felicitarnos porque hemos elegido un presidente magnífico". Esta observación provocó docenas de quejas de jóvenes vendedores del Ciento por Ciento, quienes me invitaron a guardarme para mí mis opiniones políticas. Sin duda, había olvidado un hecho básico de la naturaleza humana, y es que cuando un joven empieza a trabajar siendo pobre, paga él mismo sus estudios universitarios y rápidamente gana mucho dinero, se vuelve ultraconservador. Un buen vendedor de la IBM podía ganarse 25 000 dólares anuales a los cinco años de haber comenzado, lo cual era una bonita suma en ese tiempo. Yo me engañaba pensando que era la cabeza de una compañía de liberales. Comprendí que si quería hacer política debía renunciar, o si quería ser presidente de la IBM debía cerrar la boca. Nunca estuvo en duda mi posición política, pero no volví a hacer declaraciones públicas sobre la materia.

Empezaron a llegarnos a Olive y a mí invitaciones a la Casa Blanca como si viviéramos en la casa vecina. Algunas de las funciones sociales a que asistimos fueron históricas — recuerdo la cena en que tocó Pablo Casals; fue su primer recital oficial en los Estados Unidos después de la Guerra Civil Española. También nos invitaban a cenas bailables privadas, inclusive una que dieron para el cuñado de Kennedy, Steve Smith, en que se bailó hasta las 5:00 a.m. Esa noche, mi mujer ocupó asiento a la mesa a la derecha del presidente, lo cual de por sí bastó para que aquella ocasión fuera memorable para nosotros.

Durante los años de Kennedy, tuve la oportunidad de conocer las intimidades de Washington. Trabajé en media docena de sus comisiones y comités, incluso el Comité Asesor de Política Obrero-Patronal y el comité directivo de los Cuerpos de Paz. Me agradaba y me enorgullecía servirle al presidente en cualquier forma que pudiera, pero no me engañaba pensando que estuviera desempeñando un papel importante ni que fuera un verdadero animal político. Más que todo era un testigo.

La mayor parte de los grandes negocios le hacían oposición a Kennedy, como es sabido. No había cumplido seis meses en la Casa Blanca cuando el Consejo de Negocios rompió sus relaciones formales con el gobierno. Yo me vi mezclado en esa disputa que destruyó una colaboración pactada desde la época de Roosevelt. Integraban el Consejo sesenta y cinco de los hombres de negocios más poderosos de los Estados Unidos, y su propósito oficial era asesorar al secretario de Comercio en cuestiones económicas, pero sólo había sido verdaderamente útil en épocas de crisis. Por ejemplo, cuando los Estados Unidos entraron en la Segunda Guerra Mundial, el Consejo de Negocios dotó de personal a la Junta de Producción de Guerra en cuestión de días. En tiempos de paz no tenía mucho que hacer, y se convirtió más bien en un club de viejos colegas.

Kennedy nombró secretario de Comercio a Luther Hodges, ex gobernador de Carolina del Norte, afable liberal veinte años mayor que él. Todos pensaron que este nombramiento complacería tanto a los negocios como al Congreso, pero resultó que debajo de ese exterior bondadoso se escondía un viejo terco. Hodges consideraba que durante la administración Eisenhower los negocios y el gobierno habían tenido excesiva intimidad y que él iba a ponerle término a eso. Al presidente del Consejo de Negocios le dijo que no le parecía que esa organización fuera realmente representativa de los negocios del país, con lo cual escandalizó a todo el mundo. Después procedió a prohibir nuestras sesiones a puerta cerrada con funcionarios federales y a exigir que entraran a formar parte del Consejo representantes de los negocios pequeños. No tardó mucho en crearse una atmósfera de animadversión.

No era que yo estuviera enamorado del Consejo de Negocios. Sus miembros iban a esas reuniones en Hot Springs con una lista de cinco asuntos que querían discutir. Toda la tarde había juegos de golf, el ambiente perfecto para cerrar sus tratos; y cuando se trataba de cuestiones oficiales, todos pensaban lo mismo: nada de control federal. Pero, a pesar de todo esto, me parecía una tontería destruir una entidad que era tan importante en casos de emergencia, y no entendía por qué Hodges se empeñaba en enemistarse con el mundo de los negocios cuando se suponía que debía ser su vocero.

Cuando se estaba desarrollando la crisis del muro de Berlín en 1961, estoy seguro de que Luther Hodges no era el problema más apremiante que pesaba en la mente de presidente; sin embargo, fui a hablar con Kennedy cuando en el Consejo de Negocios se empezó a hablar de terminar su afiliación a la Secretaría de Comercio. "No creo que eso le haga a usted mucho daño", le dije, "pero pensé que tal vez usted preferiría intervenir en lugar de dejar que ocurra". Kennedy llamó a Ralph Dungan, uno de sus asistentes especiales, y le dijo: "No tenía ni idea de que esto hubiera llegado a tal extremo. Encárguese del asunto con Tom y párelo". Dungan hizo todo lo posible por que Hodges modificara su posición, pero no logró nada, y el 6 de julio el Consejo de Negocios convocó una rueda de prensa y anunció que se divorciaba del gobierno.

Lo único que hizo el Consejo de Negocios para Kennedy fue conseguir voluntarios para su programa de ayuda al extranjero. Yo organicé el alistamiento, que se llamó Operación Magnate. En esos días, los Estados Unidos estaban donando grandes sumas de dinero, y Kennedy quería colocar hombres de negocios al frente de cada puesto de ayuda al exterior. La idea era conseguir que cincuenta compañías ofrecieran a sus mejores jóvenes vicepresidentes y gerentes para prestar un año de servicio fuera del país — una especie de Cuerpo de Paz formado por ejecutivos. Me valí del Consejo de Negocios para realizar la tarea; escogí a cuatro jefes ejecutivos como vicepresidentes regionales, entre ellos Carter Burgess de AMF y Steve Bechtel padre. Ellos engancharon a algunos hombres de mucho talento, y después tuvimos que luchar con los burócratas de la Secretaría de Estado, quienes insistían en que para evitar conflictos de intereses los voluntarios tenían que renunciar primero a sus puestos en las compañías. Pero el espíritu de la época era tan obligante que treinta y cinco personas aceptaron, con riesgo para su carrera. Recuerdo que el hermano menor de Bob Ingersoll, jefe de Borg-Warner, fue a las Filipinas; Bill Lawless de la IBM, que había sido asistente de Al Williams, fue a Zaire; y otro empleado de la IBM, Stan McElroy, manejó toda la operación por mí.

Era grande el contraste entre el Consejo de Negocios y el nuevo Comité de Política Obrero-Patronal, en el cual también trabajé; éste tenía todo el entusiasmo de la era Kennedy, y, prácticamente, asumió las funciones asesoras del Consejo. Lo componían diecinueve líderes de los negocios, el trabajo y la educación — individuos como Henry Ford II y Joseph Block, George Meany y Walter Reuther —, y Kennedy en persona asistía a las reuniones. Yo me sentía andando entre gigantes, y me sorprendía el grado de unanimidad que logramos. El presidente nos pidió que estudiáramos el caso de los trabajadores cesantes, que era un problema enorme porque la recesión había llevado la tasa de desempleo a su nivel más alto desde los años 30. Además, todo el mundo estaba preocupado con la explosión demográfica: cómo proporcionarles empleo a los hijos que todos teníamos.

Mi especialidad en este grupo era la relación entre el desempleo y la automatización. En la IBM, siempre habíamos seguido una línea bastante dura en esta materia; al fin y al cabo, vendíamos máquinas de perforar tarjetas sobre la base del número de oficinistas que reemplazaban. Mi padre lo justificaba arguyendo que la tecnología moderna mejora la productividad industrial, la cual a su vez fomenta la economía, crea empleos y eleva el nivel de vida para todos. Pero ahora tomé consciencia de los obreros que se quedan en la calle en este proceso. Lo que me abrió los ojos fue un documental de televisión de Edward R. Murrow en 1960. Yo aparecí en él para explicar el punto de vista de la IBM, pero lo que se me quedó grabado indeleblemente en la mente fue la escena introductoria del documental. Murrow empezaba con los frigoríficos. Con su estilo claro y vigoroso hizo la composición de lugar y luego entrevistó a un obrero sin trabajo que estaba sentado en la escalerilla de su casa. Había trabajado en un matadero, pero su destreza había sido reemplazada por una máquina. Tenía apenas cuarenta y cinco o cincuenta años, pero no había nada a que se pudiera dedicar, y su estado de total abatimiento se traslucía en la pantalla. Me afectó profundamente la tragedia de ese hombre capaz, allí sentado diciendo que quería trabajar pero no conseguía trabajo porque toda la industria había cambiado.

Walter Reuther ejerció una enorme influencia en mí. Muchas personas decían que era comunista porque él y su hermano trabajaron en una fábrica soviética de automóviles a principios de los años 30. Estaba muy lejos de ser comunista; yo lo considero uno de los grandes hombres de los Estados Unidos, y creo que su muerte, en un accidente de aviación en 1970, fue una tragedia para el país. En cuanto a mi educación, Reuther la continuó en el punto en que la había dejado Murrow. Me hizo entender que si Buick resuelve cerrar una planta obsoleta en Detroit para abrir una moderna en el Sur, 5 000 personas se quedan sin trabajo; los nuevos empleos en Tennessee no significan nada para los obreros de Detroit. Los conservadores dirán que eso es parte del sistema de libre empresa y que esas familias sólo son la paja que se echa fuera mientras el molino sigue moliendo lindamente. Pero a mí me parece que eso no está bien, y el Comité Obrero-Patronal estudió los métodos que usan los europeos para proteger los empleos. Hablamos largamente con los suecos en particular, pues ellos tienen programas cooperativos con participación de la industria, el trabajo y el gobierno, para enganchar trabajadores en los sectores del país donde es alto el desempleo y llevarlos a zonas donde se necesitan brazos. Kennedy estaba dispuesto a explorar todas las ideas encaminadas a inspirar una cooperación parecida en los Estados Unidos.

En ese comité tuve por primera vez la impresión de que acaso podría llegar a realizar algo significativo en el gobierno. Los líderes obreros me apreciaban por mis ideas liberales; los hombres de negocios me respetaban por mis éxitos; y los académicos me veían como un individuo receptivo a nuevas ideas. Pero todavía no era más que un neófito, y ese primer año comprendí que tenía que aprender mucho más para que me tomaran en serio en Washington. En el comité era permanente el debate en torno a la manera de proteger al trabajador contra el desempleo. Los conservadores, siguiendo su línea tradicional, querían rebajar impuestos sobre los negocios para estimular la economía y producir más empleos; los liberales querían programas federales novedosos como el seguro de empleo. Yo le pedí a un economista de la IBM que redactara un documento que reflejara mis puntos de vista, y después de conversar conmigo produjo rápidamente una pieza muy liberal. Ahí fue donde yo cometí un error pues en lugar de leer cuidadosamente el borrador, se lo envié impetuosamente a todos los miembros del comité. Los laboristas quedaron encantados y los hombres de negocios asombrados: lo que se proponía en mi memorándum era prácticamente el regreso al New Deal. El director de finanzas de Henry Ford escribió una dura respuesta en que censuraba mi trabajo como espurio y sin mérito; y aunque me pareció que exageraba, tuve que reconocer que lo que yo presenté no había sido bien pensado.

Algunos miembros del comité creíamos que si los trabajadores y los patrones trabajaban de común acuerdo, los Estados Unidos podían encontrar maneras de manejar su economía en forma tan racional como los suecos. Quizá habríamos seguido ese camino si Kennedy hubiera vivido. Pero menos de un año después de su asesinato, la central United Auto Workers declaró la huelga contra la General Motors, y el arreglo a que llegaron fue contrario al interés nacional. Para que los trabajadores volvieran al trabajo, la GM firmó con ellos un generoso contrato concediéndoles alzas de sueldos muy superiores a las normas antiinflacionarias fijadas por el gobierno. Eso fue para mí otra lección. Vi que aunque una gran central y una gran corporación se pongan de acuerdo, eso no es necesariamente lo mejor y que sólo el poder del gobierno federal puede proteger el bien común.

El día que murió Kennedy yo estaba almorzando con un grupo de hombres de negocios en Nueva York. Bill Paley, jefe de la CBS, recibió una llamada y salió. Cuando volvió a entrar le dijo algo en voz baja al anfitrión, quien anunció: "El Presidente fue víctima de un atentado en Dallas. Está gravemente herido y es posible que no sobreviva". Todos nos levantamos consternados y nos dispusimos a regresar a nuestras respectivas oficinas. A mi lado estaba Mac McDonnell, jefe de McDonnell Aircraft, quien me dijo:

— El punto siguiente de mi programa para esta tarde es una reunión con usted.

— Ah, lo había olvidado. Tratemos de fijar un día para reunirnos dentro de una semana o dos.

— No, no. Yo estoy preparado para que hablemos ya.

Me sentía demasiado destrozado para oponer objeciones. Pensé: "Bueno, qué importa; si quiere hablar, hablamos". Fuimos a mi oficina. Lo que él propuso fue comprarnos nuestra oficina de servicios, un departamento de la IBM que mantenía sus propios centros de computador y les vendía a los clientes tiempo de las máquinas. Yo le hablé en una forma vaga. En veinte minutos terminamos, y yo me fui a mi casa. Acababa de llegar cuando recibí una llamada (los Kennedys siempre fueron muy bien organizados) de uno de los ayudantes de Bobby para confirmar que el presidente había muerto y que estaban disponiendo lo relativo al entierro. Esa noche tomé una hoja de papel y le escribí una carta a Lyndon Johnson. Sólo lo había conocido en las funciones de la Casa Blanca, pero quería hacerle saber que comprendía cuán terrible era la situación en que se encontraba y lo difícil que iba a ser manejarla:

> Estimado señor presidente:
> Al iniciarse usted en el cargo más difícil y exigente del Mundo Libre, quiero desearle el gran éxito que sé que será suyo.
>
> He tenido el privilegio de conocerlo a usted en el curso de los últimos dos años y medio, y esa relación me ha infundido profundo respeto por sus capacidades y admiración por su tacto y su diplomacia. Los Estados Unidos son afortunados en tenerlo como su nuevo presidente y el Mundo Libre como su líder, especialmente en estos días difíciles de desafío.
>
> No vacile usted en llamarme si en algo puedo servirle. Estoy con usted en todos los pasos del camino.
>
> Atentamente,
> Tom Watson hijo.

Dispuse que esta carta fuera entregada por propia mano en la puerta de la Casa Blanca a la mañana siguiente. Sabía que una carta como ésa, aunque sea una cosa pequeña, puede significar mucho para el hombre que está en el sitio de peligro. Hacia el mediodía Olive y yo recibimos otra llamada para que fuéramos a visitar el cadáver de Kennedy con los senadores y los magistrados de la Corte Suprema. Cada cual recuerda alguna escena especial de esos días de duelo. La que a mí se me grabó más es la de Bobby Kennedy parado en una vuelta de la escalera de la Casa Blanca, cerca del Salón Oriental, consolando a los que acababan de desfilar frente al féretro de su hermano. Fue un gesto de simpatía que nadie esperaba de un hombre tan abrumado por el dolor. Bobby me estrechó a mí la mano y a Olive la retuvo en un largo abrazo; ambos lloraron.

Johnson asumió la presidencia, y muchas personas me contaron que les había mostrado mi carta. La llevó en el bolsillo durante varias semanas. Me imagino que para él era importante porque le demostraba que contaba con el apoyo hasta de los leales a Kennedy. Pero también expresaba lo que yo sentía por él. A causa de diferencias de personalidad, no creí que pudiera trabajar con Johnson (más adelante me ofreció la Secretaría de Comercio, que decliné) pese a que yo sabía que él trataría de impulsar gran parte de la legislación iniciada por Kennedy, y yo quería apoyarlo en todo lo que pudiera.

# CAPITULO 27

En los aniversarios de la muerte de mi padre yo observaba el mismo rito: pasaba la velada tranquila haciendo inventario mental de lo que la IBM había logrado en su ausencia, y luego le decía a Olive: "Un año más que he logrado salir adelante solo". La última vez que hice esto fue en el quinto aniversario, en 1961. Ya entonces la IBM era dos y media veces más grande que cuando la dejó mi padre — más de 2 000 millones de dólares de ventas anuales; y el valor de las acciones se había quintuplicado. De los 6 000 computadores que había en operación en los Estados Unidos a principios de 1961, más de 4 000 eran nuestros, y los ingresos por concepto de arrendamiento de estos aparatos habían crecido tanto que estaban a punto de sobrepasar los que producían las amadas máquinas perforadoras de mi padre.

Durante esos cinco años no permití que nadie compartiera conmigo la atención pública. Dentro y fuera de la compañía quería dejar sentado que Tom Watson hijo significaba IBM, y guardaba celosamente mi poder. Pero en 1961 resolví dejarle campo a Al Williams, tomando yo el título de presidente de la junta directiva y continuando como jefe ejecutivo y ascendiéndolo a él a presidente de la compañía. Con los años se había estrechado nuestra amistad hasta tal punto que para mí era inconcebible un distanciamiento, pese a que no podía olvidar la lejana advertencia de mi padre. A principios de 1962, estando en Washington en una reunión, me llevaron el texto de nuestro informe anual para que lo firmara, y vi que ya tenía la firma de Al. Yo no lo había autorizado para eso. Mi idea era que actuara todo un año como presidente antes de firmar los informes anuales. A mí mi padre me había hecho esperar tres años para eso cuando ascendí a presidente a principios de los años 50. En la acción de Al vi una posible amenaza a mi poder y no quise dejarla pasar por temor de que la cosa creciera. Posteriormente he dudado que fuera cosa de él; probablemente la persona que preparó el informe puso allí el nombre de Al sin pensar lo sensible que era el asunto. Pero llamé a Al y le dije:

— Oye, tu firma aparece en este informe anual.

— ¿Y por qué no? Yo soy el presidente.

— Eso lo decido yo. Seguramente vendrá el día que lo acepte; pero es una de esas cosas que son muy personales.

— Yo no creo que haya nada que decidir — repuso muy disgustado.

En el curso de los años habíamos tenido nuestras diferencias en cuestiones de negocios, pero ésta era la primera vez que nos veíamos seriamente enfrentados, y le dije:

— Está bien. Si insistes, convoca a la junta directiva para una reunión esta tarde a las 5:30. Yo regresaré a Nueva York y allá nos veremos.

Al permaneció un rato en silencio. Luego dijo:

— Dame quince minutos para pensarlo.

Un rato después me llamó y me dijo:

— Tom, no vale la pena pelear por eso. Firmaré el informe anual cuando a ti te parezca que lo debo firmar.

Ahí terminó el incidente. Al sabía cuándo debía pelear y cuándo no; comprendía que en la junta directiva llevaba las de perder enfrentándose conmigo. Al año siguiente lo hice firmar el informe anual conmigo y nuestra amistad se estrechó más aún.

Mucho me habría gustado dirigir la IBM en compañía con Williams hasta que ambos llegáramos a la edad de jubilación, pero no tuve esa suerte. Al me llevaba cuatro años y ya había dicho que pensaba retirarse temprano, cuando cumpliera los cincuenta y cinco. "He trabajado duro toda mi vida y quiero tener tiempo para disfrutar de lo que he ganado", dijo. Yo no creía mucho que cumpliera ese propósito, pero sí sabía que al llegar 1966 yo tenía que estar preparado para nombrar otro presidente.

El candidato obvio era mi hermano. Aunque mi padre nunca lo dijo en forma explícita, yo entendía que su deseo era que Dick dirigiera la IBM después de mí. Era cinco años menor que yo, de modo que si entraba a reemplazar a Al como presidente, tendría cinco o diez años en la cima. En la IBM World Trade Dick ejercía el mando total y había llevado la empresa a un éxito fenomenal. En 1960 era un negocio de 350 millones de dólares anuales — más grande que la IBM doméstica cuando yo asumí la presidencia — y la estaba haciendo crecer al doble de la tasa doméstica. Gracias a su laboriosidad y a la previsión de mi padre, fuimos una de las pocas compañías norteamericanas que se beneficiaron del milagro económico europeo. Entre 1959 y 1962 Williams y yo le suministramos a Dick decenas de millones de dólares de capital extra para financiar el crecimiento de World Trade. Al gozaba pensando en el efecto que esto les iba a causar más tarde a nuestros competidores norteamericanos: ''Están tan ocupados luchando con nosotros aquí, que ni siquiera piensan en el exterior. Veremos lo que dicen cuando se enteren de cómo ha afianzado World Trade su posición''.

Tal como lo había previsto mi padre, la simpatía y la habilidad diplomática de mi hermano le sirvieron muy bien a la IBM en el exterior. Dick era un hombre alegre que hacía amigos sin esfuerzo; me superaba a mí, sobradamente, por su desenvoltura y su don de gentes; y a diferencia de mí, se hallaba bien codeándose con dignatarios oficiales y líderes de los negocios. Explotando sus habilidades lingüísticas, pasó sin tropiezos por los centros de comercio de la América del Sur y el Extremo Oriente. No había jefe de gobierno en ningún país importante de Europa a quien no conociera, y Willy Brandt, el alcalde de Berlín Occidental, llegó a ser muy buen amigo suyo. Dentro del negocio, Dick poseía el toque hábil que se necesita para dirigir una operación tan extendida como World Trade. Fijó altas normas, eligió personas capaces como gerentes para los diversos países y le dio a World Trade la flexibilidad que necesitaba para acomodarse a las costumbres de los noventa países donde se había establecido. Sin embargo, no vaciló nunca en desafiar tradiciones contrarias a una sana práctica mercantil. Por ejemplo, la IBM se distinguió entre las empresas europeas por estar siempre dispuesta a promover a jóvenes ejecutivos de talento por sobre las cabezas de sus mayores. Tampoco temía pelear si un gobierno hacía exigencias irrazonables. Hacia 1957, el Japón les dio un ultimátum a las compañías extranjeras que hacían negocios en su territorio: o les vendían a inversionistas japoneses el 50% de sus acciones, o se marchaban. Todas las compañías norteamericanas capitularon con excepción de la Texas Instruments y la IBM World Trade. Dick me dijo: "Los japoneses necesitan la industria de procesamiento de información y no les conviene hacernos salir del Japón". Después de años de discusiones, el gobierno convino al fin en dejarnos en paz. La consecuencia fue que siempre fuimos una fuerza importante en el mercado japonés de computadores.

Hasta cierto punto, Dick y yo superamos nuestra rivalidad después de la muerte de mi padre. En Williamsburg lo hice miembro del Comité Corporativo de Administración, que era el consejo directivo de la IBM. Más tarde, cuando mi madre se retiró de la junta directiva al cumplir los setenta y cinco años, le pedí a Dick que ocupara su puesto. Continué con la práctica de no inmiscuirme en sus negocios (cuando me pidió que entrara a formar parte de la junta de World Trade no acepté porque no quería atravesarme en su camino) pero la división organizacional entre las dos compañías, que había sido útil al principio, ya parecía más bien un formalismo.

Fuera del trabajo, nunca habíamos sido tan unidos, y pasábamos mucho tiempo acompañando a mi madre, ahora que empezaba a decaer. Dick le hizo una casa de verano en su propiedad en New Canaan, y todos los años él y yo pasábamos con ella un par de meses mientras nuestras esposas y nuestros hijos veraneaban en Maine. Fueron tiempos de cordialidad y diversión. Mi madre y Dick eran muy unidos — él era el menor de sus hijos y la había llevado en largos viajes inclusive uno a Australia a buscar una rama perdida de la familia Watson. Yo nunca viajé con ella, pero ella tenía conmigo confidencias que nunca tuvo mientras vivió mi padre: me confiaba sus preocupaciones sobre éste o el otro miembro de la familia. Para mí lo más significativo era que le parecía que yo estaba haciendo un trabajo espléndido al frente de la IBM. "Si tu padre viviera, estaría orgulloso de ti", me decía. Ella, Dick y yo charlábamos un rato al desayuno, y luego Dick y yo íbamos juntos en el automóvil por los caminos bordeados de árboles de Westchester County hasta Armonk, a donde la IBM acababa de trasladar su sede. A mi madre le encantaba conducir automóvil, y Dick y yo le regalamos de sorpresa un Jaguar convertible. Lo condujo hasta que tenía ochenta años y ya casi no veía. En New Canaan, cuando la gente veía aparecer el Jaguar, corría a protegerse detrás de un árbol.

Habiendo llegado a un punto en que era natural disponer la sucesión en la IBM, Al Williams me empujó a dar el primer paso. "Tenemos que traer a Dick de World Trade", me dijo. El plan que teníamos era prepararlo lo mismo que mi padre me había preparado a mí, y pensamos que necesitaría un par de años en un cargo importante en los Estados Unidos para establecer su autoridad. Después estaría preparado para reemplazar a Al, y más tarde a mí. Le hablé a mi hermano sobre esto en 1963: "Lo estás haciendo estupendamente en World Trade", le dije. "Mi papá decía que algún día ésta sería más grande que la compañía principal, y tal vez tendría razón. Pero, en lo que a mí concierne, también eres el candidato número uno para el cargo más alto aquí. Así que dime qué prefieres: ¿Seguir con World Trade y ser el gran internacionalista? ¿O quieres ser candidato para jefe ejecutivo?"

Pensaba que en esta forma me mostraba escrupulosamente equitativo, pero, viéndolo retrospectivamente, fue el más grave error de negocios y de familia que pude cometer. Nunca debí haber llevado a mi hermano a una emulación con otros ejecutivos por el primer puesto, y para todos habría sido mejor si él hubiera dicho: "No voy a hacer semejante elección. Tú resuelve si quieres que sea tu sucesor, y cuando estés preparado para hacerme una oferta, la consideraré". Pero Dick me preguntó qué tenía pensado para él. Le dije que entraría al nivel de alto vicepresidente, pero que continuaría mientras tanto con el título de presidente de la junta de la IBM World Trade, aunque otra persona dirigiría en la práctica ese negocio. Me contestó que lo consultaría con la almohada. Cuando a un hombre de aspiraciones se le ofrece una oportunidad en su carrera, la aprovecha. Al día siguiente Dick me dijo: "Si existe la oportunidad de que yo maneje esta compañía, quiero probarla".

Mientras transcurría todo esto, nos habíamos venido preparando para anunciar una nueva familia de computadores radicalmente distintos de cuantos se habían fabricado hasta entonces. Bautizamos la nueva línea Sistema/360 (por los 360 grados de la circunferencia), porque teníamos la intención de que abarcara todas las necesidades de todos los usuarios en el mundo de los negocios y en el mundo científico. La revista *Fortune* bautizó a este proyecto "una aventura de 5 000 millones de dólares de la IBM" y dijo que era "la decisión de negocios más crucial y prodigiosa, y quizá también la más arriesgada, de los últimos tiempos". Construir esa nueva línea significó someter a la IBM a tremendas conmociones. Se hicieron y se malograron carreras, y los errores que cometimos por el camino cambiaron muchas vidas, incluso la de Dick y la mía. El costo del proyecto fue en verdad abrumador. Gastamos 750 millones de dólares en sólo ingeniería. Luego invertimos 4 500 millones más en fábricas, en dotación y en las mismas máquinas de arrendar. Contratamos más de 60 000 nuevos empleados y abrimos cinco nuevas plantas grandes. Fue el mayor proyecto comercial jamás acometido con financiación privada. El redactor de *Fortune* señaló que era mucho más grande que el esfuerzo de la Segunda Guerra Mundial que produjo la bomba atómica.

La necesidad del Sistema/360 surgió de una curiosa serie de circunstancias. En los primeros años del decenio de los 60, la ciencia de los computadores había llegado a su mayoría de edad. Es cierto que no se habían realizado algunas de las maravillas que la gente esperaba con tanta seguridad inmediatamente después de la guerra — tales como predecir automáticamente el estado del tiempo —, pero las máquinas se habían aplicado a todo lo demás, desde la facturación mensual del servicio de energía eléctrica hasta la competencia en el espacio, y empezaban a revolucionar la vida cotidiana. Por ejemplo, la American Airlines se disponía a anunciar su sistema SABRE de reservaciones, que conectaba a todos los expendedores de pasajes del país con un computador central en Westchester County y le posibilitaba al público reservar asientos en los aviones sin la tradicional espera hasta el otro día para obtener la confirmación. Imaginábamos horizontes mucho más vastos por venir. Una idea que a mí me cautivaba era llevar terminales de computador a las escuelas para elevar el nivel educativo. Los visionarios hablaban del día en que se pudiera entregar potencia de computador a domicilio de la misma manera que se suministran servicios de teléfono y electricidad.

Paradójicamente, al mismo tiempo se tenía la impresión de que la IBM había llegado a una planicie. Nos seguíamos ampliando pero no tan velozmente como antes; por ejemplo, el año en que Kennedy derrotó a Nixon, sólo crecimos el 9%. Cuando llegamos a los 2 000 millones de dólares anuales, muchos decían que como la compañía ya era tan grande, su tasa de crecimiento obviamente tenía que disminuir. Pero, teniendo en cuenta la brillante perspectiva de la industria de computadores, eso no era lógico y yo pensaba que nosotros mismos teníamos la culpa de la desaceleración. Las dos divisiones de computadores que yo había creado competían entre sí fieramente, tal como lo había previsto, pero un efecto colateral no esperado fue que nuestra línea de productos se desorganizó grandemente. En septiembre de 1960 teníamos ocho computadores en nuestro catálogo de ventas, además de algunas otras máquinas más viejas, de válvulas. La arquitectura interior de cada uno de estos aparatos era muy distinta, de manera que con cada máquina había que usar software diferente y equipos periféricos distintos, tales como impresoras y grabadoras de disco. Si el negocio de un cliente crecía y quería cambiar de un computador pequeño a uno grande, tenía que adquirir todo nuevo y volver a escribir todos sus programas, a veces con un alto costo.

El hombre que tenía el deber de estimular la tasa de crecimiento de la IBM era Vin Learson, ya entonces vicepresidente y ejecutivo de grupo, encargado de nuestras divisiones de manufactura y desarrollo. Pensó que la solución lógica era simplificar la línea de productos y les pidió a los técnicos que trataran de simplificarla, pero al principio esta solicitud tuvo muy poco efecto porque en cada división los ingenieros estaban casados con sus propias máquinas. Lo asombroso de Vin, aparte de la inmensa fuerza de su personalidad, era su habilidad administrativa. Vio que ya era tiempo de acabar con la rivalidad entre las dos divisiones, y esto lo logró aplicando una técnica administrativa llamada "interacción abrasiva". Esto quería decir obligar a la gente a cambiar de lado: sacar de su puesto al ingeniero jefe de la división de computadores pequeños y nombrarlo jefe del equipo mejor desarrollado en la división de aparatos grandes. A muchos les parecía que esto era tan sensato como sería elegir presidente a Khrushov, pero después de interactuar abrasivamente unos meses los ingenieros se ganaron el respeto los unos de los otros, tal como lo había previsto Vin. Lentamente fueron llegando a la idea de hacer una sola línea de computadores que cubriera todo el mercado. Vin formó con este grupo de ingenieros el núcleo de un comité mucho mayor llamado SPREAD — sigla de programación de sistemas, investigación, ingeniería y desarrollo — cuya función consistía en trazar una nueva estrategia de productos. El comité SPREAD se reunió durante un par de meses a fines de 1961 y, como se tardaba en producir un informe, Vin se impacientó. Dos semanas antes de Navidad mandó a los miembros a un hotel en Connecticut con órdenes de no regresar hasta que se hubieran puesto de acuerdo. Así fue como nació el plan del Sistema/360 — en forma de un documento de 80 páginas que entregaron el 28 de diciembre.

El año del informe SPREAD yo estaba ocupado en Washington sirviendo en comisiones presidenciales y seguí sólo de lejos la discusión técnica entre las divisiones de computadores. A mediados de 1962, se habían creado suficientes problemas para obligarme a dedicar más tiempo a la oficina. En mayo el mercado de valores experimentó su peor caída desde 1929 y las acciones de la IBM fueron golpeadas lo mismo que las demás, perdiendo como una tercera parte de su valor — la primera baja seria en treinta años. Eso por sí solo habría bastado para hacerme recoger velas; y estando en camino el 360, empecé a sentir un vacío en la boca del estómago al pensar en los riesgos que corríamos. La IBM siempre había salido al otro lado con medidas audaces, pero el Sistema/360 era dramático aun para nuestras propias normas.

Vin fue el padre de una nueva línea de máquinas. Su intención era volver obsoletos todos los demás computadores — inclusive los millares sobre los cuales recibíamos rentas por arrendamiento — y reemplazarlos por una familia totalmente nueva de procesadores, desde máquinas pequeñas para arrendar a 2 500 dólares mensuales hasta las gigantes de altísimo rendimiento que producían más de 115 000 dólares de alquiler mensual. En todas las máquinas iba incorporada una nueva característica denominada compatibilidad, lo cual quería decir que a pesar de su gran variedad de tamaños, todas podían usar el mismo software y se conectaban con las mismas grabadoras de disco, e impresoras y con otros equipos periféricos. Una vez que los clientes se pasaran al Sistema/360 podían ampliar sus instalaciones simplemente mezclando y acoplando componentes de nuestro catálogo de ventas. Esto era una ventaja para ellos, y para la IBM el beneficio no era menor puesto que una vez que un cliente entraba en el círculo de los usuarios del 360, lo podíamos conservar durante largo tiempo.

Desde el principio nos vimos amenazados por dos riesgos, cualquiera de los cuales era suficiente para hacernos pasar noches en vela. En primer lugar, estaba la tarea de coordinar el hardware y el software para la nueva línea. Teníamos equipos de ingenieros en todos los Estados Unidos y Europa trabajando simultáneamente en seis procesadores nuevos y en docenas de nuevos periféricos — grabadoras de disco y de cinta, impresoras, lectoras magnéticas y ópticas de caracteres, equipos de comunicaciones y terminales — pero, al final, todos estos aparatos tenían que acoplarse entre sí. El software presentaba un problema mayor aún. Para que el Sistema/360 tuviera una personalidad coherente, centenares de programadores tuvieron que escribir millones de líneas de código de computador. Nadie había acometido antes una tarea tan compleja en este campo, y los ingenieros se vieron sometidos a una tremenda presión para llevarla a cabo.

El otro motivo de preocupación era que por primera vez emprendíamos nosotros mismos la fabricación de los componentes electrónicos. La industria electrónica, después de haber progresado muy rápidamente en los años 50 desde la válvula al vacío hasta el transistor, se hallaba a las puertas de otra transformación. La onda del futuro eran los circuitos integrados — microfichas que contienen transistores, resistores, diodos y demás en una sola unidad. Todavía nadie estaba usando circuitos integrados en computadores, pero el diseño del Sistema/360 sí los pedía en cantidades. Al Williams sostenía que, aunque para el suministro de la anterior generación de componentes nos habíamos valido de otros proveedores, éstos teníamos que hacerlos nosotros mismos. "Computadores enteros se van a reducir a estos dispositivos", dijo. "Cuando eso ocurra, ¿crees que vamos a poder seguir comprándolos a gente de fuera? Si queremos continuar en el negocio de computadores, tenemos que aprender a hacer estas cosas nosotros mismos". Yo estuve de acuerdo, pero nunca olvidaré qué cara nos resultó la construcción de la primera fábrica de circuitos integrados. En esos días, una fábrica común y corriente costaba unos 430 dólares por metro cuadrado. En la planta de circuitos integrados, que había que mantenerla libre de polvo, y parecía más bien una sala de cirugía que una fábrica, el costo pasó de 1 600 dólares por metro cuadrado. Yo casi no podía dar crédito a las cuentas que llegaban, y no fui el único escandalizado. La junta directiva me hizo pasar ratos muy amargos por los costos. "¿Está usted seguro de que todo esto se necesita?", me decían. "¿No ha pedido otras cotizaciones? No queremos lujos en las fábricas".

Habíamos pensado anunciar las primeras máquinas en abril de 1964 e ir retirando poco a poco la vieja línea a medida que sacábamos las demás en un período de 18 meses. Infortunadamente, no calculamos bien el tiempo, y las deficiencias de los productos existentes se hicieron patentes uno o dos años antes de lo que esperábamos. En la primavera de 1963 los viejos computadores estaban obsoletos. Realizamos un estudio técnico que nos mostró que, si bien los 360 iban a ser mejores que los últimos computadores RCA, Burroughs, Honeywell, Univac y General Electric, todas esas máquinas eran superiores a nuestra línea existente. Varias ofrecían dos o tres veces más capacidad que las IBM por el mismo precio. Nuestros vendedores tenían las manos atadas, pues todavía no se había anunciado el Sistema/360, y muchos ni siquiera sabían qué era lo que proyectábamos; no tenían nada que decirles a los clientes. A mediados de 1963 las oficinas de ventas, aterradas, nos informaban que ya no podían sostener la línea contra la competencia. A pesar de que la demanda de computadores aumentó el 15% ese año, la IBM sólo creció el 7%, la tasa más baja desde la guerra.

La única solución era sacar rápidamente el Sistema/360, y varios ejecutivos eran de parecer que debíamos lanzar toda la línea de una vez. Esto, indudablemente, causaría revuelo en el mercado. Los clientes verían cómo podían crecer con nuestros productos, y los podíamos persuadir de que esperaran a que se fabricara el Sistema/360 en vez de pasarse a la competencia. Pero había serios inconvenientes. Aun cuando los nuevos computadores estaban casi listos, no todos habían pasado por las rigurosas pruebas que nosotros exigíamos. Un peligro mayor aún era que en cuanto empezáramos a aceptar pedidos, nuestra red de fábricas se vería bajo una enorme presión para entregar todos los aparatos de una complicadísima nueva línea de productos. No había mucho margen para cometer errores.

Era la decisión más grande y más arriesgada que había tomado en la vida, y sufrí semanas de angustia antes de decidirme, pero en el fondo estaba convencido de que no había nada que la IBM no pudiera hacer, así que el 7 de abril de 1964 — casi exactamente 50 años después que mi padre entró a trabajar en la IBM — preparamos un anuncio que lo habría llenado a él de orgullo. Para atraer el máximo de publicidad, convocamos ruedas de prensa en sesenta y tres ciudades de los Estados Unidos y catorce países extranjeros, mientras decenas de miles de invitados de todo el mundo acudieron a recibir información. En Nueva York, fletamos un tren especial que llevó a doscientos periodistas desde la estación Grand Central hasta Poughkeepsie, donde se hizo el anuncio principal. Yo presenté el 360 como "el anuncio más importante de producto en toda la historia de la compañía", y a los visitantes los llevamos a un gran salón de exposición donde desplegamos ante sus ojos seis nuevos computadores y cuarenta y cuatro nuevos periféricos.

Dentro de la IBM el espíritu era de júbilo porque se abría una nueva era. Pero mirando esos nuevos productos yo no me sentía tan confiado como hubiera querido. No todo el equipo de la exhibición era real; unas unidades no eran más que modelos de madera. Esto se lo explicamos a los invitados de modo que no había engaño, pero era peligroso anticiparse a los acontecimientos — no era ésa la manera como a mí me parecía que se debía manejar un negocio — y era un incómodo recordatorio de cuánto nos faltaba por hacer antes que pudiéramos cantar victoria.

A Williams y a mí nos pareció que el anuncio del 360 era el momento apropiado para llevar a Dick a la administración central. Hasta entonces, Vin había estado solo a la cabeza del proyecto; entonces trajimos a Dick como su igual y repartimos las responsabilidades entre los dos. Dick quedó encargado del aspecto de ingeniería y manufactura, y Vin de la fuerza vendedora. Mirando retrospectivamente, creo que Vin se resintió profundamente por el cambio, y no le faltaba razón: el 360 era su línea de producto y ahora le decíamos que saliera a venderla mientras llevábamos a mi hermano para que terminara su trabajo. Pero en ese momento a Al y a mí nos parecía natural repartir la responsabilidad entre los dos. Si bien Dick nunca había lanzado un producto importante, había presidido el complicado sistema de fábricas de World Trade en Europa. Y a Vin lo necesitábamos por su enorme empuje y sus años de experiencia en ventas, para que aguijoneara a los vendedores. Una vez hecho este arreglo, Williams y yo nos sentimos tan satisfechos con el rumbo que había tomado la IBM, que anunciamos que nos separaríamos de las operaciones cotidianas de la compañía. Creamos una Junta de Operaciones Corporativas, con Vin y Dick como copresidentes, y les dejamos a ellos la responsabilidad.

Yo, francamente, creía haberle dado a Vin el trabajo más duro de los dos. El aspecto de ingeniería y manufactura de la compañía ya había adquirido un gran ímpetu en este proyecto, mientras que los vendedores debían empezar desde cero. No sólo tenían que invertir la tendencia del mercado, que favorecía a la competencia, sino que existía el peligro de que el 360 disgustara a muchos clientes. Los que estaban acostumbrados a sus máquinas actuales con seguridad se resistirían a la idea de volver a escribir su material de programación para trabajar con la nueva línea. Los subalternos de Vin tenían que persuadir a los clientes para que realizaran esas conversiones, en tanto que los de la competencia les decían: "No hagan ninguna conversión. Pásense a nuestros computadores". A mí me daba tanto miedo perder clientes que llamé a Dick y a Vin a mi oficina y los amonesté seriamente. A Vin le dije: "Si la fuerza vendedora necesita características nuevas o programas adicionales, dígalo a gritos y los produciremos". Y a Dick: "Ten en cuenta el aspecto de ventas del negocio".

Pero mi ansiedad no estaba justificada. Recibimos inmensos números de pedidos — muchos más de lo que esperábamos — y seguían llegando más. Al principio todos se sentían eufóricos pero luego el programa 360 se empezó a complicar mes por mes. Los competidores encontraron fallas en la nueva línea y empezaron a quitarnos clientes influyentes, así que tuvimos que agregar dos computadores nuevos a los seis que ya habíamos presentado. Anunciamos una máquina científica ultrarrápida para oponerla a Control Data, y un procesador más pequeño, especializado, para competir con la General Electric. Cada nueva máquina exigía la destinación de muchos ingenieros de talento que estaban ocupados en otras cosas. Mientras tanto, el esfuerzo por escribir programación básica para el 360 se estancó en forma alarmante y cuanto más se atrasaba, más programadores le destinábamos; en 1966 teníamos 2 000 personas trabajando en esa labor, y el costo de desarrollar el software empezaba a sobrepasar el del hardware. Así aprendimos un secreto de la ingeniería de computadores: poner más gente en un proyecto de programación no es la manera de acelerarlo. Un conjunto de software es una sola unidad; si el trabajo de escribirlo se divide entre demasiadas personas, es más el tiempo que se gasta en coordinarlas que el que economiza la división del trabajo. O, como lo dijo Fred Brooks, el gracioso genio de la ingeniería, de Carolina del Norte, quien encabezaba el proyecto: ''Para dar a luz a una criatura se necesitan nueve meses, por más mujeres que se destinen a ello''.

No había manera de ocultarles nuestra lucha a los clientes que pedían las máquinas, así que hablé sobre el asunto ante una conferencia de usuarios de la IBM: ''Hace unos pocos meses pensábamos que el presupuesto de la IBM para software de programación sería de 40 millones de dólares para 1966. Anoche, antes de venir, le pregunté a Vin Learson cuánto pensaba él que sería, y me contestó: «50 millones». Esta tarde me encontré aquí en el salón con Watts Humphrey, que está encargado de programar la producción, y le pregunté: «¿Esa cifra está más o menos bien? ¿La podemos usar?» Me contestó: «Van a ser 60 millones». Como ustedes ven, si sigo haciendo preguntas, este año no habrá dividendos''. Sólo bromeaba a medias. Cuando al fin se entregó la programación del 360 (con años de atraso) habíamos invertido únicamente en eso 500 millones de dólares, o sea la partida de costo más grande de todo el proyecto del Sistema/360, y el renglón más grande de gastos en la historia de la compañía.

Seis meses después del anuncio del 360, las complicaciones del proyecto eran tan alarmantes que empecé a celebrar reuniones en mi oficina los lunes por la mañana, precisamente en los días de la Calculadora de Defensa. Disolví la Junta de Operaciones

Corporativas de Dick y Vin y la reemplacé por un nuevo Comité de Revisión Administrativa compuesto por cinco hombres: Al, mi hermano, yo, Vin y Dick Bullen, nuestro experto organizacional, que ya era vicepresidente y ejecutivo de grupo. Constantemente hacíamos cambios de esa clase, en la IBM, pero éste no les cayó bien ni a mi hermano ni a Vin. Yo les había entregado el negocio para que lo manejaran, y ahora tomaba otra vez las riendas.

Todos los lunes nos reuníamos, y siempre había sobre la mesa serios problemas. No era un grupo feliz. Vin y Dick no se entendían bien, y entre Dick y yo también había tensiones; él trabajaba por primera vez directamente como subalterno mío, y las reuniones del Comité de Revisión Administrativa eran terribles. Este Comité, que había existido en varias encarnaciones desde vísperas de la conferencia de Williamsburg en 1956, era el lugar donde yo evaluaba a los altos ejecutivos y determinaba si eran hombres capaces. Como el éxito de la compañía guardaba relación directa con el desempeño de dicho grupo, yo los juzgaba duramente y era fácil encontrar fallas aunque en su puesto anterior se hubieran lucido. Este era el crisol.

A mi hermano le exigía tanto como le he exigido siempre a cualquiera que esté en esa posición. Recuerdo un episodio en la Feria Mundial de 1964. Dick y yo fuimos al real de la feria en Flushing Meadows a ver el pabellón de la IBM, que diseñó Eero Saarinen poco antes de su muerte. Dominaba el edificio un teatro elevado, en forma de huevo gigante con las letras "IBM" en bajorrelieve por todas partes. Recorríamos la exhibición con algunos compañeros cuando se habló de circuitos de computadores. Yo había oído hablar de una nueva máquina de un competidor que se acababa de presentar y que tenía una microficha electrónica de silicio llamada circuito monolítico integrado. Hoy estas fichas son tan comunes como la sal de mesa, pero yo entonces no las conocía, y nuestro competidor afirmaba que eran muy superiores a los circuitos integrados de cerámica y metal del Sistema/360. La tecnología era el área de Dick, por lo cual le pedí su opinión. Se quedó de una pieza. "¿Qué son circuitos monolíticos?", preguntó. Lo reprendí con aspereza por no saberlo, y le dije que tuviera cuidado de que el 360 no fuera a quedar obsoleto antes de salir al mercado. Después supimos que nuestros científicos venían trabajando en circuitos monolíticos desde hacía años, de manera que no había peligro real. Incidentes como éste nos distanciaban a Dick y a mí.

Por ese tiempo empecé a preocuparme con el inminente retiro de Al. Le faltaban menos de dos años para cumplir los cincuenta y cinco, y su determinación de jubilarse parecía firme. Yo le dije que la IBM no podía prescindir de él, e hice todo lo imaginable por hacerlo cambiar de opinión; hasta le ofrecí hacerme yo a un lado para que él dirigiera la compañía y le aseguré que como él había hecho tanto por la IBM, yo me sentiría orgulloso de trabajar al mando de él durante el resto de mi carrera. Al sabía que esto era sincero. Si hubiera aceptado, yo habría anunciado que le entregaba el timón a Al Williams, quien sería jefe ejecutivo y presidente de la compañía, quedando yo como presidente de la junta directiva. Pero Al no quiso.

Por algún milagro unos centenares de computadores 360 de mediano tamaño salieron a tiempo en 1965; pero esto no me tranquilizó porque en el fondo veía que estábamos perdiendo terreno. En calidad y desempeño, los primeros computadores estaban por debajo de las normas que habíamos fijado, y nos habíamos saltado algunas de las pruebas más rigurosas. Durante varios meses llamamos al ingeniero jefe de pruebas a las reuniones de los lunes. Yo le preguntaba:

— ¿Cómo van las máquinas? — y él contestaba:

— No dan la medida.

Exhibía sus cuadros y diagramas para mostrarnos qué andaba mal. Constantemente se atrasaba la producción por escasez de materiales. En un momento dado, se nos acabaron unos pequeños contactos de cobre sin los cuales nuestros poderosos computadores no podían funcionar, porque nuestros proveedores habituales sencillamente no daban abasto para atender al consumo de nuestras fábricas. Ese problema lo resolvimos con los métodos heroicos habituales en la IBM: los ingenieros volaron por todo el país a visitar a cuantos proveedores pudieron encontrar, acapararon todos los contactos de cobre y los llevaron a la IBM. Para colmo de males, entregábamos las nuevas máquinas sin el software crucial; los clientes se veían obligados a usar programas temporales mucho más rudimentarios de lo que habíamos prometido, lo cual significaba que no podían obtener el máximo beneficio de sus nuevos aparatos. A pesar de todo, seguían pidiendo computadores 360, más de los que podíamos producir. Con pedidos pendientes por valor de miles de millones de dólares, teníamos que decirle a la gente que debía esperar dos o tres años los computadores que necesitaba. A muchos clientes esto los hacía sentir desdichados, y yo temía que la menor demora adicional los echara en brazos de nuestros competidores.

Mientras tanto, el rozamiento entre Dick y Vin se agravó. Sus empleos debían ser complementarios, pero en lugar de apoyarse mutuamente rivalizaban entre sí. Vin realizó una tarea espléndida animando a los vendedores y convenciendo a los clientes de que hicieran la transición al 360, pero constantemente le pedía a mi hermano modificaciones y mejoras de las máquinas para que se vendieran mejor aún. Decía: "Si no podemos ofrecer esta característica será muy difícil venderle a la industria aeronáutica, y si no tenemos la de más allá, no les podemos vender a las grandes tiendas". Yo le había dicho que hiciera eso, por supuesto, pero si no hubiera sido por su sentimiento de rivalidad y resentimiento, dudo que hubiera insistido tanto; él tenía experiencia en producción y podía ver que los ingenieros estaban abrumados de trabajo. Dick, por su parte, tenía una actitud impróvida; con demasiada frecuencia accedía cuando debía haberle dicho a Vin: "Voy a congelar las especificaciones de producción de ahora en adelante. Tendrá que vender las máquinas como las hacemos". Pero en lugar de adoptar una actitud firme, lo que hacía era presionar más aún a los ingenieros.

Ese otoño todo parecía negro, totalmente negro. Todos estábamos pesimistas con el programa; estábamos cumpliendo el cronograma de producción prevista, pero la moral estaba decayendo. Algunas secciones de las fábricas habían estado trabajando semanas de sesenta horas desde hacía seis meses, y los empleados ya estaban agotados. La presión sobre los técnicos en el terreno aumentaba mientras se esforzaban por instalar cada vez más máquinas nuevas. Los ingenieros eran los que estaban más descompuestos. Recuerdo una vez que fui a Poughkeepsie a ver cómo iba el problema del software. Teníamos todo un gran edificio ocupado por programadores, y su gerente era un individuo llamado Tom Gavis, que no había hecho estudios universitarios pero sí sabía de programación. Fui a su oficina y lo encontré ante un escritorio con un catre de campaña al lado, donde dormía. Le pregunté:

— ¿Por qué no pueden sacar esta programación más pronto?

Sin importarle un comino que yo fuera el presidente, me contestó con aspereza:

— Pues si usted se larga de aquí y nos deja en paz lo acabaremos.

Me retiré rápidamente.

A Dick no le iba nada bien bajo tanta presión. Otro problema que tenía, fuera de Vin, era que sus subalternos no le servían bien. Su asistente principal era un tipo imperturbable que nunca dejaba de irritarme a mí. Hablábamos muy enérgicamente en las reuniones de los lunes, pero el tipo entraba semana tras semana a informar con un tono monótono sobre horribles problemas de producción. A veces yo perdía la paciencia y estallaba, y cuando Dick lo defendía, me volvía contra Dick.

A mediados de octubre, Dick nos dijo que un problema metalúrgico que había en nuestra nueva planta de circuitos integrados iba a reducir la producción a la mitad en un futuro inmediato. La consecuencia era lo que todos temíamos: tendríamos que demorar la entrega de computadores. "¿Cuánto tiempo nos vamos a atrasar?", le pregunté a Dick. No era cuestión de una semana o dos; eran tres meses.

Me entró pánico. Nunca en la historia de la IBM nos habíamos atrasado tanto en los despachos, y como tanto dependía del Sistema/360, esta demora sería fatal. Cuando comprendí que no podíamos estar seguros de que no habría otras demoras, pensé en protegerme. Tenía cincuenta y un años; durante nueve, había logrado un éxito fantástico, y no quería arruinar mi carrera anunciando que la nueva línea de producción no iba a arrancar jamás. En tales circunstancias, en lo que menos pensé fue en herir el amor propio de mi hermano.

Movilizamos la mejor gente que teníamos y le ordenamos que descubrieran qué era lo que ocurría en fabricación. Al y yo trabajamos juntos. Red LaMotte ya se había jubilado, pero le pedimos que volviera para que nos diera su perspectiva. Fueron días terribles porque cuanto más ahondábamos, tanto peor parecía la situación... como ocurre siempre en una crisis.

Al, cuyo papel usual era aconsejar moderación y poner los

problemas en su debida perspectiva, no veía esta vez razón para conservar la calma y le producían angustia las finanzas de la IBM. Siempre habíamos sido una torre de estabilidad financiera y habíamos creído que la demora del 360 no iba a afectar mucho a nuestros ingresos, por lo menos a corto plazo, porque estábamos protegidos por nuestro inmenso ingreso por arriendos. Pero a Williams lo tenía nervioso otra cosa: había llegado la hora de cerrar los libros para 1965 y no sabía en dónde estaba todo el dinero. El mayor quebradero de cabeza era un renglón del balance general llamado inventario de trabajo en proceso. Esta cifra debía representar los millones de partes y millares de máquinas que estaban actualmente en producción en nuestras fábricas. Lo que no habíamos visto era que nuestro sistema contable era un anacronismo, rezago de los días en que la IBM no tenía sino unas pocas plantas y cada una respondía por sus propios productos. Con el 360, las plantas se volvieron interdependientes — unas dos terceras partes del total de lo que despachaban eran bienes no terminados que iban a otras fábricas para recibir más trabajo. No teníamos ningún sistema para hacer el seguimiento de este inventario que se movía por toda la compañía. Al pensaba que se podía tratar de una suma de 150 millones de dólares, pero los datos que obtenían eran tan vagos que resultaban inútiles.

Para resolver este problema, designó a John Opel, quien en ese momento era un joven ejecutivo que estaba ascendiendo rápidamente en la División de Productos de Datos. "Averigüe cuánto vale el inventario", le dijo Williams. Opel sabía de fabricación y gozaba de buena reputación como analista. Realizó una encuesta en todas las plantas, pero tampoco logró el dato exacto; le daba a Al una estimación y a las 24 horas veía que no sólo se había equivocado, sino que se había equivocado en 50 millones de dólares. Por último se sintió tan frustrado que insistió en que en cada fábrica se hiciera un inventario físico — lo cual quería decir empleados andando por toda la fábrica con lápiz y papel contando cosas. Nunca antes habíamos tenido que hacer semejante cosa, pero así fue como Opel descubrió al fin que el sistema contable había fracasado por completo. Teníamos un inventario de cerca de *600 millones de dólares* de trabajo en proceso, y ninguno de los gerentes de fábrica quería admitir que era responsable. Discutieron largo con Opel sobre quién era responsable de qué cosa.

Este estado de cosas puso a Al fuera de sí, porque subestimar el inventario hacía parecer como si la IBM tuviera más fondos disponibles de los que realmente tenía, y la verdad era que el 360 había absorbido todos nuestros fondos. A la vuelta de unas pocas semanas más habríamos necesitado préstamos de emergencia para el pago de nómina. En momentos en que Al se disponía a retirarse, después de una carrera larga y distinguida, se presentaba un problema como no lo había tenido igual la IBM en toda su historia — siempre la compañía había nadado en dinero, gracias a sus enormes ingresos por concepto de arrendamientos. No informamos al público sobre la escasez de fondos en que nos encontrábamos, pero ésa fue la razón principal para que inesperadamente vendiéramos otros 370 millones de dólares de acciones esa primavera.

Dick y yo ya casi no nos hablábamos. Cuantos más problemas salían a la luz, más callado se volvía, lo mismo que en los días en que mi padre y yo discutíamos. Ya entonces yo comprendí que mi plan de llevarlo a la compañía doméstica había sido un error mayúsculo, tan malo para la carrera de él como para nuestras relaciones personales. Pensé que le había dado una oportunidad en un área donde podía distinguirse muchísimo, pero, por el contrario, lo había hecho caer en una trampa. No era posible que correspondiera a las exigencias que Learson le hacía. Dick sabía animar a los ingenieros cuando éstos estaban casi demasiado extenuados para continuar, pero tenía poca experiencia en el manejo de una operación de ingeniería y desarrollo que cambiaba rápidamente y le costaba trabajo manejar los detalles cotidianos del negocio. Yo habría tenido el mismo problema, salvo que yo siempre me rodeaba de hombres competentes para atender a los detalles. En cambio, los que trabajaban para Dick no le servían bien.

Todo el mundo tenía miedo. Al y yo estuvimos de acuerdo en que para que el programa 360 arrancara, era preciso ponerlo bajo un solo gerente, un dictador, y comprendimos que tenía que ser Learson, quien a lo largo de los años había demostrado una y otra vez que era muy capaz de encargarse de un programa en dificultades y sacarlo al otro lado. Temblé al pensar qué efecto producíria esto en mi hermano, pero lo llamé a mi oficina un día gris de diciembre por la tarde y le dije: "Debo decirte algunas cosas que no son muy agradables. El futuro del negocio depende del 360. Hoy por hoy, está en malas condiciones, y voy a tener que tomar todo el proyecto y ponerlo bajo la persona que considero la más competente para sacarlo adelante". Le dije que esa persona sería Vin Learson, y que Dick pasaría a ser jefe de la plana mayor corporativa, sin responsabilidades en la gerencia de línea. Se puso absolutamente furioso: "En otros términos", dijo, "el control de todo el negocio pasa a sus manos, y yo me quedo con unas migajas".

En los meses siguientes empezamos a salir de la crisis en el sector manufacturero. Las máquinas no eran muy buenas al principio, pero nuestro personal de servicio las mantenía funcionando en el terreno, y cuantos más computadores fabricábamos, más mejoraba la calidad. Entonces, por fin, empezó a salir el software que tanto había tardado, y la rosa súbitamente floreció. A fines de 1966 teníamos más de 4 000 millones de dólares de ingresos, o sea algo así como siete u ocho mil sistemas instalados — y 1 000 millones de dólares de utilidades antes de impuestos.

La junta directiva eligió presidente de la IBM a Vin Learson el 26 de enero de 1966. Al Williams, dando el primer paso hacia su jubilación, pasó a presidir el comité ejecutivo de la junta. A Dick lo nombramos vicepresidente y siguió siendo presidente de la junta de World Trade y miembro del comité ejecutivo. Pero durante muchos meses después de esto sólo iba a la oficina esporádicamente y se mantenía muy reservado; su confianza parecía debilitada. Yo sentía vergüenza y frustración por la manera como lo traté. Había muchas otras formas en que se podrían haber manejado las cosas. Tal vez lo más sensato habría sido dejarlo en World Trade, donde se le habría conocido como el gran internacionalista, lo cual, me parece, habría sido tan honroso como servir el cargo de jefe ejecutivo durante cinco o diez años. En todo caso, rehicimos la industria de computadores con el Sistema/360, y, objetivamente, éste fue el triunfo más grande de mi carrera de negocios. Pero siempre que miro hacia atrás, pienso en el hermano a quien herí y en el sueño de mi padre que nunca pude realizar debidamente.

# CAPITULO 28

Ese invierno, un poco después, murió mi madre, a los ochenta y dos años de edad. Había estado enferma desde hacía meses, de manera que tuvimos tiempo de prepararnos. Su muerte fue especialmente dura para Dick quien, siendo el menor, había estado simpre más unido a ella, y además la muerte ocurrió apenas unas pocas semanas después de que a él se le quitaron sus deberes en manufactura e ingeniería en la IBM. Olive y yo nos retiramos a Colorado a pasar el duelo; desde allí contesté a mano centenares de mensajes de pésame de personas de la IBM y de fuera, del mundo entero. Pasamos allí casi dos semanas, lo cual no era bastante, pero yo no podía ausentarme más tiempo del trabajo. Si bien nuestra crisis administrativa había quedado resuelta, quedaba en pie el compromiso que teníamos de entregar nuevos computadores por valor de miles de millones de dólares. La urgencia de mi trabajo era tan grande como lo fue siempre, con la diferencia de que había desaparecido el placer que antes me producía manejar la compañía. Con la muerte de mi madre, Dick, que se mantenía a un lado, y Al Williams, que trabajaba en horario reducido preparándose para su jubilación, me sentí más solitario de lo que hubiera imaginado posible.

Al ascender a Learson me coloqué yo en un nivel más alto. Seguía siendo jefe ejecutivo, por supuesto, pero no tenía que intervenir en las operaciones cotidianas del negocio. Todos los demás ejecutivos claves, de línea y de estado mayor por igual, eran subalternos de Vin. No cabía duda de que él merecía el cargo. El equipo que organizó — hombres como Bob Evans, Fred Brooks y Gene Amdahl — constituía quizá la mejor reunión de talento en cuanto a ingeniería administrativa en la historia de la IBM. A pesar de ser un jefe tan exigente, Vin se había ganado su lealtad y su respeto. Los llamaba "los muchachos", y dependiendo tantísimo de los computadores el futuro de la compañía, cumplieron a cabalidad.

Sin embargo, tardé mucho en acostumbrarme a tenerlo como mi segundo y me ofendía la rudeza con que trataba a mi hermano; pero aun en las mejores circunstancias la diferencia de temperamentos habría hecho muy difícil establecer entre Vin y yo una relación de confianza como la que yo tenía con Al Williams, con quien hablábamos de todo, desde estrategia de la corporación hasta crianza de los hijos. Muchas decisiones importantes de la IBM las tomamos en amistosas discusiones con los pies sobre la mesa del café. Vin, por el contrario, trabajaba mejor solo, y a pesar de su gran inteligencia, su decisión y su empuje, no era reflexivo y metódico como Al. Siempre que podía, hurtaba el cuerpo a las reuniones, no confiaba en el trabajo de estado mayor y prefería a ejecutivos como John Opel, que conocía los caminos más cortos a través de las líneas organizacionales. Yo había trabajado con Vin durante quince años, y sabía que él detestaba los procedimientos de oficina, como tuvo ocasión de comprobarlo Al a principios de los años 50, cuando Al era tesorero y Vin gerente general de ventas. En ese tiempo, Vin acostumbraba mandar unos memorandums que Al decía que eran como llovidos porque le caían por lo alto de la puerta sobre el escritorio sin que se diera cuenta siquiera. Enviando estos memorandums Vin podía sostener que ya había informado a Al de lo que iba a hacer, y si Al reclamaba, decía:

— Eso lo sabía usted. Yo mismo le informé en un memorandum el 28 de octubre.

— Pues no lo recibí — decía Al, pero rebuscaba entre el rimero de papeles que tenía en el escritorio, y claro, allí estaba. Desde una vez que mi padre lo responsabilizó de unos gastos de Vin que Al no había aprobado, Al por fin le dijo a Vin que en adelante no reconocería ningún memorandum que él no hubiera leído y firmado con sus iniciales.

Mientras que yo entraba a cada rato a la oficina de Al, y él a la mía, Vin y yo por lo general sólo nos veíamos en las sesiones del Comité de Revisión Administrativa cuatro o cinco veces al mes. Cada sesión era un apretado programa de exposiciones hechas por ejecutivos de línea y expertos de estado mayor que nos presentaban presupuestos, decisiones sobre precios, estrategias de productos y políticas de personal para nuestra revisión. Era un ejemplo clásico del estilo de administración de precisión por la cual era famosa la IBM; y, sin embargo, yo presidía esas reuniones en una forma que habría sorprendido a los profesores de las facultades de administración, porque no era nada científica. Yo me valía del comité para sondear el negocio y mover las cosas, más o menos como mi padre usaba el timbre para llamar a la gente a su oficina y asignarle arbitrariamente tareas. Por ejemplo, si el diario de la mañana daba cuenta de que un físico de los Laboratorios Bell se había ganado el Premio Nobel, yo alteraba el orden del día para que me dijeran por qué ningún científico de la IBM se lo había ganado nunca. Siguiendo el ejemplo de mi padre, trataba constantemente de animar a los ejecutivos a apuntar un poco más alto.

Esta práctica funcionó muy bien mientras Al fue presidente; él actuaba como un controlador ideal de vuelo: Si le parecía que me estaba desviando demasiado, tenía una manera fácil y discreta de volverme al buen camino, pero también sabía seguirme si yo tenía razón. En cambio, con Vin en la presidencia la atmósfera del comité cambió; él era escéptico e impaciente, y menos inclinado a tener una visión amplia de las cosas. Nunca se insubordinó realmente, pero, al parecer, creía que yo lo estaba desautorizando en decisiones que él ya había tomado o estaba perdiendo el tiempo con cuestiones que no tenían nada que ver con la IBM.

Vin, lo mismo que Al, tenía muchísima autodisciplina y buen sentido para entrar en una pugna que no pudiera ganar, así que jamás me desafió directamente en la compañía. En cambio, se me enfrentó en alta mar. Mi pasatiempo favorito eran las regatas marítimas, y, el mismo año que lo hice presidente, Vin participó en la de Newport a las Bermudas, en la cual yo había competido desde hacía años. El no tenía mucha experiencia en alta mar, pero era buen marino, experto en tácticas de botes pequeños. Durante una reunión del Comité de Revisión Administrativa le dije en broma que era mejor que no ganara si quería seguir en la IBM, pero él no disimuló su intención de derrotarme y de derrotar a todo el mundo. Compró un barco llamado Cal 40, de diseño radicalmente nuevo, y contrató al arquitecto naval como miembro de su tripulación. Estudió la historia de la regata y encontró un navegante que había estado tres veces en un yate ganador. Ese año en la carrera de las Bermudas, en junio, mi *Palawan* llegó vigésimo cuarto . . . y su *Thunderbird* llegó primero.

Tal vez eso me picó más de lo que yo creía, porque en la siguiente regata de las Bermudas, dos años después, provoqué sin quererlo una explosión de Vin. Ya para ese tiempo eran comunes los yates como el de él, si bien seguían siendo motivo de controversia. Eran veloces, y sus dueños hallaban maneras de volverlos más veloces cada año, pero había toda una escuela de tradicionalistas como yo, que pensábamos que el nuevo diseño ponía en peligro la resistencia y la seguridad por lograr velocidad. Dos noches antes de la iniciación de la regata estaba yo paseando por los muelles en Newport con Olin Stephens, el decano de los diseñadores americanos de yates, que era también presidente del Comité Internacional del Reglamento de las Regatas. Vimos un yate como el Cal 40 de Vin, y como estaba en seco se veía bien la silueta de la quilla y del timón, nada ortodoxos.

— Ustedes están tolerando que se modifiquen los barcos en una forma demasiado radical — le dije a mi acompañante —. Mire ése: lo han diseñado específicamente para aprovecharse de la letra menuda del reglamento.

Olin, que es un hombre muy tranquilo, me dijo:

— Bueno, sí; es un diseño muy ingenioso. Pero ¿por qué le parece eso objetable?

— Porque si seguimos permitiendo que todos se burlen del reglamento, seguirán evolucionando hasta que lleguen a ser realmente peligrosos, y nos estamos exponiendo a una tragedia.

No me había dado cuenta de que el Cal 40 que estaba criticando era precisamente el de Learson, hasta que oí una voz furiosa que gritó:

— *¿Qué dijo usted?* — y de las sombras que había detrás del casco, salió Vin en persona, grandísimo y con los puños cerrados.

— ¿Que mi barco burla el reglamento? ¿Qué dice usted?

— No, no, Vin — repuse —. Ni siquiera sabía que éste fuera el suyo. Veníamos hablando con Olin sobre la manera como el Comité de él permite que los yates sigan direcciones más extrañas. Yo soy un poco convencional.

— ¡Ah! — replicó —. Usted quiere sacarme ¡y no tiene derecho de hacerlo!

Al día siguiente, en una reunión que hubo antes de la regata, me acerqué a Vin y le dije que él había entendido mal el trozo de conversación que había alcanzado a oír. No me hizo caso, y se retiró. Olin Stephens trató de decirle lo mismo, pero tampoco lo escuchó. El espectáculo de los dos más altos ejecutivos de la IBM peleando por sus veleros debió ser espléndida comidilla para los chismosos. Ojalá que hubiera podido impedirlo, pero ambos teníamos nuestro orgullo y ambos exagerábamos nuestras reacciones. Competimos . . . y el *Thunderbird* volvió a derrotar al *Palawan,* terminando en el decimotercer lugar en la flota; el *Palawan* terminó en el vigésimo. Pero cuando regresamos a la oficina a la siguiente semana, Vin todavía no me dirigía la palabra. No supe nada de él durante varios días; ni siquiera devolvía mis llamadas telefónicas. Tardó como una semana en enfriarse lo suficiente para recordar que dirigíamos un gran negocio y que, de algún modo, el presidente de la junta y el presidente de la compañía tenían que comunicarse. Creo que nunca aceptó mis explicaciones, ni siquiera con la corroboración de Olin, pero al fin aceptó una llamada telefónica mía y convino en que la cuestión terminara.

Si hubiera habido más episodios como éste, Vin y yo tal vez nos habríamos separado del todo. Pero a la IBM le iba fantásticamente bien en ese tiempo, gracias principalmente a su habilidad administrativa y a su éxito con el Sistema/360. Después de la calma chicha de principios de los años 60, la compañía crecía a razón de casi el 30% al año — tasa más bien como para una compañía empresarial principiante, pero absolutamente sin precedentes para una corporación de miles de millones de dólares. En 1965 figurábamos entre las diez compañías industriales más grandes de los Estados Unidos, y dos años después, nuestras acciones valían más en el mercado que las de la General Motors. Yo estaba orgulloso de lo que habíamos logrado, aunque tenía la sensación de que todo lo había visto ya: gran éxito, enorme crecimiento, frecuente reorganización, constante contratación y capacitación en una escala cada vez mayor. La tensión en la cima realmente me desgastaba, y siendo mi vida más frenética que nunca, me era imposible atender al negocio con la absoluta unidad de propósito de la época que siguió a la muerte de mi padre. Tal vez yo fuera indispensable para la IBM, pero el trabajo no me proporcionaba tantas satisfaciones como antes.

Por primera vez sentí que perdía el control de mi vida. Siempre había encontrado la solución acertada para cualquier crisis y me había acostumbrado a pensar que era posible hacer una carrera absolutamente perfecta. Utilizando todos los instrumentos que había a mi disposición — dinero, poder, prestigio — sabía que podía influir en los acontecimientos en mayor grado que la mayoría de las personas, y había llegado a convencerme de que con suficiente esfuerzo podía hacer que todo resultara bien para mí, para mi familia y para la IBM. Las complejidades con que ahora me encontraba me tomaron totalmente por sorpresa; súbitamente nada era sencillo, nada salía completamente bien.

No era yo el único ejecutivo de la IBM que se veía asediado por problemas personales a raíz de la crisis del 360; ya eran corrientes los divorcios, que en la época de mi padre casi ni se conocían entre los altos administradores de la compañía, y muchos tenían dificultades con sus hijos adolescentes, tratando en vano de protegerlos del fermento social de fines de los años 60. Las drogas causaron no pocas tragedias. El hijo de un ejecutivo era un muchacho atribulado que leyó en alguna parte que cierto alucinógeno le permite a uno entenderse a sí mismo. Pensó que si una dosis era buena, dos o tres serían mejores, tomó demasiado y destruyó su cerebro. No hubo nada que pudiera hacer el padre. Fue preciso recluir al joven en un manicomio.

Yo también tuve problemas con mis adolescentes, aun cuando no tan graves. En la primavera de 1966 una de mis hijas declaró que se quería salir de la escuela donde estaba interna. Durante un par de meses pasé un día de cada semana dirigiendo la IBM desde el asiento de atrás de una limosina, viajando a Nueva Inglaterra para tratar de persuadirla de que no fuera a hacer tal cosa. Al fin la convencí; se graduó y pasó a la universidad. Pero mientras presionaba a esta niña, yo entendía la confusión de la nueva generación. A mí mismo, que sentía simpatía por los muchachos que no seguían por los caminos trillados, me había costado mucho trabajo encontrar mi camino, cuando joven, y me parecía que una de las cosas más importantes que podía hacer la universidad era brindarles a tales jóvenes la oportunidad de orientarse. En 1968 obtuve el respaldo de mi hermano y de mis hermanas para fundar un programa de becas bastante singular, que lleva el nombre de mi padre y se financia con fondos de la fortuna que mis padres dejaron. Es, en realidad, un reflejo del chico que fui yo y una expresión de mi gratitud porque mi padre y la administración de Brown no me dieron por perdido. Cada año, el programa escoge a setenta y cinco estudiantes de último año entre todas las facultades de artes liberales del país, pero en lugar de buscar a los que sacan las más altas calificaciones, les pedimos a las universidades que recomienden a jóvenes que por su carácter, intereses y potencial creativo merezcan que nos arriesguemos con ellos. Les pagamos un año de permanencia en el exterior, con muy pocas condiciones, para que lleven a cabo sus propios proyectos, que pueden ser tan ambiciosos como quieran. Ese primer año, por ejemplo, tuvimos un pensionado Watson pintando en París, otro investigando vestigios culturales del sistema jurídico de la antigua Grecia, y otro estudiando el impacto de la ayuda médica norteamericana en los países de Asia y América del Sur. La elección de candidatos indica la extraordinaria penetración e imaginación de Robert Schulze, ex decano de Brown, quien fue el primer director ejecutivo del programa.

Me sentía orgulloso de que hubiéramos hallado una respuesta creativa para el vacío que separa a las generaciones, pero tenía que reconocer que este programa era muy modesto en comparación con la inconformidad de millones de jóvenes en los años 60. Por todas partes se veían síntomas de peligro — en la televisión se veían estudiantes que ocupaban edificios universitarios y clamaban por la revolución. Estas protestas eran muy preocupantes — parecía como si nuestro sistema democrático estuviera a punto de derrumbarse — pero también me hicieron meditar en los males sociales que las causaban. Como liberal demócrata, me sentía obligado a resolver tales problemas, pero no sabía cómo. Buscaba maneras de ejercer influencia en una escala mucho mayor, y durante un tiempo acaricié la idea de lanzarme a la política. Varias veces la familia Kennedy y otros demócratas distinguidos me habían insinuado que debía candidatizarme para un puesto público. Eunice y Sargent Shriver fueron a vernos una vez a Vermont, y Eunice me dijo: "Tom, usted nos conoce a todos, y es un político nato. Yo lo he visto encantar a la gente y tiene una gran fortaleza. ¿Por qué no se lanza?" Bobby, que ya era senador por el Estado de Nueva York, trató de convencerme para que le disputara a Nelson Rockefeller la elección para gobernador en 1966, y al año siguiente Ted Kennedy me presentó ante varios demócratas influyentes de Nueva Inglaterra como un posible candidato a senador. Pero siempre que se presentaban estas oportunidades yo hablaba con Olive y resolvía mantenerme al margen. No me gustaba la idea de separarme de la IBM ni creía poseer el entusiasmo que se necesita para salir a conseguir votos.

Sin embargo, si Bobby Kennedy hubiera llegado a la Casa Blanca, yo habría estado dispuesto a arriesgar mi carrera — ya como candidato a un cargo público durante su mandato o ya como funcionario del gobierno — a fin de contribuir a llevar otra vez el país al buen camino. Le prometí mi apoyo en el verano de 1967, pese a que la posibilidad de que llegara a la presidencia parecía distar aún cinco años, por lo menos. Lyndon Johnson continuaba firme a la cabeza, y nadie esperaba que Bobby se postulara hasta 1972. Yo le dije que no me parecía que el país estuviera progresando como yo quisiera, que él sería el mejor presidente y que yo quería apoyarlo en toda forma posible. Estoy seguro de que las mismas cosas se las decían muchas otras personas. Me contestó sencillamente: "Para mí significa mucho oírle decir eso", y fuera de eso no se comprometió.

A Bobby lo veía yo con mucha frecuencia. El iba a visitarnos en el invierno a Stowe y todos los veranos a North Haven. Yo le prestaba el *Palawan* todos los años durante una semana, y él y sus amigos se quedaban en North Haven una o dos noches antes de hacerse a la vela. Se ocupaban todos los dormitorios de la casa y siempre era un grupo emocionante: individuos como Sander Vanocur, el ejecutivo de televisión; Rowland Evans, el columnista; y John Glenn.

A mi modo de ver, la animosidad de Lyndon Johnson fue lo mejor que le pudo ocurrir a Bobby. Apenas se hizo obvio que Johnson no quería que fuera su compañero de fórmula en 1964, Bobby empezó a madurar con rapidez y durante sus años de senador llegó a ser una fuerza mucho mayor de lo que podría haber sido como vicepresidente. A mí me fascinaba, aun cuando no era siempre fácil llevarse bien con él porque a veces actuaba en una forma terriblemente áspera. Recuerdo una vez que salimos a caminar en nuestra granja de New Haven. Empezó a lloviznar, pero yo no hice caso hasta que me dijo con cierta aspereza:

— ¿A qué hora regresamos a la casa?

— ¿Por qué me lo pregunta?

— Porque está lloviendo.

— Ah, esto no es lluvia...

— Para mí sí es lluvia. Regresemos.

Con Jack Kennedy podía uno sostener una charla de confianza, pero no con Bobby. Este era una maravilla con los niños, pero conversando con adultos siempre se mostraba serio, más consciente que la mayor parte de las personas de su deber para con su patria, y nunca bajaba la guardia. Creo que él tampoco se sentía muy cómodo conmigo. Pero, a poco de haber sido elegido senador, me hizo una recomendación que fue durante largo tiempo muy provechosa para la IBM. Nos encontrábamos en mi casa de esquiar en Stowe, y en un momento tranquilo Bobby me dijo:

— Tom, usted ha hecho mucho por los Kennedys. ¿Hay algo que nosotros podamos hacer por usted?

Yo no había pensado en eso, pero intuitivamente supe lo que debía contestar. El equipo de Bobby en la Secretaría de Justicia llegaba ya al final de sus funciones, y en él había algunos hombres notables. Le dije:

— ¿Me puede recomendar a un abogado que quiera venir a la IBM como nuestro asesor jurídico?

Teniendo en cuenta el tamaño de la IBM y su predominio en el negocio de los computadores, yo estaba seguro de que no dejarían de presentársenos otros problemas con la legislación antimonopolio.

— Sólo hay dos que les podrían servir — me contestó —. Burke Marshall y Nicholas Katzenbach. Cualquiera de los dos sería muy bueno.

Katzenbach había sucedido a Bob como procurador general, y Marshall había sido director de la División de Derechos Civiles de la Secretaría de Justicia y había desempeñado un papel clave en la desegregación de las escuelas del Sur. Fui a Washington, hablé con los dos abogados, y ambos entraron a la IBM; Marshall inmediatamente y Katzenbach al cabo de unos años, después de trabajar para Johnson como procurador general y como subsecretario de Estado.

Como senador representante de Nueva York, Bobby quería cultivar al mundo de los negocios. Esta era una causa perdida pero de todas maneras yo cumplí con mi deber de reunir a cuantos moderados pude hallar y di cenas y almuerzos para él en Nueva York. Estas funciones nunca tenían mucho éxito porque cuando Bob se desempeñaba mejor era cuando sentía simpatía por su auditorio, y tratándose de hombres de negocios, no había mucha simpatía ni de una parte ni de la otra. La única vez que lo vi captar apoyo de los negocios fue en 1966, cuando resolvió meterse en el gueto de Bedford-Stuyvesant en Brooklyn, que era el peor sector de tugurios de Nueva York, más grande y más abandonado que Harlem, y en muchas formas un lugar más rudo y amedrentador. Se habían presentado motines racistas en el sector de Watts, en Los Angeles, el verano anterior, y nadie quería que la violencia se extendiera.

Lo que Bobby pretendía era crear un comité de hombres de negocios, blancos, que trabajaran de común acuerdo con una junta de la comunidad negra, ofreciendo asesoría administrativa y acceso al capital; y cuando Bobby se apasionaba por una idea, la gente lo seguía. Persuadió al alcalde Lindsay y al senador Javits para que ayudaran, y después reclutó a un grupo bipartidista de líderes de los negocios, incluyéndome a mí, a Bill Paley de la CBS, Andrew Heiskell de Time Inc., George Moore, el presidente de la junta directiva del First National City Bank, André Meyer, socio mayoritario de Lazard Frères, Benno Schmidt de la firma J. H. Whitney, de Wall Street, y otros. Bobby venía de Washington a Nueva York en avión para asistir a nuestras reuniones. A diferencia de otros comités de gente distinguida, éste sí funcionó. Los grupos de blancos y negros organizaron una combinación de nuevos empleos, renovación de viviendas y servicios sociales, que le dieron a Bedford-Stuyvesant un poco de vida nueva. Fue un triunfo modesto, pero en vista del fracaso de otros esfuerzos por revivir las comunidades de los guetos, constituyó una realización notable. Durante el "largo y caluroso verano" de 1967, cuando hubo motines racistas en docenas de ciudades, Bedford-Stuyvesant permaneció tranquilo, y eso se debió en parte a Bobby.

La IBM hizo la mayor contribución de todas al esfuerzo en Brooklyn: establecimos allí una planta. En los últimos años 60 se empezaba a hablar de la "responsabilidad social" de las corporaciones — el empleo del poder económico de los grandes negocios para remediar algunos de los males del país — y para mí no había la menor duda de que la IBM debía actuar. Nadie espera mucho en materia de espíritu público de una compañía que apenas gana unos pocos millones al año, pero cuando se ganan centenares de millones no se puede correr el riesgo de desoír la voz de la opinión pública. Yo ya había inscrito a la IBM en la Guerra contra la Pobreza del presidente Johnson un par de años antes. Por medio de una filial fundamos un gran Cuerpo de Empleos en Camp Rodman, una base del ejército abandonada, en New Bedford, Massachusetts. La idea era capacitar a 750 "cesantes absolutos" al año — muchachos negros de los sectores marginados de la ciudad, desertores de la escuela secundaria y que nunca habían trabajado. Trabajamos a Camp Rodman durante varios años, y esa experiencia nos dio mucho en qué pensar, pues encontramos más problemas de los que esperábamos. Grupos de alumnos vagaban por las calles de New Bedford por las noches y armaban peleas con pandillas locales. Los incidentes se fueron agravando hasta que hubo uno en que resultaron heridos seis policías, y entonces el concejo le pidió al presidente Johnson que cerrara el campamento. Cambiamos de directores, y se mejoró la disciplina, pero nunca resolvimos el problema básico: esos muchachos habían pasado tantos años sin trabajar, y en muchos casos bebiendo y consumiendo drogas, que no tenían una verdadera motivación, y, por consiguiente, les era casi imposible aprender. La IBM acabó contratando muy pocos "graduados" de Camp Rodman, y dudo que otras empresas los emplearan. Otros campamentos del Cuerpo de Empleos tuvieron las mismas dificultades, y, por último, el gobierno liquidó todo el proyecto.

Se veía claro que para producir algún efecto en el desempleo sería preciso tomar a los jóvenes antes que llegaran al estado del Cuerpo de Empleos — y eso significaba mejorar los barrios bajos donde crecían. Yo había visitado los barrios marginados como miembro de la comisión de Johnson contra la pobreza y los motines de 1967 no me sorprendieron porque comprendía que la gente quisiera acabar con tales barrios. Muchos de mis colegas de los negocios todavía creían que en los Estados Unidos, si uno trabajaba duro, llegaba a la cima; pero para mí era obvio que en el gueto, por más que uno trabajara, lo más probable era que a la hora de la muerte todavía estaría en el fondo. Era preciso encontrar la manera de restablecer la relación entre el esfuerzo y la integridad personal, por una parte, y recompensa, por otra. Tal fue la filosofía que inspiró la planta de Bedford-Stuyvesant. Hablando con Bobby Kennedy, me convencí de que lo que necesitaban los guetos eran plantas donde la gente pudiera adquirir habilidades, ganar salarios y prestaciones decentes, y desarrollar un sentimiento de orgullo en su propia realización. Si la IBM demostraba que era posible operar una planta así, otras compañías quizá seguirían el ejemplo, y con el tiempo se iría efectuando una transformación del gueto.

Tomamos en arrendamiento el edificio más grande que encontramos, una lóbrega bodega de piedra y ladrillo, de ocho pisos, en Nostrand Avenue, en el propio centro de Bedford-Stuyvesant. El plan era ocupar a unos quinientos trabajadores, no como obreros no calificados sino en empleos de la IBM con buenos jornales, prestaciones, programas de capacitación y la posibilidad de avanzar y hasta de mudarse del gueto por traslado a otras fábricas de la IBM. Quinientos no eran muchos, comparando, digamos, con los tres mil quinientos que trabajaban en nuestra planta de Rochester, Minnesota; pero pisábamos terreno desconocido, y las pocas corporaciones que trataban de operar fábricas en sectores marginados tenían muchos problemas. Por ejemplo, en California Aerojet-General contrató jóvenes no calificados y los puso a hacer tiendas de campaña para la guerra del Vietnam, negocio que la fábrica no conocía en absoluto. Perdió millones de dólares, y, por último, tuvo que despedir gente.

Para reducir el riesgo de análogos percances, nosotros resolvimos limitarnos a producir artículos que sí conocíamos — cables y otras partes para nuestros computadores — y confiábamos en gerentes expertos de la IBM. Para dirigir el proyecto elegí a Ernest Friedli, gerente auxiliar de nuestra gigantesca planta de

Kingston. Era blanco, pero se había criado en una familia de inmigrantes en un rudo sector de Brooklyn, y llamaba a Bedford-Stuyvesant "mi viejo barrio". No tenía pelos en la lengua. Una vez durante el proceso de planificación yo cuestioné la idea de dotar la fábrica de aire acondicionado. Ningún otro negocio en ese sector tenía aire acondicionado, y yo no quería que nos excediéramos. Friedli me contestó inmediatamente: "Póngase en el lugar del obrero de fábrica. Suponga que lo mandan a recibir capacitación a Endicott, y al volver se encuentra en un edificio descuidado y sin aire acondicionado. No le gustaría, ¿verdad?" Tuve que convenir en que de ninguna manera podíamos hacer sentir a nuestros trabajadores como ciudadanos de segunda clase. Friedli era un verdadero líder. Buscó en la compañía un grupo de supervisores, y los reunió, cuatro negros y dos blancos, y les pidió que aceptaran el traslado sin alza inmediata de paga porque era una tarea que requería dedicación. Los seis aceptaron.

La decisión más difícil que tuve que tomar fue decidir si poníamos, o no, el nombre de la IBM en la puerta. Podíamos trabajar con un intermediario — una idea era buscar un empresario negro y ofrecerle financiación y un contrato para que actuara como proveedor nuestro. Los estudios que hicimos indicaban que un intermediario podía empezar a ganar dinero al cabo del primer año, si era frugal, y prescindía de personal extra —, como, por ejemplo, un gerente de relaciones comunales, un psicólogo de planta, un departamento de personal numeroso, quizá hasta una recepcionista en la planta. Vin Learson y otros ejecutivos eran de este parecer, y yo mismo lo acepté al principio porque era mucho más seguro y menos costoso. Pero cambié de opinión porque observé que otras compañías se estaban valiendo de intermediarios para operar en los sectores marginados, y me pareció que esto reforzaba la idea de los residentes de que nadie confiaba en ellos. Creí que lo valeroso era aceptar el riesgo y hacer la planta IBM.

Estudiamos el proyecto en todos sus detalles, y probablemente lo mejor que hicimos fue analizarlo tan a fondo como un plan de negocios. Resolvimos proseguir en Bedford-Stuyvesant sólo después de haber estudiado otros guetos en que podríamos haber entrado, por ejemplo, y mi intervención en la comunidad fue sólo uno de los muchos factores de la decisión final. El propio Kennedy nunca pidió una fábrica, y yo no le informé sobre este plan hasta que resolvimos llevarlo a cabo. También estudiamos si convenía iniciar la planta con cesantes absolutos como los de Camp Rodman — y la respuesta fue que no. Como observó Friedli, la meta principal era fundar una fábrica que funcionara, no asumir tantas cargas sociales que la empresa quebrara. De los primeros doscientos residentes de Bedford-Stuyvesant que contrató, ciento doce eran desocupados y cuarenta tenían antecedentes policiales, pero rechazó a los solicitantes que tenían problemas serios, como alcoholismo y drogas. El criterio de Friedli debió ser muy acertado porque la fábrica funcionó mejor de lo esperado. Pensábamos que casi no iba a dar utilidades y encontramos que podíamos hacer allí cables y otros componentes a un costo ligeramente inferior al de nuestras otras plantas, y Bedford-Stuyvesant se convirtió en una parte permanente del sistema IBM.

Bobby Kennedy se habría sentido orgulloso del éxito de este proyecto, pero incluso antes de anunciarlo al público, en abril de 1968, él había dejado de interesarse en la política neoyorquina para participar en la campaña presidencial. Sobre ésta versaron las últimas conversaciones que tuve con él. Recuerdo muy claramente un día de fines de febrero que fue a verme a mi oficina para sondearme sobre cuestiones de interés nacional. Hablamos toda una hora, principalmente sobre el Vietnam. Fue a raíz de la ofensiva Tet que hizo voltear la opinión pública en contra de la guerra. Le pregunté qué pensaba que debían hacer los Estados Unidos.

— Tom — me dijo —, no hay ninguna solución sensata, fácil. Ninguna. Lo único que podemos hacer es sacar de ahí a los nuestros.

— Pero ¿cómo?

— Como sea. Me parece que es un desastre total. Permanecer allí es mucho peor que la vergüenza o la dificultad internacional que produjera nuestra salida. Así que, con las disculpas posibles o con la dignidad que fuera posible preservar, yo me saldría en seis meses, con todas las fuerzas que tienen allí los Estados Unidos.

Me conmocionó. Su modo de pensar era mucho más radical

que el mío. Yo seguía desconcertado con la cuestión de cómo tratar con nuestros aliados del Vietnam del Sur y todas las promesas que les habíamos hecho, pero a Bobby no le interesaba realmente discutir los detalles de la retirada; afirmó que como quiera que la hiciéramos, siempre sería caótica. Para él todo eso sólo era de importancia secundaria, porque tenía la visión de las consecuencias de aquello para nuestro país, a la larga.

Tres meses después de haber lanzado su candidatura, una mañana temprano, después de la elección primaria de California, me llamó un ejecutivo de la IBM para decirme que Bobby había sido herido a bala en un atentado. Yo no podía creer que dos hermanos murieran en la misma forma, así que supuse que sólo estaría herido levemente. Ese día yo tenía programado un viaje de negocios a la Costa del Pacífico con Burke Marshall, y Burke, que era íntimo de Bobby, estaba consternado. Me dijo: "¿Llamo a la familia a ver si alguien quiere que lo llevemos en nuestro avión?" Le dije que sí, y encontró que Jackie y su cuñado Stas Radziwill querían viajar. Dispuse que fuera un automóvil a llevar a Jackie al aeropuerto Kennedy, al cual debía llegar Stas de Londres. El subgerente del aeropuerto era un viejo amigo mío que había volado conmigo durante la guerra. Lo llamé y le dije: "Ocurrió una tragedia. Tengo que llevar a Jackie a California. Yo la recojo, y luego carreteamos hasta que lleguemos directamente bajo las alas del avión de Stas para recogerlo a él".

Así lo hicimos. Durante el vuelo, como yo iba piloteando, casi no hablamos. Hicimos una parada de descanso en Grand Island, Nebraska, que es exactamente el centro del país, y nos encontramos con Tom McCabe de Scott Paper y un grupo de republicanos que venían de ayudar a Nelson Rockefeller a hacer campaña en Oregon. Todavía no sabíamos claramente que el estado de Bobby era grave; pero cuando aterrizamos en Los Angeles Chuck Spalding, íntimo amigo de la familia Kennedy, salió a encontrarnos y nos acompañó a la ciudad. Jackie le dijo:

— Chuck, ¿qué pasa? Quiero saber la verdad.

— Bueno, Jackie, se está muriendo.

Entonces comprendimos que todo había terminado.

Ese fue el fin de la era Kennedy, a pesar de que la familia posee una capacidad fantástica para levantarse por encima de la tragedia y seguir adelante. Hasta pensaron en determinado momento que yo reemplazara a Bobby como candidato demócrata. Poco después del asesinato, fui de visita a Hyannis, y, cuando salí del avión, un grupo de pequeños Kennedys llegaron corriendo por la plataforma luciendo camisetas con un letrero que decía: 'Tom Watson para presidente''. Jackie las había mandado a hacer para los niños. Subí a un auto con ella y con Ethel y les dije:

— Pero ¿esto es en serio?

— ¿Y por qué no? — me contestaron. Pero todos sabíamos que yo no tenía ninguna probabilidad, y pocos días después, cuando me llamó un periodista amigo de la familia para preguntarme si de veras iba a ser candidato en reemplazo de Bobby, le contesté que ya me habían pasado mis vagas aspiraciones en materia electoral.

Se necesitaron otros dos años de agitación estudiantil para que yo llegara a adoptar la posición de Bobby sobre el Vietnam. En junio de 1970 fui citado a rendir testimonio ante la Comisión de Relaciones Exteriores del Senado, que quería investigar los efectos de la guerra en la economía de los Estados Unidos, y resolví aprovechar ese foro para hacer el alegato más vigoroso posible en favor de una retirada inmediata del Vietnam. Les dije que mientras se permitiera la continuación de la guerra, ésta desmoralizaba a la juventud, erosionaba nuestro prestigio en el exterior y debilitaba la economía nacional, y que, finalmente, le causaría a nuestra sociedad daños irreparables. ''No es posible idear una manera eficiente, ordenada y digna de retirarnos'', dije. ''Tenemos que acabar esta tragedia antes que ella acabe con nosotros''. Unicamente me limité a hacer eco a lo que me había dicho Bobby hacía tiempo; pero todavía era tan extraño que una persona distinguida hablara francamente de retirada, que el *New York Times* me citó en la primera página. Eso demuestra cuánto se nos había adelantado Bobby Kennedy a todos los demás.

# CAPITULO 29

El último día de trabajo de la administración Johnson, el 17 de enero de 1969, fue un viernes negro para la IBM: la Secretaría de Justicia entabló un enorme juicio contra nosotros, acusándonos de monopolizar la industria de computadores y pidiéndoles a los tribunales que desbarataran la IBM. Fue uno de los casos antimonopolio más grandes que se hayan ventilado jamás, comparable al de 1911 en que el Estado acabó con el trust Standard Oil de Rockefeller. El Estado objetaba prácticamente todo nuestro sistema de hacer negocios, desde la venta de sistemas totales — el suministro al cliente de toda una instalación incluyendo máquinas, software, ayuda de ingeniería, capacitación y mantenimiento — hasta los grandes descuentos que les concedíamos a las universidades.

Lo curioso es que ninguna de estas prácticas era ilegal en sí misma, nos habían servido para crear una industria fantástica, y todos nuestros competidores hacían negocios en la misma forma. Pero para el gobierno eso no tenía nada que ver; el punto era que en manos de una compañía de nuestro tamaño y con fuerza, esas herramientas de marketing se convertían en armas que aplastaban a la competencia. La Secretaría de Justicia le pidió al tribunal que nos obligara a modificar tales prácticas y agregó una fatídica solicitud de ''alivio por medio de separación, desposeimiento y reorganización . . . para disipar los efectos de las actividades ilegales de la demandada''.

Habíamos visto venir este juicio porque la Secretaría de Justicia nos había investigado durante dos años, pero lo que me alarmó a mí fue la manera intempestiva como se presentó la demanda. Como la administración Johnson estaba para terminar, yo pensé que dejaría la cosa quieta para que el gobierno de Nixon resolviera cómo manejar el caso. Eso habría sido lo razonable, y no había razón para esperar que el gobierno actuara en otra forma. La División Antimonopolio había llamado a cuentas a la IBM en dos ocasiones anteriores, en 1935 y 1952, y siempre había sido equitativa. Ambas veces habíamos evitado una confrontación definitiva en los tribunales y habíamos podido transigir en el pleito mediante decretos de consentimiento que le daban a la IBM espacio suficiente para crecer. A mí me parecía lo más natural que la Secretaría de Justicia nos vigilara porque nosotros dominábamos una industria importante, y en los primeros años 60 hasta pronuncié discursos en que reconocí la necesidad de las leyes antimonopolio Sherman y Clayton. Veía nuestras relaciones con la División Antimonopolio como un sano proceso de reglamentación para proteger el bien público. Nada en mi experiencia me había preparado para lo traicionero que puede ser un proceso judicial mal llevado.

Tratamos de detenerlo en toda forma posible. Burke Marshall y yo hasta fuimos a Washington a última hora a hablar personalmente con el procurador general Ramsey Clark. Esa reunión fue una de las experiencias más extrañas de mi vida, pues yo había sido testigo de una escena casi idéntica diecisiete años antes, siendo un joven ejecutivo. Eso fue en 1951, cuando la Secretaría de Justicia nos iba a demandar por monopolizar la industria de tarjetas perforadas, y mi padre y yo fuimos a Washington a hablar con el procurador general de entonces, Tom Clark — el padre de Ramsey. El argumento que usó mi padre con Tom Clark no era muy distinto del que yo usé con Ramsey. Le hice notar que el campo de procesamiento de información era muy vasto, y que la rivalidad que la IBM enfrentaba era fuerte e iba en aumento gracias a la evolución constante de la tecnología, que no era monopolio de nadie.

Lo mismo que su padre en la ocasión anterior, Ramsey Clark se mostró impermeable a tales argumentos e inconmovible incluso cuando apelé a él como copartidario demócrata:

— Yo he sido leal al Partido toda mi vida — le dije —; mi padre fue también un demócrata leal antes que yo, y es una vergüenza que el gobierno se maneje como se están manejando ustedes. Les queda menos de una semana de mando. Si en realidad hubieran querido ir al fondo del asunto, podrían haber iniciado el juicio hace un año. La única razón que tienen para proceder así es que los republicanos ganaron y ustedes les quieren crear un problema.

— Los hechos son los hechos — repuso Ramsey —. Pensamos que ustedes son culpables, y mi deber como procurador general es demandarlos.

Eso me pareció pomposo y empecé a perder la calma, por lo cual resolví retirarme. Siempre me había parecido que mi padre era irrazonable al negarse a reconocer la realidad de la ley antimonopolio. Pero ahora que yo me veía ante una acusación análoga veinte años después, mi reacción fue exactamente la misma. Mi primera reacción pública fue un eco de lo que él había hecho: declaré nuestra inocencia por la prensa. Esto se hizo en la forma dramática que era típica de la IBM, publicando anuncios de doble página en ochenta diarios de todo el país. "¿Les ha dañado la IBM el negocio de computadores a los demás? Veamos los hechos", era la forma en que empezaban estos anuncios, y para mostrar cómo la compañía permanecía unida y actuaba en equipo, hicimos que en cada ciudad el gerente de la respectiva sucursal le entregara personalmente el texto al diario local. Los anuncios nos costaron 750 000 dólares — casi tanto como el presupuesto anual total de anuncios de la corporación — pero a mí me parecía que valían la pena porque quería asegurarles a los clientes, a los accionistas y a los empleados que el caso de la IBM era sólido.

Mi impulso personal, después de haber sido desdeñado por Ramsey Clark, fue dejarme de delicadezas y pelear con uñas y dientes en defensa de la IBM. Era como un instinto primitivo, como si Ramsey Clark amenazara a un hijo mío. Este poderoso sentimiento me embargó una y otra vez a lo largo de los años a medida que se desenvolvían nuestros problemas con las leyes antimonopolio. Cuando me sentaba a hablar con los abogados tenía clara consciencia de la diferencia que hay entre rectitud y codicia un minuto, y al minuto siguiente estaba tramando una estrategia defensiva con una mentalidad libre de todo freno o traba legal. Sólo después de haber resuelto qué táctica decidía emplear, volvía atrás para pensar en su legalidad. Este modo de pensar no era correcto; tal vez es la mejor explicación de por qué se necesita una ley antimonopolio. Hoy comprendo cómo debía sentirse mi padre durante todos esos años cuando yo lo instaba para que cediera y transigiera.

Me esforcé por poner el caso del gobierno en su debida perspectiva. Es notable que a pesar de los cambios radicales y las penas fuertes que pedía el gobierno, la reacción en Wall Street fue moderada. Nuestras acciones, que antes de la demanda se vendían a unos 300 dólares cada una, bajaron apenas unos ocho puntos, y parecía que el criterio de los inversionistas era que no había que preocuparse porque el juicio tardaría años en resolverse. Estas eran noticias tranquilizadoras y confirmaban mi opinión de que la demanda no debía haberse iniciado. Yo me esforzaba desde hacía años por impedir que los empleados de la IBM se aprovecharan indebidamente de nuestra posición en la industria. Más o menos un 70% de todos los computadores que se vendían eran máquinas IBM, y uno de los problemas que se les presentaban a los altos administradores era no exagerar las amenazas de los competidores ni reaccionar en forma excesiva, especialmente en los años 60, cuando empezamos a enfrentarnos con compañías más pequeñas. Desde 1961 hice circular unas normas de ética que señalaban lo que nuestros empleados podían hacer y lo que no podían hacer. Contenían reglas contra prácticas agresivas de ventas, como desacreditar los productos de otras compañías y revelar información relativa a máquinas que todavía no habíamos anunciado, para impedir que un competidor hiciera una venta. Tal vez más importante aún fue que les dije a los vendedores que al luchar por conseguir pedidos tenían que mostrar sentido de equidad:

> Vuelva la situación al revés. Suponga que usted es el competidor — pequeño, financiado precariamente, sin el apoyo de una gran organización, y sin mucha reputación en el terreno — pero con un buen producto. ¿Cómo se sentiría si la gran Compañía IBM hace lo que usted pensaba hacer? ¿Pensaría que la IBM se estaba aprovechando injustamente de usted? ¿Consideraría que la Compañía IBM se estaba valiendo de una táctica de ventas que sólo poseía debido a su tamaño y su reputación y que, por tanto, no estaba al alcance de usted?... No podemos sencillamente pasar por encima de los demás ni dar la impresión de que eso es lo que hacemos.

Cada año le exigíamos a todo vendedor que firmara una declaración de que entendía las reglas. Yo quería conservar la historia limpia porque el negocio era muy grande. No teníamos ninguna razón para monopolizar ni para comportarnos como animales de presa. Eso habría sido una estupidez.

A pesar de nuestros esfuerzos, a veces nos costaba trabajo actuar con moderación, sobre todo contra compañías que se metían en el negocio para ir a remolque de nuestro éxito. A fines de los años 60, hubo una verdadera explosión de negocios especializados en grabadoras de disco de muy bajo precio, terminales y otros periféricos diseñados para usar con equipo del Sistema/360. Estos fabricantes de los llamados compatibles de enchufar, o PCM, les quitaban negocio a algunos de los segmentos más rentables de nuestra línea de productos y eran un fastidio constante. Siendo parásitos, eran sumamente vulnerables a cualquier medida que nosotros tomáramos, y nos veíamos ante serios problemas legales y de relaciones con la clientela en cuanto se trataba de modernizar un diseño o de rebajar precios. Digamos, por ejemplo, que los ingenieros de la IBM ideaban un material blando mejorado; ¿podíamos lanzarlo al mercado si, como efecto colateral, hacía que nuestros computadores rechazaran información contenida en discos Marca X? ¿Lo podíamos lanzar aunque esto, a su vez, obligara a la Compañía de la Marca X a abandonar el negocio? Era un área gris de la ley. Continuamente interrogábamos a nuestros abogados, y ellos nos daban respuestas misteriosas, como por ejemplo: "Si sacan el producto en esa forma, hay un 40% de probabilidades de que se vean en problemas". Esto hacía que fuera muy difícil administrar el negocio, y además de la acción de la Secretaría de Justicia fuimos objeto de más de media docena de demandas adicionales entabladas por fabricantes de compatibles de enchufar, firmas arrendadoras de computadores y otras compañías, todas las cuales se decían lesionadas por nosotros. El más importante de estos juicios fue el que entabló Control Data, de Minneapolis, fabricante de computadores, cuyos abogados trabajaban en estrecha cooperación con la Secretaría de Justicia.

Los republicanos no se han distinguido como enemigos de los trusts, y no era seguro que la administración Nixon fuera a adoptar una línea dura, si bien el nuevo director de la oficina antimonopolios les dijo a los periodistas que proseguiría con el caso enérgicamente. Tratamos de aplacarlos haciendo nosotros mismos la limpieza en casa, voluntariamente. Seis meses después de haberse entablado la demanda, tomamos la medida radical de abandonar una antiquísima práctica comercial denominada el paquete, elemento clave de nuestro enfoque total de ventas. Siempre había sido nuestra costumbre al arrendar o vender una máquina, reunir todo bajo un solo precio global — hardware, software, ayuda de ingeniería, mantenimiento, y hasta sesiones de capacitación para el personal del cliente. Esta práctica venía desde los días de Herman Hollerith, el inventor de la máquina de perforar tarjetas, y había sido un método poderoso para hacer que los clientes se sintieran bastante seguros para resolverse a ensayar computadores cuando esta tecnología era aún nueva y difícil de entender; pero Burke Marshall se escandalizó al encontrar que la IBM hacía negocios en esta forma. Veía el paquete como una abierta violación de las leyes antimonopolio, conocida como una "venta atada", por ejemplo cuando una empresa local de energía eléctrica pretende imponerle al consumidor el aparato electrodoméstico que debe comprar. Al obligar a los clientes, mediante el paquete, a comprar nuestros productos, hacíamos que fuera casi imposible para las compañías independientes especializadas, digamos en programación, entrar en el negocio. Al principio no fue fácil en la IBM entender esto. Nadie veía qué era lo que objetaba Marshall, pues para nosotros el paquete era como el Credo de los Apóstoles, y como a nuestro modo de ver lo que vendíamos era un servicio, nos parecía perfectamente natural ofrecerlo por un precio global.

Burke Marshall es un hombre suave pero, como lo descubrieron los empleados públicos de Mississippi y Alabama cuando trabajó en la División de Derechos Civiles, tiene una mente precisa y una voluntad inflexible. En 1968, en una conferencia ejecutiva, nos dijo que las cosas tenían que cambiar; que íbamos a tener que acabar con el paquete y poner precio a cada uno de nuestros bienes y servicios por separado.

— ¿Pero por qué? — insistían en preguntarle —: ¿Por qué cambiar?

Repitió sus explicaciones una y otra vez, hasta que al fin perdió la paciencia.

— Porque eso es una venta atada, ¡maldita sea! ¡Es una venta atada, y es ilegal! Si tratan de defenderla en los tribunales, ¡pierden el pleito!

Esto lo dijo a voz en cuello, con una intensidad de una octava por encima de lo normal. Regresé a mi oficina con Learson y otros. "Parece que el tipo habla de veras en serio", comentó alguno, y yo resolví seguir el consejo de Burke y no correr el riesgo de perder un juicio. En junio de 1969, después de meses de activa preparación bajo el apropiado nombre en clave de "Nuevo Mundo", anunciamos precios a la carta para nuestros servicios de ingeniería de sistemas, capacitación de clientes, y algunos programas. A algunos ejecutivos les parecía que estábamos cediendo nuestros derechos de primogenitura, que abandonar el paquete equivalía a darle el golpe de gracia a una técnica de venta de sistemas sobre la cual mi padre edificó la IBM. Pero para mí el paquete era apenas otra tradición que teníamos que echar por la borda, de la misma manera que en 1956 habíamos aceptado vender nuestras máquinas, y no sólo arrendarlas, y otorgarles concesiones sobre nuestras patentes a otras compañías. También hubo profetas de desastres con ocasión de aquellas medidas, pero la IBM siguió prosperando, circunstancia que me facilitó más aceptar las leyes antimonopolio.

Queríamos llegar rápidamente a un arreglo con el gobierno, y lo habríamos logrado si no hubiera sido porque la Secretaría de Justicia encontró la aliada perfecta para litigar contra la IBM: la empresa Control Data, que en 1968 entabló una demanda masiva contra nosotros, análoga a la del Tío Sam. De todos los competidores de la IBM en todos mis años de administración, Control Data fue la espina más dura para mí. A ésta la fundó en 1957 un grupo de ingenieros electrónicos que habían trabajado juntos desde la guerra, inclusive varios años con la Remington Rand. Su líder era un empresario llamado William Norris, y su máximo cerebro en el ramo de computadores era Seymour Cray, un tipo flaco y retraído que pronto llegó a ser el mago de la industria. La habilidad de Norris como hombre de negocios y el genio de Cray le dieron a Control Data triunfos sin igual en la industria y le permitieron crecer en seis años de la nada a más de 60 millones de dólares de ventas anuales. Su especialidad era construir grandes máquinas ultrarrápidas para el mercado científico — lo que hoy la gente llama supercomputadores. Estos productos son los que necesitan los mismos clientes que le dieron a la industria de computadores su ímpetu inicial — laboratorios de armamentos, fabricantes de aviones y cohetes, las universidades más famosas —, clientes que estaban dispuestos a gastar millones de dólares en los procesadores más veloces y avanzados.

Antes que apareciera Control Data, la IBM iba a la cabeza en el campo de supercomputadores. Nuestro proyecto bandera en los últimos años 50 era una máquina llamada STRETCH que tuvo su origen en un contrato con un laboratorio de armamentos de Los Alamos. Fue la creación genial de un ingeniero que se llamaba Stephen Dunwell y debía ser la obra maestra de la IBM: un diseño atrevido, con toda clase de extrañas innovaciones. Les prometimos a los clientes que trabajaría cien veces más rápido que nuestro procesador comercial más grande. El STRETCH fue un proyecto tan ambicioso que hoy me asombra que pudiéramos siquiera construirlo; pero cuando salió, en 1961, con retraso, respecto de la fecha programada y con sólo el 60% de la potencia proyectada, quedé desilusionado y furioso. Pensé que a los ingenieros había que enseñarles que a los clientes no hay que defraudarlos, y con ese fin anuncié en rueda de prensa, en una convención de la industria, que el nuevo computador no satisfacía las especificaciones y que, por tanto, su precio se rebajaba de 13.5 millones de dólares a 8.5 millones, para que guardara proporción con su desempeño. Con este precio no ganábamos dinero, y pronto el proyecto se archivó.

Hacer del STRETCH un ejemplo sacudió, ciertamente, a los ingenieros, pero resultó un grave error. Los ingenieros entendieron que yo no quería más máquinas grandes en la IBM, y es cierto que en ese momento no habría escuchado al que viniera a hablarme de semejante cosa, de manera que durante dos años la IBM no hizo casi nada en el campo de supercomputadores, y les dejó dicho campo libre a Norris y los suyos.

Su bomba estalló en agosto de 1963: una máquina llamada la 6600 que todo el mundo reconoció como un triunfo de la ingeniería. Por 7 millones de dólares rendía el triple de la potencia del STRETCH. Esta noticia me puso furioso porque a mí me parecía que la distinción de fabricar el computador más veloz del mundo le correspondía a la IBM. En ese momento, el Sistema/360 era el diseño más avanzado que teníamos, y en todo el plan de ese producto no había nada ni remotamente comparable con la 6600. Con fecha 28 de agosto de 1963, les envié a los altos ejecutivos de la compañía un memorándum:

> La semana pasada Control Data anunció oficialmente en una rueda de prensa su sistema 6600. Entiendo que en el laboratorio donde se perfeccionó este sistema sólo hay 34 personas, incluyendo al portero. De éstas, 14 son ingenieros, 4 son programadores y sólo un individuo tiene un doctorado, un programador relativamente joven.
>
> Comparando este modesto esfuerzo con nuestras propias y vastas actividades de desarrollo, no puedo entender por qué hemos perdido nuestra posición de liderazgo en la industria dejando que otros ofrezcan el computador más poderoso del mundo.

Esta nota, que habría de presentarse más tarde como prueba en el juicio antimonopolio, se hizo famosa como el "memorándum del portero". No era ilegal, pero fue el comienzo de nuestras dificultades porque las medidas que tomó la IBM como consecuencia de mi cólera llegaron demasiado cerca del límite permitido por la ley. Pese a que nuestro cuerpo de ingenieros tenía ya una carga excesiva de trabajo, tratamos de nivelarnos con Control Data, y, al presentar el Sistema/360 en abril siguiente, dijimos que nos proponíamos sacar un supercomputador a la cabeza de la línea que dejaría atrás la máquina de Control Data. Esa empresa todavía no había entregado su primera 6600, y el efecto de este anuncio fue enfriarle el mercado: de pronto sus vendedores encontraron que les costaba mucho trabajo cerrar negocios. Aunque nuestro supercomputador todavía no existía, muchos clientes resolvieron esperar hasta verlo. En esos días casi todas las compañías de computadores usaban esa táctica de anunciar "máquinas de papel" para impedir que los competidores se les adelantaran demasiado, pero de eso era precisamente de lo que yo les había advertido a los vendedores que se cuidaran, a causa del gran tamaño de la IBM. El impacto de nuestro anuncio en Control Data fue tan grande que Norris, lleno de pánico, rebajó fuertemente sus precios y la compañía quedó insolvente.

Como se vio después, la IBM nunca pudo superar el diseño de Cray. A los dos años, Control Data se había recuperado otra vez; veintenas de 6600 se hallaban instaladas y los vendedores daban a entender que en el laboratorio de Seymour Cray se estaban construyendo máquinas más veloces aún. Mientras tanto, nosotros habíamos pasado por la vergüenza de anunciar cuatro versiones distintas de nuestro supercomputador y no habíamos sido capaces de producir todavía el primero. Al fin mi sentido mercantil se sobrepuso a mi orgullo, y un poco tarde comprendí que no podíamos competir con Control Data por la misma razón que General Motors no puede competir con Ferrari para producir automóviles de carreras que desarrollen 320 kilómetros por hora. Los supercomputadores se habían vuelto tan altamente especializados que aunque sacáramos un diseño igual al de ellos, nunca haría juego con el resto de nuestra línea de productos, con nuestro estilo de vender, con el volumen y con las metas de utilidades, etc. Temí que distorsionáramos la estructura de la compañía por tratar de capturar lo que en realidad era un segmento pequeño del mercado, y al fin cancelamos nuestro programa de supercomputadores después de entregar sólo un número limitado de aparatos.

El comportamiento errático de la IBM en el mercado de supercomputadores fue en parte consecuencia de mi mal genio, razón por la cual me sentía personalmente responsable de la demanda de Control Data. Norris quería compensación por las dificultades que le habíamos causado a su compañía. Sus vendedores habían llevado un registro detallado de las tácticas empleadas por la IBM en la emulación por conseguir pedidos, y en el juicio se enumeraban no menos de treinta y siete formas distintas en que nosotros, según decían, habíamos abusado de nuestro poder en el mercado. En efecto, la acusación era tan detallada y específica que los chistosos la apodaron el "Manual de Ventas de la IBM". La más famosa de tales acusaciones, que procedía directamente de la pugna por los supercomputadores, fue que la IBM había ofrecido a la venta "máquinas de papel y computadores fantasmas" con objeto de impedirle a Control Data obtener pedidos. Yo no conocí personalmente a Norris, pero era un adversario formidable por su conocimiento de la industria... y por la profundidad de su animadversión hacia la IBM. Todo lo que sabía lo compartió con los investigadores federales, y su caso y el de la nación se enlazaron íntimamente.

Las ruedas de la justicia empezaron a rodar lentamente. Primero vino el proceso de descubrimiento, en que cada parte le exige a la contraparte la entrega de documentos y declaraciones de testigos. Control Data pidió registros de sesenta departamentos de la IBM y los memorandums y archivos de más de cien ejecutivos. Teníamos toda una bodega cerca de Nyack, Nueva York, donde centenares de oficinistas y pasantes no hacían otra cosa que preparar papeles. El primer lote de materiales que reunieron constaba de 17 millones de documentos — lo suficiente para llenar una gaveta de archivo de tres kilómetros de longitud. Los abogados de Control Data revisaron 40 millones de memorandums y documentos de la IBM, y decidieron que un millón de ellos eran aplicables al caso, y los hicieron microfilmar. Luego escarmenaron esa colección para reducirla a 80 000 documentos claves, y sirviéndose de un computador compilaron un sofisticado índice electrónico. El propósito de éste era probar la acusación de que la IBM era un monopolio. Con sólo oprimir un botón se podía exhibir, por ejemplo, todo un grupo de casos en que nosotros, según se afirmaba, habíamos concedido descuentos preferenciales para conservar la lealtad de los clientes. El índice de Control Data marcó la primera vez que la potencia del computador se aplicó en escala masiva en un pleito judicial, y Norris puso el sistema a la disposición de la Secretaría de Justicia y de las otras compañías que nos habían entablado una demanda.

Uno de los periodistas que informaban sobre estas cuestiones anotó que sin la ayuda de Control Data, la nación no habría "descubierto" gran cosa acerca de la IBM o la industria de computadores. La Secretaría de Justicia no podía destinar sino veinticinco funcionarios a este caso, de modo que tenía que dejar que Norris y los suyos hicieran la mayor parte del trabajo. Así el pleito tardó como tres años, yendo y viniendo papeles de unas manos a otras, aunque sin visible progreso hacia un arreglo o un juicio definitivo. Por fin en 1972, David Edelstein, el juez que había firmado nuestro decreto de consentimiento en 1956 y que era ahora el principal magistrado del Distrito Sur de Nueva York, avocó el conocimiento del caso. Quería llevarlo rápidamente a juicio, y parecía resuelto a aprovecharlo para sentar jurisprudencia en la materia. A los periodistas, hablándoles del caso les dijo: "Por su universalidad, su complejidad y hasta por el volumen mismo de la documentación, sobrepasa lo imaginable... No es simplemente que 'A' demanda a 'B'. Este es un caso que afecta a la totalidad del público".

Nuestro renglón de expensas judiciales subió a decenas de millones de dólares. Teníamos a nuestro servicio a los mejores abogados — dentro de la IBM tanto a Marshall como a Nick Katzenbach, quien llegó justamente a raíz de haberse iniciado la demanda; y por fuera, al bufete de Cravath Swaine & Moore, encabezado por Bruce Bromley, juez retirado, de setenta y nueve años de edad, que nos había guiado para llegar al acuerdo de 1956. Quizá debí haber sido más optimista, pero me deprimía ver otra vez a la IBM en manos de los abogados. El pleito antimonopolio empezó a darle color a todo lo que hacíamos. Durante varios años, toda decisión ejecutiva, aun las que eran cuestiones de rutina, tenía que tomarse pensando cómo afectaría al pleito. Para mantener las pruebas incriminatorias al más bajo nivel, los abogados llegaron incluso a disponer lo que podíamos o no podíamos decir en las juntas. Se inventaron toda clase de palabras cifradas y extraños usos del lenguaje: por ejemplo, a los ejecutivos de nuestra división de computadores se les dijo que evitaran las metáforas militares al hablar de derrotar a la competencia, y si la IBM tenía más del 50% de un mercado, debían usar la expresión "liderazgo de mercado" y no "participación de mercado". Estos eufemismos estaban totalmente reñidos con mi modo de ser. Yo quería que la IBM fuera la mejor en todo y que la reconocieran como tal, lo cual significaba que no teníamos por qué dar excusas por tener más participación en el mercado que cualquier otra empresa. Lo que ocurría era que nos estábamos enredando cada vez más. En 1969 y 1970, por el doble lastre de las demandas judiciales y por una recesión, la tasa de crecimiento anual de la IBM cayó a menos de 5%... habiendo sido casi el 30% en cada uno de los dos años anteriores.

Toda mi vida mi respuesta a circunstancias complicadas ha sido tomar una medida espectacular y decisiva, pero esta vez no había nada que hacer. Pasé muchos días de angustia pensando cómo arreglar con la Secretaría de Justicia y evitar ir a juicio. El decreto de consentimiento de 1956 que puso fin a la disputa anterior fue razonable, y yo me inclinaba a llegar a otro avenimiento; pero esta vez todo lo que nos ofrecía la Secretaría de Justicia era la pena de muerte: quería desmantelar la compañía para que en lugar de una compañía de 7 000 millones de dólares anuales, la IBM se convirtiera en siete compañías de 1 000 millones. Esa era una cosa que yo no podía aceptar. Al principio estuve dispuesto a dividirla en dos, una dedicada a hacer computadores grandes y otra a hacer pequeños; en esa forma podríamos haber operado, aunque la partición habría sido traumática. Pero a la Secretaría de Justicia esto no le interesó, y durante el curso del juicio el aumento de la competencia japonesa hizo desaconsejable todo proyecto de desposeimiento porque necesitábamos toda nuestra magnitud y nuestro poder para luchar con competidores como Fujitsu y NEC. No nos quedaba más remedio que dar largas al pleito.

Cuatro años después, se me presentó al fin la oportunidad de dar un paso decisivo. En las postrimerías de 1972 llegaban ya a su fin las maniobras previas al juicio en el pleito de Control Data, y los abogados de Cravath nos indicaron que lo prudente sería que llegáramos a un acuerdo extrajudicial. Vin Learson negoció dicho acuerdo, que le costó a la IBM una fortuna. Convinimos, entre otras cosas, en venderle a Norris nuestra filial Service Bureau Corporation por una fracción de su valor real. Este era un negocio de 63 millones de dólares al año que les prestaba servicios de procesamiento de datos a clientes cuyos computadores estaban sobrecargados o que no tenían sus propios computadores. Control Data ya operaba por su cuenta una oficina bastante grande de servicios de este tipo, y con la adición de la nuestra pasó a ser la proveedora de servicios de computador más grande del mundo. También le dimos a Norris un paquete de dinero efectivo y contratos por valor de 101 millones de dólares, incluyendo 15 millones para pagar honorarios legales.

A pesar del costo, este arreglo fue un brillante golpe táctico de Cravath. Por todo el trabajo que había realizado Control Data analizando y catalogando nuestros documentos, su índice electrónico era el vínculo maestro en todas las demás demandas antimonopolio contra la IBM; y ese índice pasaba ahora a ser propiedad de la IBM porque cuando se llega a un acuerdo extrajudicial, la costumbre es que las dos partes intercambien la documentación de sus abogados en señal de paz y amistad. Nosotros recibimos, pues, el llamado "producto de trabajo" de los abogados de ellos y les dimos el nuestro en cambio, y esa noche Bruce Bromley vino a mi oficina, y me dijo:

— Tiene que destruir ese índice inmediatamente.

— ¡Santo cielo! ¿Eso no sería ilegal?

— Es perfectamente legal. Hemos gastado millones de dólares para conseguir que desistan del juicio y recibimos el producto de trabajo como parte del acuerdo. Ahora nos pertenece a nosotros.

— Yo entiendo que el producto de trabajo nos pertenezca; pero no me puedo convencer de que no esté mal destruir material de pruebas. ¿No prohíbe esto la ley?

— Sí, pero esto no es una prueba ni lo ha sido nunca. Técnicamente, no es otra cosa que una serie de archivos que pertenecían a los abogados de la contraparte y que ahora le pertenecen a usted. Usted puede hacer con ellos lo que quiera.

Ambos sabíamos muy bien que el índice podía usarse eventualmente para allegar pruebas en los juicios que estaban aún pendientes. El sentido mercantil dictó mi respuesta. Si no aceptaba el consejo de los abogados, dejaba a la IBM en situación de peligro. No tenía alternativa. "Quémenlo", dije.

Destruyeron el índice esa misma noche. Pocos días después hubo revuelo en la prensa a propósito de este hecho, pues tanto la Secretaría de Justicia como muchas personas en la industria estimaban que destruir el índice era un acto indebido. Pero ya no había nada que hacer y de ahí en adelante sus investigadores quedaron cojos. Por mi parte, yo nunca me sentí completamente tranquilo con mi decisión. Aunque me cabía la responsabilidad fiduciaria de proteger la inversión de los accionistas de la IBM, y aunque los mejores juristas que era posible contratar me aseguraban que con ella no violaba ley alguna, me sentía intranquilo.

No contando ya con la ayuda de Control Data, el caso de la nación se deterioró y se volvió un embrollo en los juzgados. El juez Edelstein dejó que el negocio se le saliera por completo de las manos. Se negó a fijar límites — bien a las cuestiones que la Secretaría de Justicia podía agregar a medida que avanzaba el pleito, o bien al número de pruebas o de testigos que nosotros podíamos presentar para responder. Dejaba sin resolver peticiones cruciales y daba fallos arbitrarios que chocaban a los abogados de ambas partes — como por ejemplo insistir en que las declaraciones había que hacerlas en el tribunal y no en la oficina o en la casa del testigo como era costumbre. Los abogados tenían que gastar meses haciendo incorporar declaraciones en el expediente, generalmente en ausencia del juez Edelstein, que no se hallaba en el tribunal. A mí a veces me daba la impresión de que se sentía abrumado y temía enfrentarse con la realidad del caso. Con el correr del tiempo se volvió tan hostil para con nuestros abogados y testigos que hasta tratamos de recusarlo.

El caso se prolongó doce años, hasta que la administración Reagan al fin lo abandonó en 1981. Recordando hoy todo lo sucedido, veo muchas ironías en aquel negocio. Muchos convendrán en que al principio la queja de la Secretaría de Justicia tenía razón. La IBM, evidentemente, ocupaba una posición dominante en el mercado, y algunas de nuestras tácticas habían sido crueles. Muchas de esas prácticas nosotros mismos las eliminamos, y nuestro comportamiento en el curso del pleito fue bastante limpio. Pero siempre he pensado que si el juez Edelstein hubiera llevado el juicio rápidamente, tal vez habríamos terminado con un decreto de consentimiento en virtud del cual nos hubiéramos obligado oficialmente a no anunciar máquinas hasta que las tuviéramos más desarrolladas, a aflojar la garra que teníamos sobre el mercado educativo, y otras cosas por el estilo. Lo que pasó, en cambio, fue que el pleito se dilató sin solución durante tantos años que antes de terminarse, la historia había demostrado que mi argumentación ante Ramsey Clark era correcta. La IBM siguió creciendo, pero la industria de los computadores creció más aún, y las fuerzas naturales del cambio tecnológico disipó cualquier monopolio que nosotros pudiéramos haber ejercido.

# CAPITULO 30

Suficientes cosas andaban mal en 1970 para que yo empezara a soñar con un estilo de vida muy distinto. En el primer cajón de mi escritorio, confundida con memorandums relativos a cuestiones claves del negocio y viejas cartas de mi padre, guardaba una lista secreta que sacaba y miraba cuando nadie me estaba viendo. Era una lista de las aventuras que quería emprender: la encabezaba escalar el Matterhorn, después aprender a pilotear un helicóptero, hacer un safari, navegar a la vela hasta el Océano Glacial Artico, doblar el Cabo de Hornos, y hacer un viaje yo solo . . . a cualquier parte. También quería tener tiempo para gozar de la vida con mi mujer y mis hijos. Mi gusto por el negocio se evaporaba rápidamente. Habíamos hecho de la IBM un gigante de 7 000 millones de dólares anuales, y en el fondo de mi corazón algo me decía que hasta allí era hasta donde yo quería ir. Había cumplido cincuenta y seis años, y mi vida era un constante pum, pum, pum de tomar decisiones y llevar a la IBM más y más allá, correr de una crisis a otra, asistir a banquetes de la compañía, visitar las fábricas. Cada año estaba lleno de centenares de reuniones, discursos y presentaciones en público, así que tenía algún compromiso prácticamente todas las noches y pasaba tanto tiempo fuera de casa como en casa. Más de quince años llevaba haciendo esa vida, que era como mi padre había vivido toda la suya, pero me engañaba diciéndome que ese ritmo no me cansaba. Durante una agitadísima semana tenía que volar a Chicago a pronunciar un discurso, y en una media hora de calma de que pude disponer antes de partir, me asaltó de súbito el pensamiento: "Esto no puede seguir así. Algo va a estallar". Pero alejé la idea de mi imaginación.

La recesión de Nixon, que comenzó a mediados de 1969, duró más y fue más profunda de lo que se esperaba, y la IBM sufrió la primera baja seria de mi carrera. No sólo permanecieron las ventas sin crecer, sino que las utilidades empezaron a disminuir, por primera vez después de la guerra; ello le dio a Wall Street la idea de que los días de gloria de la IBM quizá habían pasado ya. En los primeros ocho meses de 1970, nuestras acciones cayeron y cayeron, perdiendo casi la mitad de su valor; y por más que yo hacía por revitalizar la empresa, las cosas parecían cada vez peores a medida que avanzaba el año.

A la vez que la compañía luchaba, mi sentido de aislamiento aumentaba. Dick renunció a su cargo en la IBM en marzo para aceptar la Embajada de los Estados Unidos en Francia. Su simpatía por la compañía nunca se restableció después de los sucesos relacionados con el Sistema/360. La embajada era algo que habría puesto orgulloso a mi padre, y a mí me quitaba un peso de encima ver a mi hermano ascender, a pesar de mi mal proceder, a la posición más alta a que había llegado un miembro de la familia. Al mismo tiempo, empero, me dolía pensar que no habría un Watson a quien pasarle el negocio cuando yo me retirara. Mientras tanto, nuestra hermana Jane se moría lentamente de cáncer. La infección había hecho metástasis y en la primavera debió someterse a una operación para extirparle un tumor del cerebro. De ahí en adelante declinó y tuvo que estar entrando y saliendo del hospital cada par de meses.

Jane y yo nos habíamos distanciado desde que ella vendió sus acciones IBM, pero su enfermedad me hizo olvidar todo falso orgullo y adquirí la costumbre de ir a visitarla varias veces por semana. Tenía una gran fortaleza y capacidad de reflexión, y luchó vigorosamente contra el cáncer, y se mantenía socialmente activa y daba cenas a pesar de que con mucha frecuencia debía guardar cama. Cuando Nixon nombró a su esposo subsecretario de Estado, Jane estaba demasiado enferma para mudarse a Washington, pero comprendió cuánto significaba esa posición para Jack y lo instó a aceptar. Se alegraba de que yo fuera a verla, y en esos últimos meses desarrollamos relaciones afectuosas. Esas visitas día tras día eran la mejor manera que tenía yo de decirle que a pesar de nuestras diferencias pasadas yo la admiraba y la quería, y que me dolía que se estuviera muriendo.

Todos estos problemas se me acumulaban y no había manera de escapar. Si yo hubiera sido bebedor, en esa época me habría matado rápidamente. De nada me servía tomar vacaciones. Me dediqué a esquiar (en sólo 1969 debimos de ir a esquiar una docena de veces) y cuando el tiempo era tibio salía en mi bote de vela. Pero después volvía a la IBM con los nervios tan tensos como antes. En el otoño de 1970 mi desilusión era notoria. Los que trabajaban conmigo dicen que me volví cada vez más intolerante y que me ponía furioso por los detalles más insignificantes, por ejemplo la manera como limpiaban la nieve en el patio de estacionamiento. Un viernes por la tarde, hallándome en mi oficina, abrió la puerta mi asistenta ejecutiva Jane Cahill y se quedó inmóvil, porque me vio con la cabeza reclinada sobre el escritorio.

— ¿Se siente usted mal? — me preguntó.

— Estoy bien. Sólo un poco cansado — contesté. Jane se ofreció para conducirme a casa pero le dije que conduciría yo mismo. El estado de mi hermana era mucho peor, y la víspera me habían informado de la muerte de mi mejor amigo en la universidad, Nick Lunken. Hacía años que estaba enfermo pero yo lo recordaba como un hombre alegre a quien le gustaba hacer bromas pesadas y siempre me hacía reír. Al día siguiente tenía que asistir al entierro.

Esa noche desperté con un dolor en el pecho. No era muy intenso pero no se me quitaba. Olive estaba en el Caribe con amigos, de manera que yo mismo conduje el automóvil para ir a la sala de urgencias del Hospital de Greenwich, donde me pusieron en un monitor. A la mañana siguiente, convencido de que ya estaba bien, le dije al internista que fue a examinarme que tenía que irme. Me contestó: "Usted no va a ninguna parte. Sufrió un ataque al corazón".

"Imposible", pensé. "A mi papá nunca le dio un ataque cardiaco". Pero me pasaron a cuidados intensivos y me pusieron en una tienda de oxígeno. A continuación, el doctor trató de ponerme una inyección intravenosa, pero la aguja se partió y le pidió a gritos a la enfermera que le pasara otra. Me pareció que estaba muy tenso. Otros médicos acudieron. Como en la tienda de oxígeno había micrófono, pregunté: "¿Por qué se reúnen todos ustedes aquí?" Luego, con voz débil porque estaba perdiendo el conocimiento agregué: "Ah, sí, ya sé. Para poderles pasar la cuenta a mis deudos, ja, ja...".

Y no supe más de mí. Si mi padre hubiera sido víctima de un ataque como éste, la IBM se habría paralizado porque entonces era una operación unipersonal. Pero cuando yo enfermé, el negocio siguió marchando como si tal cosa. Vin Learson fue a verme a la unidad de cuidados intensivos y puse la IBM en sus manos hasta que me recuperara; no quería tomar decisiones en una cama de hospital. Luego llamé a Al Williams, el miembro de más alto rango de la junta directiva, y le dije que todo estaba convenido.

El doctor Newberg, el internista, era un hombre enérgico, simpático. En el curso de las tres semanas siguientes me habló largamente sobre lo que es un ataque cardiaco, qué gravedad había tenido el que yo sufrí, cuánto tiempo necesitaría para recuperarme, etc. Finalmente me dijo:

— Ya sabe más sobre ataques cardiacos que cualquier otro paciente.

— Trataré de evitar que me dé otro — contesté.

— Pues, ya que tocamos el punto, ¿qué planes tiene para cuando salga de aquí?

— No sé... volver a la oficina, jubilarme tal vez dentro de unos pocos años.

— ¿Por qué no se sale ya?

Newberg decía esto mirándome fijamente. Me dejó atónito y durante el resto del día no pude pensar en otra cosa. Comprendí que la tensión de dirigir la IBM me había desgastado grandemente. Ahora se me ofrecía la manera de retirarme dignamente.

A la mañana siguiente, vi salir el Sol al otro lado de la ventana y me sentí mejor que desde hacía decenios. Resolví que mientras estuviera en el hospital no me preocuparía por la IBM. Mandé por la lista secreta de aventuras que había reposado en el cajón de mi escritorio tantos años. La mayor parte de las actividades allí designadas eran demasiado fuertes para un convaleciente de un ataque cardiaco, pero pensé que navegar sí podía. Pronto me enfrasqué alegremente en planes para un nuevo barco de vela diseñado para viajar más bien que para desarrollar velocidad. Hice llamar a Olin Stephens, el diseñador de yates, que fue a verme al hospital con Paul Wolter, capitán profesional del *Palawan*, y extendimos planos sobre la cama. Empecé a leer otra vez los diarios del capitán Cook, que tanto me habían divertido cuando niño, y me hizo gracia encontrar un comentario que casi habría podido escribir yo mismo, en una carta de Cook para un amigo, al retirarse a un trabajo de oficina en Greenwich, Inglaterra, después de haber vagado diez años por los mares:

> La suerte me arroja de uno a otro extremo; hace pocos meses, todo el Hemisferio Sur no era bastante grande para mí, y ahora me voy a ver encerrado dentro de los límites de Greenwich, que son demasiado estrechos para una mentalidad activa como la mía. Debo confesar, empero, que es un bello retiro y un buen ingreso, pero si podré acomodarme a que me guste la comodidad y el retiro, sólo el tiempo lo dirá.

Menos de un año después de escribir esta queja, Cook obtuvo el mando de dos barcos y emprendió la tercera y más grande de sus expediciones. Pensé que si él pudo salirse de la calma del retiro y hacerse otra vez a la mar, yo también podría. Conociendo mis ambiciones, mi hermano me mandó un gran cuadro al óleo, de un velero inglés del siglo XIX entrando al puerto de Portsmouth después de un largo viaje. La nota remisoria decía: "Creo que no habrás recibido una tarjeta de buenos deseos más grande que ésta". La IBM parecía muy lejos, realmente.

Regresé a casa treinta días después del ataque cardiaco, y lo primero que tuve que hacer fue asistir al entierro de mi hermana, que murió el último día del año. Apenas contaba cincuenta y cinco años, pero me parece que todos en la familia nos resignamos con su muerte porque la esperábamos y habíamos tenido la oportunidad de despedirnos. A continuación tuve que hacer frente al lento proceso de recuperarme de mi enfermedad, física y emocionalmente. Cuando uno ha sufrido un ataque al corazón se da cuenta de cuán frágil es el organismo humano. A mí me parecía que el mío me había fallado, casi totalmente, y durante varios meses tuve reacciones exageradas por cosas insignificantes. La víctima de mi irascibilidad fue Olive. Me arregló un cuarto muy cómodo en la planta baja de la casa, pues yo no debía subir escaleras, y puso allí libros que pensó que me gustarían, cuadros y demás. Cuando entré por primera vez observé que hasta había colocado en la mesa de noche una pequeña trompa de viento, como una miniatura de las que usan para dar la señal de suspensión en los partidos de baloncesto.

— ¿Eso para qué es? — le pregunté.

— Es por si te sientes mal. La tocas, y venimos.

Lo ensayé, pero seguramente la válvula estaba atascada y no sonó bien. No sé por qué me enojé tanto y exclamé:

— ¡Qué demonios, Olive, esto no lo oye nadie!

Y armé camorra por esa simpleza, sin tener en cuenta que ella había dedicado mucho tiempo y cuidado a prepararme esa pieza, y yo debía estar agradecido en vez de comportarme como un energúmeno y un estúpido.

Me mantuve aislado las semanas que siguieron, trabajando en los planos para el nuevo bote. En un galpón que había detrás de nuestra casa Paul Wolter hizo modelos de tamaño natural de secciones del casco. Yo no debía levantarme de la cama, pero me daba mis escapadas para ir a echarles un vistazo y me pasaba horas discutiendo con Paul los cambios que debíamos hacer.

Finalmente, transcurridos un par de meses, volví a la IBM y anuncié mi intención de retirarme. La junta directiva hizo todo lo imaginable por hacerme desistir de ese propósito. Los miembros iban a verme individualmente y en grupo. "Usted es sumamente valioso para el negocio", me decían. "¿No puede arreglar su horario de tal manera que disminuyan sus tensiones?" La IBM tiene una de las mejores juntas del mundo, pero todas las juntas tienen una falla en común, y es que si el jefe ejecutivo lo ha hecho bien, no se preocupan por tener previsto un sucesor hasta que algo marcha mal — y entonces muchas veces acaban por contratar a la carrera a un funcionario de fuera. De todos modos, durante un corto tiempo traté de hacer lo que ellos querían. El médico me había dicho que debía caminar mucho para fortalecer el corazón, así que salía de la oficina y paseaba interminablemente por los terrenos de nuestra sede. También me había recomendado que me acostara durante una hora o dos después del almuerzo. Así lo hacía todos los días; pero no es posible dirigir una compañía en esa forma. Me incorporaba del diván y veía que en la oficina exterior estaban haciendo antesala muchas personas que tenían problemas importantes. No era ése el ejemplo que yo quería dar. Después de dos meses, me presenté ante la junta directiva y les dije que así no podía seguir. Sabía que no lo estaba haciendo bien. Yo más quería vivir que dirigir la IBM. Era una elección que mi padre no habría hecho jamás, pero creo que él la habría respetado.

Se me planteaba el problema de quién dirigiría la compañía después de mí. Un año antes, cuando Dick se marchó a París, resolví que Frank Cary sería mi sucesor. Frank era, en realidad, el candidato de todos. Era el jefe de la división de computadores IBM en los Estados Unidos y había surgido como un líder natural, pese a que su estilo administrativo era todo lo contrario del mío. Frank era un brillante analista de negocios, frío, imparcial y totalmente confiado en sí mismo. En las reuniones hablaba muy poco, y su estilo no era intervenir para salvar una situación, como hacíamos Learson y yo. No tomaba medidas heroicas ni cometía errores garrafales; cuando se le presentaba un problema, sencillamente pensaba cómo resolverlo. Muchas personas atribuían su estilo tranquilo al hecho de que había venido de California — era uno de los jóvenes talentosos que descubrió Al Williams en 1955 cuando buscó en toda la IBM licenciados en administración. En un tiempo fue gerente distrital en Chicago y yo había volado allá para conocerlo. Al principio no impresionaba, pero hablar conmigo no lo intimidó en absoluto, y cuando lo acosé a preguntas, sus respuestas fueron directas y tranquilas. Llamé a Williams por teléfono y le dije: "Tenemos que llevar a este hombre al Este". En cuanto Frank llegó a Nueva York se destacó, y eso sin que ni Al ni yo le ayudáramos. Comenzó como en el cuarto escalón de la escala jerárquica y fue aprobado por muchos otros jefes antes de llegar hasta nosotros.

El ataque cardiaco perturbó mis planes respecto a Frank Cary, para los cuales partía del supuesto de que yo seguiría ejerciendo el cargo tres años más, hasta que cumpliera los sesenta, que era la edad de jubilación en que habíamos convenido todos los altos ejecutivos. Si hubiera ocurrido esto, Vin, que era mayor que yo, se habría jubilado antes dejándole vía libre a Frank. Pero cuando yo resolví retirarme, Vin apenas tenía cincuenta y ocho años, y le faltaba uno y medio para jubilarse. Aunque Cary era el hombre a quien habíamos escogido para dirigir la compañía a largo plazo, Vin se acercaba al término de una larga y honrosa carrera y, obviamente, tenía un derecho adquirido al primer lugar. Resolví la cuestión nombrándolo presidente de la junta directiva y jefe ejecutivo para ese período de dieciocho meses.

A fines de junio entregué a la junta mi carta de renuncia, y acepté continuar presidiendo el comité ejecutivo, lo mismo que había hecho Al Williams en la primera etapa de su retiro. Bill Moore, presidente de la junta directiva de Bankers Trust y de nuestro comité de compensaciones, me preguntó: "¿Cuánto quiere que le paguemos?" Me dio risa porque ahora era tan fácil negociar mi remuneración como no lo había sido a raíz de la muerte de mi padre. Le contesté que terminaría el año con mi sueldo completo, el año siguiente con medio sueldo, y el último año trabajaría pero sin remuneración alguna. Tenía la firme intención de ir dejando mis responsabilidades poco a poco y no quería sentirme obligado a ir a la oficina.

Finalmente, me fui a navegar, como lo había estado proyectando. Creo que no entendía bien la razón por la cual sentía esa necesidad de salir al mar, ni la profundidad de la conmoción emotiva que sufría. Súbitamente había perdido muchas cosas que eran importantes para mí — mi carrera en la IBM había terminado, mi licencia de aviador me la habían suspendido por el ataque cardiaco — y me acechaba el terror de pensar que mi vida, en lugar de ser larga como la de mi papá, podía ser breve como la de Jane. Sólo mirando retrospectivamente, veo cuán grande era mi pánico. Pero entonces sabía instintivamente que la navegación me salvaría. El doctor Newberg me había dicho: "Usted va a ser, o bien un inválido del corazón, tratando siempre de estar cerca de un hospital para cuando le dé el ataque siguiente, o bien puede tratar de olvidarse del todo de los hospitales". Yo quería olvidarme y mi remedio fue irme a un lugar remoto donde no hubiera hospitales. Con Paul Wolter llevamos el *Palawan* alrededor de la isla de Terranova.

Contratamos una tripulación de hombres jóvenes para el trabajo fuerte, y un viejo amigo llamado Ed Thorne que era un gran compañero y excelente marino. Ed sabía que se embarcaba con un capitán que se podía caer muerto en cualquier momento, pero no se arredró. Antes de zarpar fue a ver al doctor Newberg, quien tomó una naranja y le enseñó a poner una inyección de morfina en caso de urgencia. Yo llevaba morfina porque sabía lo doloroso que puede ser un ataque al corazón, y todas las noches a bordo me acostaba con el temor de que pudiera despertar muriéndome y sin un médico a quien recurrir. Un día anclamos por casualidad frente al Hospital Misional de Grenfell, en la Gran Península Norte de Terranova, y me pasó por la mente la idea de que quizá sería la última oportunidad que se me ofrecía de salir vivo del *Palawan;* pero deseché la idea, y hoy me alegro de haberla desechado porque habría sido un martirio vivir siempre pendiente de eso. Nos hizo un tiempo tempestuoso y dimos muchos tumbos durante todo un mes, pero el crucero resultó mucho mejor de lo que yo tenía derecho de esperar, teniendo en cuenta que, en realidad, todavía estaba muy débil.

Olive me estaba esperando cuando regresamos a North Haven, pero la manera como yo me había manejado desde el ataque cardiaco le había causado un daño gravísimo a nuestro matrimonio. Como si pretendiera recuperarme por mi propio esfuerzo, había hecho todo lo imaginable para alejarla de mí mostrándome ensimismado, desagradecido y grosero — reacción bastante común de las víctimas de ataques al corazón, según me informan. Olive se esforzaba constantemente por distraerme, pero si algo no me gustaba, yo gruñía:

— ¿No sabes que eso no lo puedo hacer porque estoy enfermo?

Cuando volví del viaje a Terranova, nuestro matrimonio colgaba de un pelo. Nueve meses de frustración estallaron en una amarga pelea y al fin Olive dijo:

— ¡No aguanto más!

— Está bien. Yo tampoco — contesté, y me marché al Oeste con unos amigos.

Para Olive, aquella fue la gota que colmó la copa. Llevábamos casi treinta años de casados, ella había hecho esfuerzos sobrehumanos por tolerar mi mal genio, y todo había sido en vano. Parecía que mi jubilación sólo serviría para empeorar las cosas. Resolvió divorciarse.

Tardé un par de semanas en comprender que yo iba a cometer el error más grave de mi vida. Cuando volví al Este a toda prisa para pedirle que modificara su decisión, encontré que ya se había ido de nuestra casa de Greenwich y había tomado un apartamento en Manhattan. Los amigos con quienes me franqueé se mostraron pesimistas:

— No volverá. No pierdas el tiempo — me dijo uno. Otro,

viendo cuán grande era mi angustia de perderla, me aconsejaba:

— Es una mujer maravillosa. Haz todo lo que puedas.

No me podía comunicar con ella. No me contestaba las cartas que le escribía ni pasaba al teléfono cuando la llamaba. Pronto la noticia de nuestra separación salió en las columnas de chismografía, lo cual, en cierto modo, la oficializó, y Olive contrató los servicios de una abogada especializada en divorcios que era una de las mejores de la profesión. Yo comprendí que tenía que hacer algo radical, así que fui a ver a la abogada y le pedí ayuda.

— Olive no puede estar segura de esto, y yo quiero que vuelva — le dije —. ¿Podría usted actuar como nuestra intermediaria?

La abogada era muy práctica. Me dijo:

— Siento como si le debiera a usted un favor, y le diré por qué. En una ocasión conocí a su padre. Yo era entonces muy joven, a comienzos de mi carrera, y me mandaron a entregarle unos documentos en su casa de Nueva York. Esa noche nevaba fuertemente. Después de firmar los papeles me acompañó hasta la puerta, pidió su automóvil y me hizo subir. En seguida me acomodó una manta sobre las rodillas y le ordenó al chofer que me condujera a mi casa. Así que, en recuerdo de su padre, hablaré con su esposa.

Olive se puso furiosa cuando se enteró de toda esta historia, pero la abogada nos sirvió de intermediaria. Yo estaba tan desesperado como un adolescente por lograr que Olive regresara. Pasaron más semanas, el problema no se resolvía, y me fui para Inglaterra con mi hermana Helen. Una noche paseando por el Strand sentí un súbito desvanecimiento. Era totalmente psicosomático, pero pensé que me estaba muriendo. Pagué la cuenta del hotel y regresé inmediatamente a los Estados Unidos, derecho al Hospital de Greenwich, donde le dije al médico que tenía destrozado el corazón.

— Comprendo que de veras le hace falta su esposa — me dijo.

Mandé a mi secretaria a que informara a Olive que yo estaba mal. Con mucho escepticismo preguntó:

— ¿Vivirá?

— Yo creo que sí va a vivir, señora Watson, pero está seriamente enfermo.

Entonces Olive fue a verme al hospital, y allí empezó nuestra reconciliación. En el término de dos días íbamos rumbo a Europa y le envié a la junta directiva de la IBM un cable que decía: "Los informes sobre nuestro divorcio son muy exagerados. Salimos para Suecia en una segunda luna de miel. Olive y Tom".

Nos costó mucho trabajo volver a arreglar nuestro matrimonio. Hubo otras peleas, principalmente por culpa mía. En una ocasión, cuando parecía que nos íbamos a separar otra vez, resolví apelar a un psiquiatra — la única vez que he hecho tal cosa en mi vida.

— Necesitamos ayuda — le dije — pero no hay para qué hacer venir a Olive porque a ella no le gusta analizar cuestiones emocionales.

— Cuénteme qué le pasa, qué problemas tienen — me dijo, y entonces le hice una breve relación de mi vida y de nuestro matrimonio.

El me hacía preguntas, por ejemplo, si peleábamos a la hora del desayuno o si teníamos discusiones por motivo de los hijos. Oh, sí. Por causa de los hijos discutíamos fuertemente, de modo que me concentré en eso. Como a la mitad de la tercera sesión, le dije:

— Veo que lo que usted me quiere decir es que mi mujer hace todo lo posible por enderezar las cosas y yo nunca se lo reconozco. Yo quiero ganar todas las disputas. Tal vez debería perder una que otra.

— Así es, en efecto — dijo él.

Todavía yo tenía mucho que aprender para ser un marido razonable, pero por fin me estaba empezando a entrar en la cabeza que a mi vida no la podía dirigir como dirigía la IBM.

La recesión de Nixon terminó y durante el corto período de Vin Learson como jefe ejecutivo, la IBM arrojó buenos resultados. En enero de 1973, cuando tomó las riendas Frank Cary, la compañía creció otra vez rápidamente, y los ingresos anuales se acercaban a los 10 000 millones de dólares. Yo estaba preocupado con mi recuperación, y mientras Learson estuviera a la cabeza, no sentía que hubiera disminuido mi poder en la compañía, porque él tomaba las decisiones operativas más o menos lo mismo que las habría tomado yo. Pero cuando entró Cary sí tuve que reconocer que la dinastía Watson había tocado a su fin, después de casi seis decenios. Frank tenía cincuenta y dos años, así que lo más probable era que le quedaran ocho de ejercicio como jefe ejecutivo, y, según mi propia experiencia, ése es un tiempo más que suficiente para que un jefe cambie una compañía definitivamente.

Cuando Frank se inició en su nuevo cargo, le pedí que pasara un par de días a solas conmigo en mi casa de esquiar en Vermont. Le dije que había algunas cosas que le quería transmitir, que tal vez él no sabía pese a su licenciatura en administración de negocios. No hay ningún libro de texto que le diga a uno cómo ser jefe ejecutivo de la IBM o le enseñe las lecciones que mi padre me metió en la cabeza a mí. Era natural que Frank se mostrara al principio un poco renuente. Seguramente esperaba un montón de sermones. Así me había sentido yo muchas veces con mi padre. Pero aceptó, y a mediados de marzo volamos a Stowe. La temporada de esquí ya había terminado y no había nadie en el esquiadero; era el lugar perfecto para estar solos.

Yo no tenía un programa fijo; sencillamente, le di los consejos que se me venían a la cabeza. Le repetí un dicho de mi padre sobre cómo se debe comportar el jefe de un negocio: "Actúe como un pordiosero, siéntase como un rey", con lo cual quería decir que en su trato con los demás uno debe mostrarse comprensivo y humilde, pero sin embargo completamente confiado en sí mismo por dentro. Así se conducía instintivamente Frank Cary, y ésa era mi manera de decirle que lo estaba haciendo bien.

Le dije que la verdadera prueba de su liderazgo sería que fuera capaz de impedir que la IBM, siendo inmensa como era, se volviera fría e impersonal. Yo quería que siguiera practicando los pequeños gestos que habían sido tan importantes para mi padre y para mí, como mandarles flores a las esposas de empleados, libros de cumpleaños, notas manuscritas para hacerle saber a un trabajador que uno reconoce y aprecia lo que ha hecho. "Esto no es un lujo", le dije; "es un buen negocio. La IBM es una compañía de servicios, y cuanto más personal sea el tono, mejor responden los empleados y los clientes".

Hablamos de todo, desde las normas de la IBM sobre el bien vestir hasta cómo cabildear en el Congreso. Cultivar a las personas es una cosa que un jefe ejecutivo tiene que hacer; cultivar no sólo a los políticos sino a todas las personas influyentes, inclusive editores de periódicos y otros hombres de negocios. Le expliqué a Frank que la manera más elegante y más eficaz de hacer esto es personalmente, y que tal vez la peor es tener en Washington una oficina llena de relacionistas profesionales.

La única área donde me parecía que Frank podía flaquear era en llevar la representación de la IBM ante el mundo exterior. Sus éxitos hasta entonces se habían realizado dentro de la compañía, y yo quería que él pensara que ahora era una figura pública. Yo creía firmemente — lo mismo que mi padre — que los hombres de negocios tienen la responsabilidad de trabajar para bien de la comunidad, no sólo permanecer en la oficina y acuñar dinero. A pesar de unas pocas noches solitarias que pasé en excursiones para acampar en las Palisades como jefe de Boy Scouts en el área de Nueva York, mi actuación pública me había proporcionado muchas satisfacciones. Le manifesté a Frank que continuar esta tradición de servicio era parte de su oficio, y le dije cómo enfocarla. "Ahora usted es un personaje", le dije, "y le van a pedir que tome parte en todo lo imaginable. Escoja dos o tres organizaciones públicas que considere realmente significativas y trabaje en serio para ellas. Tiene que ganarse su posición en el mundo exterior lo mismo que se la ganó dentro de la IBM". Pero muy pronto se vio que no le interesaba el escenario nacional. En cambio, ingresó en las juntas directivas de un puñado de compañías poderosas y se hizo figura sobresaliente en Business Roundtable y otros grupos influyentes. Yo me sentí decepcionado al principio, pero sabía que la posición de Frank no era fácil de desempeñar teniendo que dirigir la IBM bajo mi sombra y la de mi padre, y tuve que aceptar que él haría las cosas a su manera. Tratar de hacerse famoso era lo que cualquier Watson habría hecho, pero ése no era el estilo de Frank Cary, y, en efecto, durante ocho años dirigió la IBM tan bien como había sido dirigida en cualquier otra época.

# CAPITULO 31

Desperté en mi litera con el fuerte ruido del motor del *Palawan.* Por mi reloj eran las 4:00 a.m., pero la luz del día entraba a chorros por las portillas. Corría agosto de 1974 y estábamos navegando por aguas heladas, frente a las costas de Groenlandia, más de 800 kilómetros dentro del Círculo Polar Artico. Me eché un sobretodo sobre mi gruesa pijama y subí a la cubierta, donde la temperatura era poco menos de 40 grados, con ligera neblina que venía del nordeste. Aquí y allí se distinguían las masas informes de grandes témpanos flotantes, tan comunes en estas latitudes como las nubes, sólo que no era tan fácil dejarlos pasar inadvertidos. Al timón hacía su cuarto de guardia Jimmy Madden, mi amigo desde la niñez, que había navegado por el Artico en sus días de estudiante. Arriba, en la cofa del vigía, iba Nick Scheu, de dieciocho años, que era aprendiz de marinero pero me inspiraba confianza porque parecía muy alerta. Es raro que un yate tripulado por aficionados se aventure tan al Norte. Las aguas de Groenlandia son conocidas porque abundan los hielos de toda clase, desde icebergs de dos kilómetros de longitud hasta masas casi totalmente sumergidas de ''hielo de banda azul'' difíciles de divisar y que rápidamente pueden mandar al fondo un barco de casco delgado. Adelante, en algún lugar, debían estar la Ensenada Smith y nuestro lugar de destino, el puesto esquimal abandonado de Etah, donde el almirante Peary inició en 1909 su correría de 1 300 kilómetros para ir a descubrir el Polo Norte.

Era esta la primera travesía seria del barco con que yo había soñado — y que había proyectado — en mi cama en el Hospital de Greenwich. El nuevo *Palawan* era un recio queche azul de 21 metros, como yate no de los mayores pero sí el más grande de cuantos yo había poseído, y se ajustaba exactamente a los cruceros que pensaba realizar al jubilarme. Lo diseñé con la idea de poder ir a visitar remotos rincones de la Tierra, con razonable seguridad y comodidad, en compañía de unos pocos amigos, a fin de que la diversión fuera interesante. Era lo bastante sencillo para que yo pudiera gobernarlo con ayuda de un solo profesional en caso de que Olive y yo quisiéramos estar solos, y, sin embargo, tenía capacidad para sostener a ocho personas en el mar durante sesenta días y 6 500 kilómetros. En 1973, cuando era nuevo, lo estrené cruzando el Atlántico desde Bremen, donde fue construido, y así aprendí a conocerlo. Después, ese mismo año, navegamos por el Caribe y a lo largo de la costa de Maine. Pero ésos fueron apenas viajes de preparación. Yo había estado a las puertas de la muerte, me había retirado de la IBM, y buscaba una aventura que esos recientes acontecimientos de mi vida no opacaran por completo. Quería hacer un viaje a algún lugar poco visitado y que ofreciera real peligro. El plan era llevar el *Palawan* lo más al Norte posible, pese a la advertencia de George B. Drake, arquitecto naval y amigo de Jimmy Madden, quien el año anterior había visitado las costas de Groenlandia a bordo de un carguero. Cuando se enteró de nuestros planes le escribió a Jimmy una carta en que le decía:

> Yo no recomiendo ese viaje en un yate. Nosotros encontramos mucho hielo, y el tiempo empeora cuanto más al Norte se navega: nublado casi siempre, chubascos inesperados y que duran mucho y niebla a la hora menos pensada, muy distinta de la que experimentamos incluso en la costa de Maine. La motonave en que nosotros viajamos reemplazaba a otra que se perdió, se cree que al chocar con un iceberg... Nuestra nave llevaba su segunda proa, pues, a pesar de tener dos radares, besó un témpano y abolló la original.

A principios del verano zarpamos de Camden, Maine, cruzamos a Terranova y de ahí a Groenlandia atravesando el estrecho de Davis, dando un rodeo para evitar los hielos cerca de la costa de Labrador. La tripulación que reuní para este audaz proyecto no era lo que se podría haber esperado para una expedición ártica:

una mezcla de jóvenes y viejos, hombres y mujeres, y sólo dos marinos profesionales, ninguno de los cuales tenía experiencia en aquellas latitudes. El tiempo era frígido, nublado y con frecuencia neblinoso, y trazamos nuestro derrotero por radionavegación más bien que por el Sol. Después de una semana fría gozamos de una vista espectacular de la costa en Godthaab, capital de Groenlandia. Cuando nos acercábamos nos vimos envueltos en una densa niebla y pensé que tendríamos que detenernos porque no había cómo hallar la entrada al puerto; pero, de pronto, la niebla se disipó y dejó a la vista un cielo azul y una vista espectacular de la población al pie de una montaña nevada, y a la distancia elevados picachos de hielo. Cinco sextas partes de Groenlandia están cubiertas de hielo todo el año, pero en la región de Godthaab en el verano se ven hermosos campos, flores silvestres y hasta unos pocos árboles. Durante nuestra escala en ese lugar, Olive y uno de nuestros amigos vinieron en avión para unirse a la expedición; también contraté a un piloto esquimal conocedor de los hielos que se llamaba Lars Jensen, recién graduado de la escuela de pilotaje. Tenía apenas veintiocho años pero había pasado toda la vida en el mar. Vaciló mucho antes de aceptar unirse a la tripulación de un yate de recreo y no quiso firmar contrato hasta después de haber navegado con nosotros un par de días para cerciorarse de nuestra pericia y estar seguro de que no lo trataríamos como un sirviente.

Lars resultó ser un compañero maravilloso. No hablaba mucho, pero era muy competente y tenía un irónico sentido del humor que venía muy bien en los momentos de dificultades. Poco después de zarpar de Godthaab cometí la torpeza de dejar rozar la falsa quilla del *Palawan* en el fondo al pasar por un estrecho no muy hondo. Lars estaba bajo cubierta jugando *gin rummy,* y yo esperaba verlo aparecer sobre cubierta alarmadísimo, pero ni señas del hombre. Después uno de los tripulantes me contó que cuando oyeron en la cabina el rozamiento de aluminio sobre rocas, Lars con toda calma tiró otra carta sobre la mesa y comentó: "¡Las peligrosas aguas de Groenlandia!"

Fuimos avanzando poco a poco por la costa en dirección a la isla Disko, antiguo lugar donde se daban cita los balleneros, después de los grandes exploradores del Artico cuyas aventuras tanto me apasionaron en mi niñez — hombres como John Cabot,

Martin Frobisher, Jens Munk y Henry Hudson, y de ahí para atrás hasta Erico el Rojo. Las condiciones del tiempo que encontramos resultaron mejores de lo que temía el arquitecto naval amigo de Jimmy, y el 12 de julio cruzamos el Círculo Polar Artico a la vista de espectaculares glaciares y fiordos.

Una tragedia doméstica interrumpió el viaje. En la mañana del 18 de julio, cuando nos disponíamos a salir del pequeño puerto de Egedesminde, un mandadero llegó al muelle con un telegrama de mi secretaria en la IBM: mi hermano había sufrido una caída peligrosa en su casa en New Canaan. No daba detalles; simplemente decía: "REGRESEN INMEDIATAMENTE".

Cuando lo leí, comprendí que Dick iba a morir. A pesar de que sólo tenía cincuenta y cinco años, su salud últimamente no había sido buena y se estaba recuperando de un ataque cardiaco que sufrió el año anterior. Olive y yo logramos que fuera a recogernos un helicóptero de un aeropuerto que había a 240 kilómetros de distancia, y de ahí volamos a Connecticut, a esperar impotentes en el hospital. Dick murió a la semana sin haber recuperado el conocimiento, y después del entierro Olive se quedó para acompañar a Nancy, su esposa, pero yo regresé directamente al barco. No estaba en estado de poder ayudar a nadie, y tenía miedo de quedarme ocioso porque sabía que la muerte de mi hermano me obsesionaría. Nunca restablecimos por completo nuestras buenas relaciones después de la crisis del Sistema/360. En esa ocasión las medidas que yo tomé descarrilaron la carrera de Dick en la IBM, y me remordía la conciencia. Sentimientos inamistosos empañaron durante nueve años nuestras relaciones, a pesar de ser hijos de un hombre que enseñó a los suyos a no permitir nunca que el Sol se pusiera sin dejar arreglada una desavenencia de familia. Entonces comprendí la terrible sabiduría de esa máxima. Mi hermano había muerto, y mis sentimientos eran tan confusos que no sabía cómo llorarlo. Mi responsabilidad para con el *Palawan* y su tripulación en aquel duro yermo me ayudó a adaptarme poco a poco a lo ocurrido.

A principios de agosto nos hallábamos mucho más al Norte de donde había llegado nunca un barco de recreo. Yo había competido en tantas regatas oceánicas que me eran familiares la mayoría de las condiciones del mar, pero nunca había visto nada parecido a lo que encontramos allí. El mar aparecía negro y muy quieto, salvo en parches pequeños rizados por el viento. Se veían muchas aves — golondrinas de mar, patos y grandes aves marinas como alcatraces. Cruzamos por entre témpanos de hielo que a la luz del Sol de medianoche aparecían azules y translúcidos. Rompían la calma ruidos fantásticos de lo que los pescadores llaman "gruñidores", o sea bloques sumergidos de hielo como del tamaño de un cuarto que luden unos con otros en la marejada. De vez en cuando, el *Palawan* era mecido por olas de un metro o más causadas por un iceberg que estaba girando, a muchos kilómetros de distancia. Tuvimos tiempo predominantemente despejado, y en medio de la noche los tripulantes se sentaban en la cabina a contemplar el Sol, un globo muy bajo en el horizonte que proyectaba fantásticas sombras rojas hacia las nubes que flotaban sobre el negro mar. Siempre había dos personas de guardia; la regla era tres horas de servicio y seis de descanso, con orden permanente de llamarme a mí si alguien descubría campos de hielo o si el tiempo empezaba a deteriorarse. Si hubiéramos tenido algún problema, la ayuda habría estado muy lejana, y seguramente nos habrían reconvenido por habernos aventurado en semejantes soledades.

El puesto Etah, donde comenzó la expedición de Peary, se hallaba a 240 kilómetros de distancia, pero Lars Jensen echó un largo vistazo desde el mástil y vio que el hielo había obstruido totalmente el paso a través de la ensenada Smith. Entonces resolvimos virar hacia el Este, en dirección a la aldea esquimal de Qanaq, acaso la más septentrional de la Tierra, donde él conocía a algunos residentes. Avanzamos palmo a palmo durante doce horas, apartando suavemente con la proa del *Palawan* bloques gigantescos de hielo mientras el cielo se volvía gris y comenzaba a nublarse. Por último, como a 10 kilómetros al suroeste de Qanaq y cuando ya se alcanzaban a distinguir entre la bruma las chozas de la aldea, encontramos tanto hielo que el barco se detuvo. Lars no dejaba de decir: "Yo los llevo allá, yo los llevo", pero yo pensé en nuestra hélice sin protección alguna a menos de un metro de la superficie, y en nuestro casco sin blindar hecho de aluminio de solo 6 milímetros de espesor, y resolví que debíamos virar en redondo.

El hielo variaba de posición y durante un tiempo no podíamos ni avanzar ni retroceder, mientras arreciaba el viento del Oeste y nos golpeaba la lluvia y la cellisca. Si se levanta un ventarrón a lo largo de la costa de Groenlandia, es posible quedarse uno prisionero en el hielo, o como dicen los viejos, "sitiado"; entonces el hielo se puede amontonar y triturar un barco como el nuestro. Tuve visiones de varios exploradores del ártico congelados durante un invierno; visiones de mí mismo tratando de explicarles a otros dueños de yates lo que le había ocurrido a mi lindo yate nuevo; visiones de un helicóptero que tuviera que ir en nuestro salvamento desde la base de la Fuerza Aérea en Tule, al Sur; visiones de tener que entendernos muy de cerca con temperaturas del agua apenas sobre 33 grados — toda clase de visiones desagradables de que nos consideraran no intrépidos exploradores sino necios y temerarios. Retrocedimos cuidadosamente a aguas mejores, y después de tres horas de trabajo logramos virar en redondo y salir a mar abierto. Habíamos estado a 1 230 kilómetros del Polo. Pusimos proa al Sur, hacia la base aérea de Tule, y al día siguiente por la tarde amarramos al muelle de abastos al lado de un gran buque cisterna. El guardia de turno se sorprendió de ver un yate. "Si yo tuviera una nave como ésa, estaría en el Caribe", nos dijo. A poco aparecieron el comandante de la base y un par de oficiales daneses que nos dieron la bienvenida, lo cual fue un alivio, pues no sabíamos cómo nos recibirían. Yo había mantenido a las autoridades danesas al corriente de nuestro crucero por el Norte, pero también es verdad que en ninguna parte permanecimos suficiente tiempo como para darles la posibilidad de ordenar nuestro regreso.

La travesía cumplió el propósito que yo me proponía: me ayudó a desprenderme de la IBM. Claro que nunca pensé seriamente en echar pie atrás, pues para mí la suerte estaba echada: había sufrido un ataque cardiaco, me habían dicho que no siguiera dirigiendo la compañía, y no iba a ser tan necio como para decir: "Doctor, tengo que volver porque me necesitan". De modo que estaba por mi propia cuenta, y la jubilación me desconcertaba porque no estaba seguro de poder vivir en paz conmigo mismo sin la IBM. Continué como miembro activo de varias juntas directivas, incluyendo las de Time, Pan American, Bankers Trust, la Fundación Mayo, la Institución Smithsoniana y el Instituto Tecnológico de California, de manera que en mi agenda siempre había un par de reuniones de alto nivel por semana. Pero eso de ser únicamente miembro de juntas directivas no me gustaba; me sentía terriblemente subutilizado, y tenía que esforzarme por vencer el impulso de tratar de dominar aquellas reuniones.

El proceso de destetarme de la IBM fue cuestión de años. Presidí el comité ejecutivo hasta 1979, y al principio trabajé mucho detrás de bastidores, conferenciando con otros colegas para estar seguro de que la IBM seguía firme mientras pasamos por el breve período de mando de Vin Learson, y luego ayudando a Frank Cary a iniciarse sin tropiezos. En enero de 1974, cuando cumplí 60 años y me retiré formalmente, le dije a Frank que no volvería a pisar el edificio durante cien días. Tener a su lado a un ex jefe ejecutivo no sirve sino para minar la autoridad del nuevo jefe; en mi caso, mi padre murió, de manera que no tuvo oportunidad de inmiscuirse, y yo no quería entrometerme en las decisiones de Cary. No fue fácil, pero los cien días pasaron sin que me vieran la cara en la oficina. Luego, tuve que acostumbrarme a la vida de un hombre retirado de los negocios. La IBM evolucionaba a ojos vistas como una empresa muy distinta de la que yo había dirigido. Ya era el 50% más grande que cuando yo dejé el cargo de jefe ejecutivo, tenía ingresos de 11 000 millones de dólares en 1973, y Cary y su equipo estaban haciendo cambios fundamentales. Descubrieron que siempre que lanzábamos un nuevo producto nuestras fábricas no daban abasto para satisfacer la demanda. Toda la industria se estaba acelerando, y Frank temía que el ritmo relativamente estable de producción de la IBM nos dejara en posición vulnerable. Nos seguían quitando negocios los fabricantes de compatibles de enchufar, quienes cada día sabían mejor cómo ganarse a los clientes que no querían esperar entregas de la IBM.

Pero no eran los fabricantes de compatibles los únicos que inquietaban a Frank; también los japoneses. Estos ya se estaban valiendo de su capacidad fabril para invadir los mercados americanos del acero, de los automóviles y los bienes electrónicos de consumo, y todo el mundo sabía que la industria de computadores seguía en su lista. Frank no iba a permitir que la IBM siguiera las huellas de la U. S. Steel, de manera que preparó planes para construir nuevas y grandes fábricas automatizadas y ganarles a los japoneses en su propio juego. La junta convino en que la estrategia era sana, pero el costo de las fábricas era aterrador. Aunque yo sabía que la tecnología estaba cambiando y que los Estados Unidos atravesaban un período de alta inflación, no podía dar crédito a la magnitud de los presupuestos. Recuerdo haberle hecho muchas veces a Frank las mismas preguntas que en mi tiempo me hacían a mí los miembros de mi junta directiva: "¿Está seguro de que todo esto es necesario? ¿Ha pedido otras cotizaciones? Ya sabe que no queremos lujos superfluos en las fábricas". La reconstrucción tardó seis años y salió costando más de 10 000 millones de dólares, pero le permitió a la IBM detener a los japoneses, quienes controlan hoy una fracción menor del mercado de computadores de la que habrían controlado de otra manera.

A pesar de sus éxitos, Frank tomó algunas decisiones que me hicieron pensar que me habría gustado tener aún el mando. En especial me alarmé mucho cuando él y John Opel, quien había de ser más tarde su sucesor, acabaron rápidamente con el sistema de arrendamientos, pasando miles de millones de dólares del negocio a ventas directas. Esto lo hicieron en parte porque la vida útil de las máquinas se había acortado muchísimo, y en parte para liberar capital que, de otra manera, habría quedado inmovilizado en máquinas alquiladas. Pero a mí me preocupaba porque los cánones de arrendamiento habían sido tradicionalmente la base del éxito de la IBM. Los respectivos contratos nos casaban con los clientes, eran un poderoso incentivo para mantener un servicio de primera, y hacían que la IBM fuera estable y prácticamente a prueba de depresiones. Al secarse la corriente de pagos por concepto de arrendamientos, la IBM era mucho menos estable y mucho más vulnerable a las fluctuaciones de la demanda. Sentí la misma inquietud que debió de sentir mi padre en los años 50 cuando Williams y yo insistimos en aumentar el endeudamiento de la IBM. Esto lo aceptó a pesar de que su instinto le decía que endeudarse era malo; la discusión debió de ser para él un doloroso recuerdo de que la IBM ya no le pertenecía del todo. Para mí también fue penoso tener que reconocer que ya tampoco era mía.

Probablemente me habría deprimido mucho si no hubiera tenido otras maneras de encauzar mis energías que la IBM; pero, por fortuna, no sólo sabía navegar sino también pilotear aviones. La aviación fue mi primera pasión, y aunque la IBM la desplazó del centro de mi vida, mi deseo de remontarme en el aire jamás desapareció. Cuando la Dirección Federal de Aviación me devolvió mi licencia irrestricta de piloto, dos años después del ataque al corazón, lo primero que hice fue obsequiarme a mí mismo con clases de helicóptero. No sabía si la vida valdría la pena sin la IBM, pero la idea de dominar una nueva técnica de vuelo me entusiasmaba, de modo que en la primavera de 1974 me matriculé en un centro de enseñanza de pilotaje de helicópteros, situada cerca de Boston. Todos los días volaba una hora por la mañana, pasaba un par de horas en cama, y por la tarde volaba otras cuatro horas. Yo me jactaba de ser un buen piloto, pero mantener estable un helicóptero es como tratar de sostenerse en posición firme encima de una pelota para ejercicios medicinales. Después de unas treinta y cinco horas en el aire, perdí las esperanzas de aprender y le dije al instructor:

— Creo que será mejor abandonar esto.

— ¡Nada de eso! Usted ya puede volar solo cuando quiera.

Me sorprendió esa confianza.

— Pues entonces, que sea ya — repuse.

Cerré la portezuela y me elevé. El área de práctica era un bosque donde una empresa maderera había hecho grandes cortes, por lo menos de 45 metros de ancho, aunque a mí me parecían mucho más angostos. Durante tres cuartos de hora estuve volando de arriba abajo sobre esa área hasta que empecé a sentir dominio del aparato, y un par de semanas después tuve la satisfacción de estar preparado para recibir mi licencia. Muchos pilotos veteranos les tienen miedo a los helicópteros por la espantosa frecuencia con que se estrellaban los primeros: siempre se desprendía un aspa del rotor, luego la otra, y el piloto se encontraba cayendo a tierra en una frágil barquilla. Esa posibilidad me aterraba a mí también, de manera que después de una cuidadosa investigación compré un Bell Jet Ranger, el helicóptero que tenía la más larga y la mejor tradición de seguridad, mejor que la de la mayoría de las avionetas.

Reanudé mi carrera de aviación en el punto donde la había dejado al terminar la guerra. Aunque durante mis años en la IBM volé varios miles de horas, eso fue en viajes de negocios, y no me parecía que hubiera tenido suficiente tiempo solo ni variedad. Cuando joven piloteé todos los aviones que pude tener a mano: quince tipos distintos mientras estuve en la universidad y treinta más durante la guerra, incluyendo bombarderos, cazas, aviones de transporte y hasta los grandes biplanos O-38, que eran todavía una parte de las existencias del ejército. En esos días, la aviación era muy informal. Yo me acercaba a un sargento en la línea de vuelo y le decía:

— Ya leí la orden técnica del C-47, y si usted se sitúa detrás de mí y me muestra dónde están los interruptores, me gustaría pilotearlo.

— Por supuesto, mayor — contestaba el tipo.

Yo siempre me contentaba con sólo ascender en el nuevo avión y volver a aterrizar; tenía la reputación de saber lo que hacía porque no hacía pruebas alocadas ni tuve jamás un accidente. Después de la guerra, el vuelo se volvió más técnico, y cada vez había más reglas de la Dirección Federal de Aviación; pero, a diferencia de muchos pilotos de mi generación, a mí eso no me parecía mal; observar el procedimiento prescrito era parte del oficio. Me encanta pilotear jets, que es el vuelo más técnico de todos, y después de obtener mi licencia para helicópteros compré un Learjet y saqué certificado para pilotear éste también.

He experimentado casi todas las formas de aviación, excepto el vuelo espacial. Quise ensayar un planeador de colgarse, en una ocasión en que el hijo de un amigo llevó uno a Stowe para hacer una demostración. No había a mi parecer razón alguna para que un hombre de sesenta años no pudiera aprender, de modo que le pedí al joven el nombre del mejor instructor de los Estados Unidos. Llamé por teléfono a la escuela de planeadores y la secretaria me dijo que el hombre no estaba. Volví a llamar varias veces durante un par de semanas y nunca lo encontraba. Al fin le pregunté:

— ¿Es que se murió?

— Sí, señor — me contestó.

— ¿Se mató en un planeador de colgarse?

— Sí, señor.

Hasta allí llegó mi interés en ese deporte.

Pasar de un tipo de máquina voladora a otra es una prueba muy exigente, y no necesariamente la cosa más segura del mundo. A pesar de todos mis esfuerzos, hubo ocasiones en que me vi en aprietos. Muchas personas que me conocían probablemente decían para sus adentros: ''Ese pájaro se va a matar un día de éstos en un avión''. Pero para mí, volar es vital, y en los primeros cinco años de mi jubilación acumulé 2 000 horas, casi tanto como un piloto profesional de una corporación. Descubrí que hacer frente a nuevos problemas me mantenía alerta, y trataba de programar mi tiempo de tal manera que me mantuviera constantemente comprometido a un poco más de lo posible. Así fue como viví en la IBM, y lo que más me asustaba del retiro era quedarme estancado.

# CAPITULO 32

En el verano de 1977, durante el primer año de la presidencia de Jimmy Carter, hallándome en mi estudio, en North Haven, ocupado en trazar planes para una travesía que pensaba emprender doblando el cabo de Hornos, recibí una llamada telefónica de Harold Brown, el nuevo secretario de Defensa.

— Cyrus y yo pensamos que usted debe venir a Washington y ponerse a trabajar — me dijo, refiriéndose al secretario de Estado Cyrus Vance. Brown y Vance habían sido miembros de la directiva de la IBM cuando yo me retiré, y me conocían bien.

— Harold — le contesté — , aquí estoy bien cómodo en mi poltrona, con una vista preciosa sobre los pinares y la bahía de Penobscot. ¿Para qué quiero ir a Washington?

— El presidente Carter quiere que usted presida la Comisión Asesora General de Control de Armas y Desarme.

Yo no había oído hablar de tal grupo, pero Harold me explicó que era una comisión de alto nivel encargada de asesorar al presidente en forma independiente sobre estrategia nuclear. Se había creado cuando Kennedy estaba en la Casa Blanca, depende directamente del presidente y es una manera de que ciudadanos distinguidos penetren tras la cortina del secreto militar y entiendan lo que realmente está ocurriendo en la carrera de armamentos. Brown y Vance pensaron que yo era el hombre más a propósito para presidir la GAC, como se llama, por ser un liberal cuya vida profesional estaba envuelta en la alta tecnología. Además, había pasado algún tiempo en Rusia, primero con las Fuerzas Armadas y luego como hombre de negocios, de manera que el modo de pensar de los soviéticos no era un misterio total para mí. Yo consideraba que ellos eran responsables, tan interesados como nosotros mismos en evitar la tercera guerra mundial, así que lo sensato era negociar con ellos tratados para la reducción de armamentos.

Sorprendiéndome yo mismo un poquito, acepté la oportunidad sin vacilar. Antes de sufrir el ataque cardiaco, había rechazado siempre todas las ofertas de Washington. No me parecía bien salirme de la IBM, y tampoco quería exponerme a quedar en ridículo en un campo nuevo, desconocido para mí. Pero ahora estaba jubilado, dedicado a las aventuras desde hacía algunos años, y un gobierno demócrata — el primero en largo tiempo — me daba la oportunidad de hacer algo importante. Lo mismo que muchos compatriotas, no había vuelto a pensar seriamente en la tercera guerra mundial desde los primeros años 60. Recordaba aquellos días aterradores en que todos nos pegábamos al radio o al televisor esperando noticias de la crisis de los proyectiles en Cuba. En esa época hice construir un refugio contra precipitación radiactiva para mi propia familia e inicié en la IBM un Programa de Préstamos para Refugio de la Familia, a fin de que los empleados que quisieran pudieran construir un refugio. Pero cuantos más refugios se construían, menos sentido parecían tener. Uno podía permanecer en su refugio treinta días, pero al salir ¿qué encontraría? Un mundo salvaje de gente rapaz que amenazaba a su familia. Todos dotamos los refugios de pistolas y fusiles, pero todo eso empezó a parecernos cosa de dementes. La gente como que llegó al fin a pensar que si estallaba una guerra nuclear, no tendría sentido tratar de sobrevivir.

Cuando recibí la llamada de Harold Brown, hacía años que no bajaba a reponer las provisiones de mi refugio. Psicológicamente había sido más fácil alejar de mi mente el peligro de la carrera de armamentos, pese a que yo sabía que ésta continuaba y que la IBM les suministraba computadores a laboratorios de armamentos. La pugna había experimentado diversas etapas de intensificación. Los Estados Unidos construyeron toda una nueva generación de proyectiles balísticos intercontinentales llamados Minutemen; rodeamos a la Unión Soviética de submarinos Polaris; les agregamos cabezas explosivas múltiples a todos nuestros misiles; y desde luego, en cada caso los rusos tomaron las contramedidas pertinentes. El esfuerzo por controlar las armas, que se había rezagado mucho, parecía haber hecho crisis. El primer tratado SALT de limitación de armas estratégicas había caducado. El SALT II se encontraba aún en la mesa de negociaciones, y Rusia y los Estados Unidos estaban al borde de otra intensificación de la carrera de armamentos.

Dejé a un lado mis mapas de la Patagonia, y durante los seis meses siguientes, antes de la primera reunión de la GAC, me dediqué a viajar a Washington a cada rato para aprender todo lo posible sobre tratados, política y armas nucleares. Me documentaron la Dirección de Control de Armas y Desarme, la Secretaría de Estado, la CIA, la dirección de seguridad interna de la Secretaría de Defensa y la oficina del Estado Mayor Conjunto. Pasé horas escuchando a analistas militares hablar en términos hipotéticos sobre ataques, contraataques y decenas y centenares de millones de víctimas. Era asombroso. Esta gente hablaba una jerga que hacía posible tratar de desastres nucleares durante horas sin mencionar una sola muerte humana. A mí me pareció que toda su manera de ver las cosas era perversa. Me intimidaba el solo volumen de la información que debía dominar; pero, a la vez que trataba de asimilar el contenido técnico de lo que escuchaba, estaba resuelto a no dejar que se me escapara su verdadero significado. Me parecía que no debíamos estar haciendo preparativos para destruir la civilización. Los militares argumentarían que si estamos siempre preparados, eso no sucederá. Pero ese concepto era el que impulsaba la carrera de armamentos. Pensé que seguramente los expertos que se pasaban la vida enfrascados en las dificultades de la planificación estratégica considerarían que mi punto de vista era simplista, por lo cual traté de reservármelo; pero aplicar el sentido común puro y simple era la razón de ser de una junta asesora como la GAC. En cualquier campo de la tecnología, pero sobre todo en uno tan peligroso como éste, es indispensable contrapesar el estrecho enfoque de los expertos.

La Casa Blanca no consultó conmigo el nombramiento de miembros de la GAC: ya habían sido escogidos antes que yo llegara a Washington; pero formaban un grupo interesante y competente. Carter nombró republicanos y demócratas, científicos y hombres de negocios, abogados, un eclesiástico y un dirigente obrero: doce personas en total. La mitad eran ciudadanos eminentes que no sabían casi nada de armas nucleares; la otra mitad eran expertos en defensa y en política internacional, y casi todos le concedieron a la GAC la más alta prioridad. Contábamos con McGeorge Bundy, que había sido asesor de seguridad nacional de Kennedy y de Johnson; con Brent Scowcroft, asesor de seguridad nacional de Gerald Ford, y Harold Agnew, entonces director del laboratorio de Los Alamos. Wolfgang Panofsky y Paul Doty eran científicos distinguidos que esporádicamente habían prestado sus servicios al gobierno durante varios años. Entre los "civiles" figuraban Owen Cooper de la Iglesia Bautista del Sur; Margaret Wilson de la NAACP;[1] Bert Combs, juez federal y ex gobernador de Kentucky; y Arthur Krim, director de United Artists y fuerza poderosa dentro del partido demócrata. Lane Kirkland, secretario-tesorero de la central obrera AFL-CIO, era nuestro principal belicista.

Durante los primeros meses visité a no menos de cuarenta senadores, construyendo la red que necesitábamos para que la comisión pudiera tener influencia. Recibí mucho apoyo de Bill Jackson, el director ejecutivo de la GAC, quien había sido el principal asistente legislativo del senador Alan Cranston en las áreas de política internacional y defensa, y sabía cómo se hacen las cosas en el Capitolio. Era un hombre bajito e irascible, como de cuarenta años, llevaba siempre una enorme cartera y rebosaba energía hasta tal punto, que muchas veces no organizaba las ideas o no las expresaba en forma sucinta — lo contrario del estilo IBM; pero tenía audacia y un gran sentido político, de modo que yo suprimí mi estilo IBM para hacer las cosas a su manera. Por indicación suya les hice visitas de cortesía a toda clase de personas, desde liberales como Frank Church hasta hombres de la línea dura como Scoop Jackson. También busqué deliberadamente el consejo de veteranos en relaciones sovieticoamericanas como Averell Harriman y John J. McCloy, quien había sido el presidente fundador de mi comisión en 1961.

Yo no sabía politiquear, pero vi que por muchos aspectos no era muy distinto de ser vendedor. Reglas prácticas que había aprendido vendiendo máquinas perforadoras también funcionaban aquí, como aquello de no hacerle perder tiempo a un cliente y hacer siempre amistad con las secretarias.

---

[1] Asociación Nacional para el Progreso de la Gente de Color *(N. del Trad.)*.

Era tanto lo que tenía que hacer la comisión, que Bill Jackson y yo resolvimos celebrar reuniones mensuales de dos días de duración. Eso es mucho tiempo para pedirles a servidores voluntarios, y yo medía mi éxito por el número de los que asistían a cada reunión. Les mandaba notas que estimularan su interés, en las cuales les informaba, por ejemplo, que vendrían a hablar con nosotros cuatro físicos que habían contribuido a diseñar la primera bomba atómica. Siempre asistían diez u once de un máximo posible de trece miembros, lo cual era indicio de que sí había interés. Para mí cada reunión era una prueba, pues me había mantenido al margen durante siete años, y en la comisión había tantos expertos que podría arruinar mi reputación con sólo dos o tres observaciones tontas que hiciera. Antes de cada sesión, me reunía con Jackson en un hotel, y él dedicaba todo un día a hacerme preguntas. Cuando se reunía la comisión, yo estaba armado de suficientes notas detalladas para sostener un buen ritmo de trabajo. Nunca en mi vida me había concentrado tanto.

Dirigir la GAC no era nada como dirigir la IBM. Hacia el final de mi carrera yo me había ganado la reputación de que en las reuniones apabullaba a todo el mundo, pero ésta era una comisión asesora, no una junta de ejecutivos de la IBM, y mi deber era buscar consenso de opiniones. Así, pues, constantemente tenía que reprimirme. Durante las sesiones de documentación anotaba instrucciones para mí mismo, que decían: "No hablar demasiado. Ver que todos tengan oportunidad de expresar sus opiniones. Pedirles ideas a los que todavía no hayan dicho nada".

Mi meta era hacer de ese grupo tan diverso un equipo de trabajo. Sabía que es difícil para la generalidad de las personas no sentirse cohibidas en presencia de personalidades tan brillantes y de tanta experiencia como McGeorge Bundy, quien estuvo al lado de Kennedy durante la crisis de los misiles de Cuba, de modo que les dije claramente a los expertos que tenían que dejar que los demás miembros de la comisión se pusieran al día. Mientras tanto, creí que valía la pena presentarles a los profesionales un punto de vista radicalmente distinto sobre la bomba, y para ello dispuse una proyección privada, para la comisión, de la brillante sátira de Stanley Kubrick titulada *Dr. Strangelove.* Cuando Brent Scowcroft, uno de los primeros estrategas militares del país, se enteró del proyecto comentó: "¡Cómo les van a mostrar una película tan poco realista a personas que tratan seriamente de entender las armas nucleares!" Yo reconocí que la escena del piloto con sombrero de vaquero montado sobre la bomba-H era un poco traída por los cabellos; pero me parecía que en el resto de la película había un fondo de verdad: el fracaso de tantas precauciones. Hace ver que los que tienen el dedo en el disparador son seres humanos y que accidentes siempre pueden ocurrir.

La GAC se reunía en la Secretaría de Estado, en una segura sala de conferencias con una gran mesa ovalada, paredes enchapadas de madera, alfombra verde y luces fluorescentes. Cuando empezó la documentación de alto nivel sobre armas, las primeras reacciones de personas como Arthur Krim, Bert Combs y Margaret Wilson fueron emocionales. En un intervalo para tomar café en medio de una presentación de la Secretaría de Defensa sobre misiles de crucero, algún miembro de la comisión se me acercaba con los ojos desorbitados y me decía: "¿Se imagina usted en qué posición nos han colocado estos hombres? ¡Estamos pagando impuestos para que nos lleven a una situación en que todos moriremos!" Sin embargo, en la comisión no había nadie que fuera partidario del desarme unilateral o total. Lo que casi todos queríamos era encontrar la manera de que la confrontación con los rusos fuera menos tensa y reducir el arsenal de ambas partes.

Pronto empezaron a destacarse los verdaderos pensadores del grupo. Wolfgang Panofsky señaló una pavorosa paradoja en el control de armas: la tecnología avanza más rápidamente que el proceso de concertación de tratados, de manera que perpetuamente estamos haciendo tratados sobre armas obsoletas mientras seguimos compitiendo en la construcción de otras más modernas. Arthur Krim, uno de los hombres de mayor visión que he conocido, observó que era un sofisma suponer que podíamos inventar armas que los rusos no pudieran igualar. Una y otra vez los Estados Unidos habían intensificado la carrera de armamentos pensando que tomábamos decisivamente la delantera, pero infaliblemente, a la vuelta de pocos años, los rusos ya nos habían alcanzado. Esto yo lo entendía muy bien porque la industria de computadores también es un juego de salto de rana tecnológico, sólo que no es mortal.

Pensé que la comisión no podía funcionar en una forma inteligente si no veía las armas con sus propios ojos. Por eso Jackson y yo llevamos al grupo a Nuevo México, donde visitamos los laboratorios nacionales de Los Alamos, cuna de la bomba atómica, y de Sandia en Albuquerque, que la AT&T administra y donde hoy se desarrollan componentes de bombas. En una exposición histórica del Departamento de Energía vimos réplicas de tamaño natural de *Little Boy,* la bomba que se lanzó en Hiroshima, y *Fat Man,* la que se lanzó en Nagasaki. Después fuimos a una especie de bodega en Sandia, donde presenciamos un desfile de una variedad de armas nucleares que sacaron silenciosamente en plataformas rodantes sobre llantas de caucho para que las viéramos. Los técnicos que empujaban las plataformas se vestían lo mismo que empleados de la IBM, con trajes de color gris oscuro, camisa blanca y zapatos oscuros. Las bombas en sí eran pequeños artefactos modernos, cilindros tal vez de 1.80 m de largo, pero algunas de ellas eran decenas o centenares de veces más poderosas que el *Fat Man* que acabábamos de ver. Nunca olvidaré una llamada *Dial-a-Yield.*[2] Para qué servirá graduar la explosión de un arma nuclear no lo entiendo ni tampoco cómo van a tener tiempo ni ganas de graduarla en medio de una guerra nuclear. Pero probablemente algún ingeniero, tratando de proceder con lógica, pensó: "Bueno, no debemos acabar con todo. Diseñemos una carga graduable. Si la graduamos más baja, sólo hará tanto; si la graduamos más alta, hará tanto más". Toda la comisión se quedó con la boca abierta viendo tales cosas, incluso Lane Kirkland y los otros de la línea dura. Cuando uno está sentado en un recinto frente a un arma nuclear no puede menos de sentir temor por el futuro.

Después de escuchar docenas de presentaciones hechas por oficiales de alta graduación, muchos llegamos a la conclusión de que los militares no pueden imaginar la guerra nuclear como la imagina un civil racional. Hablan de ella, hacen planes para ella, y sin embargo evitan pensar qué sucedería realmente en una guerra nuclear. Los miembros de la comisión preguntaban: "¿Cuál cree usted que sería el índice de supervivencia en los Estados Unidos?" Algunos apenas calculaban un 10%; otros,

---

[2] Es decir, de carga graduable *(N. del Trad.).*

hasta el 50%. Cuando preguntábamos si quedaría algo que se pareciera al país donde hoy vivimos, la respuesta era: "Bueno, podríamos empezar a reproducir otra vez la raza".

Pensé que nuestro primer informe para Carter debía ser unánime, pero era tal la diversidad de opiniones en la comisión que esto no era cosa fácil. La mayoría de los miembros eran partidarios de invertir la carrera de armamentos por medio de tratados. Lane Kirkland, por el contrario, siempre estaba echando humo negro: "Con esos bergantes no valen tratados", decía. Era muy amigo de Scoop Jackson, el miembro más antiguo de la Comisión de las Fuerzas Armadas del Senado, y pensaba que los Estados Unidos sencillamente debían armarse y plantarse. Harold Agnew, el director del laboratorio de Los Alamos, era una especie de tábano: un crítico permanente pero imposible de concretar. Permanecía en silencio en una reunión, de pronto hacía algún comentario mordaz sobre una idea en que estábamos trabajando, y se volvía a esconder en su concha. A Scowcroft también era difícil entenderlo, pese a que era brillante y el militar de más claro criterio que he conocido.

Había muchas cuestiones en las cuales todos estábamos en desacuerdo, pero al fin hicimos causa común cuando la Fuerza Aérea compareció para presentar su propuesta del nuevo misil MX, que equivalía a intensificar una vez más la carrera de armamentos. Querían excavar millares de silos en el desierto y trasladar los cohetes de unos a otros para que a los rusos les fuera difícil atacarlos. De cada veinte silos, sólo uno tendría un misil de verdad y los demás serían señuelos. El costo de este gigantesco juego de escamoteo se calculaba en unos 50 000 millones de dólares para 300 nuevos MX con 10 cabezas nucleares cada uno, centenares de tractores gigantes para transportarlos, 5 700 falsos cohetes y 6 000 silos. Durante todo el verano de 1978 escuchamos exposiciones sobre el MX. La Secretaría de Estado se oponía al proyecto, y la CIA envió a un funcionario a que nos explicara cuán ridículos eran los planes de las bases. Nos dijo: "De engañar, algo sabemos nosotros, y esos señuelos no van a engañar a nadie".

A cada objeción que se le hacía, la Fuerza Aérea contestaba con una nueva improvisación. En la IBM yo jamás habría tolerado semejante falta de seriedad, y lo mismo pensaban los demás miembros de la comisión. A fines de septiembre le rendimos un informe al presidente, en el cual le manifestamos que el MX no era práctico y que no se debía continuar con ese proyecto. Creo que él ya había llegado a la misma conclusión. Lo conservó como una carta para negociar, pero mientras él estuvo en la Casa Blanca, los nuevos misiles no se construyeron.

Carter parecía encontrar útil nuestro trabajo y a fines de 1978 nos pidió que le diéramos ideas para la reducción de las armas nucleares. A pesar de que aún no se había firmado el SALT II y de que la lucha por su aprobación en el Senado iba a ser dura, él ya estaba pensando en el SALT III. Los críticos de la administración dirían que eso no era más que el idealismo típico de Carter, pero a mí me parecía que actuaba con un sentido realista; sabía cuán peligrosos son los arsenales nucleares y cómo los avances tecnológicos vuelven obsoletos los acuerdos. Le dimos una extensa lista de propuestas, tales como ir acabando con los cohetes de cabezas múltiples. Pero nuestro punto más importante era que el proceso de celebración de tratados era demasiado lento. Tres gobiernos tardaron seis años en concertar el SALT II, y, mientras tanto, los laboratorios de armas le dieron al mundo nuevas generaciones de misiles, bombarderos, y la bomba de neutrones. Le dijimos a Carter que el único remedio era que los jefes de gobierno de ambos países agilizaran las negociaciones tomando ellos personalmente parte activa, continua y directa en ellas.

En la primavera de 1979 la GAC había intervenido en muchos otros proyectos. Panofsky escribió un estudio supersecreto para la Casa Blanca sobre el futuro de los proyectiles balísticos intercontinentales, y Arthur Krim empezó a hacer campaña entre los demócratas distinguidos a favor de un tratado que prohibiera todas las armas nuevas. Nuestras reuniones se convirtieron en un foro importante para el control de armamentos, y nos llegaban comunicaciones de personalidades eminentes de todo el espectro ideológico — belicistas como Fred Iklé y partidarios de una *détente* como Averell Harriman y Marshall Shulman de la Secretaría de Estado. Todo se hizo sin una sola filtración a la prensa, lo cual era una razón para que la gente estuviera dispuesta a hablar con nosotros. Otra razón era que se sabía que Carter nos prestaba atención. Cuando Stansfield Turner, director de la CIA, quiso alertar al presidente de que a los Estados Unidos ya no les quedaba sino un satélite espía, acudió a la GAC para presentar el caso. Hasta los rusos se dieron cuenta de nuestra presencia: en marzo recibí una invitación (que no acepté) para visitar a Moscú y discutir el futuro del control de armas en un instituto soviético de política internacional.

Carter parecía compartir nuestra fe en el liderazgo personal; cuando fue a Viena en junio para la conferencia en que se firmó el SALT II, le hizo a Brezhnev una serie de propuestas dramáticas para acelerar el SALT III. Le dio una lista manuscrita de grandes recortes de armas que ambos países podrían intentar y le dijo que los Estados Unidos estaban dispuestos a poner en práctica uno por uno los elementos del próximo tratado a medida que se fueran conviniendo, sin esperar a que estuviera acordado todo el tratado. Esto tuvo que darles mucho que pensar a los rusos, pero nunca tuvimos la oportunidad de conocer su reacción porque el aumento de las tensiones entre los dos países y las objeciones del Senado al SALT hicieron fracasar todo el proceso de negociaciones.

A mí me gustaba presidir la GAC, y de buen grado hubiera seguido en ello todo el resto de la administración Carter. Olive estaba contenta con el efecto que el trabajo estaba produciendo en mí; decía que me mantenía más contento y más tratable que todo lo demás que había hecho después de salir de la IBM. Pero en mayo de 1979 apareció en el *New York Times* un suelto en que se decía que Malcolm Toon, el embajador de los Estados Unidos en Moscú, estaba para retirarse y que Averell Harriman me había propuesto a mí para reemplazarlo. Olive lo vio primero y se inquietó mucho.

— ¿Cómo es esto de que nos vamos a Rusia? — me dijo. La sola idea de trasladarnos a un país extranjero y separarnos de los hijos y los nietos la alarmaba.

— A ver, muéstrame eso — le dije — . ¡Es absurdo! No nos vamos a ir a Moscú. Nadie me ha hablado de eso.

A los pocos días me telefoneó Vance para decirme que, efectivamente, yo era el candidato de Carter. El gobierno pensaba que yo podía suavizar las cosas en Moscú. El actual embajador, Toon, era un residuo de la administración Ford y partidario de una actitud dura frente a Rusia. Yo lo había conocido cuando me disponía a presidir la GAC, y me pareció que tenía un extraño estilo mordaz. Cuando hablaba de los soviéticos tenía ideas razonables, pero las precedía de comentarios hostiles, como "Claro que yo detesto a esos bellacos". Criticaba el SALT II y era escéptico en cuanto a un futuro entendimiento. Los rusos tampoco gustaban de él, y Carter quería que yo lo reemplazara.

Aunque la propuesta era muy honrosa, yo no tenía experiencia diplomática y sabía que me iba a meter en honduras. Por otra parte, no estaba tan en desacuerdo con Toon en lo básico, si bien me inclinaba menos a la polémica. Había además otro factor: no me parecía que fuera del todo justo con Olive, quien realmente estaba abatida y cuanto más pensaba en Moscú menos le gustaba la idea, aunque se animó un poco cuando Gay Vance fue a visitarla y le habló de Spaso House, la magnífica residencia del embajador, y le dijo que sería facilísimo que los amigos y los nietos fueran a visitarnos. Olive y yo hablamos detenidamente del asunto, y al fin yo dije que quería aceptar. Tenía la esperanza de poder mejorar las relaciones entre los Estados Unidos y los Soviets y el control de armamentos, y le dije a Olive que eso sería lo mejor para los nietos — los nuestros y los de los demás.

Mucho antes que mi nombramiento se hiciera oficial, fui objeto de una gran controversia. Muchos expertos en política exterior opinaban que no era una elección acertada, que el cargo en Moscú pedía un diplomático de carrera que hablara ruso, como Toon, no un aficionado con sólo buenas intenciones. La embajada en Moscú se considera generalmente una de las más exigentes y durante treinta años había estado a cargo de profesionales. Corría la voz de que poderosos miembros de la Comisión de Relaciones Exteriores del Senado se oponían a mi nombramiento. Algunos críticos no sabían que yo tenía experiencia en control de armamentos; creían que de pronto Carter se había ablandado frente a los soviéticos y les mandaba al presidente de la junta directiva de la IBM para que abriera las puertas del comercio entre los dos países. Mis partidarios trataron de contrarrestar todo esto con una campaña de cabildeo. Le hicieron publicidad a mi trabajo en la GAC y a mis diversos viajes a Moscú, y sugirieron que yo pertenecía a la gran tradición de estadistas de negocios como Harriman, que había sido nuestro embajador en Moscú durante la guerra.

Todo iba bien, a pesar de que yo cometí un error embarazoso. En julio, justamente antes que se anunciara mi nombramiento, asistí a la conferencia de Viena como presidente de la GAC, con Carter. En mi hotel recibí una llamada de un periodista a quien conocía un poco:

— Estoy en el vestíbulo con un colega y quisiéramos conversar con usted sobre su nombramiento de embajador — me dijo.

— No sé que haya sido nombrado oficialmente — le contesté — de modo que no puedo decirle nada.

Pero ¿no nos podría recibir para que hablemos de antecedentes?

— Ah, eso es otra cosa. Suban.

Yo quería ser amable, pero no estaba pensando con mucha claridad. La GAC había evitado la publicidad por completo, y en la IBM, durante muchos años, fuimos muy cuidadosos en nuestro trato con la prensa. La entrevista duró un cuarto de hora, salió bien y los periodistas se comprometieron a publicar la información sólo como antecedentes. En el momento en que se retiraban, uno de ellos me preguntó:

— ¿Qué es eso que tiene en el dedo?

Sucedía que esa noche debía ir a la ópera, donde esperaba verme con el embajador Toon, y para no olvidarme de buscarlo había escrito en mi dedo pulgar en letras pequeñas, t-o-o-n.

— Ah, ¿esto? Se lo aprendí a mi hija menor. Ella lo llama su memoria auxiliar. Esta noche voy a la ópera y no quiero que se me pase buscar al embajador Toon.

Nunca supe cuál de los dos periodistas fue el que difundió el cuento, pero lo cierto es que pronto apareció un artículo en que se decía que yo era un viejo desmemoriado. No pensé que la historia fuera devastadora, sólo molesta. Pero cuando volví a Washington me llamó Marshall Shulman, la máxima autoridad de la Secretaría de Estado en materia de relaciones con la Unión Soviética y uno de los que habían estado buscando apoyo en el Senado para mi candidatura. Me dijo:

— Ese artículo le va a hacer mucho daño.

— No puede ser. Un buen día podría tener una mancha en la nariz y a alguien se le puede ocurrir escribir sobre eso. Si estas pequeñeces lo pueden hacer o deshacer a uno como embajador, esto no es para mí.

Hablé con mucha firmeza porque no quería reconocer que había sido ingenuidad mía hablar con los periodistas. Shulman no cedió un punto. Me llamó seriamente la atención, y yo sentí un gran alivio cuando al fin mi nombramiento fue aprobado.

Cuando me retiré de la GAC, Arthur Krim y su esposa Mathilde organizaron una fiesta en mi honor, en su espléndida mansión de Nueva York. McGeorge Bundy pronunció el discurso de despedida, y en nombre de todo el grupo me obsequió con un juego de cubiertos de peltre. No olvidaré su humorismo: "Cuando vea estas cucharas", me dijo, "observará que son demasiado largas para usarlas en un banquete con amigos... y demasiado cortas para cenar con el diablo. Así que tal vez resulten de la longitud exacta para que las use en Moscú y le recuerden el gran afecto que todos le tenemos". Fue la más cordial despedida que se pueda imaginar.

# CAPITULO 33

Ya había señales de la entrada del invierno cuando llegamos a Moscú, en octubre. Los edificios descuidados y el cielo plomizo de la ciudad me recordaron los cuatro meses que pasé en Rusia como piloto y ayudante del general Follett Bradley durante la guerra. Pese a que yo no abrigaba la menor simpatía por el sistema comunista, la experiencia de Rusia en la guerra me dejó una impresión profunda. Con la misión Bradley trabajábamos en la vieja cancillería de los Estados Unidos, en la calle Mokhavaya, justamente enfrente del Kremlin, con los ejércitos de Hitler a menos de 50 kilómetros de distancia. Habíamos sobrevolado las vastas provincias exteriores, y durante una semana nos habíamos quedado varados en el centro de Siberia. Rechazar la invasión alemana fue uno de los grandes triunfos de la historia soviética, y yo me enorgullecía de haber sido testigo y aun de haber tenido en él una pequeña parte. Pero no era tan tonto como para creer que la nostalgia me hiciera un buen embajador. Aun cuando me sentía vinculado a Rusia por la guerra, me daba muy bien cuenta de la realidad de las relaciones entre los Estados Unidos y la Unión Soviética. En 1979 el *détente* no marchaba bien, y la firma del SALT II había sido el único hecho positivo en mucho tiempo.

La misión que me habían encomendado Carter y Vance era bien clara: querían que corrigiera la enorme disparidad que se había producido entre el tratamiento que se le daba al embajador de los Estados Unidos en Moscú y el que recibía en Washington el embajador Anatoly Dobrynin, quien había representado a la Unión Soviética en nuestro país desde hacía veinte años y gozaba de tanta consideración que para ir a ver al presidente le bastaba levantar el teléfono. Hasta le permitían estacionar su automóvil en el garaje de la Secretaría de Estado. En cambio, nuestros embajadores desde hacía diez años habían tenido poco acceso al Kremlin. Durante las negociaciones del SALT, la administración Carter, siguiendo la línea de menor resistencia, se había valido de Dobrynin para hacer conocer a Moscú su pensamiento, dejando a un lado a Malcolm Toon. Pero habiéndose firmado ya el tratado, Carter quería que se restableciera el prestigio de la Embajada de los Estados Unidos.

Yo tenía aún mucho que aprender sobre el tejemaneje de mi nuevo oficio, pero sí sabía cuál sería mi estilo como embajador. Quería seguir el modelo de mi buen amigo Llewellyn Thompson, que fue nuestro embajador en Moscú durante la administración de los presidentes Eisenhower, Kennedy y Johnson. Yo lo había conocido en Moscú en 1942, cuando él era un joven diplomático de rango inferior. A la mayor parte del personal de la embajada la habían mandado a la población de Kuybyshev, a 800 kilómetros de la retaguardia, pero a Tommy, como le decíamos, lo encargaron de cuidar de nuestras instalaciones en Moscú. Una de mis primeras tareas en esa época fue llevarlo en mi avión hasta Teherán a comprar provisiones para la Embajada, pues en toda Rusia los alimentos escaseaban. Cargábamos en el pañol de bombas dos toneladas de provisiones — nada de cosas delicadas como se podría esperar para una embajada sino comida ordinaria de tiempo de guerra como leche condensada y fríjoles enlatados. Llegué a conocer bien a Tommy y a verlo con la admiración con que un joven ve a un hombre diez años mayor que él. Alto, delgado, hablaba correctamente el ruso; y a pesar de ser reservado por naturaleza, como embajador viajó por toda Rusia y se codeó en la vida social con soviéticos del más alto rango. El y su esposa supieron crear un ambiente acogedor, e hicieron de Spaso House, la residencia oficial, un imán que atraía a centenares de personajes importantes, desde miembros del Politburó hasta bailarinas — uno de los pocos lugares "decadentes" a donde podían asistir abiertamente altos funcionarios soviéticos. A Nikita Khrushov le caía tan bien Tommy que los dos se pasaban las horas muertas conversando.

Thompson no era un teórico brillante como George Kennan, pero sí entendía los motivos de los soviéticos, y en 1962 ese conocimiento quizá contribuyó a salvarnos a todos la vida. En la crisis de los misiles en Cuba, Khrushov le envió a Kennedy dos mensajes contradictorios: el uno era conciliador y dejaba en claro que el premier quería evitar la guerra nuclear, pero el otro era beligerante y casi desafiaba a Kennedy a dar un paso más en el enfrentamiento bélico. Kennedy y sus ayudantes no sabían qué pensar hasta que Thompson opinó que probablemente el primer mensaje era el que mejor reflejaba el pensamiento de Khrushov, y que lo que les interesaba a los rusos no era realmente tener misiles en Cuba sino más bien lograr una buena posición para negociar otras cuestiones. Sobre esa base, Bobby Kennedy propuso una idea asombrosamente simple: no hacer caso del segundo mensaje y contestar únicamente el primero, con la oferta de tratar de establecer el *détente* entre el Este y el Oeste si se retiraban los misiles. Eso fue lo que hizo el presidente, y Khrushov ordenó que se retiraran los proyectiles al día siguiente.

Un ciclo de mi vida se cerraba en Spaso House. Por primera vez puse allí el pie siendo joven, recién salido de la universidad, cuando salí a conocer el mundo antes de empezar a trabajar en la IBM. Durante la guerra le estreché la mano a Winston Churchill en una recepción en Spaso House. Siendo jefe de la IBM visité allí a Thompson; ahora, a la edad de sesenta y cinco años, volvía como embajador, ansioso de ver si de algo me serviría mi largo conocimiento de Rusia.

La casa era mucho más imponente que todas las que Olive y yo habíamos habitado. Es una extraordinaria mansión de estuco, situada como a 3 kilómetros del Kremlin, construida por un magnate zarista del azúcar poco antes de la Primera Guerra Mundial. Cuando la terminaron, ya había síntomas de revolución y el magnate no se atrevió a ocuparla, aun cuando sí dio fiestas en ella. Durante el gobierno de Lenin, la dividieron en apartamentos para burócratas, y así permaneció hasta 1933, cuando Roosevelt estableció relaciones con los Soviets. Su embajador, William Bullitt, escogió a Spaso House entre una docena de edificios que propusieron los rusos, probablemente porque por todas partes respira prosperidad capitalista. Está organizada en torno a un enorme salón elegante con columnas muy adornadas, arcos, balcones y una gran araña de cristal que cuelga del techo abovedado de tres pisos de altura. De este salón se desprenden galerías que llevan a un comedor de gala, habitaciones para el embajador y su familia, bibliotecas, salas de recibimiento, y muchos dormitorios para huéspedes. En seguida del comedor hay un salón de baile, agregado por los norteamericanos, con cabida para doscientas personas, para proyectar películas y dar conferencias. La casa se levanta en medio de un prado tras rejas de hierro forjado, y con todas las ventanas iluminadas, en una helada noche moscovita parece elegante y muy hospitalaria.

El primer deber de un embajador cuando llega al país de su destino es presentar sus credenciales, lo cual es ocasión de una visita oficial al jefe de Estado o su representante, y los soviéticos saben celebrar estas ceremonias con todo el boato del caso. A mí me escoltaron en un desfile de automóviles desde Spaso House hasta el Kremlin el lunes, 29 de octubre. Todo el tránsito se suspendió en las calles del recorrido y en todas las esquinas me saludaban los policías. Luego nuestra comitiva atravesó grandes salas con vitrinas a ambos lados, donde se exponían regalos hechos a los zares y artefactos de la Revolución Rusa. Llegamos a un imponente salón donde me habían advertido que debía detenerme al llegar a determinado punto de una alfombra. Desde el lado opuesto del salón avanzó entonces un caballero de corta estatura, el vicepresidente V. V. Kuznetsov, hablando en ruso. El jefe de protocolo me dijo al oído: "Ahora lea su discurso". Así lo hice, hubo aplausos y en seguida una copa de champaña. Yo sentía una gran emoción. Después de la ceremonia, el vicepresidente Kuznetsov me condujo a su despacho y me dijo en inglés americano:

— ¿Qué desea tomar, café o whisky?

— ¿Qué va a tomar usted, señor vicepresidente?

— Café.

— Lo acompaño. Señor, habla usted muy buen inglés.

— Estudié en el Tecnológico Carnegie, de Pittsburgh, y luego trabajé tres años para la General Motors. Apenas asumió el mando, Lenin quiso que algunos jóvenes tecnócratas aprendiéramos las maneras americanas y yo fui uno de los afortunados a quienes enviaron a su país. Lo recuerdo todo con mucha exactitud.

Hoy, pensando en esa visita a Kuznetsov, en la ceremonia y en la satisfacción que sentí viéndome en el Kremlin, me acuerdo de mi padre. El estaba muy orgulloso de haber asistido a la primera recepción matinal del rey Jorge VI, en 1937. Tengo que reconocer que el ansia de figuración de los Watsons no me pasó a mí enteramente por alto.

Había más de cien norteamericanos en el personal de la embajada, e inmediatamente emprendí la tarea de ganarme su apoyo. Todos habían leído aquellas historias periodísticas de que yo tenía que escribir el nombre de Toon en un dedo, y yo sabía que tenían curiosidad de saber cómo era su nuevo superior. Al problema de mi falta de experiencia le hice frente desde el primer momento. Convoqué una reunión general y después de explicar mi trabajo en la GAC, que había sido el antecedente de mi designación como embajador, me puse en sus manos. "El embajador Toon insistió muchas veces en que este cargo requiere liderazgo profesional", les dije. "Obviamente, yo no soy un profesional, y eso significa que agradezco la eficiencia de ustedes". Con un ligero toque IBM agregué que la puerta de mi oficina estaría siempre abierta para todo el que tuviera algún problema, una sugerencia o una idea nueva. Parece que esto lo recibieron bien, lo mismo que mi misión de restaurar el prestigio de la Embajada. Estaba en mi favor la gran diferencia entre el estilo de Toon y el mío. El se mantenía más alejado. Yo me concentré en las mismas cosas que en la IBM: cultivar la lealtad y reforzar el espíritu de equipo. A la semana siguiente, Olive y yo dimos una recepción para el personal de la Embajada y sus familias, y era la primera vez que muchos veían el interior de Spaso House.

Los soviéticos, por su parte, parecían complacidos de ver una cara nueva. Mi primera visita fue al ministro de Relaciones Exteriores Andrei Gromyko, a quien había conocido en 1959 cuando Khrushov visitó una planta de la IBM. En esos días, los funcionarios rusos eran conocidos por la ropa mal cortada que usaban, y recuerdo que Gromyko se distinguía por ir siempre bien vestido. Hombre de gran inteligencia y de maneras impecables, gradualmente les había enseñado a sus camaradas cómo deben actuar los diplomáticos. En la Secretaría de Estado le tenían el apodo de Viejo Cara de Piedra, pero yo lo tenía por un gran actor. Era impasible sólo cuando le convenía; en otras ocasiones, si se interesaba por algo que uno decía, se podían ver cruzar su rostro media docena de expresiones distintas. Cuando yo lo visitaba oficialmente en Moscú la rutina era siempre la misma. Yo llamaba para hacer una cita (por lo general bastaba un día de aviso previo) y nos veíamos en el Ministerio de Relaciones Exteriores en una pequeña sala de conferencias contigua a su oficina. El entraba, tomábamos cada uno un vaso de agua mineral y conversábamos sobre la expedición de visas de salida para judíos, los permisos para construir nuestra nueva cancillería, la aceleración de la discusión del SALT II en el Senado de los Estados Unidos, o cualquier otra cosa que estuviera en el orden del día.

Mi primera esperanza de obtener un triunfo diplomático la tuve en una entrevista con Aleksandrov, asistente de Brezhnev. Me estaba diciendo que recordaba con afecto a Tommy Thompson y yo aproveché la oportunidad para recordarle que a Thompson le habían dado libre acceso al Politburó.

— Esa es una meta mía — le dije —. Me gustaría charlar con cada uno de los miembros del Politburó. Si lo logro, habré hecho algo de provecho para mi país y quizá también para el suyo, y, al mismo tiempo, le mostraré a mi jefe, Cy Vance, que me mantengo activo aquí y no me estoy mano sobre mano leyendo a Tolstoi.

Aleksandrov era un hombre pequeño, de voz estentórea. Rió y dijo:

— *Personalmente,* creo que sería una idea excelente.

No sabíamos qué creerían los demás; pero a Mark Garrison, ministro consejero de nuestra embajada, le pareció muy interesante el solo hecho de que yo hubiera podido llegar tan lejos sin ser desairado. Garrison era un sovietólogo, diplomático de carrera y hombre muy aplomado, con quien hice buena amistad. Creo que sentía al mismo tiempo curiosidad y escepticismo en cuanto a mis posibilidades, pero me aleccionó con la mayor paciencia sobre lo que debe ser básicamente un embajador, y yo me confié mucho en él, como me había confiado antes en Bill Jackson en la GAC. El otro maestro que tuve fue Robert German, nuestro consejero político, quien no se apartaba de mi lado cuando yo me movía en los círculos oficiales. Es un tejano de habla suave, abogado de profesión, y me salvó de cometer muchas *gaffes.* Yo siempre le pedía que criticara abiertamente mi modo de proceder, pero él era muy diplomático para eso.

Cuando tenía algún comentario que hacer, yo me enteraba por conducto de Garrison.

No hacía todavía un mes que estaba ejerciendo mi nuevo cargo cuando empezamos a recibir informes sobre concentraciones del Ejército Rojo sobre la frontera con el Afganistán. Probablemente los Estados Unidos debieran haber prestado más atención, pero la Casa Blanca y la Secretaría de Estado estaban preocupadas por la crisis de los rehenes en Irán. Era sabido que el Kremlin estaba molesto con el presidente afgano Amin por no haber debelado a los rebeldes islámicos en su país, pero nadie pensó que los Soviets fueran a invadir. Nunca habían empleado sus propias fuerzas en ningún país fuera de los del pacto de Varsovia desde la Segunda Guerra Mundial. Para mí era especialmente difícil imaginar una invasión, pues daba la coincidencia de que conocía un poco al Afganistán por haberlo visitado hacía apenas cuatro años con mi hija Jeannette. Nos alojamos en esa ocasión en Kabul y luego hicimos una excursión a las montañas por las antiguas rutas de mercaderes, durmiendo en tiendas de campaña y en cabañas primitivas. Nos levantábamos al amanecer para ir a los mercados de camellos y a negociar tapetes. Ese viaje me dio una idea de la tenacidad del pueblo y la desolada belleza de esa tierra.

Era Navidad, y Spaso House estaba colmada con los hijos y los nietos que habían ido a visitarnos desde los Estados Unidos. Durante dos días la Embajada recibió avisos de que los movimientos de tropas se estaban acelerando y luego, al anochecer del 27 de diciembre, llegó la noticia de que batallones aerotransportados estaban aterrizando en el aeropuerto de Kabul. Pasé la noche en vela leyendo despachos de inteligencia. Millares de soldados rusos tomaban parte en la operación, y yo sentí todo el peso del mundo sobre mi corazón: en lugar de tender puentes hacia los rusos, me veía en medio de la más grave crisis desde los días de Kennedy y de Khrushov. Antes del amanecer recibí órdenes de Washington de exigirle explicaciones al Kremlin. Pedimos cita con Gromyko, pero el Ministerio de Relaciones Exteriores dijo que no se encontraba en la ciudad. El único funcionario disponible era un ministro delegado de apellido Maltsev, a quien yo no conocía. Esa mañana después de hablar con él lo apodé el Ministro No, porque era un hombre rudo y taciturno, un verdadero retroceso a los peores días de la Guerra Fría. Dijo que no había lugar a explicaciones porque no era asunto de la incumbencia de los Estados Unidos; que el Afganistán era un país vecino con el cual la U.R.S.S. tenía un tratado; Amin le había solicitado ayuda contra unos rebeldes que amenazaban su gobierno, y Rusia había accedido. Luego agregó:

— En todo caso, todo está en este memorándum — y me pasó un sobre.

— Su posición es difícil de creer — repuse —, pero muchas gracias.

Me disponía a ponerme de pie cuando Bob German dijo:

— Creo que al embajador le gustaría oír leer el memorándum.

Me salvó de haber cometido un error mayúsculo, pues si me hubiera retirado sin que se leyera, eso se habría interpretado como que los Estados Unidos aceptaban la explicación soviética. El memorándum estaba en inglés y simplemente repetía las pamplinas que Maltsev me acababa de decir. Le repuse en nombre de mi gobierno que era inaceptable. A la mañana siguiente se supo que dos divisiones completas del Ejército Rojo habían cruzado la frontera y pronto se conoció toda la realidad de la invasión: los rusos derrocaron al gobierno, asesinaron al presidente Amin e instalaron en su lugar a un títere afgano que había estado oculto en la Unión Soviética y lo llevaron las fuerzas rusas aerotransportadas.

Nuestra Embajada se convirtió en una olla de presión. Durante un par de días nadie durmió. Yo era un novato, ya no era joven, y Garrison, German y el resto del personal trabajaron frenéticamente intercambiando télex con Washington tan rápidamente que yo no los podía seguir. Les dije:

— Oigan, señores, ustedes saben mucho sobre todo este asunto, pero yo soy realmente el que tiene que responder, así que, si no tienen inconveniente, me gustaría enterarme.

Pero siguieron a toda velocidad, hasta que me incomodé y le dije a Garrison:

— No sé si me voy a poder entender con usted en esta Embajada.

El sabía que yo lo podía hacer destituir, pero no se intimidó en lo más mínimo. Me contestó inmediatamente:

— No se trata de si usted y yo nos podemos entender; se trata de qué podemos hacer por nuestro país hoy. Más tarde ya habrá oportunidad de resolver si podemos trabajar juntos o no.

Me serené al punto. Por fin enviamos a la Secretaría de Estado un extenso despacho en el que analizábamos la invasión. La llamamos "un cambio serio e inaceptable de política soviética" y recomendamos que nuestro gobierno "hiciera que el costo político fuera tan alto para ellos que encontraran la manera de retirar sus tropas". Ese mismo día, el presidente Carter le mandó a Brezhnev un mensaje por la línea directa en que le decía que retirara sus fuerzas so pena de poner en peligro las buenas relaciones con los Estados Unidos.

El revuelo en el Kremlin tiene que haber sido mayor aún que en nuestro campo. Habían cometido su mayor error en política internacional en más de diez años. Los historiadores discuten todavía por qué optaron por invadir, pero cualesquiera que fueran sus motivos, lo cierto es que no previeron en absoluto la reacción de los Estados Unidos. Nosotros vimos la invasión como un posible primer paso de una estrategia de expansión hacia el golfo Pérsico. Tal era la lógica en que se inspiró el mensaje de Carter por la línea directa, y al poco tiempo yo recibí una llamada del Ministerio de Relaciones Exteriores para informarme que Gromyko me podía recibir. Nos reunimos en la misma salita de conferencias al lado de su oficina.

— No puedo entender lo que han hecho ustedes — le dije —. Yo hablé con el ministro Maltsev, como usted sabe, pero la explicación que me dio no la entiendo. Me parece imposible.

— ¿Por qué? — me preguntó Gromyko.

— Bueno, yo no soy un diplomático profesional, pero el tipo que pide ayuda bajo su tratado muere en el instante que ustedes llegan, y el nuevo jefe del gobierno llega a bordo de un avión militar ruso. Eso no suena como un cambio de gobierno producido por sucesos internos del país.

Yo nunca había visto a Gromyko con un pelo siquiera fuera de lugar, pero esta vez saltó y gritó, literalmente gritó:

— ¿Quién le dijo eso? ¿Quién se lo dijo? — Avanzó hasta donde yo estaba y agregó —: Su presidente está gritando a las nubes y su voz le vuelve como un eco, ¡y él cree que es la voz de Dios!

Todo esto yo lo recibía por conducto de un intérprete. Me

sentía anonadado, y durante unos minutos guardé silencio. Luego le dije:

— Creo que no tenemos nada más que hablar, señor ministro.

— Así es, señor embajador — repuso.

Me puse de pie y me dirigí a la puerta, pero la cabeza me daba vueltas. Pensé: "Tengo que trabajar con este hombre, y aquí yo estoy obrando por mi cuenta. ¿Realmente, debo salirme?" Me detuve a un metro de la puerta y le dije al intérprete:

— Dígale al ministro que cuando nos vimos hace unas pocas semanas en el Kremlin, él me preguntó si estaba aprendiendo a nadar un poquito como nuevo embajador.

El intérprete tradujo, y Gromyko, con ceño tempestuoso, dijo:

— *Da.*

— Dígale que después de hablar con él en esta forma, más bien me hace pensar que me estoy ahogando.

Gromyko soltó la carcajada, se me acercó, y echándome el brazo al cuello dijo:

— No se ahogue. Patalee, agite los brazos, esto es sólo un deber. Usted cumple con su deber, yo cumplo con el mío. ¡No se deprima!

Rió otra vez, me estrechó la mano y me la sacudió cordialmente, y al fin me retiré.

Pocos días después, el presidente me llamó a Washington, donde tomé parte en las consultas de la Casa Blanca sobre la manera como debían responder los Estados Unidos. Carter insistía en hacerles pagar a los Soviets su agresión, pero en la práctica era poco lo que podíamos hacer. No era una situación como para lanzar una bomba o mandar tropas. La Casa Blanca y la Secretaría de Estado compilaron una larga lista de posibles medidas antisoviéticas (mi propia embajada contribuyó con unas cuantas sugerencias), y al final el presidente resolvió adoptarlas casi todas. Esto significaba cancelar casi todos los acuerdos de cooperación que teníamos con los rusos bajo el *détente,* desde exposiciones de arte hasta nuevas ventas de granos, y boicotear los Juegos Olímpicos de Moscú. No era mucho lo que yo podía agregar a la discusión; sólo intervenía para oponerme a determinadas sanciones comerciales que iban demasiado lejos. Por ejemplo, compañías americanas le habían vendido maquinaria a Rusia, y ahora ni siquiera se les iba a permitir mandar piezas de repuesto para reparar equipos que todavía estaban bajo garantía. Le dije al presidente que esto no era correcto. Si quieren declarar la guerra o un boicoteo, eso es otra cosa; pero violar un compromiso contraído con un cliente es siempre incorrecto. El presidente Carter no aceptó mi criterio y supongo que ése era el punto, justamente: quería demostrarles a los rusos que ellos habían hecho imposible continuar negociando normalmente.

Yo no conocía muy bien al presidente y me sorprendió un poco la vehemencia con que reaccionó. Comprendí su enfado, pues la invasión del Afganistán echaba por tierra el SALT II, tan vital para la seguridad del mundo y en el cual ambas partes habían trabajado tanto: ya no había ni la menor posibilidad de que el Senado lo aprobara. El cambio en las relaciones entre los dos países fue un golpe para mí. Todavía no acababa de sentirme a gusto en mi nuevo oficio y ya la gente volvía a decir que lo que necesitaba la Embajada era un profesional bien curtido para hacer frente a la nueva guerra fría. Después de mis conversaciones con el presidente les dije a mis colaboradores:

— Me siento como un camaleón. Tendré que cambiar de color.

La primera vez que me vi con Gromyko a mi regreso hice un esfuerzo desesperado por romper el punto muerto a que habían llegado nuestros dos países. Fue una instancia personal. Le dije:

— No tengo instrucciones sobre esto, pero es hora de que hablemos sobre qué se puede hacer. ¿Por qué no buscar alguna manera de poner fin a esta cuestión?

— Siento mucho que no tenga instrucciones — me contestó —. Siento mucho que su gobierno no piense lo mismo que usted.

Nunca me sentí tan impotente. Esta vez Gromyko se mostró helado, como si me quisiera decir: "Tengo cosas más importantes que hacer, que ponerme a intercambiar opiniones extraoficiales con usted".

Regresé a mi Embajada en la penumbra de las últimas horas del día. Me sentía profundamente deprimido porque tendría que permanecer en esta cárcel todo un año. No había manera de retirarme con elegancia antes que terminara el período del presidente Carter. Yo tenía sesenta y seis años, una edad en que no es fácil perder un año de vida. Me sentía como un ratón cogido en la trampa.

La vida en la Embajada cayó en una pesada rutina. Todas las mañanas iba a mi oficina y encontraba de cincuenta a doscientos cables sobre el escritorio, y varias docenas más llegarían en el transcurso del día. Abarcaban cuanto ocurría en el mundo entero, y yo debía leerlos. En la carrera diplomática se aprende a examinar cables a la ligera, pero la lectura rápida no era mi fuerte y nunca alcanzaba a verlos todos. De vez en cuando llegaban de visita políticos norteamericanos — delegaciones del Congreso. Mi deber era recibirlos, pero muchas veces lo único que les interesaba era hacerse tomar fotos para los periódicos de su pueblo. Lo primero que pedían era ver a los pentecostales en el sótano de la Embajada. Estos eran un puñado de disidentes religiosos que habían solicitado asilo hacía dos años y querían presionar al Kremlin para que les dieran visas de salida del país. Yo les explicaba a los congresistas que cuanta más atención les prestáramos a los refugiados, menos probable era que el gobierno soviético actuara; pero ellos no resistían la tentación de tan fácil publicidad. Uno hasta llegó a poner en su tarjeta de Navidad una foto suya con los pentecostales.

Cuando ya no podía con el hastío, tomaba mi cámara y me iba a tomar fotos. Anduve por todo Moscú, a veces en tiempo de la Embajada y a veces en mi tiempo libre. Una vez di con un mercado al aire libre, de animales consentidos, un mercado libre que era una rareza en Moscú en esos días. Vendían erizos, gordos cobayos, gatos y perros y hasta peces tropicales que uno no esperaba encontrar a menos de miles de kilómetros de Moscú en febrero. Ya entonces yo hablaba un poco de ruso y conocí en mis paseos a mucha gente ordinaria. Algunos eran bastante insolentes: tenderos locales que le gritaban a uno: "Quítese de ahí; usted es el segundo en la fila", y viejas que me tomaban por el brazo en la calle y decían, *"Shapka, shapka, kholodno, kholodno!"* lo cual quiere decir: Póngase el sombrero que hace mucho frío. Los niños parecían felices. Siempre me sorprendió lo bondadosos que eran los rusos con sus chicos, aun en medio de las dificultades de la Segunda Guerra Mundial. Pero a los diecisiete o los dieciocho años de edad los jóvenes empiezan a parecer oprimidos. Mucho se oye hablar del alcoholismo en Rusia, pero rara vez se ve en público. La manera de beber es encerrándose un sábado por la tarde con una amiga, con la mujer o con un grupo de amigos. Las botellas de vodka no tienen corcho; se les quita la tapa metálica y se bebe hasta dejarlas vacías. Vacían cuantas botellas quieren, y beben para olvidar.

Pese a las frustraciones de mi misión, Olive y yo cosechamos en Moscú algunas recompensas personales. Como los hijos ya eran mayores, pudimos pasar juntos más tiempo de lo que había sido posible desde nuestro noviazgo. Tal como yo lo esperaba, Olive hizo de Spaso House un lugar alegre, hospitalario, e hicimos muchas amistades entre el cuerpo diplomático. Era la primera vez que ella y yo trabajábamos juntos en una forma intensa y descubrimos que hacíamos un buen equipo. Había mucho que hacer para levantar el espíritu de la colonia norteamericana y del personal de la Embajada. Llevamos a un director de danza de figuras, contratamos conferencias sobre arte e historia de Rusia, e invitamos a personajes como Bob Hope y el gran locutor de radio Lowell Thomas, que había sido un viejo amigo de mi padre. También viajamos llevando la bandera de los Estados Unidos a todos los rincones de la Unión Soviética. Fuimos a Leningrado un par de veces, desde luego. Volamos a Georgia y exploramos la ciudad de Bakú, que fue en un tiempo estación obligada de una antigua ruta de caravanas al Oriente. En Odessa tomamos un vapor que nos llevó, a lo largo de la costa del mar Negro, a Yalta y la ciudad industrial de Batumi, en la frontera con Turquía. Hicimos otro viaje al norte, a Murmansk, ciudad de casi medio millón de habitantes, más allá del Círculo Polar Artico; y al puerto ártico de Arcángel. Fuimos a Irkutsk, una ciudad del centro de Siberia que fue originalmente poblada por los cosacos. Cuanto más nos alejábamos de Moscú, más amistosos parecían los funcionarios locales y menos preocupación se notaba con las recientes disputas entre Washington y Moscú. Una y otra vez vi cuánto afectó a su vida la Segunda Guerra Mundial. Cerca de Irkutsk, Olive y yo conocimos a una mujer cuyo padre había dirigido la pesquera del lago Baikal, que abasteció de alimento al ejército de Stalin. El lago mide casi 640 kilómetros de largo y es el más profundo del mundo, pese a lo cual entre 1941 y 1944 agotaron peligrosamente la población de peces para mantener a los soldados vivos. El hecho de que yo hubiera estado en Rusia ayudando al esfuerzo de guerra significaba mucho para esta gente, y me sentí frustrado por no poder sacar provecho de esta buena voluntad.

Me dolía comprobar que era mucho menos eficaz en este oficio que en la GAC. No podía hacer otra cosa que esperar, como si yo fuera un juguete de sucesos mucho más grandes que yo, y observar cómo declinaba la estrella del presidente Carter. Cuando llegó en noviembre la época de las elecciones, yo dudaba que pudiera derrotar a Reagan. Yo asistí a una conferencia de embajadores en Bruselas, que versaba sobre el tema de derechos humanos, y esa noche me fui a acostar pensando que la votación sería muy pareja. Al despertar me enteré de que Reagan había ganado por una inmensa mayoría. Me sentí anonadado, deprimido, desilusionado . . . y aliviado. Pensé: "No me faltan sino dos meses y me puedo ir".

Cuando llegó la hora de partir de Moscú, los rusos se pusieron sentimentales. Creo que sentían que me fuera en un punto tan bajo de las relaciones soviético-americanas porque reverencian a los soldados viejos. Korniyenko, el delegado de Gromyko, me dijo:

— ¿Podemos hacer algo por usted? ¿Hay algún gesto que podamos hacer?

Yo le dije lo primero que se me vino a la cabeza:

— El mejor gesto sería que me dejaran llevar en mi avión a los pentecostales. ¿Qué tal?

Korniyenko se escandalizó.

— Pues . . . le hablaré al ministro. Pero, para decirle la verdad, no creo que debamos hacer eso. Y no creo que usted mismo querría en realidad que lo hiciéramos.

Tenía toda la razón. Toda una horda de personas habría buscado asilo en nuestra embajada con la esperanza de ir a los Estados Unidos. El Ministerio de Relaciones Exteriores, en cambio, dio un almuerzo en mi honor. La tarde del 15 de enero de 1981 Olive y yo subimos a bordo de un jet de la Fuerza Aérea de los Estados Unidos en el aeropuerto de Sheremetyevo, y mi breve y no muy feliz actuación diplomática llegó a su fin.

# CAPITULO 34

Cuando regresé de Moscú aquel mes de enero, se cumplía el décimo aniversario de mi decisión de retirarme de la IBM. No había podido realizar mi ilusión de ser el embajador que contribuyera a poner fin a la Guerra Fría, pero haciendo inventario de esos diez años sentía que había sido muy afortunado. Había logrado recuperar la salud, separarme de los negocios, satisfacer mi anhelo de aventuras y honrar el nombre de la familia con un servicio público para el cual mi padre nunca tuvo tiempo.

Es asombroso hasta qué punto se diferenciaron su vida y la mía. Cuando yo era joven, no creía que entre los dos hubiera comparación: él era un gigante mientras que yo no me consideraba en absoluto apto para los negocios. Mucho tiempo me costó dedicarme a hacer una carrera en la IBM, pero tuve éxito, y durante veinte años la compañía consumió mi vida y la de mi familia. Mi retiro obligado a una edad mucho más temprana que la mayoría, fue traumático. Y, sin embargo, si hubiera permanecido en el cargo hasta la edad normal de jubilación — para no hablar de mi padre, que siguió yendo a la oficina todas las mañanas hasta los ochenta años de edad — habría perdido la oportunidad de realizar cosas significativas fuera de la IBM.

Ya era hora de reconocer que me había llegado la vejez. Mi gran temor era que no tuviera ocupación suficiente, que el cerebro se me atrofiara y la vida perdiera su forma. Si bien ya no quería echarme encima responsabilidades tan onerosas como presidir la Comisión Asesora General de Control de Armas, desde antes de partir de Moscú había hecho preparativos detallados para permanecer activo. Tenía la intención de mantenerme al día en el terreno de los asuntos soviético-americanos, y contribuí a la fundación, en la Universidad de Brown, de un nuevo Centro de Política Internacional especializado en la materia. Tuve la inmensa satisfacción de que Mark Garrison aceptara dejar el servicio diplomático y presidir el Centro. No podría haber encontrado un director más apropiado. Pero a pesar de todo, me sentía deprimido cuando Olive y yo regresamos a Greenwich. Ella me dijo: "¿Por qué no descansas un poco? ¡Disfruta de los nietos, vete al Caribe!" Y eso fue más o menos lo que hice durante un par de meses, aunque preocupado todo el tiempo pensando que quizá yo me estaba volviendo inútil.

Todavía echaba de menos el poder que da ser jefe de la IBM, aunque me complacía ver crecer la compañía bajo la dirección de Frank Cary. En 1980 casi había cuadruplicado su tamaño en comparación con lo que era cuando yo la dirigía, y sus ventas llegaban a 26 000 millones de dólares anuales. Tan grande era, que me costaba trabajo imaginar cómo podía un solo jefe ejecutivo manejarla; pero Cary lo hacía muy bien con su manera tranquila y competente, y estaba previsto que en la primavera la dejara en manos de John Opel. Este me instó a regresar a la junta directiva, a la cual había renunciado al aceptar el cargo de embajador. Yo le dije que tal vez lo más conveniente era mantenerme alejado; pero él me replicó: "Usted está en gran manera vinculado a la historia del negocio para que no vuelva", y me observó que yo sólo tenía sesenta y siete años. Así, pues, acepté pero con la condición de que tendría el título de presidente emérito. (Pocos años después, cuando cumplí setenta años, insistí en retirarme del todo, como cualquier otro miembro de la junta. Esa regla la había hecho yo mismo, e insistí en que se respetara.)

Lo que me puso otra vez en movimiento, curiosamente, fue tener que pronunciar la oración de clausura del año académico en Harvard en junio de 1981. Existe en esta universidad la tradición de escoger como orador cada año a un personaje que esté figurando en las noticias, aunque no sea necesariamente una eminencia, y a mí me complació muchísimo y me sentí muy orgulloso de que entre tantas personalidades del escenario nacional me hubieran escogido a mí. Recibí la invitación a fines de febrero e inmediatamente me puse a trabajar. Mi padre y mi hermano eran oradores natos, pero yo hasta el día de hoy siento miedo de hablar en público. En compensación, me preparo escrupulosamente: escribo el discurso y lo reviso una y mil veces, lo hago revisar por dos o tres expertos, lo practico con una grabadora en el sótano y, finalmente, lo ensayo con Olive, quien siempre me escucha con paciencia. A fines de marzo estaba yo en el colmo de la ansiedad... a pesar de que todavía faltaban diez semanas para la graduación. Entonces recibí una llamada de mi amigo Andrew Heiskell, ex presidente de Time Inc. y a la sazón miembro de la Corporación de Harvard, una de las dos juntas de gobierno de la Universidad. "Ya no tendrá usted que hacer el discurso", me dijo. "Invitamos a hablar al presidente Reagan, y él aceptó".

Supongo que me debía haber ofendido, pero la verdad es que me sentí aliviado y agradecido. Además, uno no se puede quejar cuando el que lo desplaza es el presidente de los Estados Unidos. Se lo conté a mi mujer. "¿No te parece una maravilla, Olive? Ya me estaba volviendo loco tratando de aprenderme el discurso, ¡y ahora ya no tengo que hacerlo!" Pero faltando apenas unas tres semanas para la graduación me volvió a llamar Heiskell: "Siempre tendrá que hacer el discurso", me dijo. Había habido una mala inteligencia con la Casa Blanca. Parece que Reagan había aceptado la invitación creyendo que le iban a dar un título honorífico, pero, generalmente, Harvard no les otorga grados *honoris causa* a funcionarios norteamericanos en ejercicio. Cuando los ayudantes de Reagan se enteraron de esta circunstancia, cancelaron el compromiso con la universidad. A mí no me afectaba para nada. Aparte de que no ejercía ningún cargo oficial, ya poseía un título honorífico de Harvard.

De modo que el 4 de junio de 1981 me encontré en la plataforma de los oradores en el patio de Harvard, en compañía de personajes como Cy Vance, Ansel Adams y Jorge Luis Borges. El rector de la universidad, Derek Bok, pronunció la primera oración y mientras él hablaba yo miraba en torno dejando vagar la imaginación. Pensé cuán viejo es el patio de Harvard: por esa verja salieron hace más de doscientos años los estudiantes que fueron a unirse al pueblo alzado en armas en Concord. Por fin oí que Bok hacía mi presentación. Pero cuando me acerqué a él en la tribuna, se oyó un gran trueno y cayó un chaparrón. La plataforma era techada, pero no la tribuna, ni mucho menos el prado donde los alumnos que iban a recibir su grado ocupaban sus puestos en asientos plegables. Algunos corrieron a guarecerse en los dormitorios cercanos, donde la ceremonia se podía seguir por TV. Derek mantuvo todo en suspenso unos minutos con la esperanza de que escampara. Al fin yo le dije:

— Creo que tenemos agua para rato.

— ¿Es decir, que usted está dispuesto a seguir adelante?

— Sí — le contesté, y empecé a hablar, mientras otros estudiantes de último año buscaban refugio en los dormitorios. La tronada y el aguacero constituían un acompañamiento apropiado porque el tema de mi alocución era la guerra nuclear. Mi intención era llevarles a aquellos jóvenes las lecciones más importantes que había aprendido en Washington y en Moscú — algo muy distinto de lo que le habrían oído decir al presidente Reagan:

> El resultado de cualquier utilización de las armas nucleares no sería la victoria. Sería la guerra total y la destrucción total. Debemos rechazar la ilusión de la idiotez: que todo el que sea partidario de poner fin a la carrera de armamentos tiene que ser flojo en la defensa de los Estados Unidos o aun flojo ante el comunismo. La ilusión de la idiotez es macartismo termonuclear. Porque la búsqueda de una salida de este pantano — la búsqueda de un camino de negociación y supervivencia en vez de enfrentamiento y armamentos — tiene una herencia larga y honorable. Nuestro imperativo es cambiar de rumbo y seguir la única vía que ofrece una esperanza viable para el futuro: no la vía de la acción unilateral en cualquier forma sino la vía de una larga serie de tratados mutuamente verificables.

La lluvia cesó y los estudiantes volvieron a ocupar sus puestos, y aplaudieron con gran entusiasmo. Mi discurso fue muy bien recibido. El *Crimson* de Harvard publicó un suelto elogioso titulado "Un capitalista a favor del desarme". La revista *Time* y los periódicos de Boston también citaron cosas que yo había dicho. Recibí otras invitaciones para hablar, y me vi transformado en una voz a favor del control de armas. Antes de esto no le había prestado mucha atención al movimiento por la congelación de las armas nucleares, pero mi escepticismo sobre éstas encajaba bien, por decirlo así, con los intereses de grupos antinucleares que aparecían por todas partes.

En sitios como Harvard y Brown era fácil entusiasmar al auditorio porque eran estudiantes. Convencer a los que tenían en sus manos el poder era otra cosa. La primera oportunidad que tuve de ganar la mente y el corazón de personas influyentes se me presentó en 1982, cuando me pidieron que hablara en el Bohemian Grove, que es un club privado, lugar de veraneo de unos dos mil de los hombres más ricos y poderosos del país. Personajes como Richard Nixon, George Bush, Henry Kissinger y Leonard K. Firestone son socios, lo mismo que científicos, artistas y actores que divierten a la gente. No es lo que a mí me gusta porque hay que estarse reuniendo y conversando con extraños, pero cuando yo era joven, mi padre me había dicho que era un lugar maravilloso y que debía ir si se me presentaba la oportunidad, porque una atmósfera como ésa no se encontraba en ninguna otra parte.

Alguien me propuso como socio en 1957, al año siguiente de haber muerto mi padre, pero a menos que uno tuviera mucha influencia, se tardaba como veinte años en llegar a la cabeza de la lista de espera, y al fin fui como invitado de Lowell Thomas, viejo amigo de mi padre. El Grove está sobre el río Russian, unos 110 kilómetros al norte de San Francisco, y se abre únicamente dieciséis días cada mes de julio. Está organizado en más de cien "campamentos", con nombres extraños como Tunerville, Aviary y Poison Oak. Thomas pertenecía a Cave Man, que era uno de los más grandes y entre cuyos miembros se contaban Eddie Rickenbacker y Herbert Hoover.

La llegada al Grove es impresionante. Se pasa entre letreros de "propiedad privada" a un área en que hay largas plataformas con postes de señales con los nombres de los campamentos, pero uno nunca ve todos los campamentos porque están escondidos en colinas empinadas, bajo árboles estupendos, algunos de los cuales datan de la época de Cristo. Cada campamento tiene su propia cocina y su área de vivac donde los socios se pueden sentar a conversar. Senderos con pasarelas y puentes cruzan todo el club, y cuando uno sale a pasear se encuentra con muchos personajes bien conocidos. La mayor parte de los socios van allí para descansar de los negocios. En efecto, el lema del Bohemian Grove es una cita de *Sueño de una noche de verano:* "Las arañas tejedoras no vienen aquí".

Cuando yo dirigía la IBM, fui al Grove como invitado siete u ocho veces, pero no me hice socio hasta 1981, cuando regresé de Moscú. Al verano siguiente fue cuando me invitaron a hablar en sus llamadas charlas a la orilla del lago. La costumbre es que ponen un micrófono y después del almuerzo todos se sientan a escuchar en cualquier parte alrededor del lago, reservando los sillones cómodos para los muy viejos. Cuando me paré a hablar vi entre mi auditorio personajes tan distinguidos como Henry Kissinger.

Era la mejor ocasión que se me presentaba para impulsar la reducción bilateral de armas nucleares, y la aproveché con decisión. Como buen vendedor, estaba seguro de que podía ganármelos. Mi pensamiento había madurado desde mi discurso de Harvard, y confiaba en que mis ideas sobre la seguridad nacional abarcaran lo suficiente y fueran tan realistas como para que las encontraran sensatas hasta los forjadores veteranos de política. No sólo podía demostrar por qué debíamos reducir la ciega dependencia en las armas nucleares sino también cómo los Estados Unidos podían proteger sus intereses sin ellas. Adopté la posición de que, teniendo en cuenta el poderío militar soviético, nosotros no podíamos recortar nuestro arsenal nuclear sin reforzar nuestras fuerzas convencionales, aunque esto significara restablecer el servicio militar obligatorio y aumentar los impuestos. Luego sugerí que a los que protestaban contra las armas nucleares no les faltaba razón: eran los ciudadanos americanos comunes y corrientes que le aplicaban el sentido común al hecho de que ya teníamos más armas nucleares de las que necesitábamos. Les dije a los socios del Bohemian Grove lo que había aprendido presidiendo la Comisión Asesora General — que la estrategia nuclear, como cualquier otra cuestión de interés nacional, se beneficia con la discusión abierta:

> Todo lo necesario para tomar decisiones sobre armas nucleares y nuestras relaciones con la Unión Soviética es del dominio público. No hay secretos, y todos podemos y debemos participar para decidir la suerte del país. No se crea que el tema es tan

complejo y tan secreto que los que no somos especialistas tengamos que dejárselo a otros. Es vital que todos agreguemos nuestro sentido común americano al aporte de los estrategas militares y los técnicos.

Hubo bastantes aplausos cuando terminé, pero yo pretendía algo más: tal vez gente que corriera a mandarle cables a Reagan, o que se volviera a los senadores presentes y les dijera: "Watson tiene razón. ¿Qué medidas vamos a tomar?" Por supuesto, eso no ocurrió. Esa misma tarde alcancé a oír una conversación entre dos socios:

— ¿Escuchó a Watson? — preguntó el primero.

— No — repuso el otro —. ¿Cómo estuvo?

— Formidable, absolutamente formidable.

Ya empezaba yo a hincharme de orgullo cuando el otro preguntó:

— Pero ¿aprendió usted algo que no supiera ya?

No hubo respuesta. Me sentí como si hubiera estado arrojando guijarros en un pozo.

Después de esto hablé ante otros auditorios de la línea dura — los guardiamarinas de la Academia Naval de Annapolis, los estudiantes del Colegio Naval de Guerra de Newport, Rhode Island — y se mostraron también insensibles. Entonces comprendí cómo me veían los conservadores: como un viejo estadista conocedor del tema y que había estado en Rusia pero un poco maniático en cuestión de armas nucleares. Tuve el consuelo de que muchas otras personas destacadas también pedían la reducción de armas y de que a la vuelta de pocos años se operó una masiva movilización de la opinión pública contra la carrera de armamentos. El año que Reagan asumió la presidencia, el 70% de la población era partidaria de un aumento del presupuesto de defensa, pero en su segundo período el porcentaje se invirtió: sólo una pequeña minoría quería más armas y el 77% pedía una congelación nuclear bilateral inmediata.

Una vez sentada mi posición sobre las armas nucleares, poco a poco fui dejando de hablar en público, por parecerme que ya no podía realizar nada más, como no fuera agriarme el genio, y dirigí mis energías otra vez a los aviones y a los barcos, empezando con un viaje solo a través del Caribe. Fue una travesía de sólo 1 600 kilómetros pero lo suficiente para enseñarme el tedio y el miedo de navegar sin ninguna compañía, lo cual no me gustó nada. Volví, pues, a viajes organizados, con tripulaciones de aficionados. A fines de 1985 realicé al fin mi anhelo tantas veces aplazado de doblar el cabo de Hornos, y el verano siguiente llevé otra vez el *Palawan* al Norte, a lo largo de la costa del Labrador hasta las lejanas latitudes de la bahía de Hudson. Me complacía muchísimo poder realizar tales aventuras, aunque el placer de la realización no me duraba mucho y no bien había concluido un viaje cuando ya me sentía impelido a proyectar el siguiente.

De vez en cuando interrumpía estas actividades para pronunciar un discurso o escribir un artículo editorial sobre control de armas o sobre el estado de las relaciones soviético-americanas. Pero estaba seguro de que en la administración Reagan nadie me pediría consejo sobre la Unión Soviética. Curiosamente, fue Mikhail Gorbachov el que hizo posible que siguiera interviniendo en las relaciones entre los dos países. Muchos años antes yo les había pedido permiso a las autoridades soviéticas para repasar el viaje a través de Siberia que hice con el general Bradley durante la guerra. Esta solicitud era tan extraña que a Georgi Arbatov, el alto funcionario soviético con quien hablé primero, le costó trabajo entender qué era lo que pretendía. Creyó que sólo quería pilotear un avión privado por la ruta aérea comercial que va de Moscú a Tokio. La Lufthansa y la Air France utilizan ese corredor constantemente, y Arbatov dijo que sería muy sencillo complacerme. Pero cuando saqué un mapa y lo extendí para mostrarle la vieja ruta de abastecimiento bajo el sistema de préstamos y arriendos a través de Siberia, puso una cara larga. "No va a ser fácil", dijo. Esto ocurrió en 1979. Mi solicitud desapareció en la burocracia rusa hasta que Gorbachov llegó al poder y empezó a buscar maneras de mejorar las relaciones con el Occidente. En la primavera de 1987 me volví a encontrar con Arbatov en una reunión del Consejo de Relaciones Exteriores. "Su solicitud ya está aprobada", me dijo. "Puede pilotear su avión por la vieja ruta de abastecimiento. No es sino que se ponga en contacto con Aeroflot para que le den combustible de jet".

Sólo me concedieron seis semanas para preparar el viaje.

Varios años antes había comprado un Learjet capaz de llevar cómodamente media docena de pasajeros y dos pilotos en un vuelo largo. Mi copiloto era Bob Philpott, quien durante muchos años había sido uno de los pilotos de la IBM. Yo quería que Olive nos acompañara pero tuvo que quedarse en casa por una enfermedad en la familia. Llevé a Willy, mi nieto de dieciséis años, hijo único de mi hijo, a Mark Garrison y su esposa, y a Strobe Talbott, el principal corresponsal de la revista *Time* sobre control de armas. Despegamos del aeropuerto de Westchester County el 5 de julio de 1987, y dos días después, habiendo pernoctado en Reikiavik y en Helsinki, cruzamos la frontera de la Unión Soviética rumbo a Moscú.

Arbatov me había enviado un cable para pedirme que no llegara hasta las 5:30 de la tarde, y yo calculé el tiempo de manera que aterrizamos en el aeropuerto de Moscú precisamente a esa hora. Cuando carreteábamos desde la pista de aterrizaje salió a nuestro encuentro un auto pequeño que nos guió a un lugar especial de estacionamiento. Allí salieron Arbatov y el general Ilya Mazuruk, piloto legendario y héroe de la Unión Soviética que había sido comandante de la ruta de abastecimiento Alaska-Siberia durante la guerra. Pasaba de los ochenta años y estaba canoso y encorvado. La operación de préstamos y arriendos había sido uno de los sucesos culminantes de su vida, y cuando se acercó a mi avión, le rodaban lágrimas por las mejillas. Me echó los brazos al cuello y me besó en ambas mejillas. Hasta ese momento yo no había sentido nostalgia, pero entonces también a mí se me aguaron los ojos. Bebimos champaña, y esa noche hubo una comida en la cual varias personas hicieron uso de la palabra y exageraron mis proezas de tiempo de guerra.

Permanecimos en Moscú una semana para cerciorarnos de que se habían cumplido todos los preparativos necesarios para el viaje, y tuve ocasión de verme con Andrei Gromyko, a quien ya para entonces Gorbachov había elevado a la presidencia de la Unión Soviética, cargo honorífico más que todo. Lo encontré mucho más tranquilo que en la época anterior, y tuvimos un diálogo largo y cordial. Al fin él prescindió de su intérprete y me habló en inglés. "¿Sabe una cosa?", me dijo. "Yo sentí mucho que usted hubiera tenido tantas dificultades como embajador. Todos esperábamos complacidos tenerlo entre nosotros. Usted estuvo aquí durante la guerra, lo veíamos como un camarada soldado y podríamos haber realizado muchas cosas. Lástima que hubiera venido en el momento en que vino''. Fue una bondad de él decir esto, pues me hizo sentir que mi embajada no fue totalmente perdida.

El lunes 13 de julio salimos por fin rumbo a Siberia. Volábamos unas cuatro o cinco horas al día y pernoctábamos en parajes remotos como Novosibirsk, en las tierras bajas del Oeste. Lo mismo que en la guerra, llevaba un piloto soviético para estar seguro de que no nos desviábamos a zonas restringidas; pero, por lo demás, había contrastes asombrosos entre este viaje y el de 1942. El bombardero B-24 que yo piloteaba entonces tenía una velocidad de crucero de unos 290 kilómetros por hora, contra los 960 del Learjet. Los calentadores del bombardero estaban dañados, y permanecíamos entumecidos de frío a pesar de nuestros trajes de aviación de pura lana. Nunca olvidaré al general Bradley limpiando el parabrisas con vodka para evitar que se acumulara el hielo. El Lear, en cambio, se diseñó para volar en frío extremo — siempre es invierno siberiano a las altitudes a que vuela un jet moderno.

Cuando no había nada que hacer en la cabina, yo miraba por la ventanilla la tierra allá abajo, y nuevamente me sorprendí de la vasta expansión de Rusia. Tal vez de hora en hora veíamos humo y una gran instalación industrial, pero casi no había caminos ni aldeas. Recordé la meditación de Alexis de Tocqueville en 1830 sobre las tierras vírgenes de Norteamérica y su predicción de que los Estados Unidos y Rusia serían un día las dos grandes potencias mundiales. En los aeropuertos en que aterrizábamos nos recibían los funcionarios locales y soldados veteranos de la Segunda Guerra Mundial. Hacían una pequeña ceremonia de bienvenida en un hangar, con bocados, bebidas gaseosas y discursos sobre la amistad soviético-americana, de la cual daba fe esta ruta de abastecimiento.

Al fin llegamos a Yakutsk, el pequeño puesto avanzado en la tundra, donde estuvimos a punto de estrellarnos en medio de una tormenta de nieve durante la guerra. Se había convertido en una ciudad con edificios de diez pisos, que los rusos han aprendido a levantar en el permafrost.* Desde el aire veíamos a corta distancia el activo puerto sobre el río Lena. Al aproximarnos a la pista de aterrizaje, me maravillé de cómo había cambiado el aeropuerto. En 1942 no era más que un campo abierto con una sola pista; ahora era un centro importante para Aeroflot, con masas de hormigón y un inmenso número de aviones.

El alcalde salió a encontrarnos e hicimos la gira por la ciudad. Las viejas chozas de madera que yo recordaba habían desaparecido casi en su totalidad, no había ni rastro del campamento de prisioneros, y hacía un tiempo tibio. Sin embargo, el museo local no había cambiado, y volver a visitarlo con su modesto despliegue de dibujos y artefactos nativos fue una de las experiencias más extrañas de mi vida. Antes de nuestro viaje le había suministrado a la anciana señora que lo dirigía fotos de la misión Préstamos-Arriendos, con las cuales ella había hecho una pequeña exposición, y me vi frente a una fotografía en que aparecía yo con mis camaradas de guerra, en la misma pieza con un esqueleto de mastodonte y una momia de una princesa esquimal.

Antes de terminar la tarde, me tomé una hora para mí solo y me fui a caminar a la orilla del Lena pensando en mi vida. Fue en Yakutsk donde siendo joven aprendí a confiar en mí mismo — donde el general Bradley me ascendió y donde la tripulación me aceptó al fin como su jefe. Tendí la mirada sobre el río, que por primera vez veía no congelado. Me vino el pensamiento de que, ya fuera que mi vida durara muchos años más o que terminara al día siguiente, algo había realizado con sólo ver ese lugar otra vez.

Los Soviets habían localizado en mi honor a ocho o nueve veteranos que habían prestado servicio en la operación Préstamos-Arriendos. A unos los recordé inmediatamente, incluyendo a un pequeño mecánico regordete que había conseguido para toda la tripulación del general Bradley botas altas forradas de piel que le llegaban a uno hasta el muslo, como las que usaban los yakuts nativos. Esas botas me salvaron de que se me congela-

* El subsuelo permanentemente congelado de las regiones polares *(N. del Ed.)*.

ran los pies y todavía me sentía agradecido con él cuarenta y cinco años después. Nos dieron una fiesta espléndida, y esa noche me fui a acostar feliz. Comprendí que acaso fuera ésa mi última gran aventura aérea; pero, por el momento, eso no me inquietaba en absoluto.

# AGRADECIMIENTOS

Nunca habría escrito este libro si no hubiera sido por mi amigo Andrew Heiskell, ex presidente de la junta directiva de Time Inc. Cuando regresé de mi embajada en Moscú, en 1981, Andrew empezó a instarme para que contara mi experiencia, y fue él quien, seis años después, me acompañó a visitar la revista *Fortune* y me presentó a Marshall Loeb, el jefe de redacción, y a Peter Petre, quien fue después mi coautor. Andrew continuó siendo una fuente importante de estímulo durante la realización del largo y exigente proyecto.

John Akers, presidente de la junta directiva de la IBM, apoyó este proyecto con comprensión y generosidad. Puso a nuestra disposición los archivos de la compañía, nos dio acceso al personal y, lo que es más importante, nos permitió valernos de Richard Wight, director retirado de comunicaciones corporativas. La investigación de Dick ha sido sumamente valiosa. Tomamos libremente material de los hechos y las ideas que contienen dos trabajos inéditos sobre historia de la IBM que él escribió en los últimos años; y en cuanto al grado en que contribuya esta memoria a la historia de los negocios en los Estados Unidos, en gran parte el mérito le corresponde a Dick Wight.

En cierto modo, este libro comenzó en las páginas de *Fortune*, donde apareció en 1987 un artículo, primer producto de mi colaboración con Peter Petre. Marshall Loeb, acogiendo con entusiasmo nuestro libro, le concedió a Peter una generosa licencia, y después, pacientemente, se la prorrogó porque el proyecto resultó más largo de lo que se esperaba. La marca de la imaginación editorial del señor Loeb aparece en la cubierta de este volumen: fue él quien nos dio el título, *Padre, hijo & Cía.*

Este libro no pretende abarcar toda la historia de la industria de los computadores, ni de la IBM, ni siquera de la familia Watson. Pero habría sido mucho *menos* completo sin los amigos que nos ayudaron a reconstruir los hechos que narramos. En este trabajo me valí de algunos que habían sido mis colaboradores en la IBM. En particular, quiero expresarles mi agradecimiento a seis de mis ex asistentes ejecutivos que luego fueron funcionarios de la compañía: Dean McKay, quien realizó una labor maestra forjando la imagen de la IBM por medio del diseño; Bob Hubner, uno de los gerentes más eficientes que he conocido; Spike Beitzel, consejero perspicaz como pocos; Dean Phypers, mi confidente en los años 60, cuando la IBM estaba sometida a enormes tensiones; Jane Cahill Pfeiffer, quien me acompañó en los años difíciles de mi ataque cardiaco; y David McKinney, quien me ayudó en el proceso, a veces doloroso, de desconectarme del negocio.

Tuve igualmente la fortuna de contar con colaboradores de primera fuera de la IBM. Cuando fui a Washington a trabajar para el presidente Carter, Bill Jackson, director ejecutivo de la Comisión Asesora de Control de Armas y Desarme, me ayudó inmensamente enseñándome muchas cosas que yo no sabía. Durante mi embajada en Moscú, cuando estalló la crisis del Afganistán, yo habría estado perdido sin Mark Garrison, el ministro consejero delegado en la embajada de los Estados Unidos. Los dos rebuscaron en sus archivos y colaboraron en este libro.

Muchos amigos y antiguos colegas sacaron tiempo para prestarse a ser entrevistados, y algunos contribuyeron con escritos propios. Entre ellos debo mencionar a James Birkenstock, Tina Brandt, Harold Brown, Richard Bullen, Frank Cary, Charles De Carlo, F. L. Dunn, Keith Funston, Jean McEwen Hughes, John J. Kenney, Burke Marshall, H. Wisner Miller, John Opel, Clair Vough, Barney Wiegard y Dan Wright. También James Brown Jr., Isabelle Markwald Bushnell, Jeannette Cammen, Richard Day, Robert Galvin, Robert German, Arthur Krim, Eleanor Lazarus, Molly Noyes, el senador Charles Percy, James Robison, Tyge Rothe, Eunice Shriver, Erma Swenson, Edwin Thorne y Strobe Talbott. También deseo darle las gracias al personal de archivo de la IBM — Barbara Henninger, Donald Kenney, John Maloney y Robert Pokorak en particular. El personal de secretaría de la IBM reunió la información que solicitamos, y el de contraloría nos facilitó datos financieros. Finalmente, Robert Djurdjevic y Bro Uttal le proporcionaron a mi coautor perspectivas independientes sobre la industria de los computadores.

El mundo de la edición me era desconocido cuando iniciamos este proyecto. Me considero extraordinariamente afortunado por haber contado con la ayuda de nuestra agente Kathy Robbins, considerada, atenta y tan hábil para los negocios como pocas. Linda Grey, nuestra editora, entendió desde el principio exactamente lo que debía ser el libro, y fue una gran fuente de estímulo. Nuestra revisora Beverly Lewis trabajó intensamente para pulir el texto. Muchos periodistas veteranos nos ayudaron en diversas etapas y en diversas formas: Louis Banks y John McDonald con consejo editorial; Lorraine Carson, George McNeill, Vicki Sufian, Carolyn Tasker y Linda Williams con investigación; y Katherine Bourbeau buscando fotografías. También tuvimos la fortuna de contar con la ayuda logística de Diane Chiquette, Elizabeth Corrigan, Kim Dramer, Alicia Hill, Jean Kidd y Ellen Miller.

Dos familias apoyaron el libro. La esposa de Peter Petre, Ann Banks, escritora talentosa, corrigió nuestros primeros borradores y nos dio valiosos consejos durante todo el proyecto. Mi propia Olive, quien me ha secundado con la mayor lealtad en todo lo que he emprendido en los últimos cuarenta y ocho años, de buen grado aceptó hasta este proyecto. Mi hermana Helen Buckner nos suministró maravillosas reminiscencias de mi padre y de los líos en que yo me metía de muchacho; y mi hija mayor, Jeannette Sanger, aportó anécdotas graciosas y reveladoras de la vida en nuestra familia. Finalmente, quisiera hacer un reconocimiento especial a mi nieto Thomas William Watson, a quien todos conocen como Willy. Ha sido mi compañero maravilloso en mis viajes al Artico y al Antártico, y espero que encuentre en estas páginas unas pocas historias que no haya oído durante nuestras largas noches en el mar.

# INDICE